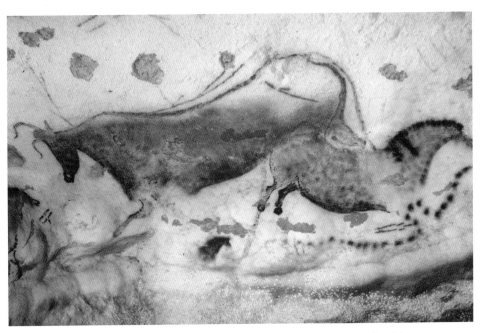

프랑스 서남부 도르도뉴의 라스코에 있는 동굴 벽화. 대략 4만 년 전쯤에는 동물에 대한 묘사가 갈수록 흔해졌다.
(ⓒ 2023 RMN-Grand Palais/Dist. Photo SCALA, Florence)

인더스강 유역의 주요 정착지 가운데 하나인 모헨조다로.
격자형으로 설계된 이 도시는 서기전 2500년 무렵 세계 최대급의 도시였다. (Saqib Qayyum/Wikimedia)

인더스강 유역의 여성 소조각상.
여성은 메소포타미아 일대를 비롯한 많은 문명권에서
흔히 신으로 그려졌다. (Ismoon/Wikimedia)

아카드의 사르곤 왕.
초기 제국 건설자였던 그는 한 사료에 따르면
"경쟁자도 없고 맞수도 없었다." (INTERFOTO/Alamy)

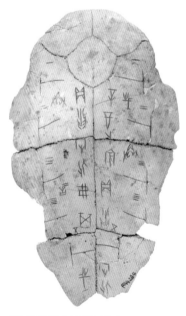

중국 상 왕조에서 날씨를 비롯해
미래를 점치는 데 사용된 거북 껍데기.
(Institute of History and Philology,
Academia Sinica)

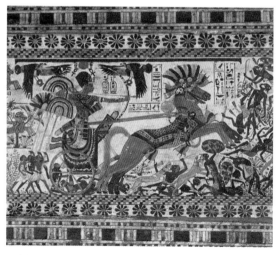

투탕카멘 왕 무덤에서 나온 관의 그림 세부.
말이 끄는 수레는 단순히 권력의 상징이 아니고 통제의 방법이었다.
(Roger Wood/Corbis/VCG via Getty Images)

인도 마디아프라데시주 산치에 있는
한 신전 단지의 라마그라마 스투파의 한 부분.
붓다의 성스러운 유골을 수집하러 온 위대한
지도자 아쇼카의 모습을 그리고 있다.
불교는 자연계와의 관계에 관한 설명을
제공한 종교들 가운데 하나였다.
(Dharma/Wikimedia)

현대 키르기스스탄 이식쿨에서
나온 날개 달린 말 모습의 금 장식.
서기전 4세기 무렵의 것이다.
이런 물건은 지위와 재산을,
그리고 중앙아시아와
그 너머 스텝에서의 말의
중요성을 보여준다.
(저자 촬영)

남프랑스에서 나온 로마 시대 모자이크.
로마인들은 시골과 자연에 대한 통제를 이상화했다.
(DEA/J. E. BULLOZ/De Agostini via Getty Images)

멕시코 중심부 테오티와칸의 태양 피라미드. '신들의 도시'라는 뜻의 이 도시 이름은 훨씬 뒤에 붙여졌다. (저자 촬영)

남아메리카 모체 시기(서기 1~8세기 무렵)의 인면 용기.
(저자 촬영)

아스테카 신 시팍토날과 그 아내 오소모코가 책력을 만들고
있다. 중앙아메리카 사람들은(다른 사람들과 마찬가지로)
수학적·천문학적 계산을 매우 중시했다.
(De Agostini via Getty Images)

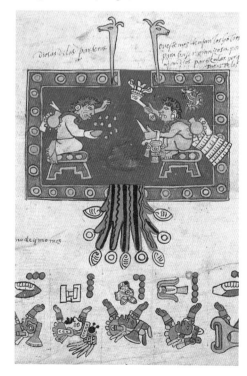

유스티니아누스 황제(재위 527~565). 로마의 가장 위대한 황제 가운데 하나였지만, 그의 치세에 파멸적인 유행병이 발생했다. (DEA/A. DAGLI ORTI/Getty Images)

지금 과테말라 티칼의 제5신전.
이 건물은 중앙아메리카 마야 문화의 최고봉이다. (저자 촬영)

아스테카 비의 신 틀랄록이 묘사된 도기.
메소아메리카 일대에서 비, 물, 다산을 가져오는 신들에게
공물이 바쳐졌다. (저자 촬영)

현대 캄보디아 앙코르에 있는 앙코르와트의 거대한 신전 단지.
이 도시의 거대한 인구는 정교한 수자원 관리 체계에 의존했다. (저자 촬영)

커호키아의 '수행자 둔덕'. 유럽인들이 오기 전 북아메리카에서 가장 크고 가장 중요한 정착지 가운데 하나였다.
커호키아의 성공은 상당 부분 '미국의 바닥' 지역의 비옥한 토양 덕분이었다. (Matthew Gush/Alamy)

1257년 인도네시아 롬복섬의 사말라스산 분출은 서기 제2천년기 최대급의 분출이었으며, 전 세계에 영향을 미쳤다.
이것은 매우 격렬해서 뚜렷한 스가라아낙 칼데라가 있는 린자니산을 만들어냈다. (Robby Oktawianto/EyeEm/Getty Images)

피터르 브뤼헐(아버지)의 〈눈 속의 사냥꾼〉. 16세기 중반에 그려진 이 유화는 흔히 소빙기(대략 1550~1800년)에 관한 관념과 밀접하게 연결되고 있다. (Fine Art Images/Heritage Images/Getty Images)

노예 수송선의 상태는 끔찍했고, 모든 것이 투자 자본을 가진 사람들의 이익을 극대화하기 위한 것이었다. 같은 인간인 노예들의 운명에는 아무런 관심이 없었다. (ⓒ British Library Board/Bridgeman Images)

1660년의 감자 식물 표본. 감자는 세계사에서 엄청난 역할을 했고, 단지 전 세계의 식생활을 바꾸는 것으로 그치지 않았다. (ⓒ The Trustees of the Natural History Museum, London)

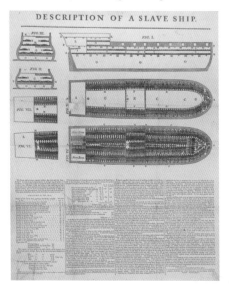

Observations on the weather
Philadelphia 1776

| July | hour. | thermom. | day | h. m. | ° |
|------|-------|----------|-----|-------|---|
| 1. | 9 – 0 A.M. | 81½ | 9 | 5 – 30 A.M. | 75 |
| | 7 – P.M. | 82. | 9 | | 77½ |
| 2. | 6. A.M. | 78. | | 6 – 30 P.M. | 81½ |
| | 9 – 40' A.M. | 78 | | 9 – 45 | 78. |
| | 9. P.M. | 74 | 10. | 8. A.M. | 75. |
| 3. | 5 – 30 A.M. | 71½ | | 9 – 15. | 76½ |
| | 1 – 30. P.M. | 76 | | 2 – 0. P.M. | 80. |
| | 8 – 10. | 74. | | 4 – 45 | 82. |
| 4. | 6. A.M. | 68. | | 6 – 30 | 81½ |
| | 9. | 72½ | | 9 – 30. | 78. |
| | 1. P.M. | 76 | 11. | 5 – 30. A.M. | 74. |
| | 9. | 73½ | | 8. | 76½ |
| 5. | 6. A.M. | 71½ | | 9 – 40. P.M. | 75. |
| | 9. | 72 | 12. | 7. a.m. | 72. |
| | 9. P.M. | 74. | | 9. | 72 |
| 6. | 5. A.M. | 74. | | 8 – 50. P.M. | 72. |
| | 9. | 75. | 13. | 5 – 30. a.m. | 71½ |
| | 4. P.M. | 77. | | 11. | 74 |
| | 10. | 74. | | 2. P.M. | 76 |
| 7. | 6. A.M. | 71. | | 6 – 45. | 76 |
| | 10. | 73. | | 7 – 25 | 76 |
| | 1. P.M. | 74. | | 9 – | 75 |
| | 3 – 20'. | 75 | | rain | |
| | 9 – 30. | 74 | 14. | 6 – 50. a.m. | 73 |
| 8. | 5 – 35' A.m. | 75 | | rain | |
| | 9. | 77½ | | 9 – 30. | 72 |
| | 2. P.M. | 80. | | rain. | |
| | 5. | 81. | | 1. P. | 71½ |
| | 8 – 15' | 80 | | rain | |
| | 9 – 30. | 79 | | 5 – 35 | 70 |
| | | | | 5. | |

토머스 제퍼슨의 기상 관찰 일지 일부. 이 미국 정치가는 수십 년에 걸쳐 하루 몇 차례씩 온도를 측정했다.
1776년 7월 4일 〈독립선언〉에 서명하던 날도 했다. (Massachusetts Historical Society)

현재 영국박물관에 있는 황동 주물 장식판. '베닌 청동판'으로 알려지게 되는 것의 일부다.
1897년 영국 군대가 베닌 왕국의 오바(지배자)에 대한 보복 습격을 할 때 약탈한 것이다. (Andreas Praefcke/Wikimedia)

조분석(구아노)은 비료로서 매우 가치가 있고 어떤 사람들에게는 꿈이나 꿀 수 있는 돈벌이의 원천이었다. 19세기 중반에 그려진 이 그림은 페루 해안에서 새의 배설물을 수거하는 모습을 보여준다. (North Wind Picture Archives/Alamy)

유니스 푸트의 햇빛의 효과에 관한 중요한 논문(1856). 푸트는 대기 중의 수증기와 이산화탄소가 결합해 나중에 '온실효과'로 알려지게 되는 것을 만들어낸다고 주장했다. (Archive.org/Missouri Botanical Garden/ The Biodiversity Heritage Library)

스반테 아레니우스 역시 인간의 활동이 기후 변화에 미치는 영향을 연구했다. 지구 대기의 이산화탄소 농도에 대한 평가 같은 것들이다. (SSPL/Getty Images)

20세기 소련에 세워진 기반시설 상당수는 강제노동으로 건설됐다. 이 사진은 1930년대 영하의 날씨에서 강제노동을 하는 죄수들의 모습이다. 백해와 발트해를 연결하는 운하 공사다. (Laski Diffusion/Getty Images)

실패로 끝난 1950년대 후반 마오쩌둥의 '4해 박멸' 운동 포스터. 모기, 파리, 참새, 쥐를 제거하려는 노력은 생각지 못한 결과를 낳았다. (Private Collection, International Institute of Social History, Amsterdam. pc-1958-025/ chineseposters.net)

고무 농장은 동남아시아에서 놀라운 속도로 성장했다. 20세기에 전 세계의 수요에 부응하기 위해 수십만 에이커의 삼림이 벌채됐다. (The Granger Collection/Alamy)

남태평양에서 이루어진 핵폭탄 실험. 이런 실험들이 많이 실시돼 20세기 중반 지구 기후 패턴에 영향을 준 듯하다.
(Galerie Bilderwelt/Getty Images)

다그마 윌슨과 코레타 스콧 킹이 1963년 유엔에서 평화를 위한 항의 행진을 이끌고 있다.
여성은 전후 시기 환경 파괴에 대한 인식을 제고하는 데서 중요한 역할을 했다. (Bettmann/Getty Images)

1950년대와 1960년대 초 흐루쇼프의 소련 농업 정비를 강조한 포스터가 "미개척지에서 풍성한 수확을 하자"라고 촉구하고 있다. 이 계획은 제대로 이루어지지 않았다. (Universal History Archive/Universal Images Group via Getty Images)

〈바람이 불 때〉(1986) 포스터. 핵 공격 이후 살아남기 위해 몸부림치는 영국 농촌의 한 부부의 이야기를 그린 암울하고 잊히지 않는 만화영화다. (themoviedb.org)

날씨 통제는 20세기 군사적·정치적 사고에서 핵심적인 요소가 됐다. 많은 사람들이 기후를 마음대로 조작할 수 있는 것은 시간문제라고 확신했다. (Novak Archive/Paleofuture)

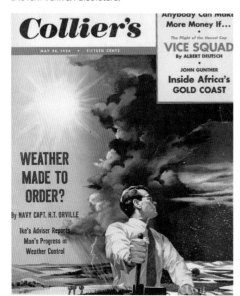

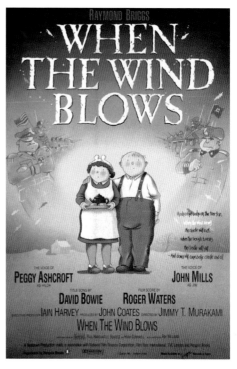

1992년 리우데자네이루에서 열린 지구정상회의에 참석한 조지 H. W. 부시 미국 대통령.
"우리 아이들은 오늘 이후 우리가 취하는 행동에 의해 우리를 판단할 것이니, 그들을 실망시키지 말자"라고 그는 말했다.
(DANIEL GARCIA/AFP via Getty Images)

삼림을 개간해 기름을 위한 야자나무를 심을 준비를 마친 땅.
야자기름은 입술연지에서부터 비누와 아이스크림에 이르기까지 모든 것에 사용됐다.
개간은 생물 다양성과 토양화학에 중대한 영향을 미친다. (BAY ISMOYO/AFP via Getty Images)

대기 오염은 건강에 중대한 위험이다. 동남아시아에서는 주민 99.9퍼센트가 세계보건기구 기준치를 넘는 곳에서 살고 있다. 인도 일부 지역의 미세먼지 농도는 안전하다고 생각되는 수준의 23배에 달한다.
(Arvind Yadav/Hindustan Times via Getty Images)

탄소중립 에너지원으로의 전환은 21세기의 도전의 핵심 부분이다. 과학자들은 지구 온도 상승을 섭씨 1.5도 아래로 억제한다는 파리협약의 목표를 이룰 가능성이 사실상 0이라고 평가한다. (simonkr/Getty Images)

# 기후변화 세계사

지구 생성부터
기후 재앙 시대까지

# 기후변화 세계사

## The Earth Transformed

피터 프랭코판 지음
이재황 옮김

책과함께

일러두기

- 이 책은 Peter Frankopan의 THE EARTH TRANSFORMED(Bloombury Publishing, 2023)를 우리말로 옮긴 것이다.
- 옮긴이가 덧붙인 설명은 〔 〕로 표시했다.
- 200쪽이 넘는 방대한 양의 후주는 원서 종이책에 수록되지 않고 블룸버리 출판사 홈페이지 (bloomsbury.com)에서 PDF로 내려받도록 되어 있다. 지은이와 원서 출판사의 의도를 존중하여 한국어판도 같은 방식으로 처리했다.
  (후주 다운로드 웹페이지 bloomsbury.com/uk/discover/superpages/non-fiction/ the-earth-transformed-notes)

신이 첫 인간을 창조하시자 그분은 인간을 이끌어
에덴동산의 모든 나무를 한 바퀴 둘러보게 하고는 이렇게 말씀하셨다. (…)
"내가 만든 세계를 망가뜨리고 파괴하지 않도록 주의하거라.
네가 만약 망가뜨린다면 네 뒤에 그것을 고칠 자가 없다."
〈미드라시 에클레시아스테스 랍바〉 7:13


가뭄이 너무 심해 열기가 훅훅 오르네
천지와 조상에 끊임없이 제사 지내고
위아래 제물 올리고 묻으며 섬기지 않은 귀신 없건만 (…)
〈시경詩經〉에 나오는 주周 선왕宣王(재위 서기전 827~782)의 시 〈은하수雲漢〉


(신은) 하늘을 들어올려 모든 것의 균형을 맞추었다.
따라서 이미 만들어진 균형에서 벗어날 수 없다.
〈쿠르안〉 55:7~8


우리 기후의 변화는 (…) 일어나고 있다. (…)
더위와 추위는 모두 보다 약해졌다.
토머스 제퍼슨, 〈버지니아의 상황에 관한 메모〉 (1785)


이미 인간이 만든 재앙으로 고통받은 가장 가난한 나라들이
자연의 재앙으로부터 위협받고 있습니다.
바로 기후 변화의 가능성입니다.
헨리 키신저, 유엔 제6차 특별 총회 연설 (1974년 4월)


나는 그것을 보았고 일부 읽었습니다. (…)
나는 그것을 믿지 않습니다.
도널드 트럼프(제45대 미국 대통령), 2018년 미국 국가기후평가에 관해

# 차례

**판가이아 초대륙**

대략 2억 년 전

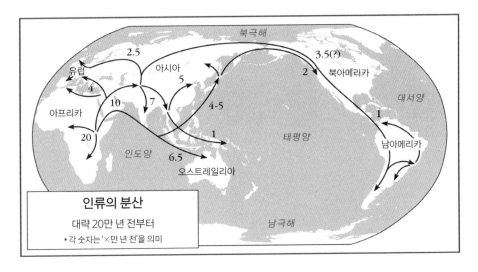

**인류의 분산**

대략 20만 년 전부터

*각 숫자는 '×만 년 전'을 의미

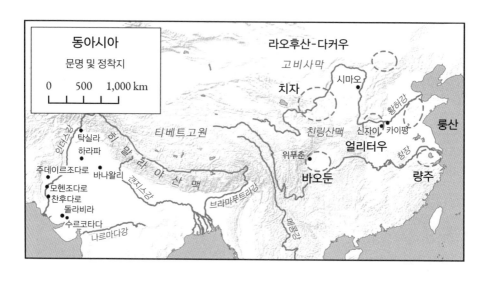

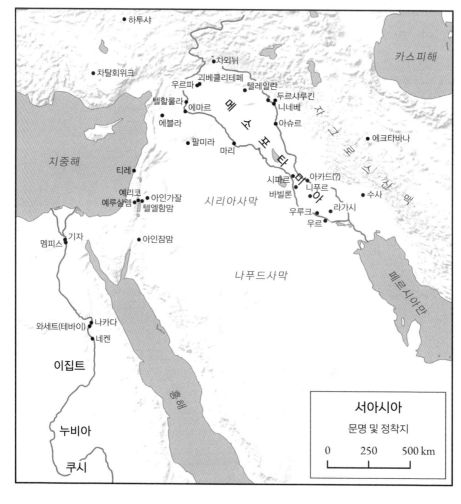

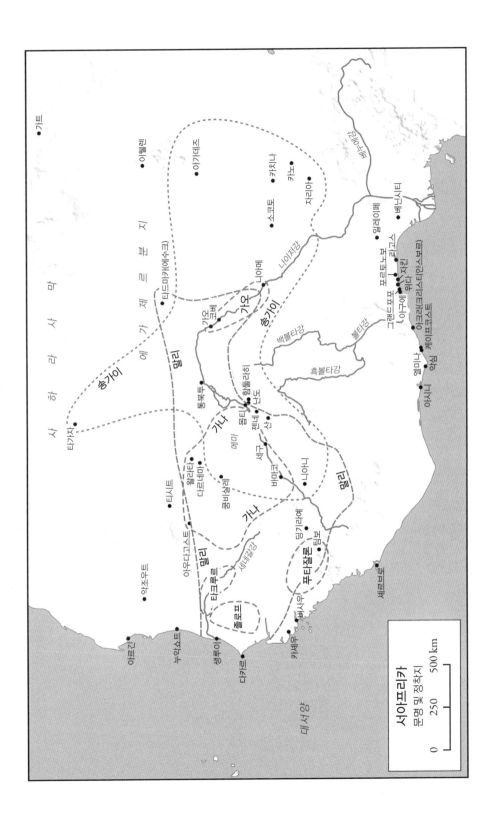

서아프리카

문명 및 정착지

0   250   500 km

가트

이월렌

아가데즈

소코토   카치나

카노

자리아

아이르

베닌시티

일레이페

포르토누보   라고스
그랜드포포   위다   지킨
아구에(크리스티안스부르크)
아크라(크리스티안스부르크)
케이프코스트

티드마카(예수크)

엘미나

엔타레

아사

앙아

하

사

라

사

막

송가이

에 가 제 르 분 지

말리

송가이

가오

가오
쿤비

가오

나아메

니아저강

백볼타강

볼타강

흑볼타강

티가지

통북투

윌라   나노
잰네   산
젠네
세구
마마코
예마
니아니

가나

티시트

말리

다르네마
윌라타
쿰발살레

가나

아우다고스트

세네갈강

딩기라예   팀보
푸타잘론

세르므로

퀘니게
누악쇼트
생루이   말리
타크루르
졸로프

디카르   베사우
카세우

대 서 양

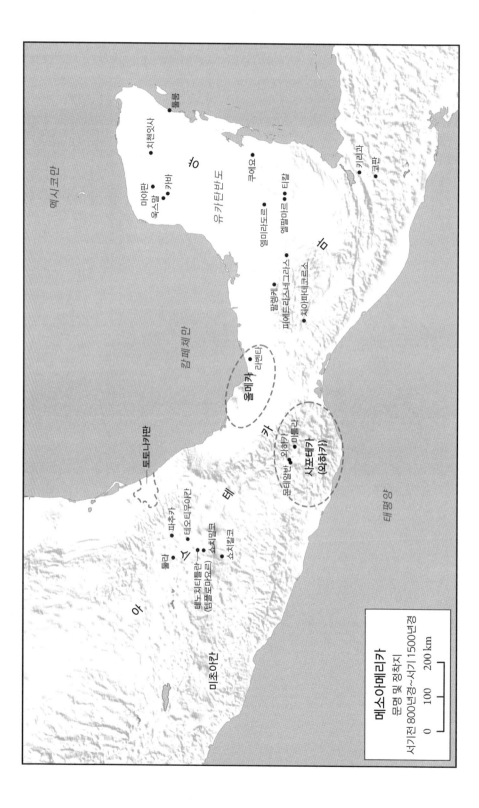

멕시코만

틀룸

치첸잇사

마야판
욱스말 · 카바

유카탄반도

쿠에요

키리과

코판

엘미라도르

엘팔마르 · 티칼

캄페체만

팔렝케
피에드라스네그라스
치아파데코르소

올메카

라벤타

카

문테알반 · 와하카
미틀라

사포테카
(와하카)

톨토나카판

테

오

틀라
피추카
테오티우아칸
솔치밀코
솔치칼코

아

테노치티틀란
(템플로마요르)

태평양

미초아칸

메소아메리카

문명 및 정착지
서기전 800년경~서기 1500년경

0    100    200 km

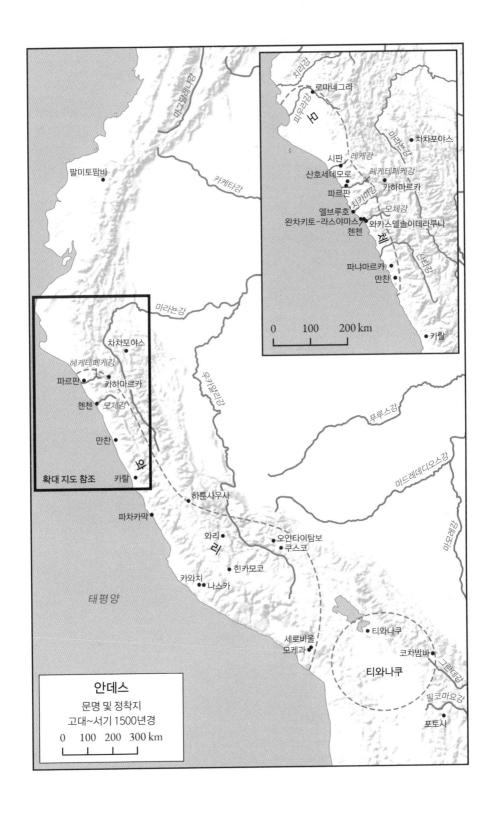

팔미토팜바

카케타강

차차포야스

헤케테페케강

파르판

카하마르카

첸첸 모체강

만찬

확대 지도 참조

카랄

마라뇬강

우아야가강

푸루스강

마드레디디오스강

하툰사우사

파차카막

와리

힌카모코

오얀타이탐보
쿠스코

카와치

나스카

태평양

세로바울
모케과

티와나쿠

코차밤바

그란데강

티와나쿠

필코마요강

포토시

## 확대 지도 (우측 상단)

치라강

파우카강

로마네그라

레케강

시판

산호세데모로

헤케테페케강

파르판

카하마르카

엘브루호

완차키토-라스야마스

체첸

와카스델솔이데라루나

모체강

파냐마르카

만찬

0    100    200 km

차차포야스

마라뇬강

우아야가강

산타강

카랄

## 범례 (좌측 하단)

### 안데스

문명 및 정착지

고대~서기 1500년경

0    100    200    300 km

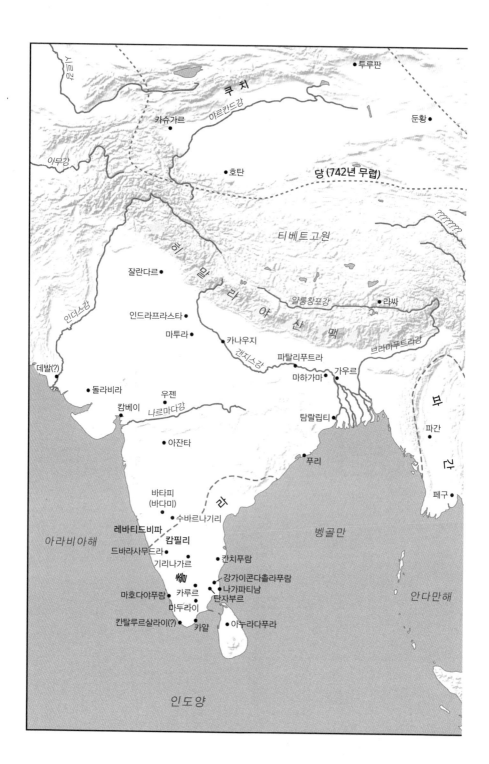

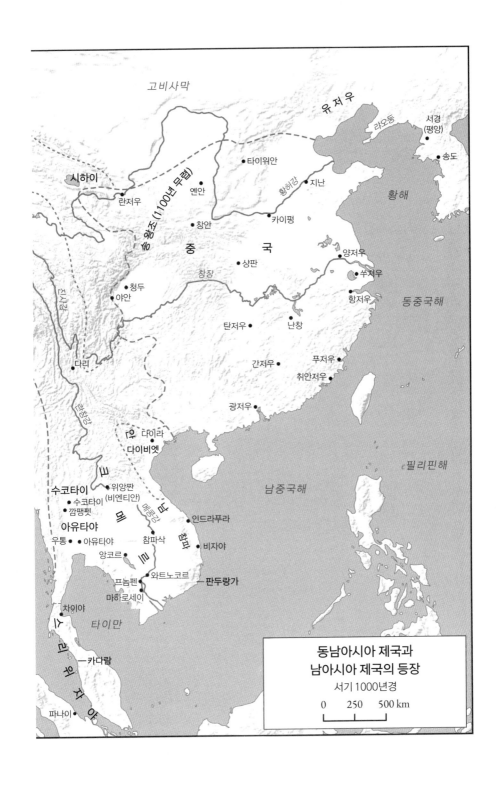

동남아시아 제국과
남아시아 제국의 등장

서기 1000년경

0    250    500 km

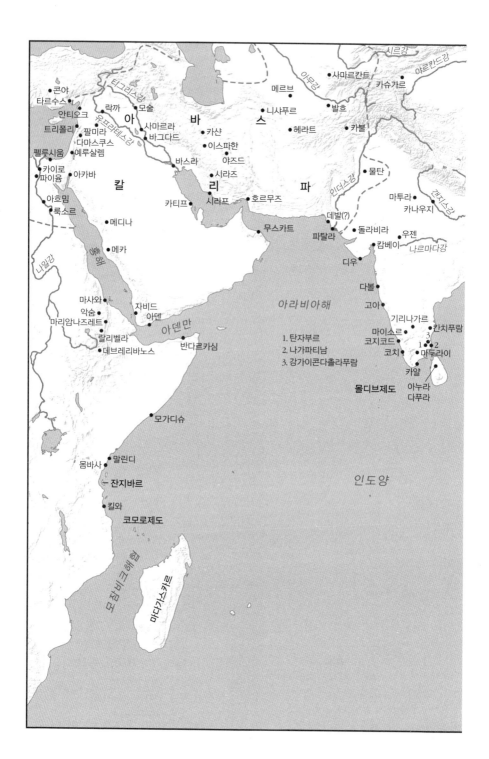

콘야
타르수스
안티오크
트리폴리          락까
팔미라      모술
다마스쿠스      아      바      스
펠루시움    예루살렘    사마르라      메르브          사마르칸트
카이로          바그다드                  니샤푸르          카슈가르
파이윰    아카바      카샨                  발흐
아흐밈              이스파한      헤라트          카불
룩소르          야즈드
                바스라                      물탄
        메디나            시라즈
                카티프    시라프      호르무즈          파      마투라
        메카                              데발(?)      카나우지
                            무스카트      파탈라
                                        돌라비라      우젠
                                          캄베이
                                      디우
마사와                                          다볼
악숨        자비드                              고아
마리암나즈레트      아덴                          기리나가르
랄리벨라        아덴만                    마이소르    칸치푸람
데브레리바노스        반다르카심                코지코드    1  2
                                          코치    마두라이
                            1. 탄자부르            카얄
                            2. 나가파티남        아누라
                            3. 강가이콘다촐라푸람      다푸라
                                        몰디브제도

아라비아해

인도양

모가디슈

몸바사    말린디
    잔지바르
    킬와
코모로제도

마다가스카르

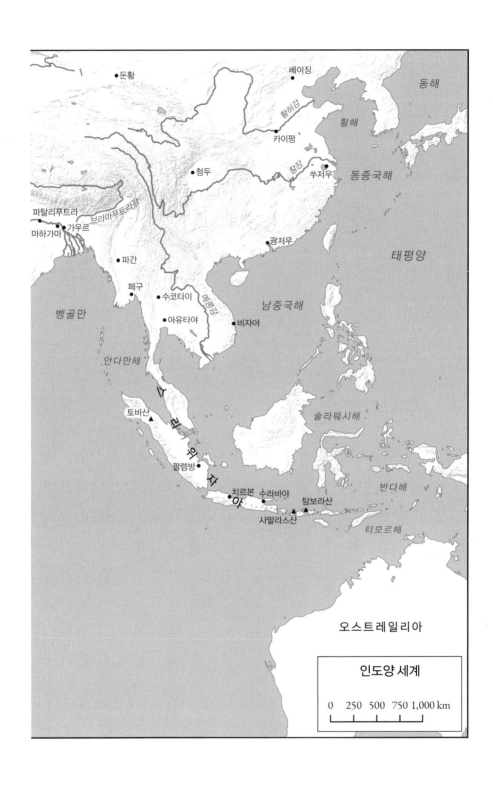

둔황

베이징

동해

황허강

황해

카이펑

청두

창장

쑤저우

동중국해

파탈리푸트라

브라마푸트라강

마하가마

가우르

광저우

태평양

파간

페구

수코타이

메콩강

남중국해

벵골만

아유타야

비자야

안다만해

토바산

수

마

트

라

섬

팔렘방

술라웨시해

치르본

수라바야

탐보라산

반다해

자

바

섬

사말라스산

티모르해

오스트레일리아

인도양 세계

0  250  500  750  1,000 km

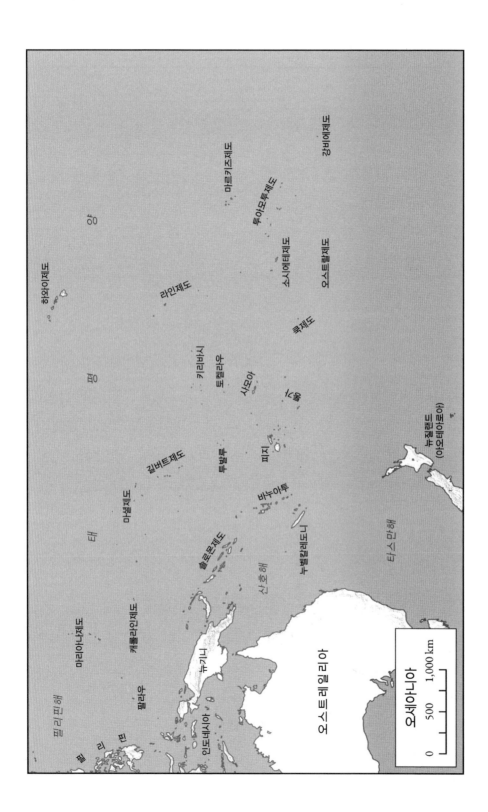

오세아니아

마리아나제도

캐롤라인제도

팔라우

필리핀해

필리핀

인도네시아

뉴기니

산호해

솔로몬제도

누벨칼레도니

바누아투

누질랜드
(아오테아로아)

타스만해

오스트레일리아

마셜제도

길버트제도

투발루

피지

통가

사모아

투켈라우

키리바시

라인제도

쿡제도

소시에테제도

오스트랄제도

투아모투제도

마르키즈제도

적도

하와이제도

태평양

강비에제도

0    500    1,000 km

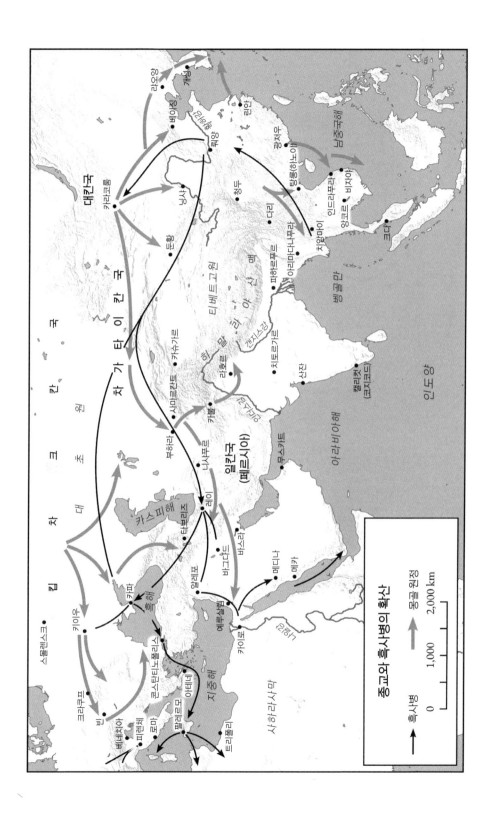

종교와 흑사병의 확산

흑사병
몽골 원정

0    1,000    2,000 km

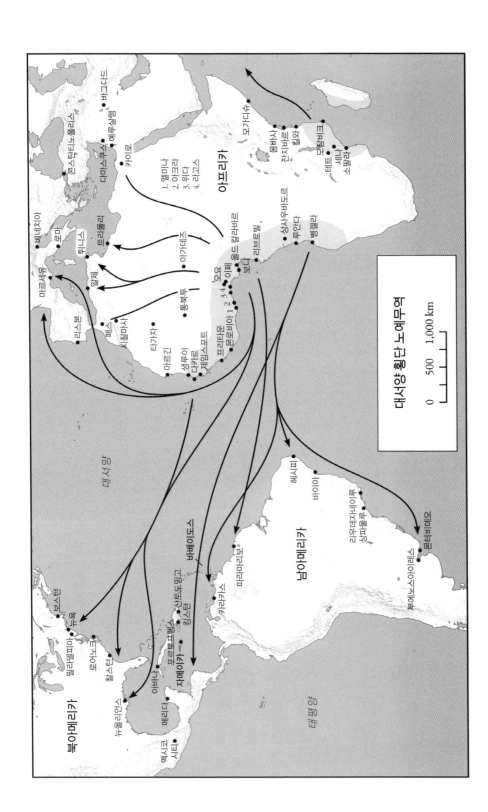

대서양 횡단 노예무역

0  500  1,000 km

북아메리카

남아메리카

아프리카

대서양

태평양

보스턴
뉴욕
필라델피아
로어노크
찰스턴
뉴올리언스
아바나
메리다
멕시코 시티
포르토프랭스
킹스턴 산토도밍고
자메이카
카라카스
파라마리보
바베이도스

몬비도
마라카이보
리우데자네이루
상파울루
부에노스아이레스
몬테비데오
바이아
헤시피

마르세유
로마
베네치아
콘스탄티노플
바그다드
대마스쿠스
예루살렘
카이로
트리폴리
튀니스
알제
리스본
페스
시질마사
타가자
아르긴
살루이
다카르
제임스포트
프리타운
올드 칼라바르
1. 엘미나
2. 아크라
3. 위다
4. 라고스
오요
보니
이페
롱북투
벵겔라
루안다
상사우바도르
모잠비크
세나
소팔라
테트
질와
모가디슈
몸바사
잔지바르

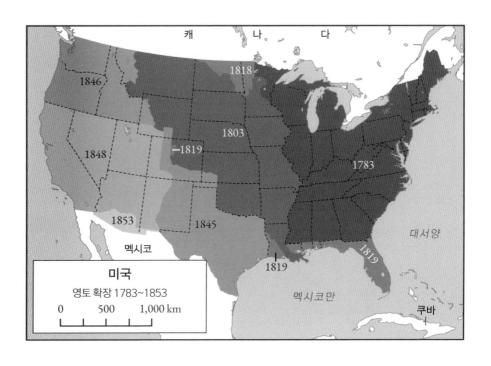

캐　　나　　다

1818

1846

1803

—1819

1848

1783

1853

1845

1819

멕시코

1819

대서양

**미국**

영토 확장 1783~1853

0　　500　　1,000 km

멕시코만

쿠바

# 서론

사람의 생각에 늘 영향을 미치는 것이 세 가지 있다.
바로 기후, 정부, 종교다.
— 볼테르, 〈여러 국민의 풍속과 정신에 관하여〉(1756)에서

"인간의 첫 불복종"은 에덴동산에 있는 "그 금지된 나무"의 열매를 먹은 것이었다고 존 밀턴은 〈실낙원〉 첫머리에 썼다. 이 결정은 "세계에 죽음을 가져왔고, 우리의 모든 불행도 가져왔다." 낙원 상실은 지구를 아름다움과 풍요로움이 있는 곳에서 비탄과 슬픔이 있는 곳으로 바꿔놓았다. 그곳은 "평화와 안락이 전혀 없고, 희망도 가질 수 없는" 곳이었으며, 삶이 "끝없는 고통"으로 바뀐 곳이었다.[1]

17세기 후반에 처음 발표된 밀턴의 서사시는 인간이 어떻게 해서 스스로의 죽음을 만들어냈는가를 설명하는, 기독교 성서 〈창세기〉 첫머리에 나오는 이야기를 다시 말하고 있다. 아담과 하와는 "사악한 뱀"의 유혹에 넘어감으로써 후대의 모든 세대들이 환경적 문제를 떠안고 살게 했다. 환경은 더 이상 늘 호의적이지 않고, 먹을 것을 늘 쉽게 얻을 수 없으며, 신이 베풀어준 것을 받는 것이 아니라 인간이 노동을 해야 하는 곳이다. 낙원은 사라졌다.

오늘날의 세계에서 인류가 땅을 경작하고 천연자원을 이용하며 지속 가능성을 다루는 방식은 열띤 토론이 이루어지는 주제다. 특히 인간의 활동이 매우 광범위하고 매우 해로운 것이어서 그것이 기후 변화에 영향을 주고 있다고 많은 사람이 생각하고 있기 때문이다.

이 책에서 나는 울타리 쳐진 우리의 정원(그것이 'paradise'(낙원)의 본래 의미다)인 지구가 시간의 시작 이래 어떻게 변했는지를 살펴보고자 한다. 그러한 변화는 때로는 인간의 노력과 계산과 오산의 결과이기도 했고, 또 때로는 우리가 사는 세계의 모습을 변형시킨 여러 다른 주체, 요인, 영향력, 충동에 의한 것이기도 했다. 어떤 경우에는 우리가 떠올리거나 이해하지 못하는 방식에 의한 것이었다. 이 책에서 나는 우리 세계가 언제나 변신하고 이행하고 변화하고 있었던 방식을 설명하고자 한다. 에덴동산 밖에서는 시간이 멈춰 서 있지 않았기 때문이다.

인간이 환경과 기후 변화에 영향을 주고 있음을 내가 처음 알게 된 것은 어린 시절 영국에서 매일 방영되던 〈존 크레이븐의 뉴스라운드John Craven's Newsround〉라는 어린이 시사 프로그램을 통해서였다. 〈뉴스라운드〉는 BBC(영국방송협회)의 생명줄과도 같은 주력 사업으로, 어린 시청자들을 브리튼제도 바깥의 세계와 연결시키는 것이었다. 나와 형제들이 자랄 때 부모님이 우리에게 시청을 허락했던 몇 안 되는 프로그램 중 하나로, 내게 캄보디아 크메르루주 치하 사람들의 고통과 복잡한 서아시아 문제와 냉전의 현실에 대해 알려주었다.

1970년대 말과 1980년대 초에 자주 나왔던 것이 산성비 이야기였다. 나는 잎이 없는 나무의 괴기스러운 모습과 인간의 행동이 자연 훼손에 책임이 있다는 사실에 경악했던 것을 기억한다. 공장에서 배출하는 매연이 숲을 파괴하고 동물을 죽이고 땅을 오염시킨다는 생각은 내게 충격을 주었다. 어린 나이에도 물건을 만들기 위해 하는 우리의 선택이 우리 모두에게 장기적인 영향을 미친다는 것이 분명해 보였다.

이런 불안감은 내 어린 시절의 특징이었던 황폐화에 대한 공포로 인해 더욱 가중됐다. 내가 속한 세대는 세계가 미국과 소련 사이의 핵전쟁에 휩싸일 것이라고 생각하며 자랐다. 무수한 대륙간탄도미사일(ICBM) 폭발뿐만 아니라 핵탄두 투하로 인한 버섯구름 때문에 생기는 핵겨울로 떼죽음이 벌어지는 전쟁 말이다.

1980년대 중반에 나온 〈바람이 불 때When the Wind Blows〉라는 영화에는 가슴 아프고 끔찍한 장면이 눈앞에 펼쳐졌다. 슬픔, 고통, 굶주림, 죽음. 이 모두가 불바람과 폭발을 통해 수많은 사람을 죽일 뿐만 아니라 생존 자체가 기적일 정도로 지구의 기후를 근본적으로 변화시킬 수 있는 대량 살상 무기를 발명한 인간의 능력으로 인한 것이다.

핵무기가 폭발하면 필연적으로 대기에 많은 파편이 튀어올라 영하권의 온도 속에서 살 수밖에 없다. 햇빛은 먼지와 입자의 장막에 가려 식물의 죽음을 불러온다. 그 결과로 동물 역시 죽게 된다. 폭발에서 살아남더라도 혹한과 굶주림이 기다리고 있다. 방사능 낙진은 동식물을 오염시키고 모든 형태의 생명체를 중독시킨다. 목표는 이 대재앙을 헤쳐 나가 생존자의 일원이 된다는 희망을 갖는 것이다. 시간이 지나면 기후가 회복될 것이다. 그것이 희망 사항이다. 그런 다음 얼마나 많은 사람들이 어디서 살아남았는지 알게 될 것이고, 다시 시작하게 될 것이다.

우리 세대의 공포는 재앙을 만나면서 부풀어 올랐다. 가장 극적인 사건이 1986년 지금의 우크라이나에 있는 체르노빌에서 일어난 원자로 폭발이었다. 이 파멸적인 사고의 보도는(소련 당국은 며칠 동안 그것을 강력하게 부인했다) 계산 착오와 오판과 무능이 우리가 사는 세계에 엄청난 영향을 미칠 수 있음을 일깨워주었다. 이후 몇 달 동안 나는 낡은 지도를 공부했고, 먹는 것을 조심했으며, 기후 변화의 가능성이 제기하는 위험성을 예의주시하게 되었다.

우리는 스웨덴의 한 호숫가에서 여름을 보내곤 했다. 우리는 핵전쟁이 터질 것 같으면 그곳으로 피난을 가야겠다고 말했다. 스웨덴은 사실 겨울에 따뜻한 나라가 아니다. 그러나 군인과 전차와 미사일이 다니는 곳을 벗어나는 것이 도움이 되리라고 생각했기 때문이다. 블루베리(내가 가장 좋아하는 과일이다)가 추위에 강하다는 점도 안심이 되었다.

그래서 나는 침대 곁에 작은 가방을 꾸려놓았다. 세계의 기후 변화가 적응을 요구할 때(그런 때는 반드시 온다) 필요한 것들을 매년 새로 챙기기 위한 것이다. 초콜릿바, 스위스 군용 주머니칼(활과 화살을 만들기 위한 것이다), 털장갑 몇 켤레, 카드 한 벌과 공 세 개, 볼펜 두 자루(한 자루의 잉크가 다 떨어질 경우를 대비해 하나를 더 마련하는 것이다), 그리고 종이 몇 장.

실제로 이런 준비는 전혀 필요하지 않았다. 결과적으로 이것은 흔히 기술이 아니라 운 덕분이었지만 말이다. 이제는 알다시피 미사일 발사는 곰이 먹이를 찾아 철조망을 부술 때도 일어날 수 있는 일이기 때문이다. 군사 훈련을 오해하면 한쪽은 공격이 임박했다고 생각한다. 기상 관측용 기구는 탄도 무기 체계로 오인된다. 나는 위기일발, 임박한 재난, 인적 오류의 세계에서 성장했다.

분명히 나는 자라면서 다른 여러 가지 일에도 겁을 먹었다. 1970년대와 1980년대는 불공정, 증오, 불안정, 테러, 기근, 인종 학살의 시기였다. 그러나 생태계 파괴, 기후, 기후 변화는 언제나 그 뒤에 있는 문제였다. 미래에 더욱 악화될 것으로서 말이다. 우리 세대에게 확실한 것은 별로 없었다. 하나는 분명했다. 우리가 자랄 때에 비해 보다 적대적이고 보다 불안정하고 보다 위험한 지구에서 살게 되리라는 것은 거의 확실했다. 나는 그것이 세계대전이나 대형 사건들로 인한 재난 때문이리라고 생각했다.

나는 냉전의 끝에 생태계가 더 큰 압박을 받거나, 세계 경제 협력이 확대되면서 탄소 배출이 크게 늘고 세계가 온난화되리라는 생각은 하지도 못했다. 나는 자라면서 재난이 전쟁의 공포에 기인하는 것이라고 생각했다. 결국 그것이 학교에서 배운 것이었다. 반면에 평화와 조화가 그 해법으로 생각됐다. 문제의 일부가 아니라 말이다. 따라서 여러 해 전 내가 〈뉴스라운드〉를 보면서 시작한 여정은 환경에 대한 인간의 간섭과, 기후가 과거를 변화시킨 모습, 그리고 무엇보다도 기후가 세계의 역사를 형성하는 데서 했던 역할에 대한 고찰로 이어졌다.

우리는 기후 변화로 인한 재난을 눈앞에 둔 위험한 상황에 살고 있다. 안토니우 구테흐스 유엔 사무총장은 2019년에 이렇게 말했다. "새로운 기후 관련 재난이 매주 발생하고 있다. 홍수, 가뭄, 폭염, 산불, 태풍 같은 것들이다." 이것은 세상의 끝에 대한 예언이 아니라고 그는 말했다. "기후 붕괴는 지금 일어나고 있고, 우리 모두에게 일어나고" 있기 때문이다. 그는 이어, 장래에 닥쳐올 일에 대해서는 그다지 희망이 보이지 않는다고 말했다. 우리 앞에 놓여 있는 것은 바로 "우리가 알고 있는 바의 생명 대파멸"이다.[2]

인류 앞에는 많은 문제가 놓여 있다고 버락 오바마 미국 대통령은 퇴임 즈음의 국정연설에서 말했다. "그리고 미래 세대에게 가장 큰 문제는 바로 기후 변화입니다. 다른 것이 아닙니다."[3] 프란치스코 교황은

2019년 이렇게 말했다. "오늘날의 생태계 위기, 특히 기후 위기는 인간 가족의 미래 자체를 위협하고 있습니다." 상황은 암울해 보인다. 그는 이렇게 덧붙였다. "미래 세대는 아주 망가진 세계를 물려받게 되었습니다. 우리 자손들이 우리 세대가 무책임하게 군 대가를 치르게 해서는 안 됩니다."[4]

탄소 배출과 지구 온난화에 대처하기 위해 여러 정부들 사이에 맺은 협정은 "우리 공통의 조국인 지구를 지키기 위해 취한 최소한의 조치"라고 중국의 시진핑 국가주석은 2020년에 지적했다. "인류는 더 이상 자연의 거듭된 경고를 무시할 수 없습니다." 따라서 "친환경 혁명에 착수하고, 개발과 생활을 위한 친환경적 방법을 만들어나가는 데 더 빠르게 움직이며, 환경을 보존하고, '어머니 지구'를 모든 사람을 위해 더 나은 곳으로 만드는" 것이 필수적이다.[5]

또 어떤 사람들은 이 위협을 개인적으로, 그리고 강력하게 이야기했다. 그레타 툰베리는 2019년 9월 유엔 기후행동정상회의에서 이렇게 말했다. "당신들은 헛소리로 나의 꿈과 나의 어린 시절을 훔쳤습니다. 그래도 나는 운이 좋은 편이에요. 사람들은 고통을 받고 있습니다. 사람들은 죽어가고 있습니다. 생태계 전체가 무너지고 있어요. 우리는 지금 집단 멸종의 문턱에 서 있는데, 당신들이 하는 말이라고는 돈과 영원한 경제 성장이라는 동화뿐이에요. 어떻게 이럴 수가 있나요!"[6]

기후 변화가 21세기를 지배하는 주제가 될 것이고(또는 이미 되었고) 그것이 물 부족, 기근, 대량 이주, 군사적 충돌, 집단 멸종을 촉발한다면 장래에 어떤 일이 일어날지를 이해하는 것은 정치가, 과학자, 활동가뿐만 아니라 모든 사람에게 필요한 일일 것이다.

역사가로서 나는 복잡한 문제에 대응하는 가장 좋은 방법은 과거를 돌아보는 것임을 알고 있다. 그것이 현재와 미래의 문제들에 대한 맥락과 시각을 제공하는 데 도움이 되기 때문이다. 그리고 역사는 또한 우리 앞에 놓여 있는 커다란 문제들에 대한 질문을 제기하고 때로는 해답을 찾는 데 도움이 될 귀중한 교훈을 줄 수 있다.

이것은 내가 수십 년 동안 연구해온 지역과 장소들의 인간 활동, 환경, 자연계 사이의 관계에서 특히 그러하다. 많은(어쩌면 모든) 경우에 물에 대한 접근성과 사용, 식량 생산의 확대, 국지적 및 장거리 교역의 지리적 애로와 기회는 역사의 상당 부분을 떠받치는 중요한 요인일 뿐만 아니라 근본적인 요소들이다. 페르낭 브로델이 이야기했듯이 과거에 대한 연구는 그저 인간과 자연 사이의 경쟁과 관련된 것이 아니다. 그것은 인간과 자연 사이의 경쟁 그 자체다.[7]

나는 처음 사산과 아바스 제국을 공부하면서 국가의 성공과 안정이 들판의 물 대기와 밀접한 관련이 있음을 금세 알아차렸다. 그것이 농산물 수확을 늘리고 더 많은 인구를 지탱할 수 있게 해주기 때문이다.[8] 나는 중국의 역사를 살펴보면서 1천 년 이상에 걸친 제국 왕조들의 흥망과 교체가 기온 변화와 깊은 상관관계가 있다고 주장하는 연구를 접하게 되었다. 날씨가 추운 국면에서는 인구가 감소하고 갈등이 일어나며 제국 지배자가 새로운 정권으로 교체된다는 것이다.[9]

마찬가지로 유명한 인도 시인 칼리다사Kālidāsa가 5세기에 쓴 것으로 보이는 〈구름의 사자使者〉 같은 시를 읽으면 계절과 함께 계절풍 및 비가 남아시아의 문학, 문화, 역사에서 핵심적인 역할을 했음을 분명하게 알 수 있다.[10] 나는 1950년대에 소련이 중앙아시아에서 펼친 정책이 환경적으로 재앙이었을 뿐만 아니라 냉전에 중대한 영향을 미쳤고 현재 이 지역에서 시행하고 있는 강제노동에 일정한 역할을 했음도 오래전

에 알았다.[11]

나는 또한 내가 자주 찾는 지역의 공해가 얼마나 지독하고 해로우며 위험한지를 경험을 통해 알았다. 뉴델리, 비슈케크, 라호르 같은 도시들은 대기의 질이 세계 최악의 수준이었다. 우즈베키스탄의 수도 타슈켄트에서는 2020년 거의 내내 대기 상태가 '위험'으로 분류됐다.[12]

그래서 나는 환경의 역사를 검토하고, 과거가 인간의 행동에 관해, 인위적 요인에 의한 자연계의 변화에 관해, 기상 이변과 장기적인 기상 패턴과 기후 변화가 역사에 어떻게 영향을 미치고 충격을 주었는지에 관해 우리에게 이야기하고 있는 바를 보다 분명하게 이해하는 일에 나섰다.

나는 우리가 왜 벼랑 끝에 몰려 인류(그리고 상당 부분의 동물계 및 식물계)의 장래가 위험에 처하게 되었는지를 알아내고 싶었다. 의사가 어떤 질병의 치료책을 내놓으려면 그전에 그 병에 대해 완전히 알고 있어야 하듯이, 지금 우리 모두에게 닥친 위기를 처리하는 방법을 제시하려면 문제가 생긴 원인을 조사하는 것이 필수적이다.


역사가들은 새로운 온갖 증거들과 과거를 더 잘 이해하도록 돕는 새로운 방식의 도구들 덕분에 일종의 황금시대를 살고 있다. 기계학습, 컴퓨터 모형화, 자료 분석은 다른 시기의 역사를 들여다보는 새로운 눈을 제공할 뿐만 아니라 이제까지 알려지지 않고 볼 수 없었던 수많은 정보들을 드러내주고 있다.

예를 들어 아마존 우림 지역 마을들의 연결망(수백, 수천 년을 거슬러 올라가고 우주의 모습을 나타냈다)이 라이다LIDAR(광학탐지측정기) 기술 덕분에 밝혀졌다.[13] 비용 효율이 높은 실험실의 가시 근적외선과 단파장 적외선

분광 데이터의 발전으로 획기적인 작업이 가능해져 12세기 샤시강과 림포포강 합류 지점에 있던 마풍구브웨Mapungubwe 사회의 변화에 관한 결론에 도달하게 되었다.[14] 지금의 파푸아뉴기니의 인간 무덤과 돼지 이빨의 동위원소 자료는 정착 유형뿐만 아니라 2천 년 이상 전에 사람들이 먹었던 해산물의 비율을 밝혀낼 수 있게 해주었다.[15] 그리고 새로운 기술은 아바스 시대 예루살렘의 쓰레기 구덩이와 오물 구덩이에 남아 있던 식물과 씨앗의 광화鑛化 과정을 밝히는 데 도움을 주어 초기 이슬람 시대 농작물의 서방 확산에 관한 가설들을 뒷받침했다.[16]

가장 흥미로운 진전의 일부는 우리가 기후를 이해하는 방식에서 나왔다. 과거에 무시되었거나 별로 활용되지 않았던 문헌 자료들을 이용하는 창의적인 방법 같은 것들이다. 예를 들어 페루 해안에서 나온 조개껍데기는 그 화학적 성분 변화를 통해 기후를 재구성할 수 있게 함으로써 연구자들이 연도별, 월별, 심지어 주별 대양의 온도를 밝혀낼 수 있게 했다.[17] 9세기 초까지 거슬러 올라가는 일본의 하나미花見('꽃구경') 축제 기록은 벚꽃의 개화 시기도 적혀 있어 여러 세기에 걸쳐 해마다 봄이 언제 왔는지를 아는 데 도움을 준다.[18]

에스토니아 탈린의 항구 당국에서 보존한 기록부는 지난 500년 동안의 것으로 해마다 첫 배의 도착을 보여주며, 이에 따라 바다의 얼음이 풀린 시기를 알려줄 뿐만 아니라 봄이 더 길고 더 따뜻한 주기가 언제였는지를 알려준다.[19] 북극해 스발바르제도에서 나온 유목流木은 1600년에서 1850년 사이의 해빙海氷이 상당히 다양했음을 보여주는데, 이를 통해서도 이 기간의 이례적인 기후 패턴을 알 수 있다.[20]

무엇보다도 새롭고 흥미로운 '기후 기록관'들이 모든 시기에 걸쳐 추가됐다. 이 책에도 여럿 나올 것이다. 우리는 중앙아시아 알타이산맥에서 자라는 나무들의 나이테에서 얻은 정보와 에스파냐 동굴들의 광상鑛床 확대에서 얻은 정보를 검토할 것이다. 그것들이 기온과 강수량의 변화를 보여준다. 우리는 그린란드의 얼음 시료와 유럽 알프스산맥의 빙하를 살펴볼 것이다. 그것은 화산 분출은 물론이고 인간 활동(야금이나, 농작물과 숲과 화석연료를 태운 흔적 같은 것이다)의 증거를 제공한다. 우리는 오만에서 나온 화석화된 꽃가루와 아나톨리아 호수 침전층의 꽃가루 침전물을 만날 것이다. 그것은 식생의 변화(자연적 원인으로 인한 것과 인간의 개입에 의한 것 모두를 포함한다)에 대한 정보를 제공한다. 우리는 동남아시아의 탄화되고 건조된 씨앗, 오스트레일리아 북부의 마른 견과, 팔레스타인의 완전히 또는 일부 소화된 음식물을 만날 것이다. 그것은 식생활과 함께 질병의 증거를 제공한다. 우리는 아메리카 대륙의 기생 병원체 확산을 돕는 기후 조건과 서아프리카의 작물 주기의 증거를 살필 것이다. 에티오피아, 키르기스스탄, 영국 케임브리지셔의 전염병의 계통수도 마찬가지다.

기후 자료에 관한 많은 새 정보원들을 이용할 수 있게 됨으로써 먼 과거의 자연계를 더 잘 이해할 수 있게 되었다. 예를 들어 한 연구팀은 카자흐스탄 동남부에서 80미터 깊이의 퇴적층을 연구하고 있는데, 이는 토양의 수분 함유에 관한 기록을 제공한다. 또한 일반적으로는 지구의 기후 변화에서 중앙아시아가 한 역할과 특수하게는 북반구의 육지-대기-해양의 수분 순환에 관한 지식을 제공한다. 이것은 과거에 대한 연구뿐만 아니라 미래의 장기적인 지구 기후 분석을 위해서도 상당히 중요하다.[21] 티베트고원에서 이루어지고 있는 새로운 연구도 마찬가지다. 나무가 없는 고지대에서 발견된 것들을 바탕으로 한 모형화는 산악 자생지가 앞으로 수백 년에 걸쳐 축소될 것임을 시사한다.[22]

이들 새로운 증거의 원천은 과거에 대한 새로운 생각이 개발되도록 이끌었다. 새로운 기후 자료는 3세기 중반 로마 제국에서 격동의 시기가 있었음을 알려준다. 일부 학자들은 태양 활동 수준의 저하, 해빙 증가, 몇몇 대규모 화산 분출을 바로 이 시기에 있었던 급속한 기온 강하, 식량 생산 부진, 일련의 정치·군사·금융 위기와 연결 짓고자 한다.[23]

1천 개 가까운 도시에서 뽑은 1100년에서 1800년 사이 유럽의 유대인 박해에 관한 자료는 식물 생장기 기온이 섭씨로 약 3분의 1도 내려가면 이후 5년 안에 유대인이 공격당할 가능성이 증가하는 것과 상관관계가 있음을 보여준다. 토질이 열악하고 체제가 더 허약한 지역과 그 주변에 사는 사람들이 식량 부족과 고물가 시기에 폭력의 희생양이 될 가능성이 더 높았다.[24]

유럽의 저온과 밀 가격의 비교는 어떤 도시들이 다른 도시들에 비해 물가 충격에서 회복력이 강한지에 관한 새로운 모형 제시로 이어졌다. 이는 다시 근세 초 영국의 저온이 농업혁명으로 이어지고 이것이 또 새로운 기술 발전을 촉진하고 보상해 에너지 전환을 이루게 했으며 궁극적으로 유럽의 세계제국 시대를 탄생시켰다는 가설을 자극했다.[25]

당연한 일이지만 이런 눈길을 끄는 주장들은 역사가들 사이에서 활발한 토론과 때로는 열띤 논쟁을 불러일으켰으며, 역사 및 환경 결정론에 관해, 그리고 상관관계와 인과관계를 구분하는 문제에 관해 특별한 우려의 목소리들을 초래했다.[26] 해석에 관한 다른 문제들도 있다. 인도 아대륙이 적절한 사례를 제공하고 있는데, 이곳은 생태와 문화가 다양하고 잡다한 "정주 촌락, 수렵채집인, 화전민, 유목민, 어민"이 사는 지역이다. 또한 생물 종이 놀랄 만큼 다양하고 기후와 생태도 매우 복잡하다. 그래서 일부 학자들은 아대륙 전반에 관해 일반화하는 것 자체가

위험할 뿐만 아니라 세계의 다른 지역과 비교하는 것도 적절하지 않다고 주장한다.[27]

이와 관련된 또 다른 문제는 기후와 그 영향에 관해 쓰는 사람들이 흔히 사회 붕괴에 주로 초점을 맞추고 통상 대표적인 사례라는 좁은 울타리 안에서 이야기한다는 것이다. 가장 대표적인 것이 마야, 라파누이(이스터)섬, 로마 제국의 '멸망' 같은 것들인데, 이들 사례는 최근의 베스트셀러들에서 모두 기후 변화를 그 요인으로 제시했다.[28]

복잡한 이야기를 제한된 설명으로 지나치게 단순화하는 문제(때로 저자들이 애써 지적하는 부분이다)와는 별도로, 어떤 사람들은 교훈(천연자원의 고갈에 관해, 변화하는 환경 조건과 지속 가능하게 살지 않은 결과에 적응하는 데 실패하는 것에 관해)을 주려는 충동이 꼬리가 몸통을 흔드는 격이라고 생각한다. 다시 말해서 현재의 관심이라는 프리즘을 통해 과거를 본다는 것이다.[29]

따라서 새로운 종류의 주제를 다룰 때 가볍게 접근하는 데 많은 것이 달려 있다. 좋은 역사가 문헌 자료와 물질문화를 다루면서 적절한 판단을 필요로 하는 것과 마찬가지다. 그렇다면 문제는 기후학이나 자료나 새로운 접근법 자체에 결함이 있거나 오도한다는 데 있지 않다. 오히려 그것들을 조심스럽게 다루고, 균형 잡히고 설득력 있으며 적절한 맥락에 놓을 필요가 있다.[30]

대체로 날씨, 기후, 환경 요인은 인류 역사의 배경에 잘 보이지 않았다. 과거를 보는 데 사용하는 중요한 렌즈로서는 말할 것도 없다. 기후가 두드러지게 나타나는 몇몇 사례들이 있다. 대개 늘 그럴듯하지는 않지만 말이다. 서기전 480년 폭풍우로 다리가 끊겨 그리스 침공이 지체되자 흐샤야르샤(크세르크세스) 왕이 헬레스폰토스(차낙칼레해협)의 바닷물을

300번 치라고 명령했다는 유명한 이야기는 믿을 만한 사실 진술이라기보다는 포학한 이방인 지배자의 불합리한 격노를 두드러지게 하기 위한, 근거가 박약한 이야기였던 듯하다.[31]

13세기 말 유명한 칭기즈칸의 손자 쿠빌라이 카간이 명령한 두 차례의 일본 공격은 신들이 침략자를 방해하기 위해 보낸 가미카제神風(신의 바람)로 인해 좌절됐는데, 이 이야기는 지금의 중국 대부분을 지배하고 있던 원元 왕조가 일본 정복에 실패한 이유에 관해서보다는 이 사건이 일본 역사에서 어떻게 비쳤느냐에 관해 더 많은 것을 이야기하고 있다.[32]

그러나 무엇보다도 유명한 것은 혹독한 러시아의 겨울의 공격이다. 대중의 상상 속에서 그것은 1812년 나폴레옹의 불운한 모스크바 공격을 좌절시키고 동시에 1941년 히틀러의 소련 공격 이후 독일군을 괴롭혀 멈춰 세웠다가 재앙에 빠뜨리는 데 결정적인 역할을 했다. 이런 널리 퍼진 이야기들은 과도한 목표, 불충분한 보급선, 허술한 전략적 결정, 현장에서의 계획 실행 미흡이 눈만큼이나(어쩌면 그보다 더) 두 번의 침략을 파탄 내는 데 기여했다는 사실을 가리고 있다.[33]

그러나 우리는 대개 역사를 들여다볼 때 기후와 장기적인 기후 패턴(또는 변화)을 완전히 무시한다. 대부분의 사람들은 과거의 유명한 지도자나 큰 전쟁에 대해서는 잘 알지만, 가장 큰 폭풍우나 가장 중요한 홍수나 최악의 겨울이나 가장 심한 가뭄에 대해서, 그리고 이것들이 흉작에 영향을 미치고 정치적 압력을 유발하고 질병 확산의 기폭제가 되었음을 아는 사람은 많지 않다. 인간의 역사와 자연의 역사를 재통합하는 것은 그저 가치 있는 일로 그치지 않는다. 그것은 우리가 우리 주위의 세계를 제대로 이해하는 데 근본적으로 중요한 일이다.[34]

기후에서 날씨, 극단적 사건들, 장기적인 기후 패턴과 변화를 평가하려면 세계의 기후계氣候系와 그 아계亞系들이 어떻게 연결돼 있는지를 상세히 알아야 한다. 지구의 기후는 몇 개의 밀접하게 연관된 요인들에 의해 형성된다. 첫째는 지구의 기상계氣象系다. 그것은 끊임없이 변화한다. 대기 조건, 대양의 조류, 빙상氷床의 움직임이 변하기 때문이다. 또한 지구 외핵의 액상液狀 철의 흐름 속에서 지질 구조 및 판 구조가 움직이기 때문이기도 하다. 지구의 축이 기울어져 있고 지구가 태양을 도는 궤도가 약간의 이심률을 보이고 있으며 에너지가 적도와 극지 사이에 불균등하게 배분돼 있는 것도 기상과 기후 패턴에 영향을 미친다. 이 모든 요인들 사이의 상호작용도 마찬가지다.[35]

계절적 기후 이상의 주요 근원은 '엘니뇨-남방진동南方振動'(ENSO)이다. 이것은 태평양 적도상에서 대기 조건과 대양 조건 사이의 관계를 이야기한다. 무역풍의 방향과 강도, 표면 수온, 기압 등이 포함된다. 따뜻한 엘니뇨 현상과 차가운 라니냐 현상이 번갈아 나타나는 ENSO 주기는 지구상에 연례적으로 나타나는 대표적인 기후 징후다.[36] 이것은 남아메리카의 강우량에 영향을 미치지만, 또한 남아시아·동아프리카·오스트레일리아의 기후 조건에도 영향을 미친다. 물론 인도의 계절풍은 북대서양의 간헐적인 기후 변동에도 영향을 받을 수 있다.[37]

다른 아계들도 수년 또는 심지어 수십 년에 걸치는 온도와 기후 조건 및 변화에서 중요한 역할을 한다. 예를 들어 북대서양진동(NAO)은 아조레스제도와 아이슬란드 사이의 해면기압의 균형을 조절하며, 서유럽에 영향을 미치는 저기압 패턴의 시기와 고기압 패턴의 시기를 만들어낸다. 이는 또한 지중해와 흑해의 겨울철 강수량을 좌우하고, 시베리아와 극지방에서 중부 유럽 및 서유럽으로 찬바람을 밀어내는 데 한몫한다.[38] 남극

대륙과 그린란드는 해빙수를 만들어내 대양 표면의 온도를 떨어뜨린다. 물론 최근 연구는 남극해에 대한 영향이 북극해에 대한 영향에 비해 지구의 온도와 해수면에 더 중요함을 보여주고 있다.[39]

태양 활동은 지구의 기후 조건에 매우 중요한 영향을 미친다. 특히 태양의 자기장 활동 때문이다. 이 가운데 가장 잘 알려진 것이 흑점과 극광極光(aurora)이다. 보통 11년 지속되는 주기를 따른다.[40] 태양 활동은 또한 장기적인 편차에 따라 변화해 보다 활동적인 패턴과 보다 안정적인 패턴을 이룬다. 이른바 극대기極大期와 극소기極小期로 알려진 것이다.[41] 극소기의 가장 최근 사례는 몬더Maunder 극소기로 알려진 것이다. 1645년에서 1715년 사이에 일어났으며, 이때 태양 흑점의 활동이 극히 드물었다.[42]

화산 활동 역시 기후 변동을 초래하는 중요한 요인이다. 예를 들어 1991년에 필리핀의 피나투보 화산에서 대규모 분출이 일어나 15~20메가톤의 아황산가스를 대기 속으로 토해냈다. 그것이 산화돼 황산염 연무의 성층권 입자를 형성했다. 그리고 이것이 확대돼 성층권의 불투명도를 높였다. 이로 인해 직사 일광이 21퍼센트 줄고 일사량이 감소해 지구의 평균 기온이 섭씨 0.5도 이상 내려가는 놀라운 결과가 나타났다.[43]

이 수치는 중요한 지역적 패턴을 숨기고 있다. 북대서양은 평균에 비해 섭씨 5도 더 내려갔고, 이어진 겨울에 시베리아, 스칸디나비아, 북아메리카 중부는 평년에 비해 훨씬 포근했다. 그 이듬해에는 미국 남부에서 홍수가 광범위하게 일어났고, 사하라 이남 아프리카, 남아시아, 동남아시아, 그리고 중부 및 남부 유럽의 상당 부분에서는 물이 매우 부족해지고 가뭄이 들었다. 그럼에도 불구하고 전체적으로 보아 영향은 극적이었다. 단파장 태양복사가 줄어 지구 평균 해수면 온도가 섭씨 0.4도 내려

갔다. 전 세계 연간 에너지 소비량의 약 100배에 해당한다.[44]

화산 분출은 자연계에 또 다른 광범위한 결과를 가져온다. 용암이 바다로 흘러들어감으로써 식물성 플랑크톤이 많아지고, 심해의 국지적 온난화로 일조日照 층에 영양소를 공급한다.[45] 앞으로 보겠지만 화산 분출은 농업 생산의 격감으로 이어지고, 그것은 다시 경제·사회·정치의 붕괴로 이어질 수 있다. 우리는 또한 분출로 인해 질병을 전달하는 종種의 서식지가 변화하거나, 여러 가지 병원체의 유행 주기를 촉발하거나, 어느 학자가 "유행병 고속도로"라 부른 것을 열어놓는 결과가 나타남도 살필 것이다.[46]

화산 분출의 한 가지 중요한 요소는 그 규모와 범위만큼이나 시점도 중요할 수 있다는 것이다. 초고속 컴퓨터들을 동원하고 수천 번의 모의실험을 한 새로운 연구는 겨울이나 봄보다 여름에 일어난 화산 폭발이 지구의 기후에 훨씬 큰 영향을 미친다는 것을 보여주었다.[47] 대규모 분출이 일어나는 위치 또한 중요하다. 모형들은 이제 지난 1300년 동안 열대 지역 바깥의 화산들이 열대 지역의 화산에 비해 더 큰 반구 냉각 효과를 가져왔음을 보여준다.[48] 화산 및 화산지대 연구는 또한 비교적 단기간에 그치는 화산 분출에 의한 것보다 훨씬 많은 가스가 화산에서 배출돼 근년에 이산화탄소 유동의 측정치가 상당히 늘었음을 보여준다.[49]

기후가 자연계에 중대한 영향을 미치는 다른 현상들이 있다. 인도아대륙 북부의 인도대평원에 내린 호우는 지각에 압박하중을 더해 인근 히말라야 지역의 미진微震 감소로 이어질 수 있다.[50] 타이완 동부의 강한 태풍과 이 섬 지하의 지진 활동을 연결시킨 증거는 기상 조건이 지질학적 반응을 촉발할 뿐만 아니라 작고 온건하며 일상적인 방식의 반응도 촉발해 단번에 큰 규모로 일어나는 파괴적인 지진을 예방한다는 것을

시사한다.[51]

기후와 기온은 생물 다양성에도 영향을 미친다. 생물 종수는 적도에서 극지로 가면서 급격하게 감소한다. 일부 평가로는 지구상의 식물군 및 육상 동물군 종수의 절반 이상이 열대 삼림에 서식하고 있다. 그러나 현재 열대 삼림에 서식하는 동식물의 범위가 놀랄 만큼 넓다고 하더라도 그것은 긴 기간에 걸친 점진적인 변화의 결과다. 실제로 새로운 종은 춥고 건조하고 불안정하고 극단적인 환경에서 더 빠르게 형성된다.[52]

역사가들은 태양 활동, 장기 기상 주기, 화산 활동의 영향이 수십 년이나 심지어 수백 년에 걸치는 패턴을 형성하는 듯하다는 점에 오래전부터 주목해왔다. 이런 시기들 가운데 일부에는 동질적인 느낌을 압축하는 이름이 붙여졌다. 주로 태양의 활동과, 복잡한 지구의 기후 아계에 미친 영향에 바탕을 둔 것이다.

'로마 최적기'(서기전 100년 무렵부터 서기 200년 무렵까지)와 '중세 기후 이상'(900년 무렵에서 1250년 무렵까지)은 그런 사례들의 일부다. 알려지기로는 양호하고 평균보다 온난한 시기였다고 하며, 특히 안정된 기후 조건이었다. 반면에 '소빙기小氷期'(1550년 무렵부터 1800년 무렵까지)는 분명하게 기온이 떨어지고 일사량이 줄었으며 세계에 위기가 닥친 시기였다.[53]

적어도 이론상으로는 그렇다. 기후학이 제기하는 문제 가운데 하나는 어떤 지역에서 새로운 증거들이 나오고 그 정확성의 수준이 매우 높다고 해도 세계의 한 부분에서 나타나는 것이 다른 지역에서도 나타남을 보여줄 수 없다는 것이다. 예를 들어 15세기에 중·동부 태평양은 이례적으로 기온이 낮았던 듯한데, 다른 지역에서는 그렇지 않았던 듯하다. 서유럽 및 북유럽과 북아메리카 동남부는 기온이 낮았던 17세기에 다른 지역에 비해 더 엄혹한 조건을 견뎌야 했던 듯하다. 사실 공업혁명Industrial Revolution(산업혁명) 이전 2천 년 사이에 세계가 고르게 더웠거나 추웠던 기간이 있었다는 증거는 없다.[54]

어느 정도나 주의를 기울여야 하는지는 1220~1250년 무렵을 살펴보면 알 수 있다. 이 비교적 짧은 기간에 지중해 동부와 레반트 남부(대략 현대의 이스라엘, 팔레스타인, 요르단)에서는 수문기후학水文氣候學적 상황이 곡물 생산에 꽤 호의적이었다. 그러나 그곳에서 불과 수백 킬로미터 떨어진 중부 지중해의 시칠리아섬과 이탈리아 남부에서는 그다지 좋지 않았다.[55] 다시 말해서 특정 장소에서 나온 정보를 바탕으로 과다 추론해 이를 증거가 수집되지 않은(연구가 많이 진행되지 않아서일 수도 있고, 적절한 입증 자료가 나오지 않아서일 수도 있다) 다른 지역에 적용하지 않는 것이 중요하다.

기후의 지역적 편차 문제는 지구 온난화가 그 표면 지역의 98퍼센트(대륙 전체에서 아직 온난화가 관찰되지 않는 남극 지역이 제외된다)에 영향을 미치고 있는 오늘날의 세계에서도 이슈가 되고 있다.[56] 온난화 패턴은 세계의 모든 지역에 똑같은 방식으로 영향을 주지 않고, 같은 속도로 영향을 주지도 않는다. 실제로 최근 연구가 지적하듯이 세계의 많은 나라들은 기후 변화의 "해로운 영향"을 받겠지만, 극소수의 나라들은 오히려 이득을 볼 것이다.[57]

그럼에도 불구하고 미래 기후 모형들의 정확성과 오차 범위를 고려하기 전에라도 당장의 분석들은 기후 변화를 살펴봄으로써 정신이 번쩍 들게 하는 데 도움이 된다. 대서양자오선역전순환(AMOC)은 대서양의 표면과 심층 해수가 서로 연결된 체계로서 대체로 북반구가 상대적으로 따뜻하기 때문에 생기는 것인데, 1500여 년 사이에 가장 약한 상태에

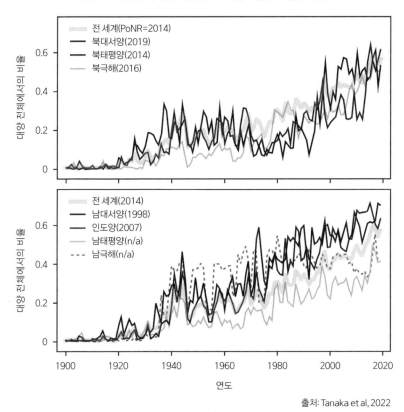

1900~2019년 해저 분지들에서의 해양 이상열기 종합 빈도

출처: Tanaka et al, 2022

있다.[58] 여러 바다 표면 온도와 대서양 해저 분지 일대의 염도 자료에서
나온 조기경보 지표는 이 조류가 정지 상태에 가까워지고 있음을 시사
한다. 이렇게 되면 지구 기후계에 상당한 혼란을 일으키고 추가적인 변화
(열대 계절풍이 비를 확산시키고 남극 빙상이 녹는 것 같은)가 잇달아 일어날 가
능성이 높아진다.[59] 일부 과학자들은 이런 위험들이 "문명에 대한 실존적
위협"이나 마찬가지라고 주장한다.[60]

이런 흐름과 지구 기후의 주요 변화들은 거의 전적으로 인간이 환경

에 영향을 미친 탓이다. 인간의 행위에 따른 충격은 18세기 후반부터 근본적인 영향을 미치기 시작했다. 증기기관의 발명과 에너지혁명 및 공업혁명 이후다. 생산과 사회를 바꾸고, 인간과 자연계의 관계가 근본적으로 달라지기 시작한 시기다.

공업혁명으로 시작된 시대는 '인류세人類世; Anthropocene'로 명명되었다. 노벨상 수상자인 화학자 파울 크뤼천Paul Crutzen이 2002년 이산화탄소와 메탄의 배출량이 급격하게, 그리고 상당히 증가한 시대를 나타내기 위해 제안한 뒤에 쓰이기 시작했다.[61] 더 최근에는 한 유명한 국제 과학자 집단이 '인류세'를 공식적인 역사의 한 단계로 취급하자는 데 동의했고, 인류세의 시작을 20세기 중반부터로 간주하기로 했다. 인간의 활동으로 인한 탄소 배출이 극단적으로 빠르게 증가하기 시작한 때다.[62]

석탄이나 석유 같은 화석연료를 태우면 수증기, 이산화탄소($CO_2$), 메탄($CH_4$), 아산화질소($N_2O$)가 나온다. 이것들은 열기를 흡수하기 때문에 온실가스로 알려져 있다. 인구가 늘고 에너지 수요가 증가하며 생산가가 하락하고 기반시설에 대규모 투자를 하게 되면서 화석연료 사용이 극적으로 증가했다. 이는 다시 배출량의 상당한 증가와 기온의 급상승으로 이어졌다.

공업혁명이 시작되기까지 80만 년 동안 공기 100만 분자당 이산화탄소 성분이 약 280개였다. 2018년에는 이것이 100만 분자당 408개로 증가했다. 300만 년 이상 전인 선신세鮮新世(플라이오세) 이래 그렇게 비율이 높았던 적은 없었다. 그때는 해수면 높이가 지금에 비해 거의 25미터 높았고, 평균 기온이 오늘날보다 섭씨 2~3도 높았다.[63] 2022년 여름에는 이산화탄소 성분이 더욱 많아져, 하와이 마우나로아 관측소의 측정으로는 월평균 100만 분자당 421개였다.[64]

그 파급 효과는 여러 가지다. 지구 온난화는 빙모氷帽를 녹이고 그것이 다시 해수면 상승으로 이어진다. 2017년 남극 대륙의 라르센-C 빙붕氷棚에서 떨어져 나온 A68로 알려진 빙산 하나는 매일 15억 톤의 담수를 대양에 투입하다가 2021년에 사라졌다.[65] 빙붕의 붕괴는 빙하(세계 민물의 많은 부분을 차지한다)가 대양 속으로 흘러들어감을 의미한다.

이 사건은 세계의 거대 도시들(그 상당수는 해안에 위치해 있다)에 분명한 시사점을 던지고 있다. 인공지능과 매우 정확한 고도 측정을 사용한 모형화를 통해 지금 3억 명이 거주하는 땅이 2050년이 되면 해마다 적어도 한 번은 물에 잠기게 될 것이라는 결과가 나왔다. 가장 크게 영향을 받는 사람들은 아시아 주민이었다. 현재 약 10억 명이 이미 만조 수위로부터 10미터 이내의 높이에 살고 있으며, 2억 3천만 명은 수면 위 1미터 이내의 지역에 살고 있다.[66]

영국의 에너지 기반시설은 약간의 해수면 상승에도 위험에 매우 노출돼 있다. 이 나라의 원자로 19개는 모두 해안 지역에 위치해 있다. 스코틀랜드, 웨일스, 북아일랜드의 모든 주요 화석연료 발전소도 마찬가지다.[67] 일부 평가들은 세계적으로 3조~11조 달러어치(해수면 상승의 폭과 속도에 따라)의 자산이 물에 잠길 위험에 처해 있다고 주장한다.[68]

배출을 줄이기 위한 조치가 취해지지 않으면 "처참한 결과"가 올 수 있다고 국제통화기금(IMF)은 지적했다. 농산물 생산이 줄고, 경제 활동이 자주 삐걱거리고, 기반시설이 파괴되고, 건강이 악화되고, 전염병이 더욱 확산된다는 것이다.[69] 유니세프UNICEF(유엔국제아동긴급기금)에 따르면 세계 아이들의 거의 절반인 10억 명의 아이들이 이미 기후 위기의 영향으로 "극단적인 고위험"의 상태에 있다.[70]

앞으로 급속한 온난화의 피해를 최소화하기 위한 노력은 많으면 많을

수록 좋다. 최근의 모형화에서는 섭씨 1.5도 이내의 탄소 할당에 맞추려면 전 세계 석유 및 가스 생산을 2050년까지 매년 3퍼센트 줄이고 석유와 화석 메탄가스의 60퍼센트 및 석탄의 90퍼센트를 캐내지 말고 놔둬야 한다는 계산이 나왔다.[71]

G20 전체를 포함해 세계 주요 국가 가운데 한 곳도 파리협약(2015)에 따른 책무를 이행하기 위한 2021년 기후 계획을 마련하지 않았다는 사실은 우리가 최선의 상황이 아니라 최악의 상황에 대비해야 함을 말해준다. 물론 일부 논자들은 종말 시나리오가 잠재적인 최악의 사태의 일부 또는 전부에 대해 적응이나 기술 혁신이나 성공적인 경감의 여지를 거의 또는 전혀 반영하지 않고 있다고 강조하지만 말이다.[72]

물론 점을 치는 것과 최악의 상황이 오리라고 생각하는 양극단의 유혹에 지나치게 의존하는 것이 위험하다는 주장에는 충분한 이유가 있다. 그러나 최근의 모형들은 2100년까지 기온이 섭씨 4도 상승하는 것에 대해 많은 사람들이 예측했던 것보다 훨씬 암울함을 보여준다. 실제로 미국 도로교통안전관리국(NHTSA)의 2018년 보고서는 자동차에 연료 효율 표준을 강제하는 것이 큰 의미가 없다고 말했다. 이것이 장기적으로 실질적인 효과가 별로 없을 것이기 때문이다. 화석연료에서 벗어나려면 "현재 기술적으로 실현 가능하지 않고 경제적으로 실용적이지 않은" 방식으로 작동되는 "경제와 운송 수단"이 필요한 것이다.[73] 이것은 많은 사람들에게 지구의 운명은 정해진 것이나 다름없다는 의미로 받아들여졌다. 적어도 미국 정부 일각에서는 그랬다.[74]

주장하기 조금 쉬운 것은 이미 상당 부분 현재의 일이 되었고 가깝거나 먼 미래에 속하지 않는 일이다. 에너지혁명은 인간의 건강에 파멸적인 영향을 미쳤다. 일부 도시의 대기 오염 수준은 세계보건기구(WHO)

최소 기준치의 열 배 수준이다. 사실 세계 인구의 92퍼센트는 이 기준치를 넘어서는 곳에서 살고 있다.[75] 탁한 공기는 단순히 에너지를 위해 화석연료를 태운 결과만은 아니다. 그것은 야외에서 쓰레기를 태운 결과이기도 하다. 전 세계 쓰레기의 40퍼센트로 추산되는 분량이 야외에서 소각된다. 그 결과 상당량의 미세먼지와 다환多環 탄화수소가 대기로 들어간다.[76]

대기 오염은 치명적이다. 이로 인해 2015년에 전 세계에서 약 900만 명이 조기 사망했다.[77] 최근 수치로 인도에서 대기 오염으로 인한 사망자 수가 연간 160만 명 이상에 이른다. 1인당 소득이 낮은 나라 최대의 사망자 수다.[78] 2017년에 전쟁으로 피폐해진 아프가니스탄에서 대기 오염으로 인한 사망자 수는 내전으로 인한 사망자 수의 거의 여덟 배나 되었다.[79]

만성적인 공해 수준은 발전도상국의 상당 부분에 영향을 미치고 있지만, 부유한 나라에 사는 사람들도 정부가 당면 문제를 완전히 이해하지 못하거나 대처하지 못하는 대가를 치르고 있다. 유럽 전체에서는 사망자의 8퍼센트가 지름 $2.5\mu m$(PM2.5) 이하의 미세먼지에 노출되고 이산화질소($NO_2$)에 노출된 탓이라고 할 수 있다. 다시 말해서 매년 50만 명 가까운 사망자가 이에 해당한다.[80] 최근 연구는 한 발 더 나아간다. 2018년 전 세계 사망자의 18퍼센트가 화석연료 공해의 영향으로 인해 사망했다는 추산이다.[81]

다른 수많은 문제들과 마찬가지로 대기 오염은 또한 사회경제적 지위 및 소득 수준과 밀접하게 연관돼 있다. 부유한 선진국을 포함해서다. 오염물질을 만들어내는 사업체들은 약자가 많고 소득이 낮은 사회에 위치할 가능성이 높다.[82]

손상은 훨씬 깊숙한 곳에까지 이를 수 있다. 미세먼지는 인지 기능에 강력하고 매우 해로운 영향을 미칠 수 있다. 기억력, 적응력, 언어 구사력, 시공간視空間 능력을 감퇴시킨다.[83] 어렸을 때나 청소년기에 질소산화물과 초미세먼지를 마시면 커서 정신질환을 앓거나 치매에 걸릴 위험이 있고, 자해의 위험도 커진다.[84] 어렸을 때 단 하루라도 오염에 노출되면 나중에 심혈관계와 면역 체계에 심각한 영향을 받을 수 있다. 그 결과로 장기적인 건강에 해로운 영향을 받을 수 있다.[85]

세계은행(WB)의 최근 연구에 따르면 대기 오염에 노출된 것과 관련한 건강 손상 비용은 8조 1천억 달러에 달한다. 전 세계 국내총생산(GDP)의 6퍼센트를 넘는 규모다.[86] 인간의 행동과 생활방식, 그에 따른 환경에 대한 영향은 그저 사람을 죽이는 것으로 끝나지 않는다. 이런 요인들은 또한 그들이 어떻게 행동하고 어떻게 생각하고 어떻게 소통하는지에도 영향을 미친다.

인간이 자연환경에 가하는 충격은 거의 모든 곳에서, 거의 모든 방식으로 대단히 파괴적이었다. 수질 오염에서부터 침식까지, 플라스틱이 먹이사슬에 들어가는 것에서부터 동식물의 삶에 대한 압박까지 말이다. 그것은 너무도 많이 진행돼 유엔의 가장 최근 보고서는 생물 다양성이 인류 역사에서 전례가 없을 정도의 속도로, 그리고 "전 세계적으로 우리의 경제, 생계, 식량 확보, 건강, 삶의 질의 기반 자체"의 침식이 우려될 정도로 감소했다고 이야기하고 있다.[87]

인간의 활동은 세계의 강과 바다를 플라스틱 쓰레기로 오염시키고 있다. 플라스틱 쓰레기가 10여 년 전부터 모든 대양의 해저 분지에 쌓이고 있다. 야생 생물이 오염, 장 폐색, 내상內傷, 덫 등의 해를 입고 있다.[88] 오염 물질의 규모는 상상을 불허한다. 영국 한 나라에서만도 매주 세탁기에서

나오는, 합성 의류에서 떨어진 미세플라스틱 섬유가 9조 조각으로 추산된다.[89]

이는 이제 지구 전역에서 놀랄 만한 양으로 발견된다. 북극 지방에 대한 한 연구에서는 바닷물 1세제곱미터당 40조각의 미세플라스틱 섬유가 발견됐다.[90] 미국에 대한 한 연구에서는 사람들이 한 해에 7만 4천에서 12만 1천 조각의 미세플라스틱 조각을 들이마시는 것으로 나타났다. 다른 별도의 연구에서는 미세플라스틱이 임신부의 태반에 들어가고 아이들의 대변에서 많이 나왔으며 모든 사람들의 피에도 많이 들어 있음을 보여주었다.[91]

환경에 대한 압박은 이제 너무도 극심해서, 전 세계 초목의 40퍼센트가 위험에 처해 있는 것으로 생각된다.[92] 그 원인 중 하나가 곤충 개체수의 격감이다. 그것은 다시 삼림 파괴, 농약의 과다 사용, 도시화와 기후 변화, 지금 식물과 동물의 먹이사슬을 위협할 뿐만 아니라 잠재적으로 농업과 식량 생산에 재앙을 부를 수 있는 개발 등에서 기인한다.[93] 어떤 평가에 따르면 이미 연간 6천억 달러 상당의 전 세계 농작물이 꽃가루 매개자 부족으로 위험에 처해 있다.[94]

해마다 수백만 헥타르의 열대 삼림이 벌채되고 세계의 대양에서 만성적인 남획이 이루어지면서 동물들은 자기네 서식지를 바꿈으로써 기후 변화에 대응하고 있다. 그들의 생김새와 체구를 바꾸기도 한다. 일부 동물들은 날씨가 더워지면서 체온 조절 방식을 바꾸어 대응한다. 사지, 귀, 부리, 기타 부속기관의 모양과 크기가 온도 상승의 결과로 달라진다.[95] 어미가 열기에 지치면 새끼의 성장이 저해된다. 특히 면역 체계와 관련된 기관들이 그렇다. 그것은 낙농과 식육 생산 모두에 분명한 영향을 미친다.[96]

산비탈에 사는 육상 생물들은 저지의 더위를 피하기 위해 산 위쪽으로 이동하고 있다. 물고기들은 바다 표면이 더워지면서 더 깊은 곳으로 내몰렸다. 육상 생물들은 10년에 17킬로미터씩 극지로 이동하고 있고, 해양 생물들은 그보다 네 배 이상 멀리 이동하고 있다.[97] 히말라야산맥의 여러 나비와 나방 종들은 더 나은 서식지를 찾아 1천 미터(또는 그 이상)나 더 위로 움직였다.[98] 어류, 갑각류, 두족류(문어, 오징어, 갑오징어 등)는 지중해에서 시원한 물을 찾아 평균 55미터 더 깊은 곳으로 이동하고 있다.[99]

현재 밀착 관찰된 척추동물 종들의 평균 서식 개체수 규모는 지난 50년 동안 거의 70퍼센트가 줄었다.[100] 북아메리카의 조류 수는 1970년 이래 거의 30억 마리가 감소했으며, 양서류의 40퍼센트 이상이 위험에 처해 있다.[101] 잠재적 멸종률을 평가하는 모형들은 극적인 붕괴를 보여주고 있을 뿐만 아니라 종 존재량과 분포의 감소를 매우 낮춰 잡고 있는 듯하다.[102]

감소세가 똑같은 것은 아니다. 사실 일부 종과 생태계는 붕괴하고 있지만 또 어떤 것은 그렇게 심각하지 않으며, 캐나다 동부의 아한대 수림의 나무 종들이 보여주듯이 일부 경우에는 늘어나고 있다.[103] 게다가 일부 종의 감소는 다른 종에게 기회를 열어주기도 한다.[104] 일부 과학자들은 또한 전 세계 차원보다는 국지적으로 평가하는 것이 중요하다고 지적하고, 일부 종 개체수의 파멸적인 감소는 일반적이고 광범위하며 잠재적으로 오도될 수 있는 패턴을 나타내는 것으로서가 아니라 극단적인 감소(또는 증가)의 집합으로 평가해야 한다고 제안한다.[105]

그럼에도 불구하고 과학자들 사이에서는 우리 눈앞에서 지속적인 "생물학적 멸종"이 벌어지고 있다는 데 대해 견해가 널리 일치한다. 그것은 지금 "대량멸종 사태"로 자주 언급된다.[106] 극지 대양에 대한 연구는 먹이 그물에 대한 변화가 이미 진행 중이며 해양 생태계뿐만 아니라 전 지구 생태계에 심각한 영향을 미치고 있음을 시사한다.[107] 많은 사람들은 "이어지는 생물 다양성의 감퇴"와 동식물의 모든 수준에 영향을 미치는 "동반 멸종"에 대해 경고한다.[108]

"제6차 대량멸종"은 이전에 지나간 것들과는 다르다. 이번에는 한 동물 종에 책임이 있기 때문이다. 바로 인간이다.[109] 최근의 한 보고는 사태를 직설적으로 이야기했다. "생물권과 그 모든 생명체(인간 포함)에 대한 위협의 정도는 사실 너무 커서 파악하기조차 어렵다. 잘 알고 있는 전문가들이라 해도 마찬가지다."[110]

이 책은 미래에 무슨 일이 일어날지에 관한 것이 아니다. 그 목표가 현재의 지구 상황에 근거해서, 또는 기후 변화에 의해 제기되는 일부 또는 심지어 많은 최악의 문제들을 완화하기 위해 어떤 조치들이 필요한가(적응을 통해서든 신기술 도입을 통해서든)를 검토함으로써 과학계의 압도적인 한목소리에 도전하는 것도 아니다. 오히려 그 목표는 과거를 돌아보고 어떻게 인간이 지구를, 지금 매우 위험한 미래를 앞두고 있을 정도로 변형시켰는가를 이해하고 설명하는 것이다.

본래 나는 오직 기후가 우리 주변의 세계를 어떤 방식으로 변화시켰는지에 관해, 그리고 세계의 기온, 강수량, 해수면이 (큰 폭풍우, 화산 분출, 유성의 충돌 같은 극단적 사건들과 함께) 어떤 방식으로 과거에 영향을 미쳤는지에 관해 써서, 기후가 지구촌 역사에서 중요한 역할을 했음을 알려주는 사건·시기·주제들을 설명해보려고 했다.

그러나 이 책에 관해 생각하기 시작하면서 기후에, 날씨 변화의 패턴에, 인간의 자연계 개입에 문을 연 것이 금세 더 큰 문제와 도전의 뭉치로 이어지고 있음이 분명해졌다. 농산물 잉여와 관료제 국가의 기원의 관계에 관한, 한쪽의 목축민·유목민과 다른 한쪽의 마을 및 크고 작은 도시들의 정주 사회의 관계에 관한, 기후·환경·지리의 함수로서의 종교와 신앙 체계의 역할 및 발전에 관한, 종족 및 노예와 자원 채취 과정에서의 그들의 역할에 관한, 식품·병원균·질병의 전파에 관한, 공업혁명 이래의 인구학과 빈곤과 소비 유형에 관한, 지난 세기의 세계화, 산업 표준화, 농업, 음식, 패션에 관한, 그리고 21세기가 왜 위기의 순간인가에 관한 것이다.

따라서 이 책의 목표는 세 가지다.

첫째는 지구촌 역사의 토대를 이룸에도 불구하고 자주 간과되는 주제인 기후를 과거의 이야기에 다시 끼워 넣고 어디서, 언제, 어떻게 날씨, 장기적인 기후 패턴, 기후 변화(인간의 행위에 따른 것과 그렇지 않은 것)가 세계에 중요한 영향을 미쳤는지를 보여주는 것이다.

둘째는 수천 년에 걸친 인간과 자연계의 상호작용 이야기를 제시하고, 우리가 환경을 어떻게 자기 뜻대로 활용하고 틀 짓고 변형했는지를 살피는 것이다. 좋은 쪽으로든 나쁜 쪽으로든 말이다.

셋째는 역사를 보는 지평을 넓히는 것이다. 과거의 연구는 유럽과 북아메리카의 부유한 나라들인 북반구 선진국에 주로 관심을 기울였고, 다른 대륙과 다른 종교의 역사는 흔히 부차적인 중요성을 지닌 것으로 밀쳐지거나 완전히 무시됐다. 그와 같은 패턴은 기후학과 기후사 연구에도 적용된다. 여기에는 관심과 투자와 조사를 적게 받은 방대한 지역, 시기, 민족이 있다. 이는 오랫동안 받아들여진 과거에 대한 시각에 관해, 그리고 학술 재정 지원(그리고 지적 저장고)이 실제로 어떻게 발전하고 심화됐는지에 관해 많은 것을 말해준다.

이것도 역사 재평가의 한 가지 근본적인 이유지만, 역사가들이 지도자, 관료, 작동 방식 측면에서 서로 닮은 도시와 국가만을 매우 지나치게 강조하는 것도 마찬가지다. 사실 '문명civilization'이라는 말 자체가 도시city의 생활, 도시에 살고 거기서 권력을 투사하며 지배하는 사람들의 생활을 의미한다. 이것이 대부분의 기록된 역사 자료(역사 이야기, 토지 매매 기록, 세금 영수증 등)에 반영돼 지배층의 통치를 강화하는 데 이바지했다. 역사의 대부분은 도시에 산 사람들에 의해, 도시에 산 사람들을 위해, 도시에 산 사람들의 생활에 초점이 맞추어져 쓰였다. 이것이 우리가 과거와 우리 주변 세계를 보는 방식을 왜곡한다.[111]

그러나 '문명'은 단연 환경 파괴의 가장 큰 단일 요인이자 인간의 행위에 의한 기후 변화의 가장 중요한 원인이다. 도시 주민들이 에너지를 필요로 하고 음식과 물 등 천연자원 소비를 필요로 하기 때문이다. 도시는 지구 육지 표면의 고작 3퍼센트를 차지하고 있지만, 도시 지역은 세계 인구의 절반 이상을 수용하고 있다. 도시는 지구 온난화의 상당 부분에 책임이 있을 뿐만 아니라, 앞으로 수십 년 동안 상당한 정도로 그 영향을 받을 것이다.[112]

그렇다면 도시의 수, 규모, 인구가 급속하게 팽창했던 20세기에 환경이 가장 심하게 파괴되고 소비 속도가 가장 빠르게 늘어났던 것이 우연은 아니었다. 도시가 등장하면서 자연, 생물 다양성, 지속 가능성에 대한 압박 역시 생겨났다. 토지 사용과 초목의 변화를 통해서다. 수리학水理學 체계의 변동 때문이고, 달라지고 위험해진 생물지구화학적 순환에 영향을 받은 결과다.[113]

2001~2018년에만도 중국의 시가지는 47.5퍼센트 늘었으며, 미국에서는 9퍼센트가 늘었다. 사실 현재의 인구학적 추세로 보자면 도시에 사는 인구는 2050년까지 30억에서 약 70억 명으로 증가하리라고 예측되

기도 한다.[114] 그것을 역사적 관점에서 보자면 1900년에는 세계 인구의 15퍼센트를 약간 웃도는 사람이 크고 작은 도시에서 살았는데, 2050년에는 70퍼센트 이상이 도시에 살 것으로 보인다.[115]

생산 속도를 높이고 그 비용을 줄이는 새로운 기술이 제조, 운송, 소비 유형의 급격한 변화를 자극했다. 공장에서 만들어져 세상에 나온 모든 새 플라스틱의 75퍼센트 이상이 쓰레기가 된 것으로 추산된다. 그중 약 9퍼센트가 재활용됐고, 12퍼센트는 소각됐으며, 나머지(약 50억 톤, 즉 이제까지 생산된 전체 플라스틱의 약 60퍼센트)는 쓰레기 매립지나 자연환경에 축적됐다.[116]

어떤 평가에 따르면, 100년 전 인간이 만든 콘크리트, 건축 자재, 금속 등의 물질량은 전 세계 생물량biomass의 약 3퍼센트에 해당했는데, 오늘날에는 그것을 넘어서고 있다. 오늘날 대체로 지구상 모든 사람의 몸무게를 상회하는 인공 물질량이 매주 만들어지고 있는데, 이는 도시 및 거대 도시의 등장과 음식·물·에너지·썩지 않는 물건의 소비 수준이 매우 높다는 사실과 밀접하게 연관된 현상이다.[117] 이것은 다시 세계화와 공급사슬 및 공급망과 연결돼 있다. 그것이 선순환(초연결, 표준화, 빠른 교환 속도, 낮은 가격)과 악순환(채취, 자원 고갈, 환경 훼손) 모두를 형성한다.

한편 역사를 통틀어 땅의 제한성을 알고 가장 작은 변화에도 적응했던 농민, 목축민 및 유목민, 토착민, 수렵채집인은 역사 이야기를 쓰는 데서 제외되거나 야만적이고 별나며 원시적인 사람들로 정형화됐다. 도시가 필요 없는 사람은 "동물 아니면 신이다"라고 아리스토텔레스는 썼다.[118] 중앙아시아의 유목민들은 "하늘이 버린" 사람들이라고 수백 년 뒤의 한 중국 작가는 말했다. 10세기의 아흐마드 이븐파들란은 이동 목축민들을 만나고 나서 이에 동의했다. 그는 이렇게 썼다. 그들은 "떠돌아다니는 당나귀처럼 빈곤 속에서 산다. 그들은 신을 숭배하지도 않고, 생각을 할 이성도 없다."[119]

이런 태도는 오늘날 세계 여러 지역에서 끈질기게 지속되고 있다. 이는 흔히 도시민들에게 자연의 낙원처럼 보이는(거기에 인간이 없기 때문이다) 것을 만들기 위해 현지 주민을 쫓아낸 야생 동물 보호구역을 만들고 거기에 돈을 대는 데서 드러난다.

그 적절한 사례 가운데 하나가 그랜드캐니언이다. 시어도어 루스벨트 대통령은 1903년 이곳을 방문한 뒤 "전 세계의 다른 곳과는 전혀 비교할 수 없는 (…) 자연의 경이"라고 말했다. 그는 "자연"은 인간의 개입이 없으면 얼마나 순수하고 흠 없는 것으로 보일 수 있는지에 대한 인상적인 진술에서 "사람은 그저 훼손시킬 수 있을 뿐"이라고 덧붙였다. 불과 10여 년 뒤에 그랜드캐니언은 국립공원으로 지정되어 하바수파이족과 여타 토착민들이 700여 년 동안 살던 땅에 제한과 통제를 가했다.[120]

오늘날의 세계에서는 보츠와나의 산족(부시맨), 서아프리카의 바카족, 인도의 아디바시인, 중앙아시아 상당 부분의 전통 유목민 같은 토착민, 수렵채집인, 사냥꾼을 상대로 정규적이고 공격적인 인종차별 활동이 공공연하게 벌어지고 있다. 한결같이 '원시적'이라고 하는 생활방식에 관한 모욕이 담겨 있다. 이것은 얄궂은 일이다. 토착민들은 숲을 잘 보존했고 그 결과 탄소를 더 많이 품고 있으며, 생물 다양성 보존과 양호한 장기적 환경 관리를 뒷받침하는 전략을 발전시켰으니 말이다.[121]

역사를 쓰는 데 난처한 문제 중 하나는 다루는 범위 안에 불가피하게 큰 공백이 생긴다는 점이다. 학자들이 문헌 형태의 자료를 남기지 않은 사회의 구술사를 해석하는 데 갈수록 새롭고 정교한 방법을 사용하고 있는 것은 사실이다. 미국 서남부나, 현재의 캐나다 북부 및 알래스카인 세인트일라이어스산 지역 같은 곳이다.[122] 그러나 세계의 많은 지역에 문헌 자료가 없기 때문에 이런 책들은 불가피하게 지리적 초점 측면에서 완전히 균형적일 수는 없다. 오스트레일리아나 남아프리카 같은 곳은 조명을 받지 못한다는 말이다.

과학자들이 하는 대부분의 기후 연구는 탐구가 많이 되고 자료가 많은 나라에 집중되고 그런 나라를 기반으로 하고 있다는 사실이 불균형 문제를 더욱 가중시킨다. 특히 역설적인 것은 기후 변화의 충격을 가장 크게 느낄 곳은 가장 가난한 지역과 나라들인데, 정작 그들의 목소리는 수십 년, 수백 년, 수천 년 동안 역사에서 들리지 않거나 무시됐다는 것이다.[123]

그런 문제는 책 한 권으로는 해결할 수 없다. 그러나 책 한 권이 할 수 있는 일은 더 넓은 시야를 제공하고 장래 역사와 역사 연구의 범위를 넓히는 데 도움이 되는 주제, 지역, 문제를 소개하는 것이다. 그리고 아마도 약간의 낙관론의 근거를 제공하고, 기후와 매우 관련이 있을 뿐만 아니라 기술, 정치, 경제가 변화하는 시기를 가장 잘 탐구할 수 있는 방법에 대한 건설적 제안도 제공할 수 있을 것이다.

나는 이 책을 쓰면서 우리 주변 세계를 어떻게 개념화할 것인가에 관한 여러 가지 중요한 교훈을 얻었다. 그러나 이 과정에서 나는 또한 우리가 이렇게 위험한 기로에 서 있는 이유가 과거에 깊이 뿌리박고 있는 추세의 결과임을 깨달았다. 가장 오래전의 문헌 자료에서도 사람들은 인간과 자연의 상호작용에 대해 걱정하고 자원의 과다 사용과 환경에 대한 장기적 손상의 위험에 대해 경고했다.

우리는 지금 마침내 한 생물 종으로서 우리가 이룬 성공의 희생양이 될 상황에 처해 있고, 우리의 행위가 생태계에 가한 압박과 부담이 우리를 파멸적 결과로 이어지는 임계점 가까이로 밀어 넣거나 어쩌면 이미 그 임계점을 넘어섰는지도 모른다. 그러나 우리가 이전에 경고를 받지 않았다고는 말할 수 없다.

# 1장    태초 이후의 세계

## 대략 45억 년 전부터 대략 700만 년 전까지

한처음에 하느님께서 하늘과 땅을 지어내셨다.
땅은 아직 모양을 갖추지 않고 아무것도 생기지 않았는데 (…)
— 〈창세기〉 1:1~2


우리는 모두 지구 기후의 극적인 변화에 감사해야 한다. 수십억 년에 걸친 격렬한 천체 및 태양의 활동, 반복적인 소행성 충돌, 거대한 화산 분출, 이례적인 대기의 변화, 엄청난 지질 구조의 변동, 끊임없는 생물체의 적응이 없었다면 우리는 지금 살아 있지 못할 것이다.

천체물리학자들은 별들 중에서 너무 뜨겁지도 않고 너무 춥지도 않은 주거 가능 지역을 동화 속 소녀의 이름을 따서 '골디락스 존Goldilocks zone'이라 부른다. 지구는 그 여러 사례 중 하나다. 그러나 기후 조건은 46억 년 전 우리 행성이 만들어진 이래로 끊임없이, 그리고 때로는 엄청나게 변했다.[1] 지구가 존재한 거의 모든 시간에 인류는 생존하지도 않고 생존할 수도 없었을 것이다. 오늘날의 세계에서 우리는 인간이 위험한 환경과 기후 변화의 설계자라고 생각한다. 그러나 우리는 그런 과거 변화의 최대 수혜자다.

이 행성에서 우리의 역할은 예외적으로 대단치 않은 것이었다. 첫 번째 사람족Hominini은 불과 수백만 년 전에야 나타났고, 해부학상 첫 현대 인류(네안데르탈인 포함)는 대략 50만 년 전에 나타났다.[2] 그 이후의 시기에 대해 우리가 아는 것은 부분적이고 해석하기 어려우며, 때로는 추정에 크게 의존하고 있다.

현대에 가까워질수록 고고학은 사람들이 어떻게 살았는지에 대해 보다 근거 있는 이해를 하도록 도움을 준다. 그러나 그들이 무슨 일을 했고 무슨 생각을 했고 무엇을 믿었는지를 알기 위해서는 대략 5천 년 전의 완전한 문자 체계 개발을 기다려야 한다. 그것을 맥락 속에 넣어 과거를 세밀하고 미묘한 데까지 재구성하게 해주는 기록, 문서, 글들은 세계의 과거의 약 0.0001퍼센트만을 포괄하고 있다. 우리는 종으로서 존재할 수 있어 행운아일 뿐만 아니라, 역사의 큰 틀에서 우리는 신참자이고 아주 최근의 도착자이기도 하다.

마지막 순간에 나타나 말썽을 일으키고 자기네가 초대받은 집을 때려 부수기 시작하는 무례한 손님들처럼, 인간이 자연환경에 미친 영향은 지대했으며, 많은 과학자들이 인류의 장기적 생존 가능성에 의문을 표할 정도로 가속화되고 있다. 그러나 그것은 그 자체로 이례적인 것은 아니다. 우선 인간만이 주변 세계를 변화시킨 것은 아니다. 다른 생물 종들(즉 동물, 식물, 미생물)도 인간과 자연 사이에 홀로 또는 심지어 가장 중요하게 존재하는 관계에 대한 수동적 참여자나 단순한 구경꾼은 아니었기 때문이다. 각각은 변화, 적응, 진화의 과정에 적극적으로 참여했다. 때로는 파멸적인 결과를 초래하기도 했다.

일부 학자들이 '인류세'라는 생각과 이름을 비판하는 이유 가운데 하나가 그것이다. 이 말은 인간에게 무엇이 야생이고 무엇이 야생이 아닌지를 밝혀내고, 사용될(지속 가능하거나 불가능하게) 수 있는 것으로서의

'자원'을 분류할 권리가 있는 '우월한 종'으로서 우선권을 준다. 일부에서는 그것이 "인간의 공헌을 과대평가하고 다른 생명 형태를 거의 없다시피 한 것으로 무시하는 오만"이라고 주장한다.[3]

지구가 존재한 시기의 대략 절반 동안은 대기에 산소가 거의 또는 전혀 없었다. 지구는 오랜 기간의 퇴적(점차적인 층의 축적)을 통해 형성됐으며, 이후 화성 크기의 물체와 크게 충돌했다. 그것이 지구의 맨틀을 녹이고 마그마대양과 산소 없는 수증기 사이의 결과적인 교환으로부터 최초의 대기를 만들어내기에 충분한 에너지를 방출했다.[4]

지구의 생물지구화학적 순환은 결국 근본적인 변화로 이어졌다. 산소 발생 광합성이 어떻게, 언제, 왜 일어났는지에 대해서는 상당한 논란이 있지만, 유기 생물지표, 화석, 게놈 규모 자료로부터 나온 증거들은 남조세균藍藻細菌; cyanobacteria이 진화해 햇빛으로부터 에너지를 흡수하고 이를 이용해 물과 이산화탄소로부터 당분을 만들고 부산물로서 산소를 방출했음을 시사한다. 새로운 모형들은 초기 지구에서 해마다 10억에서 50억 회 발생한 섬광이 지구 생명체의 등장에 중요한 역할을 한, 막대한 양의 생명 탄생 이전의 반응성 물질 인燐의 출처였을 것임을 시사한다. 지구의 생화학적 주기는 결국 급격한 변화로 이어졌다. 산소 광합성이 일어난 방법·시기·이유를 둘러싸고 상당한 논란이 있었지만, 유기 생물지표, 화석, 유전체 규모 자료는 남조세균이 진화해 햇빛으로부터 에너지를 흡수한 뒤 이를 이용해 물과 이산화탄소로부터 당분을 만들어내고 그 부산물로 산소를 방출했음을 시사한다.[5]

약 30억 년 전(또는 그 이전)에 영양분이 많은 보호된 얕은 바다 수역에서 '오아시스'를 만들기에 충분한 산소가 만들어졌다.[6] 화학반응, 진화적 발생, 남조세균의 폭발적인 증가, 화산 분출, 지구 자전 속도의 둔화 중 어느 것에 의해서든(또는 다섯 가지 모두의 조합에 의해) 대기의 산소 수준은 25억에서 23억 년 전 무렵에 급속하게 축적돼 산소대폭발 사건(GOE)으로 이어졌다. 이것이 우리가 알고 있는 복합 생명체의 등장을 위한 길을 열어놓은 중요한 순간이었다.[7]

그것은 또한 극적인 기후 변화로 이어졌다. 급격하게 늘어난 산소가 메탄과 반응해 수증기와 이산화탄소를 만들어내면서다. 땅덩어리들의 충돌로 초대륙이 만들어진 결과와 맞물려 지구의 온실 보존 기능이 약화돼 지구 표면은 완전히 얼음과 눈으로 덮였다.[8] '밀란코비치Milanković 순환'으로 알려진 태양 주위를 도는 지구 궤도의 변화 역시 이 과정에 영향을 미쳤을 것이다.[9] 마찬가지로 거대한 운석의 충돌 역시 대륙 형성에 중요한 역할을 했을 것이다.[10]

수억 년이 지나는 과정에서 빙하 작용은 약해지거나 강해졌지만, 대체로 '눈덩이 지구Snowball Earth'(6억에서 8억 년 전에 적도 구역까지 포함해 지구가 완전히 얼음으로 덮인 빙하 시대가 존재했다고 하는 가설) 효과는 매우 극적이어서 일부 과학자들은 이 시기 전체를 '기후 재앙'으로 이야기한다.[11]

이 과정은 불안정하고 복잡했으며, 현대에 와서 상당히 진전된 연구 주제다.[12] 그러나 이후의 빙하기들과 마찬가지로 그것은 지구 동식물의 삶에 심각한 변화를 초래했다.[13] 그 결과 중 하나는 작은 유기체가 덩치를 키우는 진화였던 듯하다. 차가운 바닷물의 높은 점도粘度를 벌충하기 위해 더 빠른 속도로 움직일 수 있게 된 것이다.[14] 최근에는 8천 킬로미터에 이르는 '거대 산' 줄기가 만들어져 대기 중의 산소가 증가하고(인, 철분, 영양분이 대양에 산처럼 퇴적됐다가 수억 년의 시간이 지나면서 침식된 결과로서) 생물학적 진화를 자극하는 데 역할을 했다는 이야기도 나왔다.[15]

복합 다세포 생물의 화석 기록은 5억 7천만 년 전에 시작된 에디아카라 생물군Ediacara Biota 시기로부터 시작된다. 이 시기에 최소 40개의 종이 균형 잡힌(아마도 이동 같은 기능에 도움이 되었을 것이다) 다세포 생물로 진화했음이 밝혀졌다.[16] 이 시기는 대양에서 사는 동물의 다양성과 진화·발전·적응이라는 면에서 아주 각양각색이었다. 삼엽충 같은 일부 생물체는 상체 부분의 호흡 기관을 발달시켰다.[17]

오르도비스기Ordovices期 끝 무렵인 대략 4억 4400만 년 전에 갑작스러운 냉각(아마도 현재 미국의 애팔래치아산맥을 만들어낸 지질 구조 변화로 촉발된 듯한)이 일어나 기온이 뚝 떨어지고 심해 조류의 변화가 일어났다. 해수면도 내려가 해양 부유생물浮游生物(플랑크톤) 및 유영생물游泳生物(넥톤)의 서식지를 축소시켰다. 이 냉각이 한 차례의 멸종 파동을 일으켰다.

또 한 차례의 파동은 기온이 온화해지고 해수면이 올라가며 해양 조류 패턴이 정체되면서 일어났다. 그 결과로 산소 수준이 뚝 떨어졌다.[18] 수은의 흔적과 중요한 산성화의 지표들은 화산 활동이 결국 모든 종의 85퍼센트를 멸종시키는 결과를 초래한 두 번째 단계 과정의 핵심 요인이었음을 시사한다.[19]

이것은 생명체의 극히 일부만 남기고 나머지를 다 쓸어버린 몇몇 거대한 사건들 가운데 하나에 불과했다. 달은 이후 수백만 년 동안의 변화에서 역할을 했을 것이다. 달은 아마도 화성 크기의 충돌자가 지구에 부딪친 결과로 생긴 파편들로 만들어졌을 터인데, 달의 인력이 해양 조류에 중요한 역할을 한다. 이에 따라 일부 학자들은 달이 열을 적도에서 극지쪽으로 옮기는 데 도움을 준다고 주장했다. 그것이 기본적으로 지구의 기후를 형성했다.[20]

달은 과거 지구와 훨씬 가까웠기 때문에(아마도 지금 거리의 절반 정도였을 것이다) 이 힘은 상당히 강했고, 따라서 지구의 기후에 더 큰 영향을 미쳤으며 아마 지구의 야생 생물에 대해서도 그랬을 것이다. 최근의 모형화는 조차潮差가 커서 경골어硬骨魚가 육지의 얕은 웅덩이로 들어가게 되었고 이에 따라 무게를 지탱하는 사지와 공기를 들이마시는 기관의 진화를 촉진했음을 시사한다.[21] 다시 말해서 달은 지구의 변화에서 역할을 했을 뿐만 아니라 이 행성에 사는 생물의 발달에서도 역할을 했다.

그것은 지금도 중요한 영향력을 행사한다. 여러 해양 생물의 번식 주기는 달의 위상位相과 밀접하게 연동돼 있다. 물고기, 게, 부유생물 종들의 이동과 산란은 달빛에 의해 촉발된다.[22] 산호의 유전자는 달이 차고 기우는 데 따라 활동 수준이 달라진다.[23] 달의 위상은 동아프리카 세렝게티의 영양들이 짝짓기하는 시기에도 영향을 미치는 듯하며, 소의 자연분만과도 연결돼 있다.[24] 여러 영장류는 만월의 밤에 더 활동적이 된다. 아마도 달빛이 더 밝으면 포식자를 피할 가능성이 더 높아지기 때문인 듯하다.[25] 신천옹은 달이 뜬 밤에 더 활동적임이 지적된 바 있다.[26] 연구가 충분히 이루어지지는 않았지만 달의 위상과 달빛은 수많은 계절 이동 동물 종들의 연례 이동과도 밀접하게 연관된 듯하다. 특히 새의 이동 능력은 빛에 크게 의존하고 있다.[27]

사실 인간의 행위, 활동, 심지어 생식력과 달의 주기 사이에는 중요한 연관이 있는 듯하다. 전기가 들어가지 않은(따라서 유용한 통제 조건을 제공하는) 아르헨티나 토착민 사회에 대한 연구는 만월 전에는 잠을 늦게 자기 시작하고 밤을 짧게 보내는 것으로 나타났다. 땅거미가 진 후에도 달빛을 이용할 수 있는 시기다. 이는 또한 인공조명을 사용할 수 없는 공업화 이전 사회도 마찬가지로 달의 움직임에 크게 영향을 받는 수면 형태를 지녔을 것임을 시사한다.[28] 여성의 월경 주기에 관한 장기간의 자료는 그것이 달빛 및 달의 인력과 상관관계가 있음을 보여준다. 일부 학자들은 인간의 생식 행위가 본래는 달과 연동돼 있었지만, 최근에는 현대적 생활방식으로 인해 변화했다고 주장한다.[29]

인간의 행동에 영향을 미치고 방해하는 달의 역할은 종종 대중문화와 심지어 언어에도 반영됐다. 달의 여신 루나Luna에서 나온 영어의 lunatic(미치광이)은 정신병과 달 사이의 관계를 연상시킨다. 과학자들은 대개 이 인과관계 사슬을 무시하지만 말이다.[30] 그러나 일부 연구자들은 양극성 장애(조울증) 환자의 조증躁症 시기는 세 가지 분명한 달의 위상과 놀라운 일치를 보인다고 강조한다.[31] 다시 말해서 달은 대양의 조류, 지구의 온도 및 기후는 물론이고 생식 주기와 지구상의 생명체 전반에 대해 중요한 역할을 한다.

태음조太陰潮가 전리층電離層-열층熱層 기상 체계에서 하는 역할을 판단하기 위해서는 더 많은 연구가 필요하다. 과거의 진화 과정이나 대량멸종 사태 동안에 한 역할도 마찬가지다.[32] 후자는 이례적인 일이 아니었다. 가장 치명적이었던 것은 2억 5200만 년 전에 일어난 이른바 페름기-삼첩기三疊紀(트라이아스기)의 대멸종이었다.

주된 원인은 지금의 시베리아에서 발생한 거대한 화산 폭발이었다. 그것이 엄청난 양의 마그마를 쏟아냈다.[33] 중요한 순간은 용암의 분출이 멎고 마그마 층이 형성되기 시작했을 때일 가능성이 있다. 그 층들은 땅속에 가스를 가두고 있다가 일련의 거대하고 격렬한 분출을 통해 압력이 풀려났다.[34] 정확한 상황이야 어떠했든, 최종 결과는 막대한 양의 온실가스를 대기에 주입해 생물권을 불안정하게 만든 것이었다. 토양과 해수온도는 처음에 섭씨 8~10도 상승하고 뒤에 섭씨 6~8도가 추가로 상승했을 것이다. 적도의 기온은 아마도 섭씨 40도나 되었을 것이다. 그 결과

로 해양 생물의 96퍼센트와 육상 동물의 4분의 3이 멸종하고 지구의 숲이 모두 사라졌다.[35]

삼첩기 말인 대략 2억 년 전 무렵에 일어난 것 같은 거대한 화산 분출도 중대한 변모를 초래했다. 이때 한동안 해양 상황이 변한 끝에 해수면이 급격히 낮아지고 물기둥의 염도가 낮아졌다. 그것은 다시 염도가 낮은 얕은 바다의 미생물 복합 공동체로 이어졌다.[36] 이와 함께 거대한 산불과 화산으로 인한 가스의 갑작스러운 대기 주입으로 이산화탄소 수준이 네 배로 뛰고 해양이 산성화되었으며 동식물 생명체 대량멸종의 또 다른 파도를 재촉했다.[37]

그런 사건들은 생태계를 크게 변화시켰다. 동식물은 이에 대응해 변화하고 급속하게 다양해졌다.[38] 새로운 종류의 식물군과 식량으로 인해 적응이 필요했다. 그중 하나가 삼첩기에 이루어진 보다 강력한 턱의 진화다. 이에 따라 물어서 자를 힘이 생기고 그것이 효율적인 식생활을 가능케 했다. 이것은 더 딱딱하고 억센 초목 식재료가 흔해진 상황에서 특히 중요했다. 그리고 어떤 초식동물이 번성하고 어떤 것이 사라지는지를 좌우하는 핵심 요인이 되었다.[39]

그러나 과거의 대규모 변화 가운데 가장 유명한 순간은 6600만 년 전 유카탄반도를 타격한 소행성 또는 혜성 충돌로 인해 일어났다. 지금의 멕시코의 칙술루브Chicxulub 마을 부근이다. 이것이 공룡 멸종으로 이어졌다.[40] 이것은 지구 형성 이래로 외계에 의해 일어난 여러 차례의 큰 충격 중 하나일 뿐이며, 가장 이른 사례로 밝혀진 것 중 하나가 대략 30억 년 전으로 거슬러 올라가는 그린란드 서부 마니촉Maniitsoq 부근에 있는 충돌공이다.[41]

칙술루브 부근의 타격으로 인한 현지의 파괴는 엄청났을 것이다. 충돌

기둥에서 나오는 높은 수준의 열복사, 태풍급의 바람, 해저를 휩쓸었을 것으로 보이는 거대한 지진해일(쓰나미), 산사태 같은 것들이었다. 이 특별한 타격의 영향은 전 세계에 미쳤다. 약 325기가톤의 유황과 425기가톤의 이산화탄소가 초속 1킬로미터 이상의 속도로 대기에 쏟아져 들어갔다. 그 결과 지구 대기 재진입 시의 분출물 열기에 의해 불바람이 일어나고, 햇빛이 먼지에 의해 차단돼 단기적으로 기온이 떨어졌으며, 장기적으로는 막대한 양의 이산화탄소가 배출돼 기온이 상승하고 대양의 산성도가 높아졌다.[42]

이 타격이 그렇게 치명적이었던 것은 부딪친 물체의 크기(최근 연구는 태양계 끄트머리의 오르트Oort 구름에서 온 혜성의 일부로 지름이 약 12킬로미터에 달했음을 시사한다) 때문이었지만, 지구에 충돌한 방식과 장소 때문이기도 했다. 천체물리학자들은 그 정도 크기의 물체와 충돌한 결과가 얼마나 파괴적일 수 있는지를 1994년 슈메이커-레비9 혜성이 목성에 충돌할 때 알 수 있었다. 이때 이 혜성의 조각들은 충돌 전 더 작은 조각들로 쪼개졌고, 마지막 남은 조각 가운데 가장 큰 것이 1킬로미터 정도의 크기에 불과했다. 그것이 약 10만 킬로미터에 이르는 충돌 흔적을 남겼다. 지구 지름의 거의 여덟 배에 이른다. 이를 본 과학자들은 타격과 그 후유증의 규모로 인해 눈에 띄게 충격을 받았다.[43]

이것은 칙술루브 타격이나 과거에 있었던 다른 비슷한 타격, 그리고 미래에 일어날 타격에 분명한 함의를 지닌다. 특히 새로운 연구가 비슷한 장주기 혜성이 지구에 부딪칠 확률을 열 배로 올려 잡아야 한다고 주장한 상황에서 말이다.[44] 들어가는 특정한 각도 역시 중요했다. 새로운 모의실험들은 가파르게 기울어진 궤적이 최악의 상황임을 보여준다. 대기로 밀어 올리는 잔해의 규모가 엄청나서 지구상의 생명체에 가장 치명적

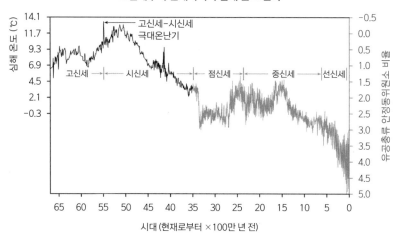

고신세부터 현대까지의 심해 온도 변화

자료: NOAA
출처: Hunter Allen and Michon Scott

이다.[45] 시기 역시 중요했다. 칙술루브 충돌은 북반구의 봄/여름에 일어났다. 물고기와 대부분의 육상 생물군의 산란기 직후로, 동식물에 미치는 후속 영향이 매우 컸다.[46]

충돌이 거대 화산 분출들과 대략 비슷한 시기에 일어났다는 점도 상황을 더 악화시켰을 것이다. 사실 일부 과학자들은 화산 활동이 생태계 붕괴에 한몫하고 대량멸종에 기여했다고 주장한다.[47] 어떻든 그 결과로 육지의 표면 평균 기온이 섭씨 10~16도 내려갔고, 해수 온도도 특히 얕은 수역에서 크게 떨어졌다. 그리고 동식물 생명체가 대량멸종했다.[48]

그런 사건들은 엄청나고 파괴적이었다. 그 각각은 또한 결국 인류와 아울러 오늘날 존재하는 많은 동식물 종들과 생물체들을 탄생시킨 이례적인 요행수, 우연의 일치, 도박, 횡재의 연속에서 한 부분을 담당했다.

오늘날 지구상의 모든 생명체는 한 차례가 아니라 여러 차례의 대량멸종 사태, 그리고 거의 끊임없는 기후 및 기상 조건의 커다란 변화(그것이 오늘날 우리가 익숙하게 생각하는 세계를 만들었다)라는 좀 더 작은 규모의 사건들을 이겨내고 살아남은 동식물과 유기체의 후예들이다.

대규모 변화를 초래한 가장 파멸적인 사건조차도 우리가 현대 지구촌 생태계의 기본적 특징이라고 생각되는 결과를 가져왔다. 그것들의 뿌리는 수천만 년 전으로 거슬러 올라가지만 말이다. 예를 들어 남아메리카의 꽃가루 알갱이 분석은 칙술루브 충돌이 우리가 지금 알고 있는 열대 우림을 만드는 데 이바지했음을 보여준다.

충돌 이전에 열대림의 나무들은 듬성듬성 떨어져 있어서 빛이 숲의 바닥에 닿았다. 충돌 이후에는 나무들이 좀 더 밀집해서 자랐다. 아마도 대형 초식동물들이 멸종한 결과였을 것이다. 햇빛도 더 차단되고, 박테리아와의 상호작용 덕분에 공기 중에서 질소를 얻는 콩과식물도 번성할 수 있었다. 충돌로 인해 생긴 강하회降下灰는 지구 생태계에 풍화가 쉬운 인광燐鑛을 보태주었다. 그것은 다시 토양의 비옥도와 숲의 생산성을 자극하는 데 필요했다. 이는 또한 침엽수 및 양치식물과 대비되는 꽃식물의 상대적 이점을 높여주었다. 이에 따라 생물 다양성의 급증을 위한 도약대가 만들어졌고, 오늘날 탄소 순환의 매우 중요한 부분인 광대한 우림 지대를 위한 조건이 조성되었다.[49]

대량멸종을 야기하지 않은 채 상당한 결과를 만들어낸 보다 온건한 기후 변화 사태들도 있었다. 그 적절한 사례가 '고신세古新世(팔레오세)-시신세始新世(에오세) 극대온난기'다. 5600만 년쯤 전 상당히 온난했던 시기다. 그 이전에 막대한 양의 탄소가 대양대기계에 쏟아져 들어와 지구촌 기온이 최소 섭씨 4~5도 올라 대략 20만 년 동안 지속됐다.[50] 일부에서는 열대 지방의 기온이 섭씨 40도까지 올랐다고 주장한다.[51] 이산화탄소의 양이 매우 많아 그 농도가 공업혁명 이전 시기 이산화탄소 수준의 16배나 되었다고 연구들은 추정했다.[52]

탄소의 출처는 논쟁의 대상이지만, 화산 분출이 역시 해양 및 육상 생물의 지리적 원거리 이동을 초래하고 급속한 진화 과정을 자극하며 먹이사슬에 영향을 미친 불안정성을 일으킨 가장 그럴듯한 원인인 듯하다.[53] 그것은 또한 식물군의 다양성을 크게 확장시켰고(적어도 열대 지방에서), 북아메리카, 남아시아, 북아프리카, 남극 대륙을 포함하는 전 세계의 강수량 수준을 끌어올렸다.[54] 남극 대륙에서는 무성한 삼림지대가 형성됐다가 두꺼운 대륙빙상이 만들어지기 시작했다. 지구 남반구 상당 부분에 영향을 미친 대기 이산화탄소 농도의 상당한 감소와 연관된 과정이었다.[55]

또 다른 지역적·세계적 기후 변화는 공룡 멸종 이래 42차례의 거대한 화산 분출 이후에 일어났다. 그 각각은 1991년 피나투보 화산 분출보다 150배 이상 강력했다. 가장 대표적인 사례가 지금으로부터 2800만 년 전 지금의 미국 콜로라도에서 만들어진 피시캐니언Fish Canyon 응회암이다. 최근 5억 년 사이에 일어난 최대 규모의 단일 화산 분출이었다.[56]

소행성과 운석의 충돌 역시 자연환경을 변화시켰다. 80만 년 전 지름 2킬로미터의 물체가 충돌해 아시아 상당 부분, 오스트레일리아, 남극 대륙 등 동반구에 잔해를 흩뿌린 것과 같은 경우다. 그 충돌공은 최근에야 라오스에서 발견됐는데, 이렇게 뒤늦게 발견된 이유 중 하나는 그것이 후대의 분출에 의해 만들어진 화산 용암 평원 아래 숨겨져 있었기 때문이다.[57]

변화는 또한 선신세(플라이오세)의 피아첸차기Piacenza期(대략 300만 년 전)

동안 같은 장기간에 걸친 온난기에 의해 초래되기도 했다. 이 시기에는 오늘날에 비해 기온이 섭씨 3도 이상 높았고, 해수면이 20미터 이상 높았다. 그리고 20세기에 이르는 어느 기간보다도 대기의 이산화탄소 농도가 높았다. 지구 기상 패턴이 큰 폭으로 재구성되었기 때문이다.[58]

지질과 지각판의 이동 역시 지구를 형성하고 재구성하는 데, 그리고 바다와 육지와 생명체가 오늘날 우리가 알고 있는 대로 지리적으로 분포되는 데 중요한 역할을 했다. 수백만 년이 지나는 사이에 거대 단일 초대륙이 쪼개졌다. 아마도 핵과 맨틀의 경계에 있는 맨틀기둥이 움직임을 초래했기 때문일 수도 있고, 대양판의 음부력陰浮力이 위에서 압박을 가했기 때문일 수도 있고, 아니면 이 두 가지가 모두 작용했기 때문일 수도 있다.[59] 어떤 경우에는 초거대 화산에서 뜨거운 물질이 치솟아 판이 갈라지고 회전하게 되기도 했다. 1억 년 남짓 전에 인도판이 아프리카판에서 떨어져 나올 때 그랬다.[60]

물론 결과적으로 이런 움직임은 세계의 대륙들을 현재 차지하고 있는 위치로 나누어놓았다. 그러나 그것이 만들어지고 이동하는 과정은 중요한 함의를 지니는 것이었다. 우선 모든 땅덩어리가 해수면 위에 남아 있지는 않았다. 실제로 지금의 뉴질랜드와 누벨칼레도니 주변의 물에 떠있는 지역은 연속된 단일 땅덩어리의 일부로, 거의 95퍼센트가 물에 잠겨 있다. 그것은 너무 광대해서 일부에서는 이를 지구의 '여덟 번째 대륙'으로 부르기도 했다.[61]

이 경우에 광대한 땅덩어리가 바다 밑으로 잠긴 것은 쭉 펴서 얇게 만든 결과다. 그린란드만 한 크기의 대륙판 일부가 나중에 북아프리카가 되는 것에서 떨어져 나와 남부 유럽으로 들어가 충돌하고 결국 그 아래로 들어가게 된 것은 또 다른 이야기다.[62] 이런 충격들의 결과로 거대한 힘이 만들어지고 땅이 구겨져 세계의 거대 산맥들이 만들어졌다. 남아메리카의 안데스산맥이나 히말라야산맥 같은 것들이다. 히말라야는 대략 5천만 년 전 인도아대륙이 유라시아 대륙에 부딪칠 때 만들어진 것으로, 해수면 부근의 땅이 위로 밀려 올라간 결과 해양 생물의 화석이 세계에서 가장 높은 축에 속하는 봉우리 꼭대기와 그 부근에서 발견된다.[63]

이 거대한 산맥들의 형성은 다시 국지적이고 지역적이며 심지어 세계적인 기후 패턴을 변화시키고 형성하는 데 기여했다. 예를 들어 로키산맥의 위치와 크기는 북아메리카 동해안의 강수 패턴과 폭풍 진로 형성에 영향을 준다는 사실이 널리 받아들여지고 있다. 북대서양과 심지어 멀리 노르웨이까지도 마찬가지다.[64] 또한 히말라야산맥과 티베트고원의 융기가 아프리카의 강우 분포를 결정한다는 주장이 오랫동안 제기되어왔다. 다만 최근의 민감도 모형화는 그 영향이 약하고 제한된 것이라고 주장한다.[65] 오히려 토지 피복land cover과 먼지 배출 두 가지가 모두 아시아에서의 계절 강우의 강도에 더 중요한 역할을 하는 듯하다. 적어도 최근 수천 년 동안에는 그랬다.[66]

지구 땅덩어리의 재배치는 동물상 및 식물상에 중요한 함의를 지녔으며, 또한 인간 사회의 발전에도 특수한 결과를 가져왔다. 예를 들어 수백만 년에 걸친 점진적인 변화는 유라시아 대륙의 대형 포유동물 개체수와 분포에서 남·북아메리카와 매우 뚜렷한 차이를 만들어냈다. 특히 중요한 것은 대략 2만 5천 년 전 인간의 정착 초기까지 아메리카에는 가축화하는 데 적합한 동물이 없었다는 점이다. 이는 사회들이 자연계를 이해하고 상호작용하는 방법에 대해서뿐만 아니라 농업 기술, 잉여 식량을 만들어내는 능력, 사회 위계의 탄생, 심지어 질병에 대한 면역 반응(가축화한 동물과의 밀접한 상호작용이 가져온 핵심적인 부산물 중 하나)에도 심각한

영향을 미쳤다.[67]

그러나 대략 2억 5천만 년 전에 시작된 초대륙의 해체와 여러 대륙의 형성은 오늘날 우리에게 익숙한 지도를 만들어내는 데 그치지 않았다. 예를 들어 그 결과 가운데 하나는 2천만 년 남짓 전에 테티스해라는 광대한 수역이 사라지고 그것이 축소돼 결국 지중해로 쪼그라들었다는 것이다. 이것이 세계 기후 패턴의 재구성으로 이어졌고, 그중 일부가 아프리카 상당 부분의 건조화와 남극 대륙의 장기적 빙결의 시작 등이었다.[68]

기후 조건 변화는 대략 560만 년 전의 '메시나기Messina期 염분 위기'를 초래했다. 그 결과로 지중해 물의 증발에 의한 건조가 일어나고 유럽-아프리카-서아시아 사이에 동식물 통로가 만들어졌다. 그것은 30만 년 후 대서양의 물이 지브롤터해협을 통해 들어오고 지중해 해분海盆이 급속하게 물로 채워질 때까지 지속됐다. 이 사건이 '잔클레Zancle 홍수'로 알려졌다.[69]

그러나 21세기의 관점에서 보다 중요한 것은 대륙의 균열 및 충돌, 그리고 큰 대양 해분의 변화가 전 세계에 걸쳐 거대한 탄화수소 광상 형성으로 이어졌다는 것이다. 전 세계 27개 핵심 지역에 무리지어 있는 877개의 거대 유전 및 가스전(매장량이 5억 배럴 이상인 곳들이다)의 거의 전부다.[70]

이들 매장지가 매년 수조 달러어치의 화석연료 경제를 뒷받침한다. 그러나 그것은 우리 시대의 기후 변화의 핵심 추동자이기도 하다. 화석연료를 태우면서 시작된 에너지혁명은 석유·가스를 연료로 쓰는 자동차, 엔진, 발전소의 발달과 함께 급속하게 가속화됐다. 다시 말해서 현대의 인위적 요인에 의한 기후 변화, 지구 온난화, 공해는 모두 수억 년에 걸쳐 일어난 변화에 기인한 것이다.

사실 이 장기적인 발전들은 현대의 환경 문제와 연결돼 있을 뿐만 아니라 오늘날 세계 경제·사회·정치의 권력 이동 이야기에서도 핵심적이다. 예를 들어 공업혁명의 연료를 제공했던 석탄의 대부분은 대략 3억 년 전 석탄기와 페름기 초기에 식물 잔해로부터 만들어졌다. 대기의 이산화탄소 수준이 급감함으로써였다.[71]

따라서 이 광상의 소재지들은 석탄을 동력으로 하는 기계화가 생산과 생산성으로 끌어올릴 수 있는 새롭고도 이례적인 기회를 제공하게 되면서 결정적으로 중요해졌다. 사실 일부 학자들은 대분기Great Divergence(유럽이 중국의 청나라나 다른 아시아 국가들을 뛰어넘고 앞서 나간 시점)의 이유 중 하나가 유럽의 탄전炭田이 제조 중심지가 될 수 있는 곳에 더 가까이 있고 더 많은 노동력에 손쉽게 접근할 수 있어 그것들을 캐내 더 빠르고 더 싸게 이용할 수 있었기 때문이라고 주장했다.[72] 앞으로 보게 되듯이 유럽 세력의 부상에는 다른 여러 요인들이 작용했지만, 세계화가 진전된 시기에 에너지혁명이 새로운 가능성을 열어놓으면서 지질을 잘 타고난 행운이 엄청나게 중요하게 작용했다.

그것은 또한 새로운 생태적 변경을 개척하는 데도 도움을 주었다. 예를 들어 미국 중서부와 그 너머에 도시와 철도가 들어선 것은 석탄, 석유, 가스 등 방대한 화석연료 광상으로 인해 촉진됐다. 일리노이, 아이오와, 네브래스카주와 이어서 남·북 다코타와 와이오밍에서 콜로라도를 거쳐 뉴멕시코주까지 남쪽으로 뻗어 있는 더 광대한 지대다.[73] 19세기 후반에 '즉석 도시'들이 미국 중심부에 나타나기 시작했다. 이와 동시에 공업화와 도시화도 진전됐다. 이는 제조업 강국 건설에 도움이 되었으나, 인구가 해안에서 내륙으로 재배치되는 결과 또한 가져왔다.[74]

역으로, 더 최근에 채탄 산업의 일자리에 대한 압력은 청정에너지 생산에 대한 정부의 장려책과 재생에너지의 비용 격감에 떠밀려 대통령 선거에서 영향을 미쳤다. 석탄 친화적인 공화당 후보들에 대한 지지가 급등한 것이다. 석탄 매장지와 채탄에 관련된 주민들이 사는 지역은 과거나 지금이나 4년마다 누가 백악관에 들어갈지(또는 들어가지 못할지)에 영향을 미치고 있다.[75]

지질상의 행운이 현대 세계에서 중요한 역할을 한다는 사실은 비슷한 여러 다른 일들에서 분명해진다. 예를 들어 1억 4500만 년 전에서 6500만 년 전 사이의 백악기白堊紀 동안에 세계는 지금에 비해 훨씬 온난했고 해수면도 훨씬 높았다. 수많은 죽은 해양 미생물들이 퇴적층을 이루고 그것이 결국 유층油層을 만들어냈다. 그러나 그들의 죽음은 다른 결과들도 낳았다. 미국 남부에서는 세계가 추워지고 해수면이 내려가면서 멸종된 플랑크톤과 기타 해양 생물들로부터 거대한 백악층이 형성되었다. 이것이 매우 비옥한 땅뙈기들로 이어졌다. 특히 비가 내려 영양분이 적은 탄산염 광물을 용해시킨 뒤에 말이다.

비옥하고 검은 흙으로 인해 블랙벨트Black Belt로 알려진 미국 동남부 주들의 활 모양의 지역은 집약 작물, 특히 면화 생산에 이상적임이 입증됐다. 아메리카 대륙에 유럽인이 들어오고 대서양 횡단 노예무역이 시작되면서 이 지역은 아프리카인들의 집중 주거지가 되었다. 그들은 대량으로, 그리고 터무니없는 상태로 배에 실려와서 노동집약적인 일을 했다.

1865년에 노예제가 폐지되었음에도 불구하고 많은 미국 흑인들은 투표권을 얻지 못하다가 100년 뒤 차별적 투표 관행을 불법화한 '투표권법'이 통과돼 투표권을 얻었다. 오늘날 블랙벨트 지역의 여러 군에서는 아프리카계 조상을 둔 미국인들이 주민의 다수를 차지하고 있다. 특히 실업률이 높고 교육과 의료 서비스가 빈약한 곳들에서 그렇다. 미국의 이 지역뿐만 아니라 특정 군들의 유권자들의 표가 대통령 선거 결과를 결정하는 데 중요한 역할을 한다.[76] 기후 변화는 현재와 과거를 위한 주제에 그치지 않는다. 그것은 또한 과거를 위해서도 근본적인 부분이다.

세계의 다른 지역에서도 자원 분포에 관한 이야기는 대동소이하다. 석유와 가스 이야기는 20세기 세계 지리정치학에서 핵심적 역할을 한 것 가운데 하나였다. 사우디아라비아, 이란, 페르시아만 지역, 그리고 그 밖의 서아시아와 북아프리카 지역의 막대한 매장량은 군사적 개입 이야기, 독재적·신정적 정권의 존재, 기타 여러 가지 더 폭넓은 주제들과 밀접하게 연결돼 있다. 이 지역에 대한 미국의 개입이 지난 50년 동안의 미국 대통령을 결정하지는 않았겠지만, 인질 위기, 무기 판매, 침공, 테러, 핵 협상이 1970년대(어쩌면 그 이전부터) 이래 미국 외교정책의 필수 요소였다는 것은 결코 우연이 아니다. 서아시아에 석유와 가스가 없었다면 사태는 사뭇 달랐을 것이다.[77]

19세기와 20세기 전반의 영국, 독일, 일본도 마찬가지였다. 대영제국 건설의 신기한 우연 중 하나는 제국이 제1차 세계대전 무렵에 지구 표면의 거의 4분의 1을 차지하고 있었던 것으로 유명함에도 불구하고 광대한 제국 땅덩어리에 중요한 석유 매장지가 별로 없었다는 점이다. 따라서 제국에 필요한 에너지를 확보하기 위해서는 의존할 만한 석유 산지를 찾아내고 그곳에 대한 지배권을 확립할 필요가 있었다. 이에 따른 군사적·정치적 개입 결정이 제1차 세계대전 이후 서아시아의 모습을 바꾸었고, 오늘날까지 이어지는 결과들을 낳았다.[78] 마찬가지로 독일과 일본도 자기네가 이용할 수 있는 석유 자원이 없었기 때문에 제2차 세계대전 동안의 전략 결정에 영향을 받았다. 특히 각기 캅카스와 동남아시아로 대군을 진격시킨 것이 그랬다. 그것이 결국 보급선과 전쟁 역량을 지나치게

벌려놓았다.[79]

마찬가지로 다른 자원(천연자원과 기타 자원)의 분포도 인류 역사에서 근본적인 역할을 했고, 앞으로도 계속 그럴 것이다. 금 같은 이용 가능한 귀금속 자원은 지구의 형성 이후 운석이 계속 지구에 떨어진 결과다.[80] 이것이 금이 풍부하고 채굴 비용이 낮은 지역에 사는 사람들의 운명(좋은 쪽도 있었고 나쁜 쪽도 있었다)을 결정했다. 그 결과로 강제적이거나 자발적인 인구 이동이 일어나고 어떤 경우에는 군사 대결도 벌어졌다.

희토류(사실 희귀하지는 않지만 채굴에 경제성이 있을 정도로 모여 있는 경우가 드물 뿐이다) 같은 중금속은 질량이 보통 태양의 서른 배가 되는 초신성들의 폭발 부산물로부터 나온 듯하다.[81] 이들 상당수는 이후 알칼리 함유 화성火成 활동 및 지구상의 마그마계와 연결된다.[82] 여기서도 역시 지질과 운이 이것들을 채굴하기가 얼마나 쉬운지를 결정했고, 정치 발전, 군사적 경쟁, 사회 및 국가의 진화를 결정하는 데 기여했다.

일부에서는 21세기가 베릴륨, 디스프로슘, 이트륨 같은 새로운 원소군 쟁탈전에 의해 규정될 것이라고 예측한다. 이것들은 수십 년 전에는 별로 가치가 없고 사용되지도 않았지만 지금은 여러 첨단기술 장비의 필수 구성 요소다. 새로운 기술은 미래에 경쟁을 부추길 것이다. 달과 행성 탐사, 특히 외계의 것으로부터 광물을 찾아내고 추출하는 일에 새롭게 관심이 높아지는 이유 가운데 하나가 그것이다.[83]

지구의 자원 분포는 에너지나 귀금속의 문제에 그치지 않는다. 환경의 복불복은 동식물을 포함하는 다른 여러 재료와 물질에도 적용되기 때문이다. 향신료(가장 대표적인 산지가 남아시아와 동남아시아다)의 중요성은 교역망 형성을 자극하는 데 이바지했고, 그 교역망이 이들 지역을 서아시아·아프리카·지중해나 중국·일본 및 기타 지역과 긴밀한 접촉을 갖게 만들었다. 마찬가지로 누에의 서식지는 가볍고 질기고 값비싼 직물 제조에 긴요했으며, 수천 킬로미터 밖에서까지 높은 수요를 촉진했다. 앞으로 보겠지만 단·중·장거리 교역의 결과인 동식물의 확산(의도적인 것도 있고 우연적인 것도 있다)은 세계 생태사의 핵심적인 부분이며, 거기서 인간은 특히 중요한 역할을 했다.

그렇다면 한 가지 문제는 인류가 자연계에 대해 어떻게 이해하고, 가장 중요하게는 그 안에서 우리 자신의 위치를 어떻게 개념화할지를 정하는 것이다. 환경보호론자들은 때로 시간을 멈추게 하는 방법이 있고, 우림지대를 건드리지 말아야 하며, 초지를 온전하게 남겨둬야 하고, 인간이 '자연'에 간섭하지 말아야 함을 넌지시 내비친다. 그러나 동식물은 변화를 일으키고 심지어 상황을 악화시키거나 파괴할 수 있는 나름의 방법들을 갖고 있다. 자연은 균형을 유지하는 조화롭고 온순하고 보완적인 개념이 아니다. 생태계는 언제나 인간 이외의 여러 힘들에 의해 변형되고 재편돼왔기 때문이다.

한편 인간의 활동은 풍광의 의식적인 변경, 생태계에 대한 의도적인 개입, 과도한 사용으로 이어지는 고의적이고 잘못 설계된 결정에 의해 변화를 초래한다. 이것은 의도하지 않은 결과들 역시 초래할 수 있다. 생물 종을 새로운 환경에 들여놓은 이후의 연쇄반응이나, 사람은 물론이고 동식물에도 극적인 영향을 미치는 병원균과 질병의 확산 같은 것들 말이다.

그런 의미에서 인간의 진화는 지구의 역사에서 가장 중요한 발전이었다. 과거의 대량멸종은 화산 폭발과 혜성 충돌 때문에 발생했지만, 인간은 독자적으로 대량멸종을 초래하는 기술을 개발하는 데 성공했다. 누군가는 우리가 21세기를 살고 있는 지속 불가능한 방식과 지구 온난화의 충격이 인간의 존재를, 그리고 수많은 동식물의 존재를 위험에 빠뜨리고 있다고 주장할 것이다. 우리가 서로 교류하는 일도 여기에 일부 책임이 있다. 여행과 운송, 그리고 상품·생산물·관념의 세계화라는 형태로 말이다.

그러나 우리는 또한 다른 방법으로 우리 자신의 파괴를 보장할 능력을 개발했다. 체르노빌 핵발전소의 원자로 사고, 엑손발데스호 원유 유출, 인도 보팔의 유니언카바이드 공장 가스 누출 같은 사건들은 우리의 새로운 기술들이 대규모 환경 재난을 야기할 수 있다고 경고한다. 핵무기 개발도 같은 것을 보여주었다. 제2차 세계대전 막바지에 일본의 히로시마와 나가사키에서, 그리고 구소련과 북아메리카와 태평양의 핵 실험장에서였다.[84]

핵무기 비축량을 감안하면 우리는 스스로 외계의 타격에 맞먹는 결과를 가져올 능력이 있다. 사고에 의한 것이라도 말이다.[85] 오(誤)경보가 우려스러울 정도로 자주 울린다. 2018년 하와이에서 탄도미사일 경보가 텔레비전, 라디오, 휴대전화를 통해 울렸다.[86] 확률 법칙은 인간의 실수, 정치적 경쟁의 격화, 지리정치학적 오산에 기인하는 파멸적 사건이 일어나는 것이 가능성 여부가 아니라 시간문제임을 시사한다.

의도적으로 시작된 것이든 아니든 대규모 핵전쟁 이후의 가장 큰 위협은 미사일이 싣고 오는 핵탄두에서 나오는 것이 아니라 지구의 급속한 냉각과 그에 이은 이른바 핵겨울로부터 온다는 것은 아마도 역설적일 것이다. 바로 이 시나리오에 관한 소련과 미국의 모형 연구는 1980년대 군비 축소 협정과 핵무기 및 핵기술 확산 통제 노력을 자극하는 데 중요한 역할을 했다.[87]

이것은 현대 세계에서 다시 한번 중요해진 분야다. 인간이 유발하는 재난의 위험 수준이 인류의 탄생 이래 역사의 어느 순간보다도 더 크다는 얘기다. 그렇다면 인간은 어떻게 해서 지구의 현재와 미래에 그렇게 중심적인 존재가 되었을까? 인간이 지구에 존재했던 기간은 지구가 형성된 이래 수십억 년의 역사 속에서 눈 깜빡할 정도의 시간에 불과한데 말이다.

## 2장     인류의 기원
대략 700만 년 전부터 서기전 12000년 무렵까지

나는 여기서 종의 기원에 관한 견해의 진전을
간략히(불완전할까 걱정되지만) 스케치하려 한다.
— 찰스 다윈, 〈종의 기원〉(1870)에서

인간(호모 사피엔스)의 기원은 좀 아리송하다. 그리고 상당한 논란이 있는
문제다. 인간의 계통은 대략 700만 년 전에 유인원類人猿과 갈라졌다. 침
팬지의 돌연변이율에 대한 최근의 추정이 맞는다면 훨씬 이를 것이다.[1]

화석 기록은 인간의 모든 조상이 아프리카에 살았음을 강력하게 시사
한다. 그 위치를 밝히는 것은 쉬운 일도 아니고 합의에 이른 문제도 아니
지만 말이다. 초기 사람족Hominini 가운데는 몇 종의 아우스트랄로피테쿠
스Australopithecus가 있었다. 가장 유명한 것이 1974년 에티오피아에서 발
견된 뒤 루시Lucy로 명명됐으며, 더욱 완전한 표본은 별명 리틀풋Little Foot
으로 남아프리카공화국 요하네스버그 부근 스테르크폰테인Sterkfontein 동
굴에서 발굴되었는데 대략 367만 년 전으로 거슬러 올라간다.[2] 리틀풋의
어깨뼈 관절, 빗장뼈에 대한 최근 연구는 등뼈 배열이 나무를 기어오르
고 가지에 매달리는 데 매우 적합함을 보여주었으며, 그것은 다시 추정
주거지에 대한 통찰을 제공했다.[3]

우리 종의 조상인 사람속*Homo*은 아마도 대략 300만 년 전에 나타났고, 적절한 첫 사례는 2013년 이가 제자리에 있는 턱뼈로 발견됐다. 대략 280만 년 전의 것이었다.[4] 사람속 첫 성원들의 외양은 때로 중대한 변화로 보였지만 이 이행과 등장은 갑작스러운 것도 대단한 것도 아니었다. 오스트랄로피테쿠스와 여러 특징을 공유하고 있었다.[5] 실제로 일부 학자들은 초기 사람속 일부 종들은 오스트랄로피테쿠스로 다시 분류해야 한다고 주장했다.[6]

최근 연구는 사람속에도 상당한 다양성이 있음을 시사한다. 그리고 그 결과로 변종과 차이를 어떻게 묘사하고 설명할지에 관해, 심지어 종을 이루는 요소가 무엇인지에 관해 의견이 거의 모이지 않는다.[7] 호모 루돌펜시스*Homo rudolfensis*, 호모 하빌리스*Homo habilis*, 호모 에렉투스*Homo erectus*가 어떻게 발전했으며 그들이 서로 어떻게 다른지는 왕성한 추측이 일어나는 근원이다. 그들이 후대의 호모 하이델베르겐시스*Homo heidelbergensis*(이들에게서 호모 네안데르탈렌시스*Homo neanderthalensis*와 호모 사피엔스*Homo sapiens*로 진화했을 것이다)와 어떻게 연결되는지도 마찬가지다. 그럼에도 불구하고 이들 모두는 그들을 다른 영장류와 구분하는 특징들을 공유하고 있는 듯하다. 두 발 보행, 직립 자세, 더 큰 뇌, 그리고 아마도 전문화된 도구 사용 같은 것들이다.[8]

오랫동안 주장돼온 것이 사람족의 진화는 기후 패턴의 변화로 가속화됐다는 이야기다. 울창한 숲들이 기후 변화로 인해 더 건조해졌고, 그 결과로 직립 자세, 더 큰 뇌, 이의 크기 변화에 호의적인 진화 압력이 생기고 멀리 이동하는 능력이 필요해졌거나 부여받았다는(또는 둘 다) 것이다.[9] 이런 변화들이 균일하지는 않았다. 그럼에도 불구하고 속 전체의 회복력, 성공, 팽창의 핵심 요인은 예측 불가능한 환경에서 식생활을 유

연하게 하고 사망 위험을 줄일 수 있었다는 것이다.[10]

확실히 남아프리카의 한 특이한 동굴에서 발견된 석기와 골각기들은 사람족의 여러 종들이 생태계의 상당한 변화를 맞아 적응했음을 보여준다.[11] 이것은 화산 활동이 화석과 고고학적 잔해의 층서層序를 남겨놓은 동아프리카의 발견물과 판박이다. 동아프리카의 것은 어느 정도 정확하게 연대를 추정할 수 있었고, 사회적 협력을 통한 문제 해결의 사례를 보여주었다.[12] 그중에는 현대 탄자니아에 있는 올두바이 협곡 유적지에서 핵-박편-돌망치 기술을 사용한 사례도 있었다. 파르물라리우스Parmularius(영양을 포함하는 솟과에 속하지만 지금은 멸종했다) 같은 동물을 사냥하고 도살하고 살을 바르고 골수를 파내는 데 도구를 사용한 흔적도 있었다. 물고기, 악어, 거북 같은 수생생물도 있었는데, 이들도 사람족의 먹을 것에 포함돼 있었다.[13]

이는 그런 식재료들이 인간의 뇌 성장에 필요한 특정 영양소, 특히 고도불포화지방산(PUFA)을 제공하기 때문에 중요했으며, 따라서 더 크고 새로운 능력을 발달시키는 데 필수적이었다.[14] 실제로 일부 학자들은 뇌 기저핵의 신경화학적 변화가 사람족이 유인원에서 갈라져 나오는 데 결정적인 요인이었다고 주장했다. 의사소통, 공감, 이타심 같은 사회적 행동을 설명하는 데 도움이 되는 이후의 대뇌피질 발달에서도 마찬가지다.[15]

어떤 사람들은 또한 뇌의 크기 증가가 인구 증가 수준과 상관관계가 있으며 집단의 규모 증대에 적응할 필요성을 반영한 것이라고 주장했다('사교 두뇌 가설'이다). 그러나 또 어떤 사람들은 새로운(또는 변화하는) 생태 환경의 압력이 중요했고, 생존을 보장하려면 적응을 위한 지능이 필요했음을 강조한다. 뇌세포 수를 극적으로 늘린 호모 사피엔스의 중요한 유전자 돌연변이는 또한 광범위한 영향을 미치는 인지적 이점을 가져왔을 것이다. 이것은 학자들이 활발하게 토론하고 있는 문제이지만, 생태적·사회적 경쟁이 진화의 '원동력'으로서 생체, 신경, 행동의 변화를 추동했다는 데는 많은 사람들이 동의하고 있다.[16]

역시 여기에서 핵심적인 것은 불을 사용하고 통제하는 인간의 능력이었다. 불의 혜택은 요리, 온기, 포식자와 야생 생물의 침입으로부터의 보호 등이다. 자연 발화는 주로 지구상에서 연간 수억 회 일어나는 번갯불로 인한 것이다.[17] 인체에 생긴 변화, 이와 뇌의 크기에 생긴 변화, 언어 발달에 생긴 변화, 보다 복잡한 인지 기술에 생긴 변화는 음식 조리의 도입과 연결돼 있었다. 각각의 것은 오랜 시간에 걸친 꾸준한 진보의 일부였지만 말이다.[18]

남아프리카, 레반트, 중국 동부 동굴 유적지들의 나무, 뼈, 풀, 기타 물질을 태운 흔적은 적어도 일부 사람속 집단이 100만 년 전에서 50만 년 전 사이에 불을 통제하는 법을 알았음을 시사한다. 40만 년 전 무렵이 되면 흔적은 유럽, 아프리카, 아시아의 여러 유적지에서 흔하게 발견된다.[19]

초기 사람속이 직면했던 가장 어려운 문제 중 하나는 기후 패턴의 출렁거림이었다. 층서학, 호수, 동물, 기타 자료들은 수십만 년 사이에 기후가 건조와 습윤 사이를 자주 큰 폭으로 왔다 갔다 했음을 시사한다. 이는 지질 구조나 화산의 영향, 지구 공전 궤도의 이심離心, 태양 활동, 가용 수량의 변화(이는 계절풍 집중도의 세기, 대형 호수의 크기, 엘니뇨-남방진동과 연계돼 있다) 등으로 인한 것이었다. 이 모든 것이 어우러져 융통성을 요구했고, 초기 사람속의 식생활과 인지 및 사회적 적응성을 형성하는 데 중요한 역할을 했다.[20]

아프리카는 서로 다른 종들의 도가니였다. 그래서 가장 최근의 인류

가운데 아프리카인 집단 및 개인의 유전자 다양성은 세계의 다른 어느 지역보다도 크다.[21] 200만 년 전 무렵에는 일부 사람속 종과 구성원들이 다른 대륙들로 이주했다. 두 차례의 분산 사태를 통해서였던 듯하다.[22] 입증된 가장 이른 사례(호모 에렉투스의 것으로서)는 캅카스에서 찾아볼 수 있다.[23] 중국과 자바섬에서는 180만 년 전 무렵의 호모 에렉투스 흔적이 있고, 이어 100만 년 전에는 서유럽에 정착했다.[24]

이런 전개의 맥락, 성격, 시점은 불분명하며, 서로 다른 사람속 집단들 내부 또는 집단 사이의 차이 역시 마찬가지다. 이런 분기를 설명하는 이야기가 많지만, 인류는 80만 년 전 무렵 호모 네안데르탈렌시스와 분리돼 출현하기 시작했을 것이다. 통상 31만 5천 년 전에서 19만 5천 년 전(이는 상당한 논란이 있는 문제이기는 하다)으로 비정되는 북·서아프리카와 에티오피아에서 나온 초기 화석 기록보다 상당히 이르다.[25]

일반적인 견해는 최근 연구가 사람족 집단의 이야기는 오랫동안 생각해왔던 것보다 더 복잡하고 더 다양함을 분명히 보여주었다는 것이다. 새로운 사람족 집단들이 최근 밝혀졌는데, 그 일부는 현대 인류와 섞였을 것이다.[26] 학자들은 아메리카 원주민의 특정 하플로이드haploid(홑배수체) 유전자형(유전될 수 있는 유전자 변형의 뭉치)이, 이들 중 일부의 조상이 아메리카의 첫 정착자들에 들어 있었다는 사실을 반영한다고 주장했다. 또한 일부는 현대 인류가 높은 고도에서 생존할 수 있도록 도운 유전자를 물려주었다는 주장도 나왔다.[27]

네안데르탈인은 수천 년 동안 유라시아 대륙 서부에 살았으며, 나중에 분명히 우리 인류의 유전자에 섞여 들어갔다. 물론 모든 곳은 아니다. 네안데르탈인 혈통은 오늘날 인간의 게놈에서 발견되며, 멀리 북유럽, 시베리아, 중국의 고대인들에게서도 발견된다. 다만 사하라 이남 아프리카에서는 드물다.[28] 네안데르탈인과 호모 사피엔스가 섞이면서 예컨대 면역 체계에 영향을 미칠 수 있는 유전자군이 현대 인류에게 들어왔다. 어떤 것은 코로나19 감염에 대한 저항력과 연계된 것이었고, 또 어떤 것은 감염되기가 더 쉬워지는 것이었다.[29]

네안데르탈인의 거주 분포는 기후 압력의 영향을 심하게 받은 것으로 보인다. 우리 인류보다 더 심했다(적어도 4만 5천 년 전 무렵에는). 체구가 크고 뇌가 크며 따라서 에너지와 먹을 것이 더 많이 필요했기 때문에 그 결과로 회복력이 낮았을 것이다. 특히 급속하게 기온이 떨어지는 시기에는 더했을 것이다.[30] 이것은 유럽의 상당 부분에 네안데르탈인이 살다가 떠나고 또다시 들어간 장기적인 패턴을 설명해줄 것이다. 기후 조건이 다소 나아지는지 여부에 따른 것이다.[31] 이것은 또한 서유럽과 시베리아 남부의 동굴 퇴적물에서 채취한 미토콘드리아 DNA로 입증된 네안데르탈인의 별도의 분산도 설명해줄 것이다.[32] 사실 저온 상태가 네안데르탈인 집단들의 큰 분기에 결정적인 방아쇠를 당겼으며, 유럽과 아시아에 살던 다른 사람족 집단의 미토콘드리아 DNA 변형을 재촉했다고 주장되기도 했다.[33]

기후가 극도로 엄혹한 시기(유럽에서 빙모와 영구동토가 밀고 내려와 대륙의 상당 부분에 거주하기가 불가능했던 45만 년 전 무렵 같은 경우)에 대한 대응 기제에는 네안데르탈인을 포함하는 사람속 집단들의 철저한 적응이 포함됐을 것이다. 에스파냐 북부 아타푸에르카에서 발견된 화석화한 뼈는 신체가 대사저하 상태였음을 보여준다는 주장도 있다. 다시 말해서 우리 조상 일부는 추운 겨울에 동면 상태에 들었던 것으로 보인다. 이 가설은 추측의 요소가 매우 강하다. 그러나 발견물들이 제대로 된 것이라면 성인들은 때로 그렇게 하는 데 성공했던 것으로 보이며, 청소년들은 그것

이 좀 더 어려웠던 듯하다.[34]

네안데르탈인과 호모 사피엔스는 비슷한 청각과 말하기 등 여러 가지 특성과 능력을 공유하고 있었다.[35] 그럼에도 불구하고 호모 사피엔스는 비교적 균질적인 집단이었다. 미토콘드리아 DNA와 Y염색체 계보는 모든 현대인이 작은(심지어 아주 작은) 인구 규모의 집단의 후예임을 시사한다. 거기서 매우 효율적이며 성공적인 확산을 이루었다.[36]

지난 20만 년에 걸친 기후 변화는 인구 분산은 물론이고 반복적인 유전자 재분배에도 결정적 요인이었던 듯하다. 지리적으로 사람들이 몰리는 곳이 만들어지고 그곳에 탄자니아의 하자족, 중앙아프리카 서부의 바카족 및 비아카 피그미, 동부의 음부티 및 에페 피그미 같은 사람들이 살았다. 그들은 비교적 섞이지 않은 초기 현생인류의 후예들이다.[37] 특정 지방과 지역의 좀 더 나은 기후 조건은 유전자, 문화, 행동의 변화를 초래한 반면, 아프리카의 보다 힘든 지역에서는 생존하기가 어렵거나 심지어 불가능했다.[38]

적응하고 배우고 정보를 전달하는 능력은 중요했다. 그리고 성공적으로 습득됐다. 프랑스 남부의 한 유적지를 바탕으로 한 최근 연구는 17만 년 전의 초기 인류가 동굴 안에서 연기 분산에 가장 적합(따라서 연기를 가장 덜 마시게 되는)하면서도 사람들과 생활하고 불을 쬐고 조리하는 데 이상적인 화덕의 위치를 알았음을 보여주었다.[39]

인류에게 중요한 순간이 대략 13만 년 전에 찾아왔다. 지구의 기온, 해수면, 기상이 갑작스럽고도 극적으로 재편됐다. 그것은 대양 순환의 변화와 심해의 이산화탄소 농도 변화(그것은 지구 궤도 및 태양의 상대적인 강도 변화와 연결된 장기적인 빙하 주기의 일부였다)에 따른 것이었다.[40] 이것은 이른바 '하인리히 현상'에 의해 일어난 듯하다. 다량의 빙산이 로렌타이드 빙상에서 떨어져 나와 허드슨해협을 거쳐 북대서양으로 들어가면서 대양 퇴적물에 잔해층을 남겼다.[41] 이것은 북대서양의 심층수 형성을 대폭 줄이고 대양 순환을 방해해 남반구의 열기 축적으로 이어졌다. 그 결과로 극지의 기온이 급등했는데 그것은 초목의 서식지가 북쪽으로 확장되면서 북극 지방의 '녹화綠化'로 이어졌다.[42] 시간이 지나면서 빙상의 융해는 세계 해수면을 몇 미터 끌어올렸다. 아마도 현재 수준에 비해 9미터는 더 높았을 것이다.[43]

덴마크의 퇴적층에 들어 있던 깔따구(물지 않는 날벌레)에서 나온 증거는 기온 복원에 도움을 주었는데, 이 시기는 지속적인 온난기의 하나로 수천 년 동안 지속된 것으로 보인다.[44] 이는 또한 초목의 변화 및 사하라 횡단 수로망(동아프리카를 지중해와 연결하고 레반트의 호모 사피엔스의 첫 정착지로 이어지는 회랑의 연결망을 열었다)의 변화와 부합한다.[45] 호수 형성의 여섯 단계(각 단계는 발광연대측정법을 이용해 탐지할 수 있는 분명한 퇴적물 표지를 보여주며 초기 인류가 석기를 사용했음을 잘 드러내고 있다) 구명은 이 과정이 단변에 일어난 것이 아니라 일련의 파동을 거친 것임을 시사한다.[46]

현생인류가 아프리카에서 퍼져 나간 일의 시점과 경로와 성격을 둘러싸고는 아직 상당한 불확실성이 있다. 총유전체 염기서열결정(WGS) 기법을 이용한 선구적 작업이 유전적·지역적 편차에 대해, 네안데르탈인과 데니소바인Denísovan의 혼혈에 대해, 유골 자료를 통해 알 수 있는 다른 사라진 인류 집단의 존재에 대해 새로운 정보를 제공하고 있지만 말이다.[47]

인류의 확산과 정착은 무엇보다도 생태적으로 온화한 지역을 찾아내는 일에 의해 좌우됐다. 이는 따뜻하고 숲이 우거진 환경에서부터 사바나 초원과 해산물이 풍부한 해안 지역까지 여러 종류의 주거지를 포함했다. 물론 아주 탁 트인 환경은 고의적으로 회피한 듯하다.[48]

특히 매력적인 장소 가운데 하나가 지중해 해안과 요르단 열곡裂谷 주변 사이의 좁다란 삼림지대였다. 물의 공급이 안정적이고 비교적 쉽게 야생 동물을 먹잇감으로 삼을 수 있는 곳이었다. 이 지역에는 유라시아에서 남쪽으로 이동한 네안데르탈인도 같이 살았다는 증거가 있다. 무덤과 유골 및 치아 잔편들이 그것을 입증한다. 역시 그곳에 살았던 현생인류와 피를 섞었다는 흔적도 있다.[49]

생존하는 게 쉽지 않을 수도 있었음은 다음 사례가 입증한다. 대략 7만 3천 년 전, 매우 건조하고 빙하로 뒤덮여 힘겨운 시기여서 레반트의 주민들은 살아남지 못하고 사라졌다. 원인은 아마도 지금의 인도네시아 토바산의 거대한 분출이었을 것이다. 최근 200만 년 사이에 일어난 지구상 가장 큰 분출이었다.

화산 미립자인 황산염 연무가 성층권으로 너무 많이 유입돼 화산겨울이 닥치고 그것이 몇 년 동안 지속되면서 세계 전역의 여러 곳에서 기온이 뚝 떨어졌다. 수백만 제곱킬로미터의 지역에 퇴적물이 쌓였고, 지구 표면의 1퍼센트 넘는 지역이 최소 10센티미터의 재로 뒤덮였다.[50] 인도 아대륙에는 재가 두껍게 쌓여 몇몇 충적 분지에서는 두께가 1~3미터에 이르렀고, 삼림이 대량으로 파괴되고 초지로 변했다는 증거도 있다.[51] 식량 공급과 생존에 대한 압박이 너무 커서 전 세계적으로 인간의 유전자 공급원이 대폭 축소되기에 이르렀다는 주장이 나온다.[52]

토바산 분출의 영향이 매우 파괴적이기는 했지만 모든 곳이 그렇지는 않았다. 세계 기후 모형 실험은 유럽, 북아메리카, 중앙아시아에서는 영향이 뚜렷했지만 남반구에서는 훨씬 덜했음을 시사한다.[53] 이것은 말라

위호의 퇴적물이 이 시기에 의미 있는 온도 변화를 보이지 않는 이유를 설명해줄 것이다.[54] 한편 남아프리카의 고고학 유적지들은 토바산 분출과 그 이후의 빙결 상태에서도 인류가 번성했음을 보여준다. 100만 세제곱미터의 테프라tephra(화산이 분출할 때 뿜어져 나온 화산쇄설암火山碎屑巖)가 뒤덮여 있던 인도 중부의 한 계곡에서도 인류가 어려운 조건을 극복하거나 아니면 그 후 얼마 지나지 않아 예전에 살던 곳으로 다시 들어갈 수 있었다는 흔적이 있다.[55]

최근 연구는 분출이 너무 강력해 황산염이 대기 중에 매우 많아져 냉각 효과가 이전 모형들이 시사했던 것에 비해 짧고 덜 극적이었다고 주장한다. 무거운 입자라서 비교적 빨리 땅에 떨어진 것이다.[56] 다시 말해서 역설적으로 이 사건에서는 분출이 매우 강력했기 때문에 인간의 생존을 위해서는 다행이었다.

토바산 분출 이전에도 호모 사피엔스는 아프리카로부터 보다 성공적인 잇단 분산을 이미 시작했다. 역시 환경의 압력에 의해 촉발되거나 그 영향을 받은 것이었다. 한 가설은 지금의 에리트레아에서 홍해를 건너 예멘 해안으로 이주한 것은 대략 8만 5천 년 전 해양 생물과 해수면이 사상 최저 수준으로 떨어진 것과 관련이 있다고 주장했다. 그것이 해산물과 단백질 공급원 부족으로 이어지고 이는 다시 더 나은 주거지 탐색을 촉진했다는 것이다. 시간이 지나면서 인류는 동남아시아, 중국, 그리고 그 너머로 퍼져 나갔고, 대략 6만 5천 년 전 오스트레일리아에 도달했다.[57]

이 무렵에 인류는 이미 생태계를 관리하는 방법을 고안하기 시작한 지 오래였다. 예컨대 개간을 위해 고의적으로 불을 사용하는 등 삼림 관리 기법을 개발하고, 초목의 구성에 영향을 미치며, 경우에 따라서는 토양 침식을 일으키기도 했다.[58] 이것은 화산 분출뿐 아니라 수천 년 지속된 새로운 저온기(그것은 남대서양의 온난화에 대한 반작용으로 북반구에서 진행되고 있었다)로 인해서도 갈수록 중요해졌다.

이는 또한 남아프리카에서 더 습윤한 상태를 조성하고 더 많은 비를 내리게 해서 거주자의 규모와 밀도를 높이고 사회적 접촉을 늘리는 기반이 되었다. 문화적 패턴을 급속한 기후 변화와 연결시키는 것은 문제를 안고 있다. 그렇지만 힘든 조건 속에서 동시에 황토 그림, 도구, 장신구 등을 통한 상징적 표현이 등장했다는 것은 놀라운 일이다. 그것은 행동에서뿐만 아니라 새로운 기술 개발에서도 중요한 혁신이 일어났음을 입증한다.[59]

남아프리카공화국 웨스턴케이프주 블롬보스Blombos 동굴에서 발견된 목걸이는 대략 7만 년 전 강어귀의 조개로 만들어졌는데, 실이나 피부나 다른 목걸이에 스쳐서 생긴 마찰흔과 일치하는 사용 흔적이 있었다.[60] 이는 초기 그림, 즉 같은 지역에서 발견된 복잡한 기하학적 무늬가 새겨진 황토 덩어리와 대체로 같은 시대의 것들이었다.[61]

다른 행동 변화 및 혁신에서도 마찬가지였다. 예컨대 실용 도구 같은 것들이다. 활과 화살 같은 발사체와 무기가 등장해 손으로 던지는 창에 비해 더 큰 가속도를 내서 살상력을 높이고, 더 먼 거리에서도 부상을 입히거나 살상을 가능케 함으로써 스스로를 보호하는 능력을 강화했다.[62] 그런 장치들은 목표 대상의 규모를 늘릴 수 있는 추가적인 이점도 있었고, 그것은 다시 인간 집단의 사회 조직에 추가적인 영향을 미쳤다.[63]

이 모든 변화는 점진적이었고 균일하지는 않았으며 해석하거나 이해하기가 늘 쉽지는 않았다. 예를 들어 대략 5만 년 전에서 3만 3천 년 전 동·남아프리카 일대의 사회 연결망의 확대와 그 후의 붕괴(그것은 타조알 껍데기 목걸이로 입증될 수 있다)는 세계적 및 지역적 기후 변화의 영향을 받았으며, 게다가 나중의 상황 개선이 지역사회들 사이의 접촉 재개(표준화된 문화적 행동의 확산 같은)로 이어졌다는 주장이 있다.[64] 그런 가설은 솔깃하지만 다양하게 해석될 수 있는 조각 증거들에 의존한다는 문제가 있다.

그러나 수렵채집인 세계의 사회 활동은 분명히 더 복잡해졌다. 상징적 표현을 위한 상황이 조성되면서 관계를 관리하고 규제하기 위한 의례들이 개발되기 시작했다. 서기전 50000년 무렵에 네안데르탈인들은 다양한 예술 형식을 시도하고 있었다. 장식품(아마도 장신구로서)을 만들고 동굴 벽화를 그리기도 했다. 에스파냐 아르달레스Ardales 동굴이 대표적이다.[65]

4만 년 전 무렵에 기하학적이고 도상학적인 표현은 흔해졌고, 서아시아와 북아프리카에 증거들이 많다.[66] 또한 여러 가지 예술 형식이 사용되기 시작했다. 호모 사피엔스가 그렸다는 가장 이른 동굴 미술은 혹 달린 돼지 두 마리를 그린 동굴 벽화 두 점이다. 현대 인도네시아 술라웨시슬라탄주의 석회암 카르스트에서 발견된 것이다. 우라늄계열 연대측정에 따르면 대략 4만 5천 년 전에 그려진 것으로 추정됐다.[67]

그 시기에 초기 호모 사피엔스가 처음으로 입증된 유럽에서 초기 동굴 그림은 사람과 동물이 서로 접촉하고 있는 모습이었다.[68] 일부 드문 사례에서는 인간과 동물의 모습이 합쳐진 (가공의 형상인) 반인반수半人半獸도 볼 수 있다. 이는 허구적인 이야기, 종교, 전승, 초자연적인 것에 대한 관념이 발달하고 있었음을 드러낸다.[69]

4만 2천 년 전에 일어난 동굴 미술의 개화는 갑작스러운 극적 기후 변화의 시기와 연관이 있다는 주장이 최근 나왔다. '라샹 일탈Laschamps Excursion'로 알려진 사건이 발생해 태평양과 남극해의 강수 및 바람 패턴이 동시에 변하고, 지구 자기장의 세기가 급격하게 약화됐으며, 다수의 거대한 화염(역시 지구의 날씨 패턴에 영향을 주었다) 같은 불안정한 태양의 활동이 한동안 이어졌다. 그 결과 안데스산맥에서 빙하가 확대되고 오스트레일리아의 건조화가 진행됐으며, 그것이 매우 심각해 대형 동물이 대규모로 사라졌다. 로렌타이드 빙상의 확장과 북아메리카 및 유럽의 기온 하강이 뇌우 및 극광과 어우러져 하늘에서 엄청난 빛의 향연을 벌이고 현생인류로 하여금 오랜 기간에 걸쳐 동굴 피난처를 찾게 했다. 그것은 또한 사람들끼리의 교류와 예술적 표현에 보다 창조적인 형식을 갖추도록 자극했을 것이다.

적어도 그것이 하나의 흥미로운 가설이다. 그러나 많은 전문가들을 납득시키지 못했다.[70] 또 다른 가설은 영감을 찾는 초기 미술가들이 깊숙하고 어두운 동굴 뒤편에서(의도적이든 그렇지 않든) 낮은 산소 농도에 의해 자극을 받았다는 것이다. 그것이 변화된 의식 상태를 초래하고 환각과 유체이탈 체험으로 이어졌다는 것이다.[71]

대략 4만 년 전의 시기에는 유럽에서 네안데르탈인이 사라지기도 했다. 갑작스럽게 찾아온 엄혹한 아한대 상태가 그 이유였던 듯하며, 어쩌면 결정적인 요인이었을 수도 있다.[72] 네안데르탈인은 이미 유라시아에서 급속하게 사라지기 시작했는데, 이 인구 격감을 설명하기 위해 여러 가지 설명들이 제기됐다. 식물의 변화, 질병의 확산, 다른 종과의 혼혈 등이었다. 모두가 한몫을 했겠지만, 그들의 운명은 날씨가 추워지면서 귀해진 식량 자원을 호모 사피엔스가 더 잘 이용했다는 사실에 의해 결정된 듯하다. 비록 최근 연구는 네안데르탈인과 호모 사피엔스가 적어도 일부 지역에서 전에 생각했던 것보다 훨씬 오래 공존했다고 주장했지만 말이다.[73] 얼추 이 시기에 유럽의 현생인류가 열 배나 늘었다는 사실은 또한 그들이 더 나은 경쟁자였을 뿐만 아니라 그 수도 많았음을 의미한다. 네안데르탈인은 대략 3만 5천 년 전에 완전히 사라졌다.[74]

기후 패턴의 변화로, 그리고 마찬가지로 중요한 것으로서 그로 인한 생태계의 변화로 재난을 당한 것은 네안데르탈인만이 아니었다. 예를 들어 인도차이나반도에서 동남아시아를 거쳐 지금의 인도네시아에 이르는 사바나의 확장이 사람족의 엄청난 다양성과 부합하는 것은 결코 우연이 아니다.[75] 기후 조건이 변하면서 거의 모든 사람족 종들은 살아남지 못했다. 이행이 점진적이고 수천 년에 걸쳐 이루어지긴 했지만 말이다.

그럼에도 불구하고 호모 사피엔스의 경우 가장 놀라운 것은 우림지대와 바닷가 주거를 통틀어 곤란한 상황에 대처하고 심지어 번성하는 능력이었다.[76] 현생인류가 대략 이 시기(약 3만 5천 년에서 4만 년 전)에 새로운 환경을 찾아 길을 떠나 뉴기니, 비스마르크제도, 솔로몬제도에 정착했다는 것은 그들이 수완과 놀라운 진취성을 겸비했음을 보여준다.[77]

물론 현생인류가 적응력이 있고 다재다능하며 잘 견뎠다는 것이 성공의 핵심 요소임을 지적하는 것은 당연한 일이지만, 그것만으로는 충분하지 않다는 사실 또한 분명하다. 따라서 오스트레일리아 북부 카카두 지역의 마제드베베Madjedbebe 바위굴 공동체가 대략 3만 년 전 대륙 대부분의 지역에 심한 물 부족을 초래한 길고 추운 날씨의 시기에 번성하고 뻗어나갈 수 있었다는 사실에 초점을 맞추고 싶겠지만, 같은 시기에 오스트레일리아의 대부분 지역이 버려졌다는 사실은 더욱 시사적이다.[78]

대략 같은 시기에 시작된 마지막 극대빙기極大氷期(LGM) 동안 세계의 다른 지역도 대동소이했다. 이는 북반구에서 빙상이 확대되고 태평양의 해수 온도가 낮아졌으며 대기 중 이산화탄소 농도도 떨어진 결과다.[79]

중부 유럽의 거주자는 급격히 감소했다. 인간 집단들이 절멸하거나 더 나은 조건을 찾아 이동했기 때문이다.[80] 이탈리아 남부 로미토 동굴 같은 피신처는 매우 중요한 정착지가 되었고, 사람들이 어려운 시기에 어떻게 살고 대처하고 헤쳐 나갔는지를 보여주는 데 도움이 되는 귀중한 사례 연구를 제공한다.[81]

서지중해는 수천 년 동안 지속된 이 추운 시기에 특히 영향을 받았다. 흙 언덕이 만들어졌으며, 꽃가루 자료는 침전층에서 상당히 줄었음을 보여주었다. 한편 고고학적 증거는 불안정한 지금의 에스파냐 남부인 '고위험' 지역에서 북쪽으로 계속 이동했음을 보여주었으며, 상당한 인구 감소의 모습을 드러냈다.[82] 마지막 극대빙기(대략 2만 6500년 전부터 1만 9000년 전까지)의 대부분의 기간은 건조했고, 중간에 유럽 알프스에 가을에서 초겨울에 걸쳐 많은 눈이 내린 3천 년의 기간이 있었다. 그것이 빙하의 확장으로 이어졌고, 힘들고 심지어 살아남기 어려운 상황이 되었다.[83]

북아프리카에서 채취된 마지막 극대빙기 해양 시료의 증거는 강우량이 급감했을 뿐만 아니라 기온도 뚝 떨어졌음을 보여준다. 이 지역에서는 오늘날에 비해 섭씨 10~15도 낮았고, 그린란드에서는 더 많이 떨어졌음을 시사하는 증거가 있다. 아마도 기온이 현재보다 섭씨 21도 낮았던 듯하다.[84] 육상 온도는 여섯 대륙에서 측정한 지하수에 용해된 불활성가스 연구에 따르면 대략 섭씨 6도 떨어졌다.[85] 남중국해의 해수면은 100~200미터 내려갔고, 동중국해에서는 더 많이 내려갔다.[86] 겨울 계절풍은 상당히 강해졌고, 또한 강우 패턴의 분포를 변화시켰다. 그 결과로 식생에 뚜렷한 변화가 생겼는데, 지금의 중국 북쪽 지방은 사막화가 심해지고 남쪽 지방은 낙엽수림이 확대됐다.[87]

그렇게 추운 상태에서 고전한 것은 사람만이 아니었다. 모로코의 유적지들은 알레포소나무와 상록 참나무가 삼나무의 소멸 덕을 보았음을 보여주었다. 삼나무는 춥고 비가 오지 않아 성장이 거의 불가능했다.[88] 더 남쪽으로 지금의 콩고민주공화국에서는 삼림 면적이 줄었다. 물론 그 구체적인 내용과 시기를 판단하는 것은 단순히 축소 및 확대 이야기를 하는 것에 비해 복잡하기는 하지만 말이다.[89]

한편 동남아시아에서 생태계와 식생의 변화는 코끼리, 코뿔소, 맥貘을 위한 목초지 상실을 가져왔고, 이 지역의 하이에나를 멸종시켰다.[90] 이것은 동물의 여러 가지 거대한 손실들 가운데 가장 최근의 사례에 불과하다. 5만 년 전에서 1만 년 전 사이에 거대 동물이 엄청나게 감소했다. 털코뿔소와 검치호劍齒虎 같은 대형 포유동물들이다. 알려진 몸무게 44킬로그램 이상의 속屬 150개 중 적어도 97개가 이 기간에 멸종했다. 이런 손실의 원인에 관해서는 많은 논의가 이루어졌다. 주된 설명은 그들이 인간의 팽창(주로 사냥을 통한), 인위적 요인에 의한 서식지의 변화, 환경 및 기후 변화, 이용 가능한 식수 부족에 의해, 또는 이 네 가지 모두의 조합에 의해 몰락했다는 것이다.[91] 그 결과는 수백만 년 동안에 유례가 없었던 속도와 규모로 벌어진 일련의 동물 멸종이었다.[92]

남아메리카에서 환경 조건이 안정적이었다는 증거에도 불구하고 대형 동물 멸종률이 높았고 그것이 주로 대략 1만 5천 년 전 인간이 처음으로 이 지역에 들어온 이후 발생한 듯하다는 사실은 이 대륙과 아마도 다른 대륙들에서도 우리 조상들이 그런 대규모 손실에 중요한 역할을 했다는 결론을 분명하게 가리키고 있다.[93]

일부 학자들은 대형 동물이 감소하면서 인간은 더 작은 먹이를 사냥하지 않을 수 없었고, 그렇게 하는 데 더 적합한 새로운 기술을 개발해야 했다고 주장했다. 실제로 대형 사냥감을 구하기 어렵게 되자 레반트 남부에서는 사냥꾼들이 자기네 먹이의 범위를 확대하고 심지어 농경의 시작으로까지 이어지게 되었다.[94] 그러나 이것은 복잡한 상황이며 이 기간에 기후 교란을 가장 심하게 겪은 지역들 역시 가장 큰 손실을 입었음을 강조해둘 필요가 있다.[95]

그렇게 수많은 종과 수많은 개체가 멸종한 것은 당연히 지구 생태계에 영향을 미쳤다. 대형 초식동물이 사라진 결과로 식물 분포에 엄청난 변화가 생겼다. 큰 씨앗의 나무 종들이 줄고 과일이 확산됐다. 이런 변화는 아마존 삼림에 탄소를 저장하는 효과를 가져와 수용력의 대폭 감소로 이어졌다.[96] 오스트레일리아에서 발견된 증거 또한 거대 동물이 사라지면서(사냥이나 팽창에 의한 것이든 환경 변화에 의한 것이든) 초목에 대한 초식동물의 압박이 완화돼 생태계를 변모시키는 데 기여했다. 인간이 자연 속에서 불을 더 많이, 의도적으로 사용한 일이 그랬듯이 말이다.[97]

1만 9천 년 전 무렵의 해빙은 새로운 일련의 환경 변화를 초래했다. 북아메리카 일대의 빙상이 녹기 시작해 대홍수로 이어졌다. 이는 세계 역사상 최대급의 홍수였으며, 그 경로는 지각의 뒤틀림과 기울어짐에 의해 정해졌다. 그 과정에서 땅의 고도를 수백 미터씩 변동시켰다.[98] 수천 년 만에 북반구의 빙상과 빙하가 물러나자 그 결과로 막대한 양의 민물이 바다로 유입되었다. 이에 따라 전 세계의 해수면이 크게 올라갔다. 평균 80미터나 되었다. 육상 및 해양의 생태계도 큰 변화를 겪었으며, 이산화탄소와 메탄이 방출돼 대기로 들어갔다.[99]

변화의 규모가 얼마나 컸는지 예를 딱 하나만 들어보자. 오스트레일리아는 대략 1만 5천 년 전에서 8천 년 전 사이에 약 200만 제곱킬로미터의 땅이 물에 잠겼다. 사실상 땅덩어리의 3분의 1이 줄었다. 해안선은 현재

보다 바다 쪽으로 160킬로미터 더 나간 곳에 있었다. 라이다는 해수면이 상승하면서 버려져야 했던 인간 주거지를 보여준다. 이것이 어떤 사회경제적·문화적 결과를 가져왔는지 평가하기는 어렵지만, 아마도 상당했음에 틀림없다.[100] 인구 집중은 비교적 작았던 듯하지만, 해안선이 연평균 20미터 이상 후퇴했다는 사실은 바다가 계속 전진하고 육지가 계속 사라지면서 변화가 결코 끝나지 않을 것이라고 불길하게 인식되었음을 시사한다.[101]

세계의 다른 곳에서도 영향은 상당했다. 대부분의 학자들은 현생인류가 아메리카 대륙에 도착한 때를 대략 2만 2천 년 전으로 추정한다. 유전체 데이터는 아메리카 원주민의 조상이 시베리아와 동아시아에서 갈라져 나온 뒤 베링해협을 건너 알래스카로 건너갔음을 보여준다. 해수면이 낮아진 덕을 보았다. 이로 인해 열도가 드러났고, 그것은 해협을 죽 늘어선 징검다리로 변모시켰다.[102] 이후의 유전자 분기로 아메리카에 도착한 사람들은 명확하게 구분되는 두 집단으로 다시 갈라졌다.[103]

분산의 성격, 원인, 이주 경로는 현재 전면적인 재검토의 대상이다. 새로운 발견들 때문이기도 하지만 자료를 해석하는 더 낫고 더 정확한 기법 덕분이기도 하다.[104] 예를 들어 멕시코 사카테카스주 아스티예로 산맥의 고도가 높은 곳에 있는 한 동굴에 대한 방사성탄소 및 발광 연대측정과 역시 멕시코 테와칸 계곡에서 나온 토끼와 사슴 뼈의 절단 흔적은 최근 아메리카 초기 정착자들의 연대를 1만 년쯤 끌어올려 3만 2천 년 전 무렵으로 잡게 했다. 또한 콜로라도고원에 대한 최근 연구는 더 이른 시기인 대략 3만 7천 년 전을 주장한다.[105] 북아메리카의 태평양 연안에 있는 숲속 피난처들은 아메리카 대륙에 도착한 첫 이주민들에게 주거지, 먹을 것, 기타 자원들을 제공하는 안전지대가 되어서 그들의 생존에 결정적인 역

할을 했던 듯하다.[106]

그러나 가장 놀라운 것은 주민들의 이주 시기만이 아니라 무엇보다도 그 사례가 드물다는 점이 첫 이주자들의 삶이 얼마나 불안정했는지를 보여준다는 사실이다. 여러 집단이 파도를 이루어 몇 번이고 도착해서는 사라지다가 결국 상황이 개선돼 성공적이고 장기적인 정착이 가능해지게 된 것이다.

이것이 가장 그럴듯한 추측이라면, 환경 및 기후 조건의 뚜렷한 호전이 북아메리카와 카리브해는 물론이고 중·남아메리카 전역에 성공적으로 이주하고 영구 정착했다는 훨씬 많은 증거들과 시기적으로 일치하는 것도 우연이 아닐 것이다.[107] 이 집단들이 남쪽을 향해 나아갔던 한 가지 요인은 빙하시대 이후의 온난화가 남반구 지역에서 시작돼 그 지역이 더 쾌적하고 매력적이기 때문이었을 것이다.[108]

1만 6천 년 전에서 1만 년 전 사이에 세계의 기온은 상당히 상승했다 (그것은 빙하 주기가 빙하기에서 간빙기로 변화한 데 더해진 것이었다). 표면 기온이 섭씨 4도에서 7도 정도 상승했다는 주장이 있고, 대양의 온도도 그보다는 조금 작지만 상당히 상승했다.[109] 대략 1만 4700년 전 무렵 북반구의 갑작스러운 온난화는 북대서양 심해의 따뜻한 물에서 나온 열기가 풀려난 데 기인한 것으로 보이며, 이는 다시 이전에 물기둥의 정적 안정성을 보존했던 심해의 염도가 높아진 것과 관련이 있다.[110]

레반트의 동굴 침적물speleothem과 해양 및 호수의 꽃가루 시료 기록은 대략 1만 년 전에서 7천 년 전 무렵에 강수량 증가가 있었음을 보여준다. 이것은 먹이를 찾는 사람들의 팽창을 촉진하는 일로 이어졌다. 그들은 석기를 들고 이 지역 일대의 새로운 지역으로 퍼져 나갔다.[111] 실제로 일부에서는 생태 조건 호전이 기존 주민이 더 멀리 퍼져 나가는 패턴을 촉진하는 데 이바지했을 뿐만 아니라 북아프리카 등에서 새로운 정착자를 끌어들이는 데도 기여했다고 주장했다.[112]

세계의 수백 군데 유적지에서 채집한 대형 화석과 꽃가루 기록은 마지막 극대빙기가 잦아들면서 식생의 변화가 상당했음을 보여준다. 특히 북반구의 중·고위도 지역, 남아메리카, 열대 및 온대 남아프리카, 인도양·태평양 일대 및 오세아니아 등이다. 이 온난 국면에는 대기의 이산화탄소 농도가 상당히 높아졌다. 해빙 기간에 분자 100만 개당 190개에서 280개로 늘었다. 그러나 기온 상승은 균일한 생태계 변화로 이어지지는 않았으며, 심지어 어떤 경우에는 생각과는 반대의 결과를 낳기도 했다.[113]

예를 들어 어떤 종들은 적응을 통해 온난화에 대응한다는 현대 세계의 식물 연구들은 기후 조건 변화에 직면했을 때 인간의 대응만을 생각하지 않는 것이 얼마나 중요한지를 일깨워준다. 또한 기후 변화를 전체로서 이해하는 일의 미묘함과 복잡함을 염두에 두는 것도 중요하다.[114] 이는 앞으로 수십 년 동안의 지구 온난화 비율이 마지막 큰 해빙기 동안에 비해 65배에 이를 것이라는 예상을 감안하면 중요하다.[115] 식물이(인간과 동물도 마찬가지이지만) 변화에 대응한 방법, 장소, 시기, 이유를 이해하는 것은 국지적·지역적·세계적으로 미래가 어떤 모습일지를 이해하는 데 기본적인 것이다.

1만 2900년 전 무렵에 일어난 새로운 기후 충격은 장기간에 걸친 온난화 과정을 갑작스럽게 역전시켰다. '영거 드라이아스Younger Dryas'로 알려진 이 사건의 원인은 여전히 논란거리다. 대체적인 견해는 커다란 빙상이 북대서양으로 민물을 방출한 결과로 이 기온 하강이 일어났다는 것이다.[116]

그러나 일부 학자들은 돛자리Vela라는 별자리에서 초신성 하나가 폭발해 오존층을 감소시키고 대기 및 표면의 변화를 유발해 기온 하강으로 이어졌다는 설을 제기했다.[117] 남아프리카공화국 림포포주의 본더르크라터르Wonderkrater라는 적절한 이름의 유적지에서 발견된 놀라운 백금 대못에 대해 일부 사람들은 유성이나 소행성이 떨어진 결과라고 생각한다.[118]

그러나 텍사스의 한 유적지에서 나온 연대가 확실한 퇴적물 속에 화산 가스 연무체가 있어 대규모 분출이 가장 그럴듯한 변화의 원인이었음을 시사한다. 독일의 라허제Laacher See 화산이 특히 가능성이 높은 것으로 지목됐다.[119] 대략 이 시기에 다른 곳에서는 혜성들이 떨어진 것이 분명하다. 칠레 북부 아타카마 사막 같은 곳이다. 한번은 너무 많은 열을 발생시켜 모래흙이 유리로 변하기도 했다.[120]

물론 여러 요인이 급격한 기후 변화의 원인이었을 가능성도 배제할 수 없다. 그리고 그것들이 복합돼 주요 멸종 사태만큼 극적이지는 않지만 그래도 상당한 수준의 영향을 일으켰을 가능성도 마찬가지다.

기온이 급격하게 떨어졌다. 불과 3년이라는 짧은 기간에 상당히 내려갔다.[121] 너무도 가파르게 떨어져서 일부 질소동위원소 징표 연구들은 기온이 결국 현재 기온보다 섭씨 15도(±3도) 낮은 수준에서 형성됐음을 시사했다.[122] 한편 북중국의 호수 침전물에서 나온 탄산염에 대한 지구과학적 연구는 북대서양과 동아시아 기상 패턴의 대기 결합의 결과인 듯한 1천 년에 걸친 기간의 갑작스러운 기온 하강에 대한 증거를 제공한다.[123] 뉴질랜드에서 나온 꽃가루 기록 역시 마찬가지다. 이것은 또한 남반구 일부에서는 영거 드라이아스 이전부터 추워지기 시작했음도 시사하고 있지만 말이다.[124]

한 가지 분명한 결과는 해빙 면적의 변동성이 증가하고 지구의 기후 조건이 전반적으로 불안정해졌다는 것이다.[125] 또 하나는 계절풍 강우의 변화다. 다만 지역적인 차이는 상당하다. 티베트고원의 칭하이호에서 추출한 탄산칼슘 기록은 강수량 감소를 시사하는 반면에 창장長江 중류에서 나온 고수문학古水文學 기록은 영거 드라이아스 사건 이후 강우량이 늘었음을 드러낸다.[126] 말라위호, 탕가니카호, 가나 보숨트위호에 대한 고해상도 연구는 이들 호수의 풍성순환風成循環에 갑작스러운 변화가 생겼음을 시사한다. 반면에 다른 여러 증거들은 아프리카 계절풍계가 갑자기 북쪽으로 이동해 열대 북쪽에서는 강우량이 뚜렷이 증가하고 남쪽에서는 가뭄이 들었음을 시사한다.[127]

당연하게도 동물상 및 식물상에 미친 영향은 심각했다. 대규모 동물 멸종의 새로운 파도가 덮쳤다. 이번에도 사냥과 기후의 압박, 또는 그 둘의 결합이 원인이었다.[128] 유럽, 캐나다, 아프리카, 기타 지역의 식생 분포에 상당한 변화가 있었다.[129] 놀랄 필요도 없이 인류의 수도 줄었다는 분명한 지표가 나왔다. 예컨대 북아메리카 같은 곳이다.[130] DNA 증거는 유럽과 기타 지역에서 유전자 치환이 일어났음을 시사한다. 이 시기에 인구가 크게 줄었음을 나타내는 지표다.[131] 일본에서 인류가 살았던 유적지의 수가 뚜렷하게 감소한 것도 인구 격감의 강력한 증거를 제공한다.[132]

레반트에서는 보다 엄혹한 여건에 대한 대응으로 상주 또는 반상주 주민이 사는 작은 정착지들이 건설됐다. 그런 변화는 자원과 기술의 공유를 가능하게 했을 테지만, 식량 부족과 압박이 심해지는 시기에 다른 집단들을 상대로 안전과 방어의 필요에 대한 공동의 해법 구실도 했을 것이다. 정주생활은 또한 야생 곡물이 나는 땅을 보호하고 가장 좋은 장소가 기회를 엿보는 남들에게 탈취되지 않도록 하는 효과적인 방법이기도 했을 것이다.[133]

대략 1천 년 동안의 추운 기후 조건이 지난 뒤인 1만 1900년 전 무렵에 상황이 회복됐다. 기후 기록을 보면 온난화 과정의 첫 조짐은 서태평양 열대 지역과 남반구에서 시작됐음을 알 수 있다. 이후 200년의 기간에 걸쳐 북대서양으로 확산됐다.[134] 그린란드의 얼음 시료 기록은 오르기 시작한 기온이 매우 빠른 속도로 상승했음을 시사한다. 60년 사이에 섭씨 10도 이상 올랐다.[135]

온난화의 규모와 그것이 그토록 짧은 기간에 가속화됐다는 사실은 오늘날 기후 변화가 미칠 수 있는 잠재적 영향을 이해하는 데 다시금 시사점을 준다. 특히 현재의 많은 전망들이 지구 온난화는 갑작스럽고 극적이기보다는 점진적이고 상시적일 것이라고 상정하고 있기 때문이다.

영거 드라이아스기의 종말은 새로운 시대의 시작이었다. 1860년대에 프랑스의 고생물학자 폴 제르베Paul Gervais가 이 시기에 대해 처음으로 전신세全新世(홀로세)라는 이름을 붙였다. 글자 그대로의 의미는 '완전히 새로운 시대'다. 제르베는 빙하기의 종말이 된 해빙 이후의 퇴적층 변화에 푹 빠졌다. 오늘날의 학자들은 통상적으로 전신세의 시작을 1만 1700년 전으로 콕 집어 이야기한다. 안정산소동위원소 비율을 측정한 그린란드의 얼음 시료로부터 얻은 안정동위원소 자료를 근거로 한 것이다.[136]

그 시기 이후 출렁거림과 변화가 있었다. 상당히 큰 것으로 생각되거나 심지어 그것이 확실한 경우도 있었다. 장기적으로 보아 영거 드라이아스기의 종말은 역사의 중간 기착지에 불과한 것이었다. 빙상의 팽창과 축소, 계절풍과 강우 패턴의 변천, 지상과 대양 온도의 변화(그것은 균일하지는 않지만 힘겨움을 가져오고 많은 경우 동식물과 해양 생물의 적응에 따른 변화를 가져온다)로 표시되는 냉각기와 온난화기 사이의 출렁거림에서 또 하나의 순간일 뿐이었다. 그 적절한 사례 하나가 북극해분에 갑자기 태평양의 질소가 쏟아져 들어간 일이다. 해수면 상승으로 지금의 러시아와 알래스카를 잇는 육교가 물에 잠겨 부유생물과 그로부터 위로 쌓아 올려진 먹이사슬을 위한 생태계를 변화시키면서다.[137]

그러나 인간의 관점에서 이는 하나의 분수령이었다. 따뜻하고 안정된 조건의 긴 기간의 시작은 인구 팽창, 정착 방식, 혁신의 몇몇 중대한 변화와 시기적으로 일치했다. 그중 가장 중요한 것이 농업의 등장이었다. 전신세가 시작되기 전에도 복잡성의 수준이 높아지면서 기술과 문화적 행동에서 혁신이 일어났다는 증거가 있다. 예를 들어 북아프리카에서는 퇴빙기 무렵에 새로운 석기 및 돌칼 기술이 나타나기 시작했다.[138] 이것은 아시아의 여러 지역에서도 마찬가지였다. 대표적으로 몽골 북부에서는 암각화pétroglyphe(흔히 염소를 묘사했다)라는 형태의 암면미술이 전신세 초에 나타나기 시작했다.[139]

인간 무덤의 초기 사례는 신체와 생명과 정체성에 대한 관념이 변화했음을 알려준다. 건강한 치아를 의도적으로 제거했다는 증거가 무덤에서 나온 사실 역시 마찬가지다. 아마도 어릴 적에 제거한 듯하고, 무엇보다 여성에게 국한되지도 않았다. 이것은 비교적 제한된 지리적 범위 안에서 집단 정체성을 갖추기 위한 시도 가운데 하나였을 것이다. 따라서 이는 친족과 사회집단들 사이의 구분이라는 관념이 자리 잡았음을 반영한다.[140] 돌아다니는 수렵채집인 사회에서 좀 더 정주적인 경제로 이행하면서 행동뿐만 아니라 생각에서도 새로운 방식이 요구된 것이다.[141]

레반트에도 영거 드라이아스 이전부터 일부 사회에서 부분적으로 또는 전면적으로 정주생활을 하고 돌기단 위에 구조물(저장고 같은 것이다)을 건설했다는 증거가 많다. 어떤 곳들에서는 맷돌이 발견돼, 일부 학자들은 이것이 야생 곡물을 수집하는 단계를 넘어 재배까지 했다는 증거로

해석했다.[142]

많은 학자들은 영거 드라이아스기의 행동 변화를 환경 요인과 연결시키고자 했다. 예를 들어 초기의 초목 재배 실험은 풍부했던 자원이 감소하는 시기에 식량 생산을 늘릴 필요에 부응하기 위한 것이었다고 주장한다.[143] 이것은 기후 조건이 나아지자 식량을 재배하기 위한 보다 체계적인 노력으로 바뀌었고 그것은 성공했다. 이는 다시 도구 제작의 혁신을 촉진했고, 인간 집단이 철 따라 이동할 필요가 없고 더 큰 공동체를 이루어 함께 살 수 있는 환경적으로 유리한 장소를 고르고 정착할 수 있는 잉여의 시대를 재촉했다.

시간이 지나면서 이것은 마을, 소도시, 대도시의 바탕이 되었고, 그렇게 문자 체계, 종교, 복합 경제, 새로운 사회·정치 구조를 촉진했다. 정말로 도시화된 정착지의 '문명'으로 이어졌다. 앞으로 보겠지만 그런 이행은 결코 간단하지 않았고 비용이 안 드는 것도 아니었다. 그리고 역시 앞으로 보겠지만 유목(즉 가축 사육) 같은 동식물과의 다른 형태의 연결 방식도 개발돼 흔히 정주 사회와 서로 보완하기도 하고 서로 경쟁하기도 했다.

그럼에도 불구하고 전신세를 그 시작 시기까지 속속들이 살펴보면 현생인류가 수도 없는 역경을 이겨냈음에 놀라고 감동하지 않을 수 없다. 화산 분출, 극심하거나 감소한 태양 활동, 운석의 충돌을 견디고 살아남은 것이다. 지질 구조, 지질, 지축 이동에 의해 초래된 극적인 기후 변화도 마찬가지다. 그것들은 주거의 급격한 이동을 강요했다. 많은 종들은 이런 도전을 헤치고 나아가는 데 실패했다. 다른 모든 사람족도 마찬가지다. 그들은 차례차례 멸종했다.

물론 우리 조상 모두가 팽창과 정복의 좌절을 딛고 일어나 그것을 노력과 실패, 그리고 성공과 생존의 인간 이야기의 일부로 삼는 데 성공한 것은 아니다. 그러나 충분한 집단이 적응에 의해, 혁신에 의해, 그리고 가장 중요한 것으로 좋지 않은 시간에 좋지 않은 장소에 있는 것을 피할 만큼 충분히 운이 좋아서 번영을 누렸다.

대략 1만 1천 년 전 무렵에 현생인류는 남극 대륙을 제외한 세계의 모든 대륙으로 퍼져 나가는 데 성공했다. 일부 평가에 따르면 이 시기까지 세계 자연의 4분의 3에 사람이 살면서 자연을 이용하고 변화시켰다. 사람의 손을 타지 않은 땅이 지금만큼이나 많지 않았다는 얘기다.[144] 놀라운 일이지만 더 중요한 것은 종의 위험이 분산되어 장기적인 생존 가능성이 크게 높아졌다는 사실이다.

따라서 더욱 다행스럽게도 지난 1만 1천 년은 고르게 온화하거나 좋은 시기는 아니었지만 과거의 여러 시기에 비해 불안정성과 가변성이 적은 시기였다.[145] 21세기를 살면서 파멸적일 수 있는 지구 온난화와 씨름하는 문제를 과소평가해서는 안 되겠지만, 현재의 전망치인 섭씨 1.5~2도 상승은 기후 변화의 큰 틀에서 보면 대단한 것이 아니다. 지구의 역사에서뿐만 아니라 인류의 역사에서도 마찬가지다. 그리고 과거에 아주 흔하고 주기적으로 일어났던 두 자릿수 상승과 하강에 비하면 정말 하찮은 것이다.

다행스럽게도 우리의 시간감각은 제한돼 있어 수많은 밤을 잠 못 이루고 지새지 않아도 된다. 우리는 역사를 생각할 때 시간을 인간의 성취와 관련해, 그리고 우리가 관련짓고자 선택한 사건과 관련해 개념화한다. 당연히 이는 우리의 준거 틀을 매우 자기중심적이고 종 중심적이며 우스울 정도로 좁게 만든다.

빅토리아 시대를 돌이켜 보는 것은 또 다른 세계를 상상하는 일이다.

사람들이 어떻게 생각하고 행동했는지를 탐구하고, 그들이 입고 쓰고 들은 것에 놀라며, 그들의 삶에 감탄하도록 초대받는 것이다. 4천 년 전 메소포타미아 왕국과 이집트 왕국 시대를, 하라파나 모헨조다로 같은 도시들을, 나이저강 삼각주나 창장 중류의 공동체들을, 또는 안데스산맥의 코토시나 중부 멕시코의 틀라파코야 같은 유적지들을 되짚어 생각해보는 것은 거의 불가능할 정도로 이국적이고 어려운 듯이 보인다. 그것은 역사가, 고고학자, 인류학자 등으로 하여금 과거의 사회들이 어떻게 구성되고 어떻게 움직였는지를 상상하게 하는 과제다.

그러나 10년, 100년, 심지어 1천 년에 걸치는 기간은 지구의 역사라는 관점에서는 눈을 한 번 깜박하는 정도의 짧은 시간이다. 그런 의미에서 그 기간들은 전혀 중요하지 않을 것이다. 지구는 수십억 년 동안 태양 주위를 돌았고, 앞으로도 수십억 년 동안 계속 돌 것이다. 그렇다면 어떤 의미에서 전신세는 지금의 시대에 대한 완벽한 꼬리표다. 지질학과 기후상으로 뚜렷이 구별되는 시기이지만, 현생인류의 시대와 일치하는 시기이기도 하다. 우리는 언제나 이 시기를 더 큰 그림 속에 놓을 수 없다.

인류는 그 시작(그것이 언제, 어디서였든) 이래로 팽창하고 식민화하고 번식하고 창조하고 지배해왔지만, 또한 파괴하고 몰살하고 초토화하기도 했다. 지난 45억 년 동안 살았던 다른 모든 유기체 가운데 그것을 더 잘한 유기체는 거의 없었다. 더 온화한 기후가 그 모든 일이 일어나도록 도약대를 제공한 것은 결코 우연이 아니다.

# 3장 인간과 생태의 상호작용

### 서기전 12000년 무렵부터 서기전 3500년 무렵까지

봄철에 밭갈이 않는 게으름뱅이는 가을이 되어
아무리 찾아도 거둘 것이 없다.
— 〈잠언〉 20:4

전신세는 전 세계의 많은 곳에서 훨씬 좋은 기후 조건의 시작을 의미했
다. 우선 대략 1만 년 전 무렵부터 변화가 일어나 장기간에 걸친 안정적
기후 패턴(그것은 그 자체로 중요했다)의 시기가 시작돼 충격의 횟수와 빈도
가 줄었다. 물론 대륙 사이 및 대륙 내부에서 지역에 따라 큰 차이는 있었
다. 그러나 일반적으로 기온은 상승했고, 강우량도 늘었다. 결정적으로
대기의 이산화탄소 농도 또한 마지막 극대빙기에 비해 급증했다. 그때는
농도가 너무 낮아 광합성이 제한적이었을 것이고, 그로 인해 초목을 식
재료로 이용할 수 있는 가능성, 지속성, 신뢰성에 영향을 미쳤을 것이라
고 일부 학자들은 주장했다. 한 영향력 있는 연구 보고에서 말했듯이 전
신세 이전에 농업이 불가능하지는 않았겠지만, 그 시작 이후 완전히 그
에 적합한 조건이 되었다.[1]

중국 동부의 호수 허후湖湖의 퇴적층과 꽃가루 스펙트럼은 더 따뜻하
고 더 습한 상태의 분명한 증거를 보여주며, 서기전 8000년 무렵 이후 상

록 낙엽 활엽수가 섞인 삼림의 확장 역시 보여준다.[2] 과테말라 동부의 퇴적물 시료에 대한 방사성탄소 연대측정은 서기전 7500년 무렵 이후 5천 년에 걸쳐 강우 및 침식 수준이 점진적으로 증가했음을 보여주었다.[3]

북아프리카에서는 여름 일사량 증가 및 북극의 해빙 손실과 밀접하게 연관되고 필시 그것에 의해 설명될 수 있는 극심한 변화가 일어났다. 그것은 북반구 전체에서 태양열에 의한 큰 폭의 기온 상승을 초래했던 듯하다.[4] 사하라의 상당 부분은 초지 사바나로 변모해 사람이 거주할 수 있는 새로운 공간을 열고 그 과정에서 동식물 생태계를 변모시켰다.[5] 이는 흔히 대략 2만 5천 년마다 일어나는 지축 기울기의 순환 때문인 것으로 이야기된다. 그것이 여름 계절풍을 강화했다는 것이다. 물론 지금 일부에서는 이른바 '푸른 사하라'가 지중해 겨울 강우계가 남쪽으로 이동한 결과라는 주장을 제기하고 있지만 말이다.[6]

이런 변화의 효과는 레반트에서 특히 중요했다. 그 어느 곳보다도 신선녀목기 동안에 인구 규모가 커진(아마도 다른 곳들의 상황이 더 나빠지면서 덜 쾌적한 지역에서 이주해 들어왔기 때문일 것이다) '비옥한 초승달 지대'에서 그랬다.[7] 경쟁 수준이 더 높아지면서 아마도 동식물 식량 자원에 대한 압박이 가해졌을 것이다. 이는 야생 곡물과 콩류 채취가 분명히 어려워져 전신세가 시작되면서 환경 조건이 나아질 때까지 악화된다.[8] 한 가지 대응책은 정착자들이 야생 초목 수확에 좀 더 관심을 기울이는 것이었다. 또 다른 대응책은 야생의 양, 염소, 가젤 무리를 체계적으로 이용하는 것이었다.[9]

오늘날 많은 학자들은 농업 발전에서(작물 재배와 식품 저장 및 조리 두 측면 모두에서) 성역할의 중요성을 강조한다.[10] 여성은 식물의 채집, 조리, 전시, 사용의 의식에서 결정적인 역할을 했다. 한편 여성을 집 안에 매장하는 것은 가정에서의 역할을 반영하는 것으로서가 아니라 조상이나 영적 세계와의 주된 매개자 역할의 증거로서 이해해야 한다.[11] 메소포타미아와 기타 지역 여러 사회의 수많은 소조각상들이 여성을 신으로 묘사한 것은 번식과 생명 유지, 그리고 삶과 죽음에 대한 관념의 발달에서 성역할이 엄청나게 중요했다는 사실을 분명히 보여준다.[12]

여성이 초기 농경의 중심이었다는 것은 또한 상체의 힘이 오늘날의 여성 운동 선수를 능가하는 수준이었음을 보여주는 골격학적 분석을 보더라도 분명하다.[13] 남성과 여성 모두의 근골격계 긴장 수준은 초기의 작물 파종과 수확에서 남녀의 공동 노동이 이루어졌음을 시사한다는 사실에 근거해 일부에서는 대략 서기전 3000년 무렵까지 성역할의 분화가 일어나지 않았다고 주장한다.[14]

비옥한 초승달 지대와 이란의 자그로스산맥 일대에서 서기전 8000년 무렵부터 농작물 재배와 가축 사육이 증가했다는 사실은 대처 기술이 새로운 생활방식의 기반이 되면서 지식이 확산됐음을 시사한다.[15] 단립單粒의 외알밀, 에머밀, 겉보리, 편두, 완두, 쓴살갈퀴 같은 재배 곡물은 사람의 식량의 일부로 자리 잡았으며, 비옥한 초승달 지대 일대에 퍼지고 이어 아나톨리아, 이집트, 기타 지역으로 퍼졌다.[16] 대략 비슷한 시기에 서남아시아에서 목축의 첫 흔적이 나타나 양과 염소가 먼저 사육되고 그로부터 얼마 지나지 않아 소와 돼지가 인간의 통제 아래 들어왔음을 시사한다.[17]

이 과정은 더디게, 우연히 진행되었던 듯하다. 새로운 기술을 학습하고 다듬는 데는 시간이 걸렸고, 그것이 이루어지고 나서 가르치고 확산시키는 데 또 시간이 걸렸다. 그리고 수렵채집과 먹이 찾아다니기에서 농경과 재배·사육으로의 '이행'을 생각하는 것에 솔깃할 수 있지만 현실은 훨씬 불투명했다. 너무도 불투명해서 명백한 생활방식을 드러낼 만한 표현 자체가 의문스럽다. 새로운 기술의 발전과 채택이 기존 지식을 대체하거나 그것을 쓸모없는 것으로 만들지는 않았다. 다시 말해서 문제는 먹이 수집, 재배, 길들이기, 경작 같은 개념들 사이의 구분을 어떻게 하느냐보다는 애초에 그럴 필요가 있느냐다.[18]

더욱 분명한 것은 전신세가 시작되면서 먹을거리와 동물을 다루고 그 이익의 극대화를 추구하는 새로운 방식이 등장하고 확산됐다는 것이다. 기후와 환경 변화가 이런 발전을 자극하는 촉매 역할을 했다는 것은 거의 같은 시기에 세계의 여러 곳에서 비슷한 패턴을 찾아볼 수 있는 이유를 설명하는 데 도움이 될 것이다. 예컨대 인류는 다른 대륙으로 이동해서 오랜 시간이 흐른 다음 아메리카 대륙에 들어갔고 대략 이 시기에 역시 땅을 집약적으로 이용하기 시작했는데, 학자들은 사냥과 기후 변화의 영향으로 인해 대형 동물의 수가 줄어든 것이 보다 고정된 곳에 있는 식량의 원천을 확보하려는 노력과 긴밀하게 연결돼 있었다고 주장한다. 실제로 일부에서는 심지어 대형 초식동물(몸무게가 200킬로그램 이상인)의 멸종이 초기 작물 재배에 도움이 되었을 것이라는 주장까지 나왔다. 그들이 사라지면서 초목 서식지의 파괴 정도가 완화됐기 때문이다. 그리고 이에 따라 경작자들은 위험을 덜 감수하면서 더 나은 보상을 얻었기 때문이다.[19]

중국에서는 농작물과 보다 긴밀한 관계를 맺은 시기에 관한 증거를 둘러싸고 많은 논란이 있었고 여전히 논쟁 중이다. 예를 들어 초기 벼 재배는 서기전 8000년 무렵 창장 하류 지역의 상산上山에서 이루어졌을 가능성이 있다. 더 확실한 곳은 그로부터 1천 년 후 화이허淮河강 상류 자후賈湖 같은 중국 중부의 다른 유적지들이다.[20] 그럼에도 불구하고 새로운 정착 형태(특히 남·북중국 모두에 있는 마을이라는 형태의)의 출현은 주민들이 야생 초목을 이용하는 데에서 그것을 관리하고 재배하며 더 나아가 순치시키면서 일어난 근본적인 사회경제적·관념적 변화를 보여준다.[21]

안정적인 야생 및 재배·사육 식량원을 얻을 수 있게 되자 정주생활 및 마을의 등장이 촉진됐을 뿐만 아니라 그것들이 지탱할 수 있는 인구의 집중도 가능해졌다. 초기에 레반트에서 함께 살던 집단들은 작고 계절적으로 거주하는 곳들을 차지하고 살았다. 시간이 지나면서 정착지의 규모와 수는 꾸준히 증가했다. 서기전 7000년 무렵에 공동체는 수백을 헤아렸고, 때로는 수천에 이르기도 했다.

당연히 이는 사회생활과 새로운 관념 채택에서 일련의 혁명을 자극했다. 예를 들어 죽은 자의 처리 문제 같은 것이다. 뼈와 골격 부분(특히 두개골)을 색칠하고 수습하고 회람하는 것 같은 보다 정교한 장례 풍습에 의해 입증됐듯이 말이다.[22] 적어도 일부 지역에서는 신참자들이 새로운 생각과 기술을 가지고 올 뿐만 아니라 유전자 풀을 늘리는 이주 형태에 의해 활기를 불어넣은 듯하다. 다양한 집단들이 문화적 역동성을 자극했다. 다만 그 방식은 서로 달랐다. 예를 들어 메소포타미아 북부와 소아시아 일부에서는 초기 정주 공동체들이 생물학적 가계를 중심으로 이루어져 있었던 반면에, 다른 곳에서는 별도의 친족 구조와 사회 구조를 드러냈다.[23]

여러 지역에서 나온 물건, 상징물, 우상들을 보면 자연과 인간의 관계, 신, 보이지 않는 힘에 관한 우주론적 질문을 하고 대답하는 일에 대한 관심이 늘고 있었음을 알 수 있다. 아나톨리아 동남부 괴베클리테페에 있는 석비나 같은 지역의 다른 유적지에서 발견된 새, 뱀, 의인화된 것의 조각품 등이 그것을 보여준다.[24] 어떤 것은 사람 모양이었다. 지금의 튀르키예 샨르우르파에서 발견된 사람 모양(목걸이를 하고 손을 맞잡았다)의 돌 조 각품이나, 100여 년 전 스베르들롭스크 부근 시기르Shigir 토탄 습지에서 채금자들이 발견한 놀랍고도 매우 빼어난 사람 모양의 우상(나무에 새겼 는데 길이가 5미터 이상이다) 같은 것들이다.[25]

한편 서·북아라비아의 거대한 건축물들(그 안에는 동물의 뿔과 두개골 부 분들이 꼼꼼하게 정리돼 있다)은 이 지역의 바위그림과 함께 이해해야 하는 초기 소 숭배의 증거를 제공한다.[26] 오네가호 옆, 동·북유럽의 알려진 매 장지로서는 가장 큰 규모의 한 묘지에서는 사슴 이빨로 만든 다량의 장 신구와 펜던트(북을 치고 의례에서 춤을 추고 주술사 등이 의식을 진행할 때 달랑 거리는 소리를 내기 위한 것으로 보인다)가 나왔는데, 이는 대략 8천 년 전 기 후 변화에 의해 촉발된 문화적·사회경제적 관습의 변화와 연결돼왔다.[27]

농경이 시작되면서 이전에는 필요하지 않았던 소유와 사유재산 개념 의 발달이 요구됐다고 주장돼왔다. 그것은 논리적이면서도 타당할 듯하 지만, 확실한 증거는 제시하기 어렵다.[28] 오히려 좀 더 보여주기 쉬운 것 은 새로운 재주와 기술의 도입이다. 특히 서로 다른 양식·규모·용도의 건축물들을 지은 건축술이 그렇다.[29] 이 모든 것 또한 빠르게 이루어지지 는 않았다. 여기서의 변화는 수십 년이나 수백 년이 아니라 수천 년에 걸 쳐 이루어졌다.

북아프리카, 사하라, 나일강 유역에서는 정착 공동체들이 또한 더 흔 해졌다. 자원이 많아진 결과였다. 이 경우에는 특히 물고기가 풍부했는 데, 한때 대륙의 심장부에 이리저리 널려 있던 호수와 하천망의 거대한 사슬에서 풍부했다. 많은 양과 여러 종류의 물고기나 조개가 고고학 기 록을 통해 입증된다. 지금의 사하라 사막 한가운데인 리비아 서남부 타카르코리Takarkori 바위굴 같은 곳에서다. 보통 수생 환경과 관련이 있는 양서류, 파충류, 조류 종의 흔적도 있었다.[30]

변화하는 생태계, 그리고 보다 정주적인 생활방식으로의 전환은 새로운 습관과 생활양식을 가져왔다. 사람들이 고정된 장소나 그 부근에 머물면서, 맷돌같이 쉽게 옮길 수 없는 물건들도 좀 더 흔해졌다.[31] 따라서 정착 방식이 변하면서 새로운 기술에 대한 실험이 늘어난 것도 우연이 아니었을 것이다. 예를 들어 중국 서북부에서는 서기전 8000년 무렵 이후 새로운 형태의 세석기, 칼날, 살촉이 도입됐고 갈수록 흔해졌다.[32] 남·북아메리카에서도 마찬가지였다. 그곳에서 전신세 시작 이후 나타난 뚜렷하고 새로운 도구 모음을 대부분의 학자들은 변화하는 생태 및 생활방식과 연결 짓고 있다.[33]

대략 비슷한 시기에 서로 다른 여러 지역에서 도자기가 급속하게 퍼진 것 역시 이 시기가 혁신과 복잡성 증대의 시기였음을 시사한다. 이전에 매우 제한적이었던 일본의 도자기 생산이 이제 극적으로 확대됐다. 아마도 새로운 저장 전략의 결과이거나, 정주생활이 늘어났기 때문이거나, 인구가 증가했기 때문이거나, 아니면 그 셋 모두가 어우러진 결과였을 것이다. 도자기 기술이 유라시아 대륙 북부 일대에서 확산되고 알래스카에까지 도달한 것은 새로운 시대가 새로운 해법을 요구했음을 시사한다.[34]

도자기의 가장 오랜 사례 가운데 일부는 니제르와 서아프리카 말리의 도곤고원에서 나왔다. 대략 서기전 8000년 무렵의 것이다.[35] 도자기는 그 초기 단계에 아프리카 무대에서는 매우 희귀했다. 이에 대한 한 가지 설명은 도자기의 도입이 대개는 결정적인 기술적 중요성을 지닌 순간으로 간주되기도 했지만, 현실은 여러 저低기술 용기들이 과거에 식량과 물의 수송 및 저장을 완벽하게 잘 해냈다는 것이다.

예를 들어 갈대 바구니가 도자 용기만큼 오래가지는 않지만 거기에는 별다른 시간과 노력, 능력의 투자가 요구되지 않았다. 마찬가지로 타조알 껍데기 아프리카에서 수만 년 동안 장식 목적으로 널리 사용돼왔을 뿐만 아니라, 사실상 물을 담는 용기로 쓰였다. 따라서 도자기 도입은 능력의 새로운 돌파구가 되거나 새로운 기회를 여는 것이 아니었다. 이 때문에 일부 학자들은 초기 도자기가 주로 사교나 의례 용도로 만들어졌다고 주장하기도 한다.[36]

도자기는 서기전 7000년 무렵에는 대륙의 다른 지역에서도 만들어졌다. 가장 대표적으로 중부 사하라에서 나일강 상류에 이르는 거대한 활 모양의 지역을 가로질러서다.[37] 이 무렵 도자기는 또한 레반트의 상당 부분, 아나톨리아 동남부, 지금의 사우디아라비아 나푸드사막(당시에는 호수와 강이 널려 있어 인간 활동을 위한 매력적인 주거지였다)의 정착 공동체들에서 널리 발견됐다.[38] 흥미롭게도 특히 수산물에 도자기를 이용하는 것은 지구촌 여러 곳에서 흔히 나타난 현상인 듯하다. 예를 들어 한국에서의 화학 및 동위원소 잔류물 분석에서 나타나듯이 말이다.[39]

보다 정주적인 생활방식으로의 이행은 일시적인 것이 아니었고, 모든 지역에서 동일한 것도 아니었다. 그리고 물론 어떤 공동체들은 작은 정착 취락을 형성했고 또 어떤 곳은 규모가 좀 더 컸지만, 영구 정착지에 사는 사람들과 돌아다니는 수렵채집인 사이의 경계는 때로 모호했다. 틀림없이 여러 가지 서로 다른 생활양식, 자원 수집 기법, 에너지 소비 결정이 있었고, 또한 지역이나 계절, 인구 규모에 따라 결정되는 경쟁과 협력이 있었다. 다시 말해서 '만능열쇠'는 없었고 시간, 장소, 주거지에 따라 상당히 많은 크고 작은 차이가 있었다.

정착이 언제나 성공적인 것도 아니었다. 관심은 보통 정착해서 번영을 누린 집단과 장소로 쏠리게 되지만, 실제로는 많은 경우 땅의 산물에 의존해 살려는 시도들이 실패로 끝났다.[40] 심지어 마을 정착이 끊임없이 이루어졌고 파괴에 의해 중단되는 일은 거의 없었다고 오랫동안 생각돼왔던 레반트에서조차도 최근 연구에 따르면 정착지 폐기가 종종 일어났음이 드러났다. 지속 가능한 공동체 건설 노력의 허약성과 현실을 반영하고 있는 것이다.[41] 또한 자원과 최적의 장소를 놓고 경쟁하면서 집단 사이의 적대, 갈등, 폭력도 생겨났던 듯하다. 그것은 다시 방어를 위한 요새의 혁신으로 이어졌다. 서·남태평양 뉴기니의 보다 최근 사례가 그것을 보여준다.[42]

그럼에도 불구하고 전신세의 시작을 알렸던 기후 조건 개선의 가장 중요한 결과는 아마도 인간 주민의 급증일 것이다.[43] 확실히 곡물이 다양해지고 그것에 의존할 만하게 되면서 굶주림의 위협이 줄었다. 저장 구덩이를 만들고 관리해 그곳에 겨울철을 위한 잉여 곡물을 보관함으로써 계절적인 문제를 줄이는 데 기여했다. 새로운 도구와 좀 더 내구성 있는 저장 용기는 분명히 생산성 도약에도 기여하여 큰 공동체들이 자활할 수 있게 했다. 특히 생태적으로 좋은 장소에서는 더욱 그랬다.

열량을 얻을 수 있는 길이 많아지고 에너지 소비가 줄어든 것은(가까운 곳에서 안정적이고 풍부한 자원, 즉 곡물과 해산물로 살아갈 수 있게 된 결과다) 그 자체로 인구 규모 확대를 설명하는 데 매우 중요한 부분일 것이다.[44] 정착생활의 확대 역시 마찬가지다. 현대 민족지학은 필리핀 아이타족 같은 수렵채집인 여성들이 통상 정주 사회 여성들에 비해 자녀를 더 적게 낳고 터울도 많이 지는 것을 발견했다.[45] 더 짧은 터울과 더 많은 자녀가 더 많은 탄수화물 소비와 연관되고 그것은 다시 더 높은 체질량지수(BMI)와 연결된다는 것 또한 중요하다.[46]

다시 말해서 생활양식의 변화와 식물성 식재료의 새로운 연관이 성별 관계와 특히 어머니의 역할 및 기대에 영향을 주었을 것이다. 이는 전신세 초 이래 이베리아반도 매장지들의 골격 조사 자료와 꼭 들어맞는다. 이는 정착으로의 이행과 영양 섭취 패턴의 변화가 출생률을 높이는 데 (따라서 인구 규모를 늘리는 데) 중요하다는 가설을 뒷받침한다.[47]

곡물 의존도 증가와 인구 밀도 상승에는 반대급부가 있었다. 특히 건강에 미치는 영향이다. 우선 곡물을 갈고 가공하기 위한 더 무거운 도구를 사용하는 작업은 인간 신체에 더 큰 부담을 주어, 농작물 경작이 더욱 확산되면서 골관절염 환자 증가로 이어졌다. 또 곡물 탄수화물의 당분은 치아 법랑질을 손상시켜 충치 발생률 증가로 이어졌다.[48] 치아 건강의 악화는 여성에게 더 큰 영향을 미쳤던 듯하다. 아마도 다산과 그로 인한 호르몬 분비의 불규칙성, 임신 중의 면역력, 임신 중 및 그 이후의 타액 성분 변화 때문이었을 것이다.[49]

따라서 서기전 6000년 무렵의 황소 이용(처음에는 탈곡에 이용했다)은 중요했다. 시간과 에너지가 늘어난 셈이어서 인간 노동력에 대한 압박을 줄이는 데 도움이 되고, 식량 소비를 크게 늘리는 바탕을 제공하는 데 이바지했던 것이다.[50] 대형 동물을 농업에 이용한 것은 수레와 쟁기 같은 혁신을 자극했고, 그것이 생산을 더욱 늘리는 데 이바지해 더 많은 땅을 더 빨리 경작할 수 있게 해서 더 많은 인구를 부양했다.

이런 발전은 사회에도 영향을 미쳤다. 우선 이는 성역할에 새로운 변화를 가져와, 여성은 집안일을 도맡는 것으로 옮겨가고 남성은 점점 더 원예나 농사에 매달리게 되었다.[51] 이와 함께 쟁기와 수레의 제작 및 소유는 그에 따른 보상과 잉여를 제공했다. 한 중진 학자가 말했듯이 이런 강화가 "사회 불평등의 씨앗을 뿌렸다."[52] 성 불평등의 씨앗도 함께 뿌려졌다.[53]

가까이 모여 사는 것은 더 큰 생물학적 대가를 지불하게 했다. 세균병을 일으킬 수 있는 배설물 오염과 열악한 위생시설 같은 것들이다. 사람에서 사람으로 바이러스와 기생충이 확산되기 쉬운 상황도 마찬가지다.[54] 저장된 식량 자원은 설치류를 불러들였다. 그것은 동물원성 질병(즉 동물에서 사람에게로 옮겨가는 질병)의 중요한 매개자였다. 소, 염소, 양도 마찬가지였다. 그것들이 사육되고 음식, 우유, 의류와 직물의 재료로 사용되면서부터다.[55] 이런 질병에는 볼거리, 수두, 풍진, 백일해 같은 것들이 있었고, 모두 동물들에게서 옮겨와 사람과 사람 사이에서 쉽게 퍼졌다. 더 높아진 인구 밀도 때문이었다.[56]

이런 의미에서 인구 증가는 더욱 놀라운 것이었다. 인구 재생산이 질병으로 인한 유병과 사망의 감소 효과를 상쇄하고도 남을 만큼 증가했기 때문이다. 전염병균이 번성하는 공동체에는 희망적인 측면도 있었다. 그것들은 흔히 단기적으로 맹위를 떨치지만 반복적인 발병은 결국 주민들을 '질병 유경험자'로 만들고 잦은 노출 덕분에 부분적인 면역이 생기는 것이다.[57]

역설적으로 이는 기후 조건이 새로운 지역을 개척할 수 있게 하거나 인구 규모가 외부 이주를 필요로 할 때 장기적인 이점을 제공했다. 병원균에 노출된 것과 그렇지 않은 것은 땅, 권력, 자원을 놓고 벌이는 경쟁에 중요한 영향을 미칠 수 있었다. 하나의 분명한 사례가 1492년 크리스토퍼 콜럼버스가 대서양을 건넌 뒤 에스파냐인들이 아메리카 대륙에 진출한 경우였다. 토착민들이 천연두에 면역력이 없었던 것이 흔히 그들의 인구 격감과 정치적 붕괴의 원인으로 지적됐다.[58]

또 하나의 사례는 반투계 민족들이 대략 3천 년 전 서아프리카 중·서부의 상당 지역으로 확산해간 데서 찾을 수 있다. 그들이 말라리아에 저

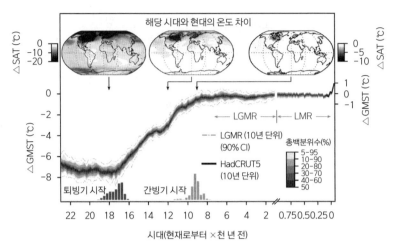

**지난 2만 4천 년 동안의 평균 지구표면온도(GMST) 변화 추이**

출처: Osman et al, 2021

항력을 갖고 있었던 것이 문화, 언어, 정체성, 유전자 확산의 핵심 요인이었다.[59] 앞으로 보겠지만 이 면역력은 후대의 세계 재편에서 결정적인 역할을 하게 된다.[60]

전신세가 진행되면서 추가적인 이주의 물결이 계속해서 새로운 생태지대를 열어놓았다. 이주한 사람들은 농업에 대한 추상적 개념이나 심지어 새로운 도구들뿐만 아니라 농작물까지도 가지고 갔다. 중앙아시아, 지중해 연안, 나일강 유역, 유럽으로 가는 새로운 통로가 열려 서남아시아로부터 밀과 보리, 기타 작물이 전파되었다. 서기전 7000년 무렵에 농업은 크레타섬과 그리스에 출현했고, 얼마 지나지 않아서 멀리 안도라와 에스파냐, 보스니아와 시칠리아에까지 퍼졌다. 양과 염소 치근의 석회화한 조직과 남아 있는 뼈의 절단 흔적은 서기전 6000년 무렵에 중앙아시아 페르가나 분지에서 이들이 사육됐음을 보여준다.[61] 서기전 5500년 무렵에는 사육 문화가 중부 유럽 일대는 물론이고 프랑스 북부에서도 형성됐다. 에스파냐 남부에서 나일강 유역과 캅카스에 이르는 지역에는 마을들이 곳곳에 있었다.[62]

그런 관념과 사람의 이동은 단일한 큰 파도가 아니라 소규모 이동의 여러 사례들(그것이 합쳐져 결국 대규모 신호가 된다)로서 이해하는 것이 가장 합리적이다. 이 가설은 DNA 증거로 설득력 있게 뒷받침된다.[63]

유럽에 농작물과 새로운 개념을 들여온 사람들은 유전자를 통해서도 영향을 미쳤다. 유전체 연구의 진전으로 서쪽으로 옮겨온 초기의 농민 등 서로 구별되는 뚜렷한 집단들이 확인된다. 아나톨리아와 레반트의 농민들은 서기전 7000년 무렵부터 유럽에 도착하기 시작했고, 캅카스에서 나온 사람들은 대략 비슷한 시기에 동유럽에 도착했다. 그들은 현대 유럽인이 밝은 피부색으로 진화한 것과 관련된 유전자 변종을 가지고 왔다.[64]

사실 밝은 피부색과 관련된 유전자 변종은 아프리카에서 시작됐다. 그곳은 온갖 피부색의 본향이었다. 어두운 피부는 적도 지역에서 자외선 차단에 도움을 준다. 반면에 고위도 지역에서는 밝은 피부가 비타민 D의 생성을 극대화한다. 초기 인류 집단들이 아프리카에서 나와 이동하면서 햇볕의 서로 다른 강도 등에 대한 반응이 돌연변이를 촉발하고 그것이 이후 다음 세대들에게로 이어졌다. 서부 유라시아 주민들에게서 SLC24A5 유전자의 발현은 아주 흔했기 때문에 그들이 유럽으로 이주하면서 이전 도착자들(그들은 고위도 환경에 잘 적응하지 못하고 있었다)의 상대적으로 어두운 피부색을 서서히, 그러나 확실하게 대체했다.[65]

밝은 피부색의 유전자 징표는 또한 중앙아시아, 북인도, 동아프리카로 들어간 주민 이동을 추적하는 데도 도움을 준다. 그곳의 단배군單倍群(하플로그룹) 자료는 아시아에서 대규모의 이주자들이 서기전 7000년 무렵 이후 계속해서 에티오피아와 탄자니아로 다시 이주했음을 보여준다.[66]

생태 복불복은 세계의 다른 지역에서 나타나는 차이에도 영향을 미쳤다. 캘리포니아는 기후, 지형, 생태 측면에서 여러 가지로 비옥한 초승달 지대와 유사점이 많지만, 그 재배 식물은 자가수정률이 매우 낮고 대립종大粒種 초본식물이 없었다. 옥수수 꽃가루받이를 통제해 최상의 결과를 얻어내고 유전자의 순수성을 유지하는 일의 어려움을 함께 생각하면 식물 중심의 식생활이 훨씬 후대에야 북아메리카 서쪽 측면에서 개발됐다는 것은 아마도 놀랄 일이 아닐 것이다.[67]

농업혁명은 서로 다른 시기와 장소에서 일어나 서로 다른 결과를 가져왔다. 예를 들어 아프리카의 대부분 지역에서는 다른 대륙들과는 달리 염소, 양, 소의 목축이 농작물 재배보다 먼저 나타났다. 원산 초목의 재배는 최근 5천 년 동안에만 이루어졌다. 야생 벌기장, 땅콩, 참마, 수수 등이 먼저였고, 분포는 다양했으며 적합한 기후 조건에 의존했다.[68]

남아시아와 북아메리카 동부는 서아시아와는 다른 모습을 보인다. 식물고고학 증거를 보면 식량 생산은 큰 농업 공동체가 아니라 이동하는 작은 주민 집단에 의해 이루어졌다.[69] 중국에서는 서기전 7000년 무렵에 정주 마을의 흔적이 있긴 하지만, 그로부터 대략 2천 년 후까지 동식물의 사육·재배는 그리 흔하지 않았다.[70] 그러다가 그 시점에 반포半坡에서 집약농업 관행이 시작돼 황허강과 웨이허강 수계 일대로 확산되기 시작했다.[71]

그러나 서기전 6200년 무렵에 충격적인 사건이 일어나 새로운 일련의 도전과 변화를 촉진했다. 미래의 재변 대처를 모형화하는 데 도움을 주어 중요하기 때문에 때로 '골디락스 기후 급변'으로 불리는 사건인데, 허드슨만의 얼음 제방이 무너져 아가시호와 오지브와호의 물이 싹 빠져나가는 참사가 일어났다.[72] 그 결과 가운데 하나로 로렌타이드 빙상의 용해가 가속돼 대서양 순환 패턴이 약해지고 북반구 상당 지역의 기온이 섭씨 1~3도 떨어졌다. 이것은 160년 동안 지속되며 민물을 속속 대양으로 쏟아내 세계의 해수면이 최고 1미터 상승했다.[73]

이런 변화들은 큰 틀에서 볼 때 중대한 적응이 필요할 정도로 아주 극적이지는 않았던 것으로 보인다. 그러나 그 결과는 심상치 않았음이 드러났다. 중앙 사하라의 침전물 자료는 이 무렵에 호수 수면이 상당히 내려가고 건조화가 진행됐음을 보여준다. 아마도 계절풍계의 변화 때문이었던 듯하고, 이런 변화는 대서양 순환 패턴에 대한 개입의 결과였을 것이다.[74]

이런 변화는 남아시아에도 영향을 미친 듯하다. 바로 이 시기에 그곳에서 극심하고 갑작스러운 건조화가 일어났다는 것은 전체적으로 인도양의 여름 계절풍과 북대서양의 관계를 분명히 보여줄 뿐만 아니라 특수하게는 서기전 6200년의 기후 사건을 입증한다.[75] 식생에 상당한 변화가 일어났음을 보여주는 한국 신안 비금도의 이 시기 꽃가루와 석순 기록은 전 세계에 미친 영향을 입증하며, 또한 비교적 온건한 것으로 보이는 변화에 직면해서도 생태계는 취약함을 보여준다.[76]

생존은 적응에 달려 있었다. 운도 따라야 했다. 적응은 어떤 지역에서는 상대적으로 수월했지만, 상당 지역은 또한 갑작스러운 변화에 맞닥뜨려 대처 방안을 세울 수 있는 능력에 의존해야 했다. 예를 들어 기후 충격은 가축 사육자들에게 레반트에서 아프리카로 이동하는 동기를 제공했던 듯하다. 이동은 자원 공급의 불확실성과 경쟁 및 위험(다른 사람들로부터의, 포식자들로부터의, 심지어 환경 자체로부터의)의 증가를 인식한 데 대한 반응으로 이해해야 한다.[77] 이 시기는 또한 대체로 동아프리카에 밝은 피부색(조상의 뿌리가 아프리카에 있는 사람들이 이후의 돌연변이를 통해 지니고 온 것이었다) 같은 새로운 유전자 표지가 나타난 시기였다.[78]

스코틀랜드 서부, 에스파냐 동북부, 도나우강 일대의 몇몇 지역에서 인간 활동이 급감한 것은 학자들로 하여금 그곳들이 사건 이후 버려졌는지, 아니면 각 지역의 주민들이 단순히 생존할 수 없었는지 의문을 품게 하기에 충분하다.[79] 일부 연구들은 이 사건을 초기의 아나톨리아와 그리스 일부의 농민들이 마케도니아, 테살리아, 발칸반도의 새로운 초지로 더욱 팽창해나간 추동력과 연결시키고자 했다. 이 분산의 시기, 배경, 성격은 분명치 않지만 말이다.[80]

그 영향은 서남아시아에서도 느껴졌다. 그곳에서 이 시기는 튀르키예 남부, 메소포타미아 북부, 시리아, 심지어 키프로스 등 여러 곳이 파괴돼 압박을 받고 있던 때였다. 다만 이것이 새로운 기후 상태에 어떤 영향을 받았거나 연관됐는지는 분명하지 않다. 차탈회위크(튀르키예에서 가장 잘 알려지고 가장 집중적으로 연구된 유적지 중 하나다)에 살던 사람들은 정착지를 그 동쪽 둔덕에서 서쪽 둔덕으로 옮겼고, 주거지를 더 멀리로도 옮겼던 듯하다.[81] 이 유적지에서 발견된 도자 용기에 보존된 동물성 지방의 수소동위원소 조성 변화는 이 시기에 식량 생산도 크게 변했음을 보여준다.[82] 이 시기는 또한 문화적 변화의 시기이기도 했다. 특히 우주론, 종교, 신에 대한 관념의 발달이라는 측면에서 그렇다.[83]

시리아 북부 텔사비아비야드Tell Sabi Abyad에서 이 시기는 또한 이행의 시기였다. 새로운 건축 및 도자기 양식이 도입됐고, 옮겨 다니는 목축민과 정착 농민 등 주민 구성이 더 다양해졌다는 증거도 나왔다. 봉인과 상품 및 서비스에 대한 접근을 통제하기 위해 사용된 추상적인 증표의 발견은 개인 재산에 대한 관념의 변화를 드러낸다. 그리고 아마도 힘겨운 시기에 신원 확인과 보호의 수준을 높일 필요성에 대해서도 말이다.[84] 추측에 근거하는 사회 붕괴에 관한 여러 이론들이 서기전 6200년 무렵의 기후 변화와 관련돼 있었지만, 좀 더 냉철한 평가는 도출 가능한 가장 유용한 결론이 회복과 적응을 위한 인간의 성향에 관한 것임을 보여준다.[85]

거의 비슷한 시기에 일어난 대규모 자연재해의 경우는 상황이 다르다. 북반구의 기온이 갑자기 떨어지고 유럽의 지형이 바뀐 사태다. 서기전 6150년 무렵에 노르웨이 앞바다의 190킬로미터에 이르는 퇴적 대륙붕이 허물어졌다. 아마도 지진 때문인 듯한데, 이로 말미암아 거대한 지진 해일이 형성돼 남쪽으로 북해를 휩쓸었다.[86] 그 파도와 그것이 가한 파괴의 규모는 모형화를 통해 보여줄 수 있었는데, 그것이 내륙 21킬로미터에까지 도달했을 것이라고 평가했다. 2011년 일본 후쿠시마 지진해일보다 두 배나 더 멀리 덮쳤다는 얘기다.[87]

그로 인해 영국을 유럽 대륙과 연결시키고 있던 도거랜드Doggerland로 알려진 지역이 물속에 잠겼다. 물론 가장 최근의 연구는 이때 이곳이 열도로 변했고, 그것이 완전히 사라진 것은 서기전 5000년 무렵의 해수면 상승 때였다고 한다.[88] 그러나 지리적 분리가 단계적으로 이루어졌든 그러지 않았든, 과거와 현대의 유럽 정치는 물론이고 세계 정치에 미친 영향은 매우 컸다. 영국이 유럽 대륙에서 분리된 것은 영국 해상 권력의 발전과 지배에서부터 제2차 세계대전의 군사적 결과와 2016년 유럽연합(EU)을 탈퇴한다는 브렉시트 투표 추진을 뒷받침한 '예외론exceptionalism'에 이르기까지 모든 것에서 결정적이었다.[89]

당시에 그 파도는 경로에 있는 모든 것과 모든 사람을 죽였을 것이다.

이끼-줄기 분석은 퇴적 대륙붕이 무너지고 지진해일이 일어난 것이 그해 연말에 가까운 때여서 노르웨이의 북해 해안에 있던 사람들을 쓸어가기에 충분했음을 보여준다. 그들은 보통 여름철에는 높은 지대에서 순록을 사냥하며 보냈지만 겨울은 해안에서 났다. 살아남은 사람들은 그 겨울을 나기 위해 사투를 벌여야 했을 것이다. 주거, 배, 장비, 식량을 모두 잃어버렸기 때문이다.[90]

시간이 지나면서 사태는 서서히 호전돼 때로 '기후최적기climatic optimum'라고 부르는 상태가 되었다. 따뜻하고 습한 상태가 농업경제 발전을 뒷받침했다. 식물고고학 증거는 서기전 6000년 무렵부터 옥수수 변종 같은 초목 재배종이 남아메리카 곳곳에 퍼졌음을 보여준다. 콜롬비아와 에콰도르 서북부, 페루의 해안과 이어서 고지대, 그리고 마침내 안데스 중부까지 대륙의 많은 곳으로 갔다.[91]

세계의 다른 곳에서와 마찬가지로 여기서도 농업으로의 이행은 치아 건강의 변화를 초래했고, 시간이 지나면서 심지어 치형도 변화시켰다.[92] 그리고 다른 곳에서와 마찬가지로 보다 온화한 환경의 회복은 안정적인 식량 생산(그것은 계단식 경작지 조성과 관개수로에 의해 보완됐다)과 어우러져 인구 규모의 증대를 불러왔다. 물론 이것이 대륙 전역에서 지역과 시기마다 모두 동일하지는 않았다.[93]

서기전 3000년까지의 기간에는 생태 및 인구상으로 상당한 변화가 일어났다. 그 이유 중 하나는 이례적으로 높았던 화산 활동 수준이었다. 그것은 얼음 시료 기록에 보이는 유황 흔적의 양과 농도로 입증된다.[94] 태양 극소기와 특히 2400년간의 '할슈타트Hallstatt 주기'(태양 활동 감소가 기온 하락, 빙하의 확대, 북극 지방에서 대서양으로의 부유 빙산 방출과 연결됐던 시기다)

의 영향 또한 세계 기후에 충격을 주었다.[95]

복잡하고 상호의존적인 세계 기상 패턴의 광범위한 조정에는 다른 요인들도 영향을 미쳤다. 남반구의 온난화 국면은 빙하의 해빙으로 이어져 태평양의 수면 온도를 떨어뜨렸던 듯하다. 이것은 다시 엘니뇨-남방진동(ENSO)에 영향을 미치고, 그것이 서기전 3000년 무렵까지 강도와 변동성을 모두 줄였다.[96] 이것이 지구 궤도 형태의 주기적 변화(그것이 통상 ENSO의 강도에, 그리고 따라서 세계 기후 패턴에 핵심적인 역할을 한다고 여겨져 왔다)보다 더 중요했을 것이다.[97]

증거를 보면 중앙아시아에서는 서기전 4000년 무렵부터 계절풍이 후퇴한다. 그 시점 이후 인도의 기후대리지표proxy는 강우량이 크게 줄었음을 시사한다.[98] 같은 시기의 서아프리카 계절풍계의 약화는 대략 300년 후 급격한 하락으로 이어져 대략 서기전 3000년까지 건조화가 진행되고 상시화하도록 만들었다.[99]

이것이 대규모 인구 이동을 초래했다. 사하라의 호수와 강들이 말라가기 시작했기 때문이다. 동아프리카와 동북아프리카에서는 급속하게, 그리고 요아Yoa호에서 나온 꽃가루와 퇴적물 분석 기록으로 보아 차드 북부 같은 곳에서는 좀 더 서서히 진행됐다.[100] 안정적인 수원과 초지가 있는 오아시스는 아주 매력적인 해법을 제공했다. 나일강 유역 역시 시간이 지나면서 상당수의 이주자들을 끌어모았다. 아마도 더 안락한 장소를 찾아 나선 사람들이었을 것이다.[101] 다른 형태의 적응도 있었던 듯한데, 양과 염소에 대한 의존을 늘리고 주거지를 계절에 따라 바꾸어 이용하는 것 등이었다.[102]

지금의 모리타니 해안 지역 등 서·북아프리카의 일부 지역에는 계속해서 상당한 양의 비가 내렸다.[103] 그러나 그 결과는 사하라 사막화의 시작이었다. 사막이 확대돼 새로운 환경 조건이 형성됐다. 그리고 갈수록 인간의 이동을 막는 난공불락의 장벽이 돼갔다. 지금 우리가 알고 있는 그대로다.

이것이 유전적 분화로 이어지고 그 결과로 사하라 이남과 이북의 아프리카 주민들의 Y 염색체 단배군 구성이 크게 달라졌다. 그것이 현대 세계에서는 그다지 지속되지 않지만 지구상의 그 어느 곳보다도 높은 수준의 다양성을 보이는 아프리카 민족들의 현실을 규정하고 강화하고 있다.[104] 다시 말해서 기후 변화는 아프리카를 지리 및 환경상으로뿐만 아니라 유전적으로도 분할한 것이다.

이런 급격한 변화는 동식물, 인간, 병원균 모두에게서 '적응의 폭포수'라 부른 것을 초래했다. 그중에는 소 매장과 이집트 동부 및 리비아 서남 유적지의 구조물 안에 보이는 가축 뼈 안치(분명히 의례적인 맥락을 지니고 있다) 같은 새로운 문화적 관습도 있었다. 다만 이것들이 종교적 믿음이나 혹은 병원균 환경이 급변하던 시기에 질병으로부터의 보호라는 관념이 부상한 것과 관련이 있는지는 분명하지 않다. 건조화가 사료와 물을 구할 가능성에 부정적인 영향을 미치고 병에 더 잘 걸리는 것(사람과 가축 모두)과 밀접하게 연관된다는 사실은 논리적으로 중요한 일로 보인다.[105]

대략 5천 년 전 무렵 엘니뇨-남방진동이 느슨해지기 시작했을 때 그것은 새로운 일련의 효과들(그것이 세계 전역에서 균일하지는 않았다)을 가져왔다. 북아메리카에서는 가뭄과 극심한 물 부족 현상이 발생했다. 호수의 수위가 낮아지거나 아예 말라버렸다.[106] 꽃가루 및 나무의 기록은 대기순환 패턴이 변하면서 초목에 나타난 건조화와 변화의 증거를 제공한다.[107] 지중해의 강우 수준 역시 변해서 환경 생태의 '지중해화'(즉 그곳이 지금 우리가 생각하는 상태로 변모했다는 말이다)로 이어졌다. 여름 가뭄과 춥고 습한

겨울에 적응한 상록 관목이나 상록수가 주류를 이루었다.[108]

남아시아와 동남아시아에서는 상황이 달랐다. 북인도와 인도차이나 북부는 특히 많은 강수량의 혜택을 입은 듯하다. 다만 그 나머지 지역이 어떤 패턴이었을 가능성이 높은지를 판단하는 것은 상당한 불확실성에 맞닥뜨려야 했다. 도움이 될 수 있는 잠재적인 기후대리지표(호수 침전물, 꽃가루, 석순 자료 같은 것들)에 대한 연구가 부족하기 때문이다.[109]

그러나 다른 곳들의 풍부한 자료는 아프리카의 건조화가 진행될 때 동아시아의 어떤 지역들은 좀 더 습한 상황이었음을 보여주는 데 도움을 준다. 내몽골고원은 서기전 4000년 무렵 이후 더 따뜻해지고 강우량이 더 많아졌다. 이 새로운 기후 패턴은 2천 년 이상 지속됐다. 그러나 티베트고원의 기온과 강우량 수준은 여전히 안정적이었다. 신장에서도 마찬가지였다.[110] 인도네시아, 파푸아뉴기니, 그레이트배리어 산호초의 화석화된 단세포 생물과 산호 분석은 해수면 온도가 떨어졌음을 시사한다. 이와 함께 서기전 3500~3200년 무렵의 해수면 하강에 대한 증거는 이 시기에 세계의 어떤 지역에서는(전체는 아니라 해도) 상당한 기후 변화가 일어났다는 추가적인 지표를 제공한다.[111]

인류가 도전에 어떻게 반응하고 대응했는지는 금세 분명해지지도 않고 그럴 필요도 없다. 앞으로 보겠지만 극단적인 사건들은 파멸적인 결과를 불러올 수 있고 그 경험은 집단기억 속에 저장된다. 그러나 하루, 한 달, 한 해 단위로 보면 상당히 큰 기상 패턴의 변화도 인식하기가 어렵다. 이동하거나 이주하고, 새로운 습관을 들이고, 서로 간에 또는 환경과 다른 방식으로 어울린다는 결정은 순간적이거나 즉각적인 것이 아니었고, 꾸준히 늘어가는 변화를 마주하면서 도달하거나 개발하는 것이었다.

마찬가지로 강우량 변화에 의해, 기온 차이에 의해, 동식물의 서식지 변화에 의해 초래된 생태계의 변화는 빠르지도 않고 수십 년이나 수백 년에 걸쳐 일어났다. 따라서 사회가 주변의 세계에 대해 어떻게 상상했는지, 사람들이 인간과 자연의 관계, 인간과 동식물의 관계에 대해 어떻게 생각했는지, 그들이 인류의 역할(변화하는 기후 환경과 관련해서뿐만 아니라 자원 이용이라는 더 광범위한 질문과 관련해서도)을 어떻게 개념화했는지를 생각하는 것이 좀 더 생산적일 것이다.

그런 질문들을 이해하는 우리의 능력은 서기전 3500년 무렵부터 상당히 쉬워졌다. 인간 사회의 복잡성이 증가하고 그것이 다시 새로운 생각, 새로운 해법, 새로운 도구들을 요구했기 때문이다. 기후 변화가 정치 제도의 필요성을 만들어내지 않고, 크고 작은 도시나 국가가 등장할 바탕을 마련하지도 않으며, 문자 체계의 발전으로 이어지지도 않았다. 모든 것은 증가하는 인구수, 물과 특히 식량 자원에 대한 더 많은 요구, 사회 조직의 필요성 등의 산물이다. 그러나 환경의 역할은 모든 것에서 중심을 차지하고 있다. 사회가 생존하고 번영하려면 인류는 자연을 지배할 뿐만 아니라 그것을 자신의 의지에 맞게 바꿔놓아야 한다.

# 4장　초기 도시와 교역망
### 서기전 3500년 무렵부터 서기전 2500년 무렵까지


그는 우루크를 건설한 사람이다.

— 〈수메르 왕 명부〉(서기전 2100년 무렵)


서기전 3500년 무렵에 환경에 대한 인간의 영향은 변화하고 있었을 뿐만 아니라 매우 중요해져서, 그것 자체가 동식물 서식지 생태 변화의 요인이 되었다. 전 세계에 걸쳐 농업에 적합한 땅들이 점점 더 많이 이용됐음은 공간 모형화를 통해 알 수 있다. 목축 역시 건조한 지역으로 더욱 확산됐다. 일부 학자들에게 이런 활동 수준은 바로 인위적 요인에 의한 지구 변형의 시작으로 비쳤다.[1]

　사실 일부는 한발 더 나아가 인간의 활동이 기후 자체에 영향을 미쳤다고 주장한다. 우선 최근 연구는 5천 년 전 무렵 중국과 유럽의 인구 수준이 보통 생각하던 것보다 훨씬 높았음을 시사한다. 상당수의 인구를 부양하려면 얼마나 많은 땅이 필요했을지, 그리고 땅을 어떤 방식으로 이용했을지에 관한 의문이 제기될 수밖에 없다.[2] 기후 기록은 이 시기에 대기에 열을 가둬두는 이산화탄소가 매우 증가했음을 보여준다. 일부 학자들은 이를 삼림 파괴와 연결시키기도 한다.[3] 한편 서기전 3000년 무렵으로 거슬러 올라가는 그린란드의 얼음 시료에서는 메탄의 함량이 매우 높았던 것으로 드러났는데, 이는 마찬가지로 논 벼농사의 증대와 관련이 있다. 그것이 작물과 미생물 사이의 상호작용과 메탄가스 배출 증가를 수반하는 복잡한 토양 처리 과정으로 이어지는 것이었다.[4]

이것이 '초기 인위anthropogenic 가설'로 알려지게 되는 이론으로 이어졌다. 대략 5천 년 전 무렵 인간의 활동과 행동이 지구의 기후에 매우 큰 영향을 미쳐 그것을 근본적으로 변화시켰다는 이론이다.[5] 최근의 모형화는 이 주장을 뒷받침하는 데 사용됐다. 연구자들은 대기에 생각보다 많은 온실가스가 집적된 데서 비롯된 온난화가 새로운 빙하기의 도래를 막았다고 주장한다. 이 배출의 가장 가능성 높은 원인은 농업이었다.[6]

이 가설의 문제점은 상관관계와 인과관계를 구별하는 것이 간단하지 않다는 것이다. 다시 말해서 한편으로 온난화 패턴과 다른 한편으로 인구 및 행동의 변화가 대체로 같은 시기에 일어났음을 확인했다고 해서 이것이 후자가 전자의 원인임을 입증하는 것은 아니라는 얘기다. 둘을 연결시키는 것에 솔깃할 수 있지만, 그 연결이 우연 이상의 어떤 것임을 입증하기란 너무나도 어렵다.

예를 들어 기후 변화는 동유럽의 카르파티아산맥과 드니프로강 사이의 지역에 펼쳐져 있었고 서기전 5000년 무렵 이후 더 많아지고 커졌던 트리필랴Trypillia 문화의 정착지들이 쇠퇴한 주요 요인(최대 원인은 아닐지라도)으로 제기돼왔다. 그중 일부는 규모가 상당히 커서 거대도시로 묘사됐고, '알려진 초기 도시들'이라고 불릴 만했다.

이 정착지들은 흔히 유라시아 대륙이나 세계에서 가장 큰 유적지들로 간주됐으며, 통상 의례 활동이나 잉여물의 저장과 소비를 위한 거대한 건축물 주위에 형성됐다. 각 유적지는 부싯돌, 망간, 구리, 소금 등을 때로는 먼 거리에 있는 곳과 교역하는 큰 교역망의 일부였다.[7] 일상적인 필요는 곡물, 사육 동물 및 야생 동물, 낙농 제품을 섞어서 충족시켰다.[8]

서기전 3500년 무렵, 이들 유적지는 문제가 생긴 흔적을 보였다. 건축물은 보수되지 않고, 비어 있는 곳이 많았으며, 사회 위계가 나타났다 (이는 자원을 구득하기 어려워진 탓에 사회적 불평등이 생긴 징표로 해석됐다).[9] 실제로 이런 압박은 꽃가루 수준의 저하(이는 농업 생산성의 수준이 떨어졌음을 나타낸다)뿐만 아니라 기온 하락에 의해서도 입증된다. 후자를 어떤 사람들은 어쩔 수 없는 주민 이산의 핵심 요인이라고 보았다.[10]

그러나 인구 감소는 기후 변화가 아니라 과도한 이용에 의한 지력 고갈 같은 요소에 의해 빨라졌을 것이다.[11] 아니면 아마도 질병이 설명해줄 수도 있을 것이다. 인구 밀도가 높고 여기에 많은 가축의 존재가 더해지면 전염병이 발생하고 확산되기에 이상적인 조건이 만들어진다.[12] 따라서 새로운 연구가 대략 이 시기에 유라시아 스텝 지역에서 전염병의 원인균인 페스트균이 있었다는 확실한 증거를 발견한 것은 우연이 아닐 것이다. 서기전 4000년 무렵에서 서기전 3000년 무렵 사이에 여러 계통이 분기한 것 역시 마찬가지다.[13]

인구 감소, 주민 절멸, 사회 변화가 여러 원인의 결과였을 가능성은 중부 유럽의 큰 정착지 대부분이 서기전 3300년 무렵에 사라진 이유를 설명하는 데 도움이 될 것이다. 증거는 파멸적 변화가 짧은 기간에 일어났음을 보여주고 있기 때문이다.[14] 이 시기가 불확실성이 증대하던 때라는 사실은 또한 유럽의 여러 지역에서 집중적으로 의례가 치러졌음을 설명하는 데 도움이 된다. 특히 사회적 행동의 변화는 점차 어려워져가는 상황을 반영한 것이라고 많은 사람들이 생각해왔기 때문이다.[15]

세계에서 이곳들만 급격하고 거대한 사회적 변화를 겪고 있었던 것은 아니다. 중국 남부, 타이완, 지금의 필리핀, 인도네시아, 멜라네시아, 태평양 일대에서 주민, 물질문화, 언어 사이의 연결이 증대되고 있다는 첫 신호는 서기전 3000년 무렵부터 시작됐다. 이는 흔히 북쪽에서 남쪽으로의 팽창 과정으로 보였다. 물론 이는 갑작스럽고 급속한 파동이기보다는 수백 년에 걸쳐 측정되어야 하며, 때로 토착민들이 관습, 생각, 기술을 채택하고 확산시키는 일이 수반되어야 하는 일이다.[16]

대서양과 멕시코만 연안에서도 사정은 비슷했다. 여기서는 서기전 3000년 무렵에 동식물 잔해로 이루어진 패환貝環; shell ring이라는 둥그런 더미가 광장 주변에 만들어지기 시작했다.[17] 이런 구조물에 대해서는 많은 해석이 제기됐지만 이것들은 분명히 정착지의 중심 요소였고, 최근의 증거가 시사하듯이 국지 교역과 수백 킬로미터에까지 뻗어 있는 교역망에서 초점 노릇을 했다.[18] 원격탐사와 기계학습을 통한 조사들은 이제 해안 삼림과 습지에서 그런 조개무지를 더 많이 찾아냈고, 그것은 더 많은 공동체가 존재했으며 대략 이 무렵에 이전에 생각했던 것보다 더욱 집중적인 교역 패턴이 많아지기 시작했음을 시사한다.[19]

한국어, 일본어, 퉁구스어, 몽골어, 튀르크어 등 범汎유라시아 제어諸語의 초기 분산에 관한 문제는 논쟁 중이지만, 유전학-언어학-고고학의 삼각측량은 공통의 목축 및 기본 어휘가 농민들에 의해 확산됐으며 이와 연관된 농업의 유라시아 동북부 및 동부 전파도 이 시기에 이루어졌다는 결론을 신빙성 있게 보여준다.[20]

유럽에서도 얌나야Yamnaya 문화 제민족의 대량 이주 물결이 일었다. 흑해 위쪽 삼림-스텝에서 서쪽으로 이동한 것이었다. 이것은 인구에 심각한 영향을 미쳤지만, 또한 급격한 문화적 변화도 가져왔다. 이번에도 언어의 확산을 포함해서였다.[21] 흑해-카스피해 스텝에서 비교적 소규모로 이주해온 사람들은 에게해의 섬들과 지금의 그리스에 정착했으며, 거기서 그들은 유럽 최초의 거대한 궁궐과 중심 도시를 건설했다.[22]

승문토기繩紋土器; Corded Ware 문화와 종형배鐘形杯; Bell Beaker 문화에 속하는 것으로 확인된 새로운 토기 양식은 서기전 2750년 무렵부터 급속하게 확산돼 불과 200년 사이에 유럽의 상당 지역과 서·북아프리카를 휩쓸었다. 그러나 더욱 놀라운 것은 주민 교체 또한 일어났다는 점이다. 이는 역사상 가장 광범위한 민족 이동 가운데 하나였는데, 미토콘드리아 유전체 자료는 유럽의 유전자 웅덩이가 거의 완전히 교체됐음을 보여 준다.[23] 영국 한 곳만 보면 주민 교체율은 90퍼센트가 넘는 것으로 평가됐다.[24] 중부 유럽의 어떤 지역들에서는 100퍼센트를 기록하기도 했다.[25] 문화의 모방은 중요하지만, 이주는 훨씬 중요했다.[26]

그러나 메소포타미아, 나일강 유역, 중국의 황허강 및 창장 지방, 남아시아의 인더스강 유역, 안데스 산지의 골짜기들에서는 사정이 달라 인구 분산이 아니라 고착 현상이 나타났다. 서기전 3500년 무렵부터 서기전 3000년 무렵까지의 기간에 인구가 전반적으로 증가한 것은 사실이지만, 더 중요한 것은 마을 수가 늘고 거주하는 사람들의 수도 늘었다는 것이다. 흑해 북쪽의 영구 및 반영구 주거지에서 사람들이 밀려났지만, 다른 곳에서도 사람들이 함께 밀려났다. 이것이 여러 곳에서 거의 같은 시기에 일어났다는 사실은 비슷한 동인이 비슷한 경향을 추동했음을 시사한다. 많은 수의 마을들이 만들어진 과정이 신속했으며 그중 일부가 상당한 크기의 중심 도시로 급속하게 규모를 키웠다는 사실 또한 마찬가지다.[27]

한 학자가 말했듯이 도시가 어디서 나타났는지에 주목하는 것도 중요하지만, 어디서 나타나지 않았는지에 관심을 기울이는 것 역시 가치가 있다. 특히 서유럽, 아마존강 유역, 북아메리카 동부 같은 곳 말이다. 커다란 광역 도시권이 시작된 곳은 토양 유형, 배수, 강우량, 기온, 심지어 고도도 모두 달랐음에도 불구하고 한 가지 공통점을 가지고 있었다는 사실은 결코 우연이 아니라는 얘기다. 이 초기 도시들은 '국한된 곳'에서 생겨났다. 다시 말해서 그곳들 자체는 풍성한 지역이지만 적대적인 지세(사막, 산, 바다 같은)에 둘러싸인 곳이었다.[28]

따라서 도시(그리고 따라서 '문명')의 탄생을 추동하는 발동기는 주민들을 환경적으로 쾌적하고 생산적인 땅이라는 좁은 대역으로 밀어넣는 압력에 의해 동력을 얻어야 한다. 그곳은 생태 발자국을 확대하는 능력이 제한돼 있다. 다시 말해서 초기 도시들은 필요의 산물로서 생존이 가능하려면 협력이 필수적인 곳에서 생겨났다.

이들 '뜨는 지역' 내부와 그곳들 사이의 국지적 및 지역적 교역 물량 증가는 사회 교류를 증대하고 정치권력을 한곳으로 집중시키는 발판 노릇을 했다. 대략 서기전 4000년 무렵부터 비옥한 초승달 지대 일대의 양식 통일(도기와 주거지 설계 같은 것이다)은 상업적·문화적 교류가 꾸준히 늘었다는 강력한 증거를 제공한다. 이런 과정은 같은 시기 흑해, 지중해, 에게해 연안과 아나톨리아고원에서도 비슷하게 진행됐다.[29] 이것은 고도의 야금산업 발달과 병행해, 그리고 어쩌면 심지어 그 자극을 받아 이루어졌을 것이다. 야금산업은 이미 아나톨리아에서 메소포타미아, 이란, 파키스탄, 동·남유럽과 흑해 일대에까지 전파됐다. 나중에는 시칠리아와 이베리아반도까지 들어갔다. 식생활을 다양화한 새로운 농작물 도입과 함께 거래할 수 있는 새로운 상품과 물자(기본 식품도 있고 이국적인 사치품도 있었다)의 등장은 새로운 생활방식의 가능성과 함께 신분 표현을 위한 가능성도 열어놓았다.[30]

이런 추세는 동아시아, 남아시아, 북아프리카, 남아메리카에서도 찾아볼 수 있다. 랴오허강 유역의 훙산紅山 문화 및 황허강 하류의 다원커우大汶口 문화, 인더스강과 나일강 유역의 집단들, 그리고 페루 해안의 노르테치코Norte Chico('약간 북쪽') 문명 같은 것들이다. 모두 비슷한 패턴을 보였다. 인구 증가, 농업의 개선, 농작물의 더 광범위한 전파와 장거리 교역망형성, 생각과 기술(야금과 관련된 것 같은)의 확산 등이다. 메소포타미아와 비슷한 길을 걸었지만 시기만 조금 늦었다.[31]

영구 정착지 건설에는 개인 소유에 대한 관념의 형성이 필요했다. 동산 및 부동산, 땅과 거기서 나는 자원에 대한 접근권 및 통제권 같은 것들이다. 고대와 현대 세계의 사회적 위계의 발전과 존재는 흔히 도시라는 무대와 관련이 있고, 무엇보다도 재산 소유권(경지든 작물이든 가축이든 물건이든)과 관련이 있었다. 그 적절성은 인구 밀도가 높을수록 높아졌다. 부의 축적과 양도는 사회 지배층을 형성할 수 있게 했고, 이에 따라 정치구조와 의사 결정을 규정지었다. 부의 불균형은 가장 먼저, 가장 철저하게 도시화된 주민이라는 표시였다.[32]

그렇다고 평등이 도시화되지 않은 사회의 특징이라는 말은 아니다. 실제로 현대 동아프리카, 서아프리카, 서아시아, 남아시아의 네 목축민 집단에 대한 최근 연구 결과, 상당한 수준의 자산과 신분이 다음 세대로 상속되는 것으로 나타났다.[33] 그 영향이 좀 작기는 하지만, 수렵채집인 사회에서도 삶의 기회는 부의 상속에 의해 상당히 영향을 받았다.[34]

그럼에도 불구하고, 그리고 전근대 세계와 현대 세계의 상당한 차이를 감안하더라도 도시의 등장은 여러 가지 극적인 변화를 자극했다. 왕권에서 종교에 이르는, 관료제의 등장에서 노예제에 대한 관념에 이르는 광범위한 문제들과 관련된 것이었다. 도시의 등장은 또한 도시의 정체성에 대한 관념 및 '국가'의 등장과 밀접하게 연관되어 있었다. 이 국가라는 용어는 매우 넓은 개념으로 이해할 필요가 있다. 지나치게 단순화하는 것은 분명히 문제가 있기 때문이다.[35]

흥미롭게도 메소포타미아 북부에서는 서기전 3000년 무렵 몇몇 대규모 정착지가 물이 풍부한 지역이 아니라 대체로 큰 강에서 멀리 떨어진 일련의 충적평원과 분지에 세워졌다. 이 공동체들은 평등 사회였고 공동생활을 지향했던 듯하며, 중앙의 지도부가 없고 지위 표시의 흔적이 별로 없었다.[36] 이들 정착지 가운데 일부는 나가르Nagar(현재 시리아의 텔브라크) 등과 같이 규모가 컸고, 나가르는 130헥타르의 면적을 차지할 정도로 성장했다. 다만 사람들이 어떻게 살았는지, 도시와 경작지가 얼마나 많은 인구를 부양했는지, 그리고 이것이 시간이 지나면서 어떻게 변모했는지는 불분명하다.[37]

메소포타미아 남부는 달랐다. 그곳에서는 더 크고 더 복잡하고 더 위계적인 정착지가 세워지기 시작했다. 그중 가장 오래되고 가장 중요한 곳은 우루크였다. 비록 나중에 수메르어로 쓰인 이야기와 기독교 성서 〈구약〉이 모순되는 후대의 주장으로 그 위치를 니푸르에서 에리두나 바빌론까지 여러 가지로 제시하고 있지만 말이다.[38]

훨씬 후대의 기록은 우루크의 건설자가 엔메르카르Enmerkar라고 밝혔다. 그는 태양신 우투와 선한 암소 닌수무나의 아들이라고 한다. 〈수메르 왕 명부〉에 따르면 그는 "우루크를 건설한 사람"이었다.[39] 그러나 무엇보다도 엔메르카르의 업적은 건축 사업이 아니라 정치적인 것이었다. 지도자 역할을 차지하는 데 성공해 남들에게 명령할 수 있게 되고, 그 결과물을 자신의 공으로 돌린 것이다. 대략 3천 년 전에 쓰인 한 문서에 따르면 엔메르카르와 그의 아내 엔메르카르지Enmerkar-zi는 "도시를 건설하고 벽돌을 만들며 벽돌 도로를 까는 방법을 알았다." 그들은 나무로 쟁기와 멍에, 밧줄, 탈곡기 만드는 법도 알았다. 그리고 "관개수로와 모든 종류의 관개 배수로" 내는 법도 알았다.[40]

엔메르카르의 여러 재능이 이 사료가 주장하는 것처럼 매우 광범위했는지에 대해서는 논란이 있을 수밖에 없다. 그러나 그 공로가 그에게 (그리고 놀랍게도 또한 그의 아내에게) 돌려진 것은 우루크나 다른 큰 중심 도시들에서 지배층이 출현했음을 말하고 있어 흥미롭다. 일부 학자들은 높은 지위와 부를 차지한 사람들의 역할이 도시가 더 크고 더 효율적으로 바뀌는 과정에서 결정적이었다고 본다. 토지 소유권을 장악하고 가축을 소유하고 생산을 통제한 지배 계층은 자기 재산을 더 늘리기 위해 장려책을 제공함과 아울러 강압을 동원할 수 있었다. 이를 통해 도시의 물리적 토대를 마련하고 사회정치 구조를 좌우했다.[41]

그 결과는 우선 신전과 때로 궁궐이라 불리는 화려하게 치장된 건축물에서 볼 수 있다.[42] 이 신전들이 사제 계급의 통제하에 있었다는 점이 중요하다. 그들은 권력을 자기네의 손아귀에 집중시켰고, 한편으로 교역을 조정하고 감시하고 심지어 통제했다.[43]

이런 사정은 다른 곳에서도 마찬가지였는데, 특히 이집트에서 그랬다. 그곳에서도 역시 세속과 성직의 이원적 원리가 발달했고, 마찬가지로 지배 계급이 권력을 독점했다. 그들은 땅의 소유권을 장악하고 신전, 석조 건축물, 고도의 매장 기념물(가장 유명한 것이 피라미드다)을 건립해 자기네 지위를 확인했다.

이집트와 나일강 유역에서는 서기전 3500년 무렵에 왕권에 대한 관념이 나카다, 네켄(히에라콘폴리스), 아비두스 등의 중심 도시들과 함께 출현했다. 그러다가 점차 한 지배자가 여러 지방과 도시들을 감독하게 되면서 통합됐다.[44] 중앙집권화 과정은 인구 증가와 아마도 환경 요인에 의해 도움을 받았을 것이다. 어떻든 가용 토지 공급에 대한 압박은 그 이용의 극대화로 이어졌고, 그것은 보다 통합된 국가 구조로의 진화를 설명하는 데 도움이 된다.[45]

비슷한 과정이 지금의 중국에서 시기적으로 비슷한 여러 문화에서 일어났다. 그곳에서는 분산되고 정치적으로 통합되지 않은 양사오仰韶 같은 문화들이 사라지고 량주良渚, 룽산龍山, 홍산 등의 문화로 대체됐다. 각기 지금의 중국 동남부, 중부, 동북부다. 이곳들은 갈수록 커지는 중심 도시들의 신정적神政的 지배자들이 통치했다.

중요한 사례는 바로 량주라는 도시 자체다. 중심지에 궁궐 단지가 있고, 거대한 성벽으로 보호됐다. 그 묘지는 사회적 차별과 계층화 수준의 심화를 보여주며, 부유층은 희귀하고 이국적이며 값비싼 물건들과 함께 묻혔다. 이 물건들은 의례와 관련된 것이며, 따라서 소유자들이 지위(그저 재산에만 바탕을 둔 것이 아닌)를 지녔음을 의미한다.[46] 량주에서는 이 시기 동아시아의 다른 여러 문화들에서와 마찬가지로 옥이 귀하고 값비싼 물건으로서 부와 지위를 나타내는 구실을 했다.[47]

동아시아의 사례들은 통상적이지도 않았다. 그들이 개발한 신앙 체계는 이집트, 메소포타미아, 그리고 나중에 남아시아를 지배했던 것과는 사뭇 달랐기 때문이다. 이 모든 경우 사회라는 피라미드의 꼭대기에는 초자연적 세계와의 연결을 주장함으로써 자기네 위치를 강요하는 지배자가 있었다. 그것이 흔히 그들을 특수한 혈통으로 만들어 그들의 권위를 강화하고 신성한 권력의 원천으로 삼았다.

예컨대 메소포타미아의 왕들은 외부자 자격으로 권력을 창출하고 "자기네 나라에서 이방인"이 됨으로써 혜택을 누린 반면에, 지금의 장쑤성

북부와 안후이성에 있던 초나라 지배자들은 자기네 혈통을 한 신에게까지 갖다 붙였다. 그 조상은 바로 불의 신인 축융祝融으로, 물의 정령을 통제하고 땅의 비옥함과 풍성한 수확을 보장한다고 했다.[48] 이는 다른 지역과 시대에서도 많이 보이는 순환의 일부였으며, 일부 인류학자들은 이것이 한편으로 사회의 복잡성 증대나 다른 한편으로 종교의 기원과 연관된 것이라고 주장한다.[49]

이 모델에서는 사회 규모가 더 커지고 그들의 일이 더 전문화되면서 지배자와 사제들이 자연재해에서부터 환경상의 문제까지, 자원 잉여에서부터 그 부족까지, 군사적 패배에서부터 누군가의 요절까지 모든 것의 해석자가 된다. 그들은 눈에 보이지 않는 신들이 주관하는 상과 벌에 대한 설명을 돕는다.

환경과 천재지변은 특히 '교환의 신들'과 밀접하게 연관돼 있었다. 그들은 화가 나서일 수도 있고 그저 심심해서일 수도 있지만 일탈과 명백한 존경심 결여에 대해 벌을 내렸다. 눈에 띄는 (그러나 아마도 놀랍지는 않을 듯한) 사실은 기상 조건의 변화(가뭄이 가장 중요하지만 홍수나 폭풍우도 마찬가지다)에 취약한 지역들에서 '교환의 신들'에 바탕을 둔 우주론 체계를 개발했다는 것이다. 그 신들은 그런 사건들을, 벌을 주고 자기네의 불쾌감을 드러내며 교훈을 주는 데 사용했다.[50]

앞으로 보겠지만 화를 잘 내고 인간에게 재앙을 잘 내리는 신들은 바빌로니아와 이집트의 문학 및 신학에서 중요한 역할을 했다. 나중에 하라파 이후 인도와 지중해에서도 마찬가지였다. 그리스의 신들은 전쟁을 일으키고, 서로 간에 (그리고 개별 인간들과) 소소한 복수를 했으며, 자기네를 공경하지 않는 사람들에게 불운을 안기고 어떤 사람들에게는 상을 주었다.

그러나 동아시아에서는 상황이 전혀 달랐다. 문학과 종교 행위에서 나타나듯이 여기서 중심이 되었던 것은 파괴와 처벌이 아니었고, 좀 더 추상적이고 평화적이었다. 한 학자는 초기 중국인들이 다른 지역 사람들처럼 신들과 다투지 않았던 이유가 아마도 "생태적으로나 환경적으로 다툴 일이 적었기 때문"이었을 것이라고 주장했다. 기후 조건이 보다 넉넉하고 예측 가능했던 덕분이었다. 그리고 아마도 세습 지위에 관한 독특한 관념조차도 북중국의 추운 날씨로부터 영향을 받았을 것이다. 그곳에서는 시신이 부패하는 데 시간이 많이 걸리기 때문에 매장 전 의례를 길게 할 수 있었다. 그리고 사제와 신앙 체계에 대한 관념을 다루는 일에 관련된 사람들이 자기네의 중요성을 강조할 기회를 더 많이 가질 수 있었다.[51]

신전, 성스러운 공간, 시신의 특수 처리(지위가 높은 사람들의 신과의 관계를 확인하고 지배층과 초자연적 존재의 관계를 주장하기 위한 것이었다)는 분명히 통제의 도구 노릇을 했고 사회 계층화의 표지였다. 그런 장벽은 메소포타미아, 이집트, 인더스강 유역, 동아시아, 메소아메리카뿐만 아니라 세계 전역에서 인간 희생을 사용함으로써 강화됐다(물론 국지적으로 증대되는 복잡성에 상응해 지속 기간은 달랐다).

초자연적인 존재를 달래기 위해 의도적이고 의례적으로 개인을 죽이는 일은 초기 아라비아, 튀르크, 이누이트, 아메리카, 오스트레일리아, 중국, 일본, 그리고 메소포타미아 문화에서 알려져 있다. 인간 희생의 의도와 목적을 설명하기 위해 여러 가지 설명이 제시됐지만, 아마도 가장 그럴듯한 것은 그런 행위가 지배자의 권위를 적법화한다는 것이다. 주민들에게 미치는 그들의 힘을 과시하고 또한 신들을 기쁘게 할 수 있는 그들만의 독점적 능력을 보여주는 것이다.[52]

이는 생시에는 물론이고 사후에도 강조됐다. 죽은 지배자는 흔히 공물을 받았다. 예컨대 우라남마Uranamma는 니푸르에서 매일 공물을 받았다.[53] 지배층의 장례식 또한 중요한 역할을 했다. 화려한 의식에는 음악과 잔치가 동반돼 사회적 계급이 높은 사람들의 지위와 부를 강조했다.[54]

메소포타미아 남부 우르의 왕릉군은 1920~1930년대에 처음 발굴됐는데, 수천 구의 유골이 나왔고 여기에는 젊은 하인들도 섞여 있었다. 그들은 서기전 제3천년기 중반에 지위가 높은 자기네 왕 및 왕비와 함께 묻혔다. 그들은 끄트머리가 작고 뾰족한 도구에 맞았다. 두개골을 뚫기에 충분한 강도로 가격했을 것이다. 컴퓨터 단층촬영은 하인들의 몸이 보존됐음을 보여준다. 내세에서도 '계속' 시중을 들게 하기 위해서다. 그들이 옷을 입고 주인의 시신 둘레에 배치된 것도 같은 이유에서였다.[55]

한 지역의 사회 위계를 다른 지역에, 그리고 시대를 넘어서 어느 정도까지 일반화할 수 있는지에 대해서는 모호한 구석이 있지만, 상대적으로 분명한 것은 공공건물의 규모와 배치가 권력자의 계획뿐만 아니라 대중 노동력의 효율적인 동원도 입증한다는 것이다.[56] 가장 유명한 사례는 의심할 바 없이 기자의 대피라미드 건설이다. 이 공사는 최소 1만 명의 남자를 30년 동안 투입해야 하는 규모였다. 인부들을 매일 먹이는 것은 물론이려니와 상당한 물자 수송의 문제를 동반하는 일이었다.[57]

지배층이 새 도시의 기반시설을 통제하는 것은 노동자들이 주민들을 부양하는 농경지를 소유하거나 권리를 주장하지 못한다는 것이었다. 대신에 그들은 후대의 메소포타미아 문서에 나오듯이 기관, 신전, 부자들을 통해 부족한 것을 채웠다. 배급 형태나 자기네가 생산한 것의 일부를 받는 식이었다.[58] 라가시, 니푸르, 우르와 기타 도시들에서 나온 쐐기문자 문서들은 보리와 기타 곡물을 온갖 부류의 노동자들(양치기, 방직공, 농업

노동자, 양조공 등)에게 분배했음을 적고 있다.[59]

힘 있는 기관과 개인의 토지 소유 규모는 놀랄 만한 비율로 늘었다. 서기전 2300년 무렵 일부 신전은 수천 헥타르, 심지어 수만 헥타르의 땅을 소유한 것으로 나타났고, 왕은 메소포타미아의 여러 지역에 그 몇 배의 땅을 가지고 있었다.[60]

이런 측면에서 중요한 것은 노동자들을 통제하는 것과 그들의 노동력을 지휘하고 독점하는 능력이었다. 그것이 아마도 식료품 생산, 분배, 심지어 조리까지도 집중화된 이유를 설명해줄 것이다. 솥과 화덕은 민가가 아니라 신전에 설치돼 있었다.[61] 그것은 또한 도시 부근에 사는 정착 촌락민의 흔적이 별로 없는 이유를 설명하는 데도 도움이 될 것이다. 노동자들이 경작지 근처에 살았다면 아마도 일시적인 거주였을 것이다.[62]

따라서 통제를 유지하는 한 가지 방법은 도시 주위에 성벽을 쌓는 것이었다. 초기 도시 성벽은 적어도 일부 경우에는 환경적 요인(특히 물과 홍수)으로부터의 보호를 위해 건설됐다는 주장이 있었다. 물론 나중에는 방어용 요새 구실을 하는 기능을 떠맡았지만 말이다.[63]

최근 지적된 바 있듯이 우루크 같은 곳의 도시 성벽 규모는 생각할 수 있는 어떤 군사적 요구에 비해서도 훨씬 컸다. 그래서 공격을 막기 위한 요새가 아니라 그 자체로 권력의 상징적 표현으로서 건설된 것이 아닌가 하는 의문을 불러일으킨다.[64] 이집트에도 그 자연스러운 짝이 있다. 이곳에서의 군사력에 대한 투자와 지출은 방어와 관련된 것이 아니라 왕의 위신을 반영하는 것처럼 보인다. 이때는 외부의 위협이 제한적이었기 때문이다.[65]

또 다른 주장(서로 모순되지는 않을 것이다)은 성벽이 노동력 공급을 일정하게 유지하기 위해 이동의 자유를 제한하는 기능을 했다는 것이다.

결국 이는 곡물 공급을 유지하기에 충분한 사람이 존재하도록 보장하고 그럼으로써 도시 자체의 장기적인 미래를 보장하기 위한 한 방법이었다.

도시는 식량 공급에 의존했다. 그렇기 때문에 땅을 경작할 수 있을 정도로 충분히 많은 노동력을 구할 수 있느냐 여부는 그저 단·중·장기적 성공에 중요할 뿐만 아니라 기본적인 생존 가능성에 필수적이었다.[66] 메소포타미아의 고대 도시들(아마도 다른 곳도 마찬가지겠지만)에서는 대개 사망이 출생을 웃돌았을 것이다. 질병이 만연하고 위생시설은 없었기 때문이다. 따라서 도시 인구를 일정하게 유지하려면(인구를 늘리는 것은 고사하고) 끊임없이 새로운 사람들을 유입시킬 필요가 있었다.[67]

현실적으로 이는 이주자를 끌어들여야 함을 의미했다. 이는 도시 인구 유지에 중요했으며, 도시의 몸집을 키우는 데는 필수적이었다.[68] 메소포타미아 남부에서 나온 광범위한 노예제의 증거는 모든 것을 되는 대로 내버려두지는 않았음을 시사한다. 관개시설 유지를 위해 강제노동이 동원됐고, 여성들은 직물 생산에 투입되었다.[69]

이 모든 것은 서기전 3000년 무렵 니푸르, 아다브, 키시, 우르, 움마 같은 도시들에 모두 상당수의 주민이 살았다는 얘기다. 물론 우루크가 가장 컸다. 이 도시는 면적이 250헥타르에 이르렀고, 2만에서 4만 명이 살았다.[70]

지역에서의 교역이 많아지고 여기에 인구가 늘고 생산(새로운 도구, 새로운 기술, 관개수로의 발달에 의해 촉진됐다)도 증가하자 떠오르는 도시와 국가들에 의한 더 높은 수준의 관리 감독과 역량이 필요해졌다. 이것이 기생하는 존재로서의 도시나 국가의 모델이 되었고, 여기서는 노동력이 성장 동력이 되고 지배층은 그 과실을 거둬들였다. 지배층은 자기네의 지위를 굳히고 동시에 접근을 제한하기 위해 장벽을 축조하고 유지했다.

새로 등장한 관료제의 목적은 표준화하고 통일하고 조화시키는 것이었다. 그리고 그렇게 함으로써 중앙이 더 큰 이득을 얻는 것이었다. 이를 위해서는 생산성을 측정하고 보고하며, 상품과 노동력이 조직에서 빠져나가지 않게 감시하는 기구와 도구가 필요했다. 그 분명한 사례 하나가 도량형의 표준화였다. 다른 하나는 행정 표준을 이웃 소도시와 정착지로 확대한 것이었다. 그러나 가장 분명하고 중요한 혁신은 대략 이 시기에 비옥한 초승달 지대에서 나타난 문자 체계의 발달이었다.

상품의 단위를 표시하는 점토 증표는 메소포타미아에서 전신세 초부터 사용되기 시작했다. 기본적인 목적은 회계였다. 서기전 3500년 무렵에는 상품과 기타 산물의 꾸러미를 표시하기 위해 원통 인장이 사용됐다.[71] 200년쯤 후에 이는 평면 그림문자 부호로 대체됐다. 점토판 위에 첨필로 새겼는데, 숫자와 상품을 기록했다. 이 부호는 수백 년이 지나면서 표음부호인 문자 체계로 발전했다. 처음에는 개인의 이름을 표기하는 것으로 시작해 계속 발전해나갔다.[72] 이것은 자모의 발명뿐만 아니라 언어 사용과 의사소통을 극적으로 확대하는 새로운 지평을 여는 과정 속의 단계들이었다.[73]

사건, 이야기, 생각, 신화를 이제 글로 쓸 수 있었고, 그것이 널리 전파되고 표준화된 형태로 전달되었다. 그러나 이 모든 도약은 더 세속적이고 멋대가리 없는 필요로 거슬러 올라갈 수 있었다. 상품과 거래를 기록하고자 하는 욕망, 세금을 부과하고 징수할 필요, 지배층의 교역망 독점 노력과 그들의 권력 장악 같은 것들이었다.

우리는 5천 년 전 세리들의 필요 덕분에 그 이후 창작된 위대한 문학 작품들을 가지게 되었음을 감사해야 한다. 회계원들이 없었다면 아마도 모세 오서도, 기독교 성서도, 〈쿠란〉도 없었을 것이고, 셰익스피어도 없었을 것이고, 〈바부르 이야기Bāburnāma〉도 없었을 것이고, 톨스토이도 없었을 것이다.

또한 바빌로니아의 서사시들(메소포타미아 역사의 초기를 서술하는 신화, 이야기, 역사의 복합체다)이나, 참으로 도시화와 함께 위계 및 성직자의, 정치 지도자의, 관료제의 부상이라는 같은 과정이 진행되고 있던 세계 다른 지역의 문학들도 없었을 것이다.

메소아메리카, 나일강과 인더스강 유역, 중국 황허강 및 창장 일대(그리고 다른 지역들도 마찬가지로)의 사회들은 문자 체계의 개발에 관해서는 메소포타미아 남부와(또는 서로와) 같은 중간 단계를 동시에 거치지 않았다. 그러나 어느 경우든 경로는 비슷했다. 인더스 문자가 아직 해독되지(또는 완전히 이해되지) 않고 있기는 하지만 말이다.[74]

다른 지역의 지배자들 역시 메소포타미아와 흡사한 방식으로 발전했다. 예를 들어 이집트의 지배 계급은 시골 농민들의 노동력을 독점하고 권력을 자신이 고른 사제들의 손에 쥐여주었다.[75] 관료층이 형성돼 정보를 기록하는 데 매달렸다. 도시, 사람, 식품, 곡물의 이름을 적은 목록을 끝없이 만들었다. 메소포타미아에서 했던 것과 똑같았다.[76] 노동력을 땅에 묶어두고 농업 생산성을 높이고자 하는 욕망은 중국 진秦 왕조 관리들이 가장 주목하던 사항이었다. 농민의 이동을 막고 노동자들을 땅에 묶어두기 위해 호적을 관리했다.[77]

서기전 2500년 무렵 우루크, 에리두, 움마, 우카이르, 우르 같은 남부 메소포타미아의 도시들은 꽃을 피우고 성장했다. 이집트의 나카다와 네켄, 인더스강 유역의 모헨조다로와 하라파, 중국의 량주 및 지금의 쓰촨성 바오둔寶墩·위푸춘魚鳧村 등의 중심 도시들도 마찬가지였다.

도시화는 인근 지역의 변화를 자극해 인근 지역의 인구 밀도를 높이고 사회 계층화를 진척시켰다. 아마도 수요가 늘고 있는 더 큰 시장이 제공한 기회에 대한 반응이었을 것이다. 적절한 사례가 누비아다. 그곳의 목축민들이 정착해 만들어진 도시가 케르마(현재의 수단에 있었다)이며, 수백 년이 지나 강력한 쿠시 왕국의 중심지가 되었다. 쿠시는 이집트 중왕국의 경쟁자였다.[78]

이것은 중요한 일이었다. 인구 밀도가 높아지는 것은 또한 사회 계층화가 일어나는 것과 밀접하게 연관돼 있기 때문이다. 이것은 인더스강 유역의 상황이 아주 달라 보이는 이유를 설명해준다. 그곳에서는 정치권력이 한 지배자, 왕조, 지배층의 손에 확실하게 잡혀 있었다는 흔적이 별로 없다. 이 지역에는 또한 공들인 무덤과 개인이나 특정 가문을 기념하는 거대한 건축물의 흔적이 별로 없으며, 보통 상당히 좁은 면적을 차지한 신전과 종교적 건축물이 있을 뿐이다. 이 지역 사람들이 영적·사회적으로 다른 성향이었음을 시사한다.[79] 따라서 인더스강과 그 지류 유역의 충적 평원에 살던 공동체들은 더 서쪽의 티그리스강-유프라테스강 사이나 나일강 유역에 살던 사람들에 비해 더 평등주의적이었다.[80]

이것은 지금의 남아메리카 페루에 있던 노르테치코 지역에서도 마찬가지였던 듯하다. 서기전 3000년 무렵의 급격한 변모로 커다란 영구 정착지가 처음으로 만들어졌고, 거기에는 거대한 공공건물과 큰 의례용 건물이 들어섰다.[81] 풍부한 해양 자원을 공급받는 해안 지역이 변화의 촉매가 되고 또한 팽창의 바탕이 되었다는 주장이 있었지만, 이제는 가장 크고 가장 중요한 도시들이 내륙의 산골짜기와 고지대에 있었음이 분명해졌다. 경작 가능한 농지가 있는 곳들이었다.[82]

그중에서 가장 중요한 곳이 카랄Caral이었다. 이곳은 행정 중심지로서 더 넓은 지역을 관할하고 있었을 것이다.[83] 몇몇 경우에 상당히 멀리 떨어져 있음에도 불구하고 배치, 저장 공간, 의례 구조가 여러 곳에서 유사하다는 것은 서기전 3000년 무렵 이래 마을과 지역들 사이에서 공통의 문화를 만들어내기 시작한 국지적 교역망이 있었음을 시사한다.[84] 관개 및 토양 관리의 새로운 발전과 농작물(특히 옥수수) 생산, 가공, 소비의 확대는 더 큰 정착지를 부양하고 인구를 크게 늘리는 데 도움을 주었다.[85] 일부에서는 인구가 300년 동안에 30배로 늘었다고 추정한다.[86]

여러 도시 정착지들은 중심에 둔덕이 있었다. 그것은 축하 의식과 종교 의례에서 중요했다. 극히 일부의 사람만이 이 둔덕에 올라갈 수 있도록 허용된 듯하지만(그것이 지배층의 힘과 지위를 드러낸다), 다른 증거들은 사회 계층화가 약했음을 시사한다.[87]

그러나 가장 놀라운 것은 노르테치코를 구성하는 지역들에서 전쟁이나 폭력의 흔적이 없다는 것이다. 찾아낸 여러 정착지들은 "분명히 방어에 유리하지 않은 위치"에 자리 잡고 있었을 뿐만 아니라 성채, 성벽, 기타 갈등과 대결이 중요하거나 자주 발생했음을 시사하는 것도 없었다.[88] 이에 대해 분명하게 설명할 수 있는 것 한 가지는 공동체들 사이의 연결이 약했다는 것이다. 특히 지리적·기후적 상황이 다른 곳에서는 그랬다. 해안에 사는 사람들, 내륙의 낮은 계곡에 사는 사람들, 고지에 사는 사람들 사이에는 교류가 제한적이었다.[89]

그러나 핵심적인 차이는 또한 전체적인 인구 규모에, 그리고 더 중요하게는 정착지의 밀도에 있는 듯하다. 안데스의 문명들은 인더스강 유역과 마찬가지로 메소포타미아나 이집트에 비해 아주 먼 거리에 흩어져 있었다. 심지어 마을과 도시 안에서도 공간은 생태적으로 압박받는 또 다른 틈새에 비해 그다지 장점이 되지 못했다. 따라서 트리필랴 거대 유적지와 마찬가지로 인더스나 안데스에서 지배 계급이 다른 지역에서처럼 나타난 것 같지 않다는 사실은 생산이 풍부한 문화를 반영한 것일 수 있다. 땅이 넉넉하고 비옥하며 식량 부족의 불안이 없었기 때문에 자산을 보호하고 지위를 과시할 필요성이 별로 크지 않았다는 얘기다.[90]

한편으로 지위와 위계의 상관관계, 다른 한편으로 자원과 공간을 위한 경쟁은 도시들 사이의 경쟁을 설명하는 데 큰 도움이 된다. 이는 특히 메소포타미아의 경우가 그렇다. 이곳에서는 도시들이 가까이 뭉쳐 있었다. 경쟁은 때로 격렬하고 오래갔다. 라가시와 움마는 국경 분쟁을 벌였는데, 그것은 서기전 2500년 무렵에 시작돼 150년 동안 지속됐다.[91]

분쟁의 원인은 땅보다는 물이었다. 범람이 규칙적(완전히 한결같지는 않았지만)이었던 나일강 유역이나 매년 내리는 비가 농사를 뒷받침했던 메소포타미아 북부와 달리, 메소포타미아 남부의 농업 생산은 티그리스 및 유프라테스 강물과 관개 및 수로 건설에 의존했다. 좋은 땅과 물을 얻을 수 있는 것이 중요했다.[92]

그러나 마찬가지로 공급이 부족한 것은 도구, 무기, 장신구를 만드는 재료와 신전, 궁궐, 민가를 위한 사치품들이었다. 구리나 주석 같은 금속은 귀했고, 심지어 돌이나 목재 같은 기본 자재조차도 공급이 달리고 구하기 어려웠다. 아마도 놀랄 일은 아니겠지만 새로운 금속과 기타 자재의 산지는 통상 신들이 왕들에게 '귀띔'을 해주었다. 왕들은 그렇게 신들에게서 온 전갈을 받고 원정대를 보내 긴요한 물자를 찾아서 채굴해 가져왔다.[93]

이것이 다른 도시들에 대한 적대감과 경쟁심을 악화시켰다. 상대 역시 물자 부족에 대처해야 하기 때문에 광물과 자원이 풍부한 곳의 통제권을 둘러싼 다툼이 첨예해졌다. 그것이 사회경제적 발전과 혁신을 자극했다.

이것은 또한 위성 정착지와 식민지의 연결망 형성으로 이어졌다. 금속과 돌이 풍부한 곳, 양모와 직물을 위한 원료를 얻을(또는 탈취할) 수 있는 지역으로의 접근을 통제하는 것이다. 이는 분명히 모도시의 상업적 이익을 보호하기 위한 전략적 전초 기지, 장거리 교역망(서기전 2500년 무렵 나일강 유역, 아나톨리아, 인더스 지방뿐만 아니라 캅카스와 지중해 지역까지도 포괄했다)의 관문 역할도 했다. 물론 이 교역망은 한쪽 방향으로만 가는 것이 아니었으며 상품, 관념, 기술도 전파했다. 이를 통해 북아프리카, 서아시아, 그리고 남아시아의 적어도 일부 지역이 서로 연결된 교역 체계 속에 편입됐다.[94]

그것들은 또한 왕권에 대한 관념이 형성되는 데 이바지했다. 지배자들이 무역 원정을 후원했기 때문이기도 하고(따라서 그 수익에서 가장 많은 이득을 챙겼다), 이국의 희귀하고 특이한 자재, 상품, 물건들을 얻는 것이 그들로 하여금 자기네의 지위를 높일 수 있게(시각적으로 또는 기타의 방법으로) 하며 그 보유자에게 보상을 제공하기 때문이기도 했다. 게다가 지배자들 사이의 선물 교환은 권력을 과시하고 외교적 동맹을 구축하는 데 중요한 부분이었기 때문에, 한 학자가 '왕들의 형제애'라 부른 것이 생겨나 의례를 확산시키고 새로운 의식을 개발하며 심지어 왕권의 성격 자체를 고도화하는 데 이바지했다.[95] 이런 접촉은 추상적인 수준과 현실적으로 사회 계층화의 수준을 끌어올리는 데서 중요한 역할을 했다. 사치품 교역에 대한 감독과 그 이득은 서남아시아, 중국의 여러 지역, 기타 지역에서 지배층의 출현을 가능하게 했다.[96]

이런 과정은 지배층의 출현을, 따라서 국가의 출현을 가속화하는 데 이바지했다. 메소포타미아 남부 같은 곳은 매우 적합한 경작지와 목초지로서 잉여 식량과 상품 생산의 기회를 제공했다. 이것은 위계가 형성되고 심화되면서 노동력을 통제하고 이익을 짜내는 데 유리한 요소가 되어 사회 피라미드의 꼭대기에 있는 사람들에게 보상을 안겨주었다. 게다가 이는 문자 체계에 의해, 그리고 사치품 수출입 시장 형성에 의해 보호되고 강화됐다.[97]

남성이 최대 수혜자였다. 가부장제는 역사의 모든 시기를 통틀어 국가와 제국의 핵심 특징이었기 때문이다. 폭력, 그리고 전쟁의 현실과 미화는 모두 어느 학자가 '공격적 문화의 승리'라고 부른 것에 불을 지피는 데 이바지했다. 집단폭력은 사회가 더 복잡해지면서 증가했고, 보상과 위신은 전투나 다른 사람을 전쟁터로 이끄는 데 능숙한 사람들에게 돌아갔다. 국가가 생겨나면서 폭력, 가부장제, 중앙집권화가 더불어 나타났다. 이 모든 것은 환경에 영향을 미쳤다. 그리고 여성의 역할에도 영향을 미쳤다.[98]

교역망 건설, 원료·도구·기술 습득, 중앙 관료의 기능 확대는 모두 상당한 효율성 증대를 이루어 도시로 하여금 갈수록 많은 인구를 끌어들이고 부양할 수 있게 했다. 농업과 관개의 개선 역시 마찬가지였다. 그것은 생산을 위한 새로운 땅을 개척했다. 팽창 주기는 도무지 끝나지 않을 듯했다. 거기에서 나온 자금으로 메소포타미아의 거탑(지구라트)에서 이집트의 피라미드와 인더스강 유역의 목욕장에 이르는 거대한 기념물들을 세웠다.

문제는 규모가 압력을 창출한다는 것이었다. 사람이 많으면 먹을 것도 많이 필요했다. 땅을 더 열심히 갈거나, 생산성이 낮은 지역을 개발해 더 높이거나, 경작지의 면적을 넓혀서 그 소비지에서 멀리 떨어진 곳까지 경작해야 한다는 얘기였다. 당연히 이것은 가장 좋은 땅을 둘러싼 경쟁을 유발했다. 도시 사이에서뿐만 아니라 도시 안에서도 마찬가지였다. 사회적 차별이 확대되면서 소비도 변화하지 않을 수 없었고, 부자들은 더 고급을, 더 많은 양을, 더 다양한 물건과 식품을 요구했다. 이것이 환경 자원에 더 큰 압박을 가했다.

이것은 정치적 기회주의에 걸맞은 상황이었다. 그러나 그것은 또한 환경 및 생태에 압박이 가해지기 쉬운 상황이었다. 인구 밀도가 높은 공동체의 취약점이 드러나는 데는 많은 시간이 걸리지 않았다. 이것은 인위적 요인으로 인한 것일 수 있었다. 그리고 자원을 고갈시키고 들판에서 노동자들을 사라지게 하고 농작물의 파종과 수확이 줄어 식량 공급이 줄게 한 값비싼 대응의 결과일 수 있었다.

그러나 그것은 또한 기후 급변이나 환경 악화의 결과로 온 것일 수도 있었다. 농업경제는 특히 강우나 용수 공급에 대한 의존이 컸다. 그것은 당연히 기후 패턴과 밀접하게 연관돼 있었다. 수량이 풍부하면 티그리스강과 유프라테스강, 황허강과 창장, 인더스강 같은 큰 강과 그 지류 유역의 땅을 쉽게 경작할 수 있었다. 반대로 수량이 부족하면 가뭄이 들고 흉년이 들어 기근이 발생하며 동시에 이와 관련된 전염병의 위험이 있었다.[99]

따라서 글로 적힌 초기의 관념들 가운데 일부가 지구의 기원에 관한 (그리고 인간을 위해 조성된 완벽한 상황에 관한) 이야기였다는 것은 아마도 놀랄 일이 아닐 것이다. 수메르의 창조 이야기 〈엔키와 세계 질서〉는 이렇게 말한다. 엔키 신은 "성난 황소처럼 욕망에 가득 차 서 있었다. 남근을 들어 올리고 정액을 쏟아내 티그리스강을 흐르는 물로 채웠다."[100] 바빌로니아인들에게는 이와 비슷하지만 조금 덜 생생한 변형판이 있었다. 〈에누마 엘리시Enûma Eliš〉(때로 〈창조 서사시〉로 불린다)는 19세기에 니네베의 허물어진 아슈르바니팔 도서관에서 발견됐는데, 태초에 존재하는 것이라고는 물뿐이었고 그것이 혼돈 속에서 소용돌이치고 있었다고 설명한다. 이것이 맑고 달콤한 물과 쓰고 짠 물로 나뉘고, 그것이 결국 티그리스강과 유프라테스강의 원천이 되었다.[101]

마침내 신들은 최초의 인간 룰루Lullu를 만들기로 결정했다. 그는 지구의 질서를 유지해 신들에게 봉사하라는 명령을 받았다. 그럼에도 불구하고 "초지와 물을 댄 곳"의 책임을 맡아 "시골의 깨끗한 경작지"를 확보하고 모두에게 충분한 곡물을 공급할 수 있게 하는 것은 신들이었다. 결국 "사람들을 위해 잉여를 쌓아놓고 광활한 대지에 풍요의 비를 내리게 하며 초목이 무성하게 자라게 하는" 것은 엔빌룰루Enbilulu라는 신이었다.[102]

남아시아에서도 마찬가지였다. 여기에는 '베다Veda'로 알려진 네 가지의 위대한 찬가, 주문呪文, 식사式辭 모음이 있었다. 이는 아리아인들의 초기 역사와 신앙을 성스러운 언어 산스크리트어로 기록한 것이다. 가장 이르고 가장 유명한 것이 〈리그베다Rig Veda〉('지식의 시')다. 대략 2500년 전에 쓰였지만, 아마도 시간적으로 1천 년은 더 거슬러 올라가는 시기의 노래와 시를 기록했다.

이 모음 중에는 세 주요 신 가운데 하나인 인드라Indra가 가뭄의 악신인 브리트라Vritra에 의해 구름 속에 잡혀 있던 비를 풀어 타는 듯한 땅으로 쏟아져 내리게 하는 이야기가 있다. 악신의 마법에서 풀려난 "구름은 물을 방출"해 강에 물이 넘치게 하고 땅에서 일하는 사람들이 "가슴에서 우러나온 기쁨과 감사하는 마음"으로 일어나게 했다. 그들의 마른 들판은 곧 바람에 흔들거리는 농작물로 넘치고 '어머니 대지'는 "누렇고 벌거벗은" 상태에서 "눈부신 초록의 옷"을 입게 되었다.[103]

그러나 가장 잘 알려진 이야기는 기독교 성서 〈창세기〉에 나오는 아브라함계 종교 전승의 이야기다. "한처음에 하느님께서 하늘과 땅을 지어 내셨다. 땅은 아직 모양을 갖추지 않고 아무것도 생기지 않았는데, 어둠이 깊은 물 위에 뒤덮여 있었고 (…)" 신은 땅, 바다, 초목, "우글거리는 생물"을 만든 뒤 인간을 만들고 이렇게 명령했다. "바다의 고기와 공중의 새와 땅 위를 돌아다니는 모든 짐승을 부려라!"[104]

남자와 여자에게는 "자식을 낳고 번성하여 온 땅에 퍼져서 땅을 정복하여라"라고 말했다. 신은 말했다. 자, 나는 너에게 초목과 과일과 음식을 주었고, 땅 위의 모든 짐승, 공중의 모든 새, "살아 숨쉬는 모든 것"이 너에게 필요한 모든 음식과 영양분을 제공하도록 해두었다. 그러나 일은 생각했던 대로 잘 풀리지 않았다. 아담과 하와, 그리고 그 후손들은 모든 것이 제공되는 삶 대신에 에덴동산에서 쫓겨나 땀 흘리며 땅을 갈고 가시와 엉겅퀴에 맞서며 고생해야 했다.[105]

세계는 그 본래 상태로는 온화하고 너그러웠다. 추락 이후에는 힘들고 위험했다. 유대교, 기독교, 이슬람교의 가르침에서 지구는 신이 인간으로 하여금 즐기도록 만들었다. 그러나 그들의 불복종 때문에 벌이 내려졌다. 완벽하게 갖추어진 세계인 낙원에서 쫓겨난 그들은 노동을 해야 하고 위험한 기후 및 환경이 도사리는 곳으로 갔다.

기상 패턴의 변화는 환경 및 농업의 지속 가능성이 위협받는 사회에 심각한 영향을 미칠 수 있는 여러 가지 잠재적 요인 가운데 하나였다. 게다가 국가, 도시, 사회의 규모가 크면 클수록 예기치 못했던 위험이 닥친 시기에 취약성은 더 컸다. 비교적 작은 압박(또는 압박의 복합)에도 위험스럽게 노출되기에 이르렀기 때문이다.

기업 또는 국가의 '대마불사大馬不死'라는 관념은 21세기 초 금융위기 동안에 대중의 의식 속에 각인됐다. 그러나 역사가 잘 보여주듯이 과거는 그 정반대의 사건들에 의해 좌우됐다. 제국은 건설되고 이어 붕괴했다. 통상 빠른 속도로 말이다. 대마불사는커녕, 규모와 복잡성이 커지면 사상누각을 허물어버릴 수 있는 길로 이끄는 자체 동력이 만들어진다. 혼란스럽게, 빠르게, 그리고 분명하게 말이다.

# 5장  분수에 넘치는 삶의 위험성
### 서기전 2500년 무렵부터 서기전 2200년 무렵까지

너희들의 성스러운 성벽에서 하늘 끝까지 곡소리가 넘쳐나기를!
— 〈아카드의 저주〉(서기전 2100년 무렵)

서기전 2300년 무렵, 메소포타미아의 도시 아카드(현재는 이라크 영토)의 지배자 사르곤 왕은 정복전쟁에 나서 메소포타미아 일대의 여러 도시들을 점령해 흔히 제국이라 부르는 것을 건설했다.[1] 그는 자신의 치적을 자랑하느라 겸손하지 못해 의기양양한 비문을 남겼다. 거기에는 자신이 격파한 상대의 이름을 적고 자신이 "세계의 왕"이라고 선언했다.[2] 그는 이렇게 자랑했다. "나는 구리 곡괭이로 거대한 산들을 뚫고 나갔다." 그는 높은 산을 오르고, 세 차례 바다를 항해했다.[3] 훨씬 후대에 쓰인 역사인 〈초기 왕들의 연대기〉에 따르면 그는 "경쟁자도 없고 맞수도 없었으며", 모든 적들을 지배하고 자신을 거역하는 모든 곳을 파괴하는 데 성공해 "새가 앉을 자리 하나 남아 있지 않았다."[4]

사르곤 왕의 정복이 누구에게나 환영받지는 못했다. 그의 치세에 그가 맞닥뜨려야 했던 여러 반란에 관한 기록으로 보아 분명한 사실이다.

국가가 확장될 때 늘 일어나는 일이지만, 권력과 자원의 집중은 불가피하게 교역로 강화를 수반한다. 그것은 지역들 사이의 교역을 자극하고 용이하게 하지만 공급의 혼란을 초래하기도 한다. 사르곤 왕이 줄기차게 도시 성벽들을 파괴한 것은 잠재적인 적들이 힘을 가지지 못하게 만들고 또한 상품, 물자, 노동력을 제국의 중앙으로 확실하게 돌리려는 의도적인 정책을 확인해준다. 이것들은 통치자와 지배층의 권위를 정당화하기 위한 새로운 신전 건립의 자금으로 쓰였다.

그들은 또한 농업 생산물 분배를 통제하는 일에서도 이득을 얻었다. 보리와 에머밀 같은 농작물 수백만 리터가 아카드 지배자로부터 특혜를 받는 지역 중심지에 배편으로 보내졌다.[5]

서기전 2253년에 사르곤 왕이 죽고 사반세기 뒤 그 손자 나람신이 즉위할 무렵에 약간의 균열이 이미 나타나기 시작했다. 한 기록은 큰 반란이 일어났음을 전한다. "세계 온 동네에서 나에게 맞서 함께 반란을 일으켰다." 또 다른 기록은 이 지배자가 신의 은총을 잃어 신들을 부정하며 성스러운 장소를 공격해 신들을 모독했다고 말한다.[6] 그는 또한 고대 세계의 유명한 기록 가운데 하나에 언급됐는데, 거기서는 그의 치세를 재앙이라고 했다.

〈아카드의 저주〉로 알려진 그 기록은 나람신의 모욕 행위 때문에 신들이 내린 벌을 설명한다. 그들은 도시들이 건설되고 성립된 이래 처음 있는 일을 당했다. "경작하는 드넓은 지역에서 곡식 한 톨 거두지 못했다. 물에 잠긴 드넓은 지역에서 물고기 한 마리 잡지 못했다. 관개된 과수원에서 과즙이나 포도주 한 잔 얻지 못했다. 구름은 잔뜩 끼었지만 비가 내리지 않았다." 흉년이 들자 제국 모든 도시의 시장에서는 물가가 뛰었다. 여기저기서 사람이 죽어나갔고, 결국 시신을 매장하지도 못했다. "사람들은 굶주림에 몸부림쳤다."[7]

기후 자료는 가뭄(생태적으로 민감한 지역에 극적인 영향을 미친다)으로 이어지는 '증발 사건' 가설에 대한 확실한 근거를 제공하는 듯하다. 예를 들어 홍해 북부의 퇴적물은 북대서양진동(NAO)이나 태양의 변동성과 관련된(또는 아마도 그 둘 모두와 관련된) 서기전 2200년 무렵의 환경 변화를 보여준다.[8] 오만 앞바다의 화석화된 산호는 모래폭풍이 불었던 오래 끈 겨울철을 보여준다. 그것은 메소포타미아에서 나타난 듯한 흉작과 연결돼 있었다.[9] 이란 골이자르드Gol-e-Zard 동굴 석순 기록에 보이는 마그네슘 농도의 급증은 길고도 힘든 건조한 시기(그것은 수백 년 지속됐다)의 시작을 입증한다. 그 시기는 우라늄-토륨 연대측정으로 아주 정확하게 알 수 있다.[10]

지금의 시리아 동북부인 텔레일란 같은 곳은 한때 번영을 누리고 활기 넘치는 곳이었다가 갑자기 활동이 꺾여버렸다. 이는 다른 곳의 극적인 격변을 반영한 것이었다.[11] 점점 어려워지는 상황은 토질 악화, 곡물 수확 급감, 사막화로 이어졌고, 그것은 급속한 탈도시화나 도시 및 대형 정착지 포기와 밀접하게 연관돼 있었다. 강우량이 30~50퍼센트 줄어들면서 일어난 일이었다. 건설 사업은 공사 도중 멈췄고, 일부 지역은 갑자기 버려졌다는 흔적이 있다.[12]

결과는 재앙이었다. 한 학자가 '암흑시대'라 부른 것의 시작을 재촉했다. 도처에서 기근과 경제적 차질이 빚어졌다. 난민들이 고향을 떠나 남쪽 저지대로 밀려들었고, 그 후 제국은 구티족으로 알려진 사나운 유목민족에게 유린당했다. 당대와 가까운 한 사료는 이렇게 묘사했다. 구티인은 "인간의 지능을 지녔지만 개의 본능과 원숭이의 모습을 지닌 고삐 풀린 민족이다. 그들은 작은 새들과 마찬가지로 엄청나게 무리를 지어 지상으로 급강하한다. 누구도 그들의 손아귀에서 벗어날 수 없다."[13] 곧바

로 정치적 분열과 혼란이 이어졌다. 기후 변화가 아카드 제국을 거의 붕괴 상태로 몰아넣었다.[14]

어떤 사람들은 아카드 제국의 붕괴가 우리 시대에 중요하고도 유익한 사례가 되었다고 말한다. 그들은 임박한 환경 재앙의 그늘에 살면서 강력한 문명이 어떻게 그토록 빠르고도 철저하게 자멸할 수 있는지에 대한 냉혹한 경고 역할을 했다. 사실 이것은 대중과 학자들의 의식 속에 매우 깊숙이 박히게 되어 지질학자들은 서기전 2200년을 선택해 두 개의 분명한 지질시대 사이의 경계 연대로 삼았다. 일곱 개 전 대륙에서 나온 꽃가루, 규조류, 유각有殼아메바류와 기타 지표들은 건조화와 가뭄의 조건이 대략 이 시기에 형성되었음을 가리키고 있다.[15]

이 순간은 심지어 메갈라야기Meghalaya期의 시작으로 명명되었다. 산소 원자동위원소의 변화가 특히 계절풍 강우의 감소를 드러낸 인도 동북부의 한 동굴이 있는 주의 이름을 딴 것이다. 국제층서위원회(ICS)에 따르면 서기전 2200년 무렵의 기후 변화는 대가뭄을 촉발했고, 그것이 메소포타미아뿐만 아니라 다른 여러 곳에서도 문명 붕괴를 일으켰다. 이집트, 그리스, 시리아, 팔레스타인, 인더스강 유역, 창장 유역 같은 곳들이다. 따라서 서기전 2200년은 지질학사에서뿐만 아니라 역사 자체에서도 결정적인 순간이었다고 위원회는 말했다.[16]

그러나 사실 세계적으로 기후가 균일했는지, 그것이 어떤 일을 일으킬 수 있었는지, 그 영향은 무엇이었는지는 상당히 불확실하다. 남·북아메리카는 물론이고 유럽, 이집트, 동아프리카, 메소포타미아, 인더스강 유역, 중국 몇몇 지역 등 여러 곳에 대한 연구는 대략 이 시기에 세계 여러 곳이 이례적으로 건조해졌음을 시사하지만, 건조화의 진행 과정은 지역적으로나 시기적으로나 균일하지 않았다.[17]

그 원인 역시 논란거리이고 결코 명쾌하지 않다. 여러 연구는 강우량 감소를 극지의 얼음뗏목 방출이나 그에 이은 북대서양의 해수면 온도 하락과 연결시키지만, 최근 연구는 그런 관련성이 있다 하더라도 그리 크지 않음을 시사한다.[18] 또 다른 설명은 식생 변화와 대기의 먼지 부하로 인한 증폭된 피드백 모형에 의해 제공될 수 있을 것이다. 무엇보다도 초목이 있던 사하라가 사막으로 바뀐 데 따른 것이다. 이는 북아프리카, 서아시아, 북중국으로부터의 수분 재분배를 촉진했으며, 심지어 엘니뇨-남방진동에도 영향을 미친 것으로 보인다.[19]

특정한 시기를 중요한 경계선으로 설정하고 그것을 '사건'으로 부르는 것은 더 폭넓은 결론을 고려하게 하는 유용한 지름길이 될 수 있다. 그러나 그렇게 하면 변화의 복잡성을 숨기게 되며, 또한 기후 패턴 변화가 갑작스럽고 극적인 순간에 일어나기보다는(영향은 그럴 수 있다) 수십, 수백 년에 걸쳐 일어난다는 사실을 가리게 된다. 그 결과로 일부에서는 서기전 2200년 무렵의 '붕괴' 패턴을 규명하려는 시도는 자료의 선택과 해석 모두에 영향을 줄 수 있다고 경고했다. 증거가 제한적이거나 결여되거나 모순되는 사례를 포함해서 말이다.[20]

고고학 자료가 여러 지역에서 결정적이지 않고 확실하지도 않다는 사실은 비슷하고도 분명한 문제를 제기한다. 일부에서 주의를 촉구하고 있는 것처럼, 정말로 새로운 시대가 있다면 그것은 과감하기보다는 조심스러운 태도로 입증해야 한다.[21]


사회나 문화의 '붕괴'에 대한 관념은 실제로 일어난 일의 시기, 성격, 실태를 곧잘 거두절미할 수 있다. 예를 들어 이베리아반도의 남반부에서는 이때가 쇠락의 시기이기보다는 사회적·경제적 변모의 시기 가운데 하나였다. 이주를 시사하는 높은 수준의 유전체 변동에 의해 추동된 것이다. 또한 이동과 지역 간 연결이 급증해 시칠리아나 아프리카와의 교역이 늘어난 시기이기도 했다.[22]

한편 인더스강 유역에서는 파멸적 붕괴가 있었으리라고 짐작되는 시기 이후에도 대략 300년 동안 도시가 전혀 문제 없이(또는 약간의 문제에도 불구하고) 계속 제대로 돌아가고 심지어 성장했음을 시사하는 고고학적 증거가 있다. 하라파와 모헨조다로 같은 도시들이 서기전 2200년에서 서기전 1900년까지 장기간 지속된 것은 일부 학자들을 난처하게 했다. 그들은 높은 수준의 긴장, 경제적·사회적 압박, 도시의 붕괴에 대한 첫 조짐이 실제로 명확하게 나타난 것보다 훨씬 전에 나타나리라고 생각했었다.[23]

인더스강 유역의 도시 정착지는 빙하의 물이 흘러드는 히말라야에서 발원한 강(흔히 신화 속의 사라스바티강과 동일시된다)을 따라 발달했다는 것이 널리 퍼진 생각이지만, 사실 그 정착지들은 버려진 강 유역에서 꽃피고 계절 강우에 의해 유지됐다.[24] 계절풍이 상당히 약화되면서 농경과 인구 분포의 역동성이 떨어졌고, 강들은 점차 말라가거나 계절적으로 흐르는 간헐천이 되었다.[25] 기상 패턴의 변화는 미묘한 것이었고, 여름에는 더 변덕스럽고 집중적인 강우가 적었으나 겨울에는 강우가 더 많아졌다. 이는 여러 가지 적응으로 이어졌다. 정착지의 규모가 줄어들었고, 작물은 다양해지는 가운데 밀과 보리 같은 전통적인 겨울 작물 쪽으로 옮겨갔다.[26] 따라서 어려워진 기후 조건으로 붕괴한 것이 아니라 대처 전략 개발과 적응으로 이어졌다.

시간이 지나면서 나타난 또 다른 대응책은 물이 부족한 계곡에서 좀 더 안정적인 히말라야산맥 발치의 평원으로 대거 이주한 것이었다. 그곳에서 살다 보니 인구가 늘고 도시 밀집도도 높아졌다. 인구 증가는 급속하고 계획적인 것도 아니어서 갈수록 정착지 구획이 무질서해졌다. 그 결과 가운데 하나가 뚜렷한 공중위생의 악화였다. 이에 따라 전염병이 퍼지기 쉬운 상황이 되었다. 미코박테륨 결핵이 대표적이었는데, 이것은 남아시아 주민들 사이에서 수천 년 동안 전파됐다. 나병도 있었는데, 이는 이 시기의 골격 기록으로 입증됐다. 놀랄 일은 아니지만 눈에 띄는 것은 사회적·경제적으로 소외된 공동체에서 질병이 만연했다는 점이다.[27]

인구 변동, 더 밀집되고 더 더러운 생활 조건, 전염병 확산과 건강 악화의 압박은 어지러운 혼합물이었다. 이는 아마도 강우량 감소의 두 번째 파도로 더 악화됐을 것이다.[28] 서기전 2000년 무렵, 발굴이 상당히 진척된 인도 돌라비라의 유적지에서 나온 홍수紅樹 외피와 기타 고고학 지표의 증거들은 거주자가 감소했음을 시사한다. 새 건물을 짓거나 유지 보수한 흔적이 별로 없고 기술자들의 솜씨도 눈에 띄게 떨어졌다.[29] 100년도 되지 않아 개인 간 폭력이 늘어났음이 확인된다. 이와 함께 주민들이 남쪽으로 분산되고 인더스강 유역 문명이 붕괴했다.[30] 이 과정에 기후는 분명히 한몫했고, 아마도 심지어 변화의 촉매제 역할을 했을 것이다. 그러나 그것은 복잡한 그림 속의 여러 요소들 가운데 하나였다. 꼼꼼하게 균형을 맞춘 설명이 필요하다.

중국의 여러 문화의 경우, 기후 변화가 어떤 영향을 미쳤는지를 판단하고자 할 때 역시 눈에 띄는 것이 많다. 이 변화의 성격을 평가하기 위해 최근 이루어진 연구는 지역적 불균형이 매우 심하다. 그 잠재적 영향을 측정하는 것은 고사하고 말이다. 예를 들어 친링산맥에서 창장 하류에까지 넓게 뻗어 있는 영역의 남쪽과 북쪽은 환경이 매우 달랐던 듯하다.[31]

지역적 차이를 평가하는 것도 문제가 있지만, 동아시아 전반 또는 각 지역 차원의 실제 또는 상상 속의 변화를 연결시키는 것도 마찬가지다. 최근의 한 가설은 동굴 침적물과 기타 고古기후학 및 고고학 자료를 이용해 서기전 2300년 무렵의 20년 동안 비가 매우 많이 내렸음을 보여주었다. 창장 삼각주의 량주 문화는 홍수에 휩쓸렸고, 홍수 조절 및(또는) 관개용으로 효율적 기능을 발휘했던 거대한 토언土堰 등 광범위한 수리 시설들이 무너졌다. 그 결과로 낮은 지대의 땅이 침수되고 이에 따라 벼농사에 지장을 초래했으며(특히 창장 하류 삼각주 지역의 타이후太湖 평원), 량주시가 붕괴하고 그 주민들은 흩어졌다.[32]

중국의 정사에 따르면 하나라의 등장은 흔히 서기전 2070년 무렵으로 비정되고 파멸적인 홍수와 연결된다. 후대의 역사가들에 따르면 이 왕조의 창시자 대우大禹는 이때 황허강을 준설했다고 한다. 나중에 사람들이 겪게 될 재난에서 그들을 보호한 것이다. 최근 연구에 따르면 서기전 1920년 무렵에 적어도 한 번 이상의 큰 홍수가 일어났던 듯하다. 지진으로 제방이 무너져 일어난 것으로 보인다.[33] 몇몇 연구는 하나라의 건설을 강의 홍수 관리 및 건조한 기후로의 이행과 연결시키고자 했다. 후자는 이 시기 새 권력의 중심이 떠오른 바로 그 지역 일대의 동굴에서 나온 안정동위원소 기록에서 확인된다.[34]

이것이 정말로 땅과 백성을 단일 정치체 아래로 묶게 하는 배경이 되었는지, 그렇다면 왜 그렇게 되었는지는 분명하지 않다. 마찬가지로 하 왕조(얼리터우二里頭 문화와 관련이 있고 중심지는 새로 건설된 도시 신자이新砦였던 듯하다)는 지역 간 경쟁과 끊임없는 전쟁을 끝장낸 듯하며, 이 과정을 기후 조건의 변화와 연결시킬 수 있을지에 대해서는 논란이 있다. 특히 대다수의 학자들이 얼리터우의 가장 이른 시기를 서기전 1750년 무렵으로 보기 때문이다.[35]

서기전 2000년 무렵 간쑤-칭하이 지역의 치자齊家 문화와 중앙 내몽골의 라오후산老虎山-다커우大口 문화 같은 선진 농업 사회 안에 침체의 증거가 있지만, 지금의 중국 여러 지역에서 기후 변화의 여파로 큰 변화가 있었는지는 결코 분명하지 않다. 정말로 서기전 2200년 무렵이 동아시아에서 분수령적인 순간(또는 시기)이었음을 시사하는 것은 별로 없다.[36]

그렇다면 이전의 다른 긴 가뭄은 왜 비슷한 파괴적 영향을 미치지 않았는지를 물어야 할 것이다. 이 경우 가뭄에 그렇게 근본적인 역할을 부여하는 것이 옳은지도 말이다. 같은 기후 기록이 300년쯤 전 수십 년 동안 지속된 비슷하게 건조한 기간을 입증하고 그 시기에 메소포타미아와 기타 지역의 도시 및 정치체들은 어떻든 더 성공적으로 도전을 헤쳐 나갔다는 데 주목해야 한다.

실제로 서기전 2200년 무렵 마그네슘 농도의 급증을 밝혀낸 연구 가운데 하나가 그보다 250년 전에 비슷한 급증이 있었음을 발견했다. 그것은 사회경제적 또는 정치적 혼란을 촉발하지 않았다.[37] 다시 말해서 서기전 2200년 무렵이라는 시기가 중요하게 생각된 것은 기후 또는 지질학적 경계를 이루기 때문이라기보다는 명백하거나 추정된 사회 전체 또는 그 내부 관계들에 미친 결과에 의해 과장됐기 때문인 듯하다. 현장의 실제에 대한 냉정한 분석이 아니다.

어떻든 그 시기의 '붕괴'가 무엇을 의미하는지는 분명하지 않다. 대규모 건축, 왕권의 상징, 관료의 권력에 초점을 맞추고 그런 것들이 사라지거나 줄어든 일을 사회 붕괴와 연결 짓는 것에 솔깃할 수는 있지만, 이 시기가 정말로 중대한 변화의 시기였다면 농업 노동자, 여성, 아동, 가족의 생활이 실제로 어떻게 변했는지를 묻는 것이 아마도 더 유용할 것이다.

건물이 제대로 보수되지 않는 일이나 사람들이 도시에서 이산하는 일
이 정치적 중심에 있는 사람들(그들의 권력, 권위, 부는 교역, 종교, 지위, 노동
을 통제할 수 있는 능력에 달려 있었다)에게 나쁜 소식일 수 있지만, 모든 사람
에게 부정적인 결과가 나타났는지는 덜 분명하다. 사실 많은 사람들에게
의무에서 풀려나는 것은 심지어 일종의 해방이었을 수도 있다. 예를 들
어 여러 가지 직물이나 희귀하고 맛난 음식을 구하기 어려워진 것(그러면
식습관 같은 것이 위축된다)이 실망스러웠을지는 모르지만, 그것이 세상의
종말을 의미하는 것은 아니었다.

중앙 권력이 안으로부터 파열되고, 지배층과 그들 권위의 상징이 사
라진 것이 사회의 서로 다른 부분에 서로 다른 영향을 미쳤다는 것은 물
론 해석자와 역사가들이 자기네 주위의 세계(오늘날과 4천 년 전 모두의)에
대해 어떻게 생각하고 있는지를 보여준다. 그리고 구조를 너무도 흔히
아래에서 위로가 아니라 위에서 아래로 바라봤다는 것에 관해서 말이
다. 사실 일부에서 주장했듯이 쇠락과 위축조차도(이른바 붕괴는 말할 것
도 없고) 흔히 증거가 거의 없는 파멸적 재난의 흔적이라기보다는 회복력
과 저항의 사례로서 더 관심이 간다.[38]

따라서 도시 붕괴와 주민의 이주가 얼핏 불운의 지표로 보일 수 있겠
지만, 그것들은 공급 부족과 수요 과잉이라는 문제에 대한, 그리고 도로
의 장애물을 극복하지 못한 중앙집권적 정부의 실패에 대한 논리적이고
효과적인 해법이라고 보다 생산적으로 볼 수도 있을 것이다.

이것은 특히 아카드 제국의 경우에 논쟁이 되고 있는 부분이다. 〈아카
드의 저주〉 때문에 나람신의 치세는 재난과 연결되고 있지만, 사실 이 시
기는 또한 영토 확장의 시기이기도 해서 아르마눔Armanum과 에블라Ebla
를 정복하기까지 했다. 이 업적은 우르시에 세워진 기념물에 글로 새겨

졌다. 이 글은 나람신이 "인류의 창조 이래" 그 어떤 왕도 할 수 없었던 일을 했다고 주장했다.[39] 나람신은 자신을 '세계만방의 왕'이라 불렀다. 재난과 사회 붕괴의 시기를 이끌었다고 알려진 사람으로서는 택하기 곤란한 뻔뻔스러운 칭호다.[40]

사실 메소포타미아를 연구하는 현대 역사가들은 나람신이 이끈 군사·행정 개혁이 아카드를 성공적인 왕국에서 제국으로 발돋움하게 했다고 주장한다.[41] 다시 말해서 〈아카드의 저주〉의 대상이 된 사람은 붕괴의 원흉이라기보다는 제국 중앙의 강화를 지휘한 사람이었다.

재난을 나람신의 탓으로 돌린 것과 〈아카드의 저주〉를 구상한 동기는 환경의 압박과 갑작스러운 기후 변화에 대해서보다는 왕권의 본질과 무엇보다도 지배자와 신들의 관계에서 교훈을 이끌어내고자 한 후대 수메르인들의 욕망을 반영한 것이었다. 후대에 이 이야기를 읽거나 듣는 사람들에게 중요한 것은 신들에게 불경스러우면 후과가 있다는 것이었다. 나람신은 니푸르의 에쿠르 신전에서 신을 모독했으며 스스로를 살아 있는 신으로 선언했다고 한다. 신들은 자애로울 수 있지만, 그들의 기분을 맞춰줘야 했다. 그러지 않으면 문제가 생겼다.[42]

게다가 나중의 정치 불안이 기후 요인과 관련이 있다고 보고 싶겠지만, 강우 패턴이 변화하기 훨씬 전에 사르곤의 후대 왕들을 상대로 한 반란이 자주 일어났다. 서기전 2276년의 큰 봉기와, 북부의 도시연합과 남부의 도시연합이 동시에 나람신을 상대로 들고일어난 서기전 2236년의 '대반란' 같은 것들이다.[43] 식량 부족 또한 흔했다. 〈초기 왕들의 연대기〉로 판단해보건대 그렇다. 여기서는 기근을 언급할 뿐만 아니라 그것을 부도덕적인 행위와 연결시킨다. 예컨대 마르두크 신은 사르곤이 바빌론 땅을 건드렸다 해서 벌을 주었다. 식량 부족 사태가 일어나고 고통이 뒤따랐다.[44]

이런 위험은 고대 세계에서 자주 있는 것이었다. 특히 유명한 이야기들이 세대에서 세대로 전해지는 이유다. 적절한 사례가 대홍수 이야기다. 이는 〈수메르 홍수 이야기〉, 〈아트라하시스 서사시〉, 〈길가메시 서사시〉 같은 바빌로니아 문헌들과 이집트의 〈하늘소 이야기〉, 그리고 아마도 가장 유명하게는 기독교 성서 〈창세기〉 등에서 충분히 다루어졌다. 이 모든 이야기에서 인간의 사악함과 불경에 대해 신이 내린 벌인 대홍수의 모습은 조금씩 변형되어 나타난다. 홍수의 목표는 인간을 완전히 쓸어버리는 것이었다.

여러 변형판들은 임박한 대홍수에 대해 미리 경고받은 개인에 대한 동정을 드러낸다. 〈아트라하시스 서사시〉의 경우 주인공 아트라하시스는 자신의 안전을 지켜줄 방주를 만들라는 충고를 들었다. 거기에 모든 동물을 한 쌍씩 실으라는 얘기였다. 방주를 다 만들자 바람이 휘몰아치고 어둠이 내려 햇빛을 가리면서 "홍수가 황소처럼 울부짖고 야생 당나귀처럼 소리를 질렀다."[45] 〈창세기〉도 놀랄 만큼 비슷한 이야기를 전해준다. 신은 노아에게 이렇게 말했다. "세상은 이제 막판에 이르렀다. 땅 위는 그야말로 무법천지가 되었다. 그래서 나는 저것들을 땅에서 다 쓸어버리기로 했다. 너는 전나무로 배 한 척을 만들어라." 노아는 그대로 따랐다. 그와 그의 가족, 동물들은 비가 계속 내리고 홍수가 일어나 "하늘 높이 치솟은 산이 다 잠기도록" 물이 불어나는 가운데서도 그대로 안전했다.[46] 따라서 신들(또는 유일신)은 환경의 안정성에 순응해 잘 사는 사람들에게는 보상을 내리고 그러지 않는 사람들은 환경의 재앙과 씨름해야 한다는 이야기가 오래전부터 전승되었던 것이다.

파멸적인 단일 사건이 광범위한 지역에서 그렇게 오랜 기간에 걸쳐 집단기억에서 그토록 중심적인 역할을 했다는 사실은 갑작스러운 재앙적 사건들의 충격에 관해 많은 것을 이야기한다. 소돔과 고모라의 파괴도 마찬가지였다. 죄악이 만연한 도시라서 신이 파괴하기로 한 곳들이다. "불과 유황"이 하늘에서 비처럼 떨어지고 짙은 연기가 땅에서 솟아 "옹기가마의 연기 같았다." 롯의 아내는 소금기둥으로 변했다.[47]

이것 역시 실제 사건을 바탕으로 했을 것이다. 이 경우에는 우주에서 온 혜성이나 운석으로 인한 한 번 또는 몇 번의 공중 폭발이었을 것이다. 서기전 1650년 무렵 요르단 계곡 남부의 도시 텔엘함맘Tall el-Hammam이 파괴됐는데, 두께 4미터에 이르는 거대한 성벽이 무너지고 궁궐 단지도 상당 부분 파괴됐다. 폭발 시의 온도는 섭씨 2000도를 넘었을 것으로 추정된다. 반지름 25킬로미터 이내의 모든 주거지는 수백 년 동안 버려졌다. 그 이유 중 하나는 토양이 공중 폭발로 인한 염분 유입으로 염분 과다 상태가 되었기 때문이다. 〈창세기〉에 나오는 롯의 아내가 소금기둥으로 변했다는 것은 우연이 아닐 듯하다. 이 유적지의 유골이 잘게 부스러져 있는 것은 사람이 재로 변했다는 것이 적극적인 상상력이나 시적인 분방함으로 상상된 것이 아니라 사실에 근거했을 것임을 시사한다.[48]

텔엘함맘과 소돔이 동일한 곳이냐 하는 문제는 추측의 영역에 속한다. 그러나 그 밀접한 유사성은(그리고 이 이야기가 〈창세기〉에 들어 있을 뿐만 아니라 〈쿠란〉에도 중요하게 나온다는 사실은) 레반트와 서아시아의 환경에서 파멸적 사건에 대한 기억이 마음속에 오래 남았고 죄(〈쿠란〉의 경우에는 특히 동성애)에 대한 신의 벌과 밀접하게 연관돼 있었음을 보여준다.[49]

그러나 기근과 질병은 거대한 자연재해에 비해 더 흔하기도 하고 더 파괴적이기도 하며, 대개 인간의 오판이 빚은 결과다(현대의 믿음과는 반대다). 아카드 제국의 경우 문제는 상당 부분 확장하고 앗아가는 제국 영역의 현실과 끊임없는 중앙집권화가 정치적 분열과 균열, 심각한 공급

문제로 이어진 사실에 있었다.

따라서 〈아카드의 저주〉가 많은 양의 농산물과 함께 소, 염소, 외국 물건이 배에 실려 제국 수도로 왔다고 구체적으로 언급한 것은 충분히 이유가 있었다. 정말로 너무 많아서 이 도시의 가장 대표적인 신 인안나는 "이 전달된 음식을 어떻게 받아야 할지 몰랐다."[50] 정치적 중심지에 자원을 전달해야 하는 사람들이 지역의 기회주의적인 정치적 목적을 위해, 또는 식량 징발이 지역 주민들이 먹고사는 데 압박을 가했기 때문에(또는 두 가지 모두 때문에) 도전하고 효율적인 저항을 일으킬 방법을 강구하게 되었으리라는 것은 그리 어렵지 않게 알 수 있다.

따라서 위태로운 균형이 깨지는 데는 그리 오랜 시간이 걸리지 않았다. 한 해만 흉년이 들어도 문제가 생길 수 있었다. 기근뿐만 아니라 정치적 소란과 사회적 격동이 발생했다. 그런 의미에서 중요한 점은 서기전 2200년 무렵의 상당한 기후 변화가 어떤 영향을 미쳤느냐가 아니라 문제를 완화하기 위해 어떤 조치가 취해졌느냐다. 다시 말해서 중요한 것은 통치자, 지배층, 사제, 관료, 노동자가 적응(특히 커지는 환경 압박에 대해)을 할 수 있었느냐, 그리고 그 선택과 조치가 적절하고 효과적이었느냐다.

기후가 아카드 제국을 무너뜨렸다기보다는 아카드 제국이 스스로 무너져 새로운 도시국가 무리 속으로 쪼개져 들어갔다고 해야 할 것이다. 여러 면에서 사르곤 왕의 통합 이전 시대로의 회귀였다. 그것은 사르곤의 자손과 그 측근들에게는 나쁜 소식이었겠지만, 다른 사람들에게는 좋은 소식이었다. 지역 권력이 지역민들에게 되돌려진 것이다.

이집트에서도 이 시기는 혼란기였다. 앙크티피Ankhtifi라는 남부 지방 총독의 바위를 깎아 만든 무덤이 이를 잘 보여준다. 앙크티피가 수줍다고 트집 잡을 사람은 아무도 없을 것이다. 그 무덤의 새김글은 이렇게 단언한다. "나는 비길 데 없이 용감한 남자다." 또 다른 새김글은 이렇게 말한다. "나는 우리 조상들이 했던 것보다도 더 많은 일을 했고, 우리 후손들도 앞으로 100만 년 동안 내가 한 모든 것을 따라올 수 없을 것이다." 그러나 이 새김글들은 또한 페피 2세(네페르카레, 재위 서기전 2278~2184) 치세 이후 시기의 삶의 파괴적인 모습을 그리고 있다. 이집트가 경쟁 파벌들 사이의 치열한 전투로 혼란에 빠져들었음은 알려져 있다. 기근이 모든 곳에서 발생하고 남이집트 전체를 엄청난 위력으로 덮쳐 많은 사람들이 굶주려 죽었다. 죽지 않은 사람들은 너무 배가 고파서 인육을 먹고 심지어 자기 자식까지 먹었다. 모든 곳에서 사람들이 벌거벗고 신발도 없이 떠돌아다녔다. 국가권력은 자취를 감추었다.[51]

이는 〈이푸웨르Ipuwer의 훈계〉라는 다른 자료에 의해 확인되는 듯하다. 이 글은 흉년이 들었으며 모든 사치품(향신료에서 의류까지)의 공급이 달렸음을 이야기한다. "창고는 비었으며" 서기들은 "살해되고 그들의 서류는 탈취당했다." 고삐 풀린 소들이 돌볼 사람 없이 돌아다녔고, 외국인 병사들이 여기저기서 광란을 벌였다.[52]

이집트의 붕괴를 건조한 기후 조건과 나일강 범람의 감소(심지어 전면 중단) 탓으로 돌리고 싶을 것이다. 지질학 및 고고학 증거들은 에티오피아고원의 여름 강수량이 급감했음을 보여준다. 그 결과로 청나일강 유역으로 배출되는 물이 처참하게 줄었으며, 때로 집중적인 폭우가 쏟아져 위험한 홍수 상황이 조성됐다.[53]

물 부족(그리고 이따금씩의 과잉)이 문제를 초래했을 수도 있지만, 압박은 장거리 교역 단절(그것은 아카드의 붕괴와 함께 일어나 중요한 수입원이 잘려나갔다)로부터도 왔다. 따라서 앙크티피의 새김글 가운데 하나가 지배층이 민중의 표적이 되어 물건과 자산을 강제로 빼앗겼다고도 언급한 것은 아마도 우연이 아니었을 것이다. 부유하고 연줄이 든든한 사람들은 이전 수십, 수백 년 동안 왕으로부터 특권을 얻고 세금을 면제받으며 땅을 얻는 일에 매우 성공적이었다.[54]

부유했던 사람들은 이제 목이 타고, 찌꺼기를 구걸했던 사람들은 이제 그릇이 넘친다고 〈이푸웨르의 훈계〉는 말한다. 먹을 것조차 없던 사람들이 이제 물건이 가득 찬 곳간을 가지게 되었고, 노예였던 사람들이 이제 노예를 거느리게 되었다. 다시 말해서 옛 질서가 뒤집힌 것이다.[55]

어쨌든 이 자료들은 그렇게 이야기하고 있는 듯하다. 그 이야기를 믿을 만한지는 별개의 문제다. 고고학적 증거는 이 시기에 경제가 위축됐음을 보여주지만, 격변과 혼란과 단절의 시기였음을 시사하지는 않는다.[56] 앙크티피 무덤 새김글의 목적은 그가 구세주이고 사람들에게 희망과 안락과 위안을 가져다주었으며 그가 다스리던 지방에서 안정을 회복했음을 강조하는 것이었다.

여기서 핵심적인 문제는 그렇게 튼튼하고 오래갈 것 같던 국가가 어쩌다 그렇게 불안정하고 위태로워졌는가 하는 것이다. 약화의 원인 가운데 하나는 적응 실패였다. 그러나 또 하나는 나쁜 상황을 더 나쁘게 만든 연쇄 효과였다. 그 대응 실패는 자기 보호가 철저한 지배층의 요구 위에 세워진 중앙집권적 정치 체제에 치명적인 요소였다. 그 지배층은 변화한 환경에 대응할 수 있는 기술이 없었을 뿐만 아니라 그렇게 하는 데 적극적으로 저항했다. 권력과 부와 지위를 잃는 데 대한 두려움 때문이었다. 붕괴의 폭포는 국지적인 수준을 훨씬 넘어서 쏟아져 내렸다.

나일강 유역, 메소포타미아, 그리고 특히 인더스강 유역에서 문화와 문명이 일어난 핵심 요인 가운데 하나는 그들의 상호연결성이었다. 인구가 많은 이 복합 사회들의 내부 및 대외 교류는 교역을 자극하고 문화적 경쟁 및 동화를 촉발했다. 동아시아에서도 비슷한 일이 일어났다. 통치권-정착-교역 모형이 지리적으로 나뉜 문화들을 끌어들여 빈번하고 심지어 집중적인 접촉을 하게 만들었다.

사실 이 문화권들 내부의 기회와 야망, 그리고 그들 사이 및 내부의 경쟁이 그들의 발전과 진화에서 결정적인 특징이었다고까지 주장할 수 있을 것이다. 예를 들어 밀과 보리는 서기전 제4천년기에 유라시아 대륙을 가로질러 동쪽으로 전파됐다. 쌀과 잡곡은 그 이후 시기에 반대 방향으로 퍼져 나갔다.[57] 수수와 손가락조 같은 아프리카 원산의 농작물은 서·북인도에서 서기전 2000년 무렵 재배됐고, 멜론과 시트론 같은 남아시아 및 동남아시아 원산의 과일들은 레반트, 이집트, 지중해 동부 연안에서 아마도 그보다 일찍부터 재배된 듯하다.[58]

상당한 유전자 증거와 도구 기술의 변화 및 식재료의 획득·조리 방식으로 판단하자면 대략 이 시기에 인도와 오스트레일리아 사이에도 상당한 접촉이 있었다. 오스트레일리아 들개인 딩고(현대의 오스트레일리아와 가장 밀접하게 연결된 동물 가운데 하나이지만 아시아에서 온 것이다) 화석은 정규적인(어쩌면 집중적인) 접촉의 또 다른 흔적일 것이다.[59]

이 연결망의 확대와 맞물림의 핵심적 요인은 구리, 주석, 홍옥수, 청금석 같은 귀중한 원료의 분포가 고르지 않다는 것이었다. 야금 같은 기술 또한 마찬가지였다. 장신구, 무기, 도구를 만들기 위한 구리의 필요성은 금속을 사회 분화와 의례는 물론이고 좀 더 실용적인 목적을 위해서도 매우 갖고 싶은 소재로 인식시켰다. 일부 학자들은 더 나아가 '청동화 bronzization'의 시대를 이야기한다. 더 긴밀한 접촉이 사람, 문화, 지역을 한데 묶는 방식을 묘사하기 위한 간단한 용어로서다(세계화에 대한 다양한

이해를 본뜬 것이다).[60]

상품, 식품, 관념의 확산을 가능하게 한 이런 기제들은 이제 환경적·사회적·경제적 압박이 타격을 가하면서 무너졌다. 서기전 2000년 무렵에 상아, 구리, 직물, 식품을 바탕으로 한 메소포타미아와 인더스강 유역 사이의 교역은 급격하게 위축됐다. 문서와 고고학 증거들이 이를 뒷받침한다.[61] 시장이 시들어버리자 사회적·경제적 상황에도 영향을 미쳤을 것임에 틀림없다. 건조화가 진행되면서 물리적 환경에 영향을 미쳤듯이 말이다.

압축과 붕괴는 인간 역사에서 계속 반복되는 부분이다. 때로 기후와 환경 변화는 전개되는 위기에서 한몫하는 요소였다. 경제학자이자 노벨상 수상자인 아마르티아 센은 기근이 잘못된 의사 결정이나 지도력 부족, 또는 식량 부족을 완화하거나 심지어 막을 수 있는 수단을 고의적으로 억압하는 일에 의해 생긴다고 매우 설득력 있게 주장했다. 기근은 식량이 부족해서가 아니라 가격 책정의 문제 때문에 생긴다고 그는 주장한다. 특히 가격이 급등하는 시기에 식량을 구할 수 없는 사람들에게 영향을 미친다는 것이다. 더구나 가격 급등은 흉작이나 공급 차질이 발생했을 때의 물가 상승 압력에 의해서만이 아니라 사재기 행태(이득을 위해서 하기도 하고 두려움 때문에 하기도 한다)에 의해서도 발생한다.[62]

센의 연구는 20세기의 일을 바탕으로 한 것이지만, 같은 원리는 더 먼 과거의 붕괴를 생각할 때도 적용할 수 있다. 분명히 기상 조건과 극단적인 사건들은 고대 세계에서뿐만 아니라 역사를 통틀어 문제를 일으킬 수 있다. 그러나 이런 문제들은 대부분 헤쳐 나가거나 성공적으로 해결했다. 적응에 의해, 대처 전략(이주, 재정착, 새로운 생활방식의 개발 같은)에 의해서다.

따라서 서기전 2200년의 사건들의 경우, 기후로 시작해서 기후로 끝나는 단순하고 심지어 논리적 대답인 듯 보이는 것의 편리함에 이끌리기보다는 왜 사회가 고난을 겪었느냐 하는 더 넓은 문제를 바라봐야 한다. 아울러 살펴야 할 가장 흥미로운 일 가운데 하나는 문제가 어떻게 전염되는가, 그리고 한 지역의 어려움이 어떻게 다른 지역의 취약성을 유발하는가에 관한 것이다.

# 6장   첫 연결의 시대

## 서기전 2200년 무렵부터 서기전 800년 무렵까지

빨리 이곳으로 와주지 않으면 우리는 굶어 죽을 것이오.
— 우가리트 서판(서기전 1200년 무렵)

서기전 2200년 무렵부터 일어난 붕괴는 서로 맞물린 지역 연결망이 충격을 전파할 뿐만 아니라 상품 및 사상의 수송이나 소개를 용이하게 할 수 있다는 사실을 분명히 보여주었다. 이 교역 체계의 위축은 영원한 것이 아니었고, 옛 연결망이 마침내 복구되거나 새로운 연결망이 형성되었다.

서기전 2200년 위기 이후의 시기에 새로운 마디들과 그것을 연결하는 망이 형성되고 확대되기 시작해 그 결과로 서로 연결된 지리 구역이 다시 만들어졌다. 그것은 시간이 지나면서 지중해 동부에서 인도양과 그 너머로 뻗어나갔다.

적어도 처음에는 분열의 결과로 여러 도시국가들이 생겨났다. 그중 가장 유명한 것이 메소포타미아의 우르 왕국이었다. 그 지배자들은 이 도시와 그들 자신을 우루크의 위대한 왕들, 즉 엔메르카르, 루갈반다, 길가메시 등과 연결시키고 스스로를 그들의 후계자로 자리매김하고자 했다.[1]

그러나 위기 이후 시기의 가장 중요한 추세 가운데 하나는 정치적 중앙집권화를 위한 움직임과 상당한 영역에 걸친 당당한 왕조를 건설하려는 움직임이었다. 이 왕조들은 효율적인 관료적 행정이 특징이었으며, 그 효율성은 행동과 관습을 능률화하고 지배자의 책임과 함께 그 신민의 책임을 제시한 원칙과 법을 제정함으로써 달성되는 것이었다. 적절한 사례로 서기전 2050년 무렵 우르의 지배자 우르남무Ur-Nammu의 법전을 들 수 있다. 이 법전은 분쟁 중에 증언을 할 때 거짓 증언을 하는 사람은 누구라도 처벌하도록 명문화했다.[2]

그러나 가장 잘 알려진 법전은 고古바빌로니아제국의 지배자 함무라비가 제정한 것이었다. 이 제국은 서기전 1900년 무렵부터 성장하기 시작해 메소포타미아의 상당한 영역을 경제적·군사적으로 지배하게 되었다. 이 법들은 여러 자료들을 통해 알려졌는데, 그중 가장 눈에 띄는 것이 본래 수도 바빌론의 마르두크 신전에 세워졌던(지금은 파리 루브르 박물관에 있다) 섬록암 석비다. 함무라비 비문은 이렇게 돼 있다. "나는 귀중한 나의 포고문을 비석에 새겼다. 강한 자가 약한 자에게 나쁜 짓을 하지 못하게 하고, 배고픈 자와 배우자를 잃은 자가 정의를 찾게 하기 위해서다." 법전은 282개조로 이루어졌다. 교역과 관세에서부터 결혼과 이혼까지, 절도에서부터 부채 미청산에 이르기까지 여러 주제를 다루고 있다. 이 법들은 또한 고의적으로 환경 손상을 초래한 자들에 대한 처벌도 상세히 규정했다. 남의 과수원의 나무를 주인의 허락 없이 베는 것 같은 경우다.[3]

새로운 국가들이 생태적·환경적 틈새의 다른 지역들에서도 속속 생겨났다. 증가하는 인구를 부양하고 있거나, 교역로를 따라 위치하거나, 다른 곳에서 수요가 많은 원료에 접근할 수 있는 곳(또는 셋 모두를 겸하는 곳)이었다.

예를 들어 아시리아인들은 아나톨리아 동부에 여러 개의 상인 집단 거주지를 만들고 현지 왕국들과 거래를 했다. 금과 은을 주고 주석과 직물을 샀다. 그 왕국들 가운데 가장 강력한 하티는 성장해 다른 나라들을 병합하고, 오늘날 종종 혼란스럽게 히타이트라 불리는 나라가 되었다. 히타이트는 〈구약〉에서 팔레스타인의 전혀 다른 민족을 가리키던 말을 가져온 것이었다.

아시리아인들은 그들 스스로 한 나라를 세운 사람들이었다. 니네베와 아슈르라는 도시, 그리고 지금의 이라크 북부, 시리아 동북부, 튀르키예 동남부를 중심으로 한 나라였다. 그 나라는 서아시아 세계의 다른 거대 왕국들(미탄니, 에블라, 카시트 같은)의 친구이자 동맹자이자 맞수이자 경쟁자의 성격을 동시에 지니고 있었다. 카시트는 서기전 1600년 무렵 고바빌로니아제국이 멸망한 뒤 바빌로니아를 지배했다.[4]

새로운 기술은 교역망이 생겨나고 더 뻗어나갈 기회를 열었다. 여기에 중요했던 것이 먼저 크레타섬의 개발이었고, 이어 에게해, 그리스 본토, 소아시아에 산재한 많은 도시들의 개발이었다. 이는 돛배와 (물론) 어려운 조건에서도 항해를 하고 배를 다룰 수 있는 항해 기술의 발달을 자극했다.[5]

특히 크레타의 정치·사회 구조의 성격에 관해서는 학자들 사이에서 상당한 논란이 있지만, 서기전 1900년 무렵 상당한 건물 단지들이 조성됐다는 사실은 적어도 이 섬과 다른 지역들 사이의 접촉이 늘어가던 시기에 온갖 종류의 시야가 넓어지고 있었음을 시사한다.[6] 다른 곳에서와 마찬가지로 크레타와 이어 미케네에서 문자가 만들어지고(각기 '선문자 A'와 '선문자 B'다) 점차 복잡한 매장埋葬으로 진화한 것은 역시 사회가 더 대중적이고 더 계층화되고 다른 세계와 더 밀접하게 연결되면서 제도와 지배층이 생겨나고 있었음을 입증한다. 다른 세계와의 연결은 희귀하고 이

국적이며 값비싼 상품의 교역을 통한 것이며, 그런 상품들로는 우선 금속이 있고 식료품(도기에서 발견된 녹말 알갱이의 흔적에 대한 새로운 연구가 보여주듯이)도 있었다.[7]

비슷한 일이 북北누비아에서도 일어났다. 이곳에서는 이집트의 약화로 다른 세력들이 채울 수 있는 공백이 만들어졌다. 단연 성공적인 것이 쿠시의 왕들이었다. 그들은 매우 강력해졌고, 이집트의 지배자 파라오들이 서기전 1850년 무렵 북쪽에서 그들의 권위를 안정적으로 다지자 쿠시 왕들은 공격으로부터 스스로를 보호하기 위해 길게 늘어선 성채들을 건설하는 데 의존해야 했다. 그들은 이와 함께 새로운 경쟁자들을 모욕하는 내용의 글을 담은 비석을 건립하기도 했다. 쿠시는 국가로서 매우 성공적이어서 나일강 유역의 상당 부분을 차지할 정도로 성장했으며, 멀리 '아프리카의 뿔'까지 영향력을 미쳤다. "쿠시 제국"은 계속 커져 "당시 아프리카 최대의 정치체"가 되었다고 한 역사가는 지적한다.[8]

국가는 위계를 만들지만 또한 안정을 꾀하고, 이에 따라 언제나 교역이 잘 이루어질 수 있는 조건을 자극하도록 돕는다. 더 먼 시장으로 상품을 수송할 능력과 의지가 있는 상인들을 보호하기 위해 필요한 안전을 제공하는 것이다. 한 아시리아 지배자는 서기전 1900년 무렵에 만들어진 전형적인 비문에서 자신이 백성을 위해 자유를 확립하고 그들을 공격과 붕괴로부터 보호했다고 자랑했다.[9] 이것은 그 자체로 업적이며, 분명히 구세주이자 보호자로서의 왕의 역할을 확언한 것이었다. 그러나 그것은 교역의 발전에 필수적인 전제조건이었고, 사회 구조 형성과도 밀접하게 연관된 것이었다.

사실 서아프리카의 복합적이고 위계적인 사회와 나중에 쿠시국의 심장부가 되는 데 기폭제 노릇을 하는 것은 바로 긴밀한 교역망의 확장이었다.[10] 이런 사회 조직의 변화들은 지금의 모리타니의 악조우트와 니제르의 에가제르Eghazer 분지의 초기 야금 전통의 발전과 함께 민족, 공동체, 상품, 관념이 갈수록 넓은 지리적 범위에 걸쳐 연결되는 데 필수적인 비슷한 배경을 제공한다.[11] 하나로 합쳐서 생각하면 이는 중앙 리비아 사하라의 이동하는 유목민 지배자들의 권력과 자원을 강화하는 길을 열어주었다.[12]

한편 인도아대륙에서는 변화의 핵심 동인 가운데 하나가 대규모 주민 이동이었다. 서기전 1900년 무렵 인더스강 유역 문명이 쇠락한 이후의 시기는 심각한 인구 격동의 시기였다. 스텝에서 이주해온 새로운 민족들이 도착한 결과였다. 이 이주 물결의 원인, 성격과 그 정확한 시기는 상당히 민감한 문제이고 자주 논란의 근원이 되었지만, 이제는 이 도착이 하라파 등에서 주민이 흩어진 것과 비슷한 시기이거나 그 몰락의 원인이 아니라 시기적으로 대체로 그 후라는 점이 분명해졌다.[13]

유전체 자료는 기존 주민과 이주해온 새로운 주민들의 혼혈 정도에 관해 의문의 여지가 별로 없으며, 이주민의 거의 대다수는 남성이라는 확실한 결론으로 이끈다. 이주가 상당히 대규모였기 때문에 지금 인도 남성의 18퍼센트가 R1a 단배군에 속한다. 이것은 대체로 스칸디나비아, 중부 유럽, 시베리아 주민들에게서 나타나는 단배군이다.[14]

언어 또한 확산됐다. 원原인도유럽어는 3500년 이상 전의 서로 연결된 세계의 현실에 대한 또 다른 표지를 제공한다.[15] 인도유럽어 가운데 발트-슬라브어파와 인도-이란어파 사이의 언어학적 유사성은 민족 이동을 반영한 것이자 또한 유라시아 대륙의 스텝 지역으로 이어지는 공통의 과거를 반영한 것이다.[16] 그러나 최근의 선구적 연구가 보여주었듯이 민족과 언어의 확산은 복잡했고, 오랫동안 지녀왔던 가정과 상관없이 유전자 및 언어학 자료를 평가할 때 종종 놀라운 사실이 발견된다. 유럽과 남아시아에서 전혀 다른 패턴이 나타나며, 아나톨리아와 서아시아는 말할 것도 없다.[17]

이 새로운 주민들이 여러 차례의 물결을 이루어 인도아대륙에 도착한 것은 흔히 새로운 관념의 도입이나 급속한 진화와 연결된다.[18] 그중 가장 중요한 것이 바르나varṇa라는 계급 제도다. 이는 오랫동안 베다 종교, 그 신앙 체계, 사회 관습의 등장과 관련지어져 왔다.[19] 그러나 유전자 혈통이 이주민과 토착민의 점차적인 통합을 가리키고 있다는 사실은 새로운 개념이 일거에 강요되거나 채택된 것이 아니라 시간이 지나면서 적응하고 발전했음을 시사한다.[20]

이런 관념들은 산스크리트('완벽하게 만들어진' 또는 '순수하고 완벽한'의 뜻이다)로 알려진 언어로 정리됐다. 가장 오랜 문헌들('베다' 문헌들)은 서기전 1500년 무렵에 쓰였다. 이런 관념들의 정확한 기원과 성격을 규명하고 그것이 어떻게 진화해왔는지를 정리하는 것은 간단한 일이 아니다. 특히 베다 문헌들(〈리그베다〉, 〈사마베다〉, 〈야주르베다〉, 〈아타르바베다〉로 이루어졌다)이 힌두교의 종교적인 기초 문헌들이기 때문이다.

이것들은 일관되게 '사나타나 다르마Sanātana Dharma'를 제시한다. 다른 어떤 것의 영향을 받거나 변화하지 않는다고 신자들이 믿는 영원한 질서다. 지상bhurloka, 천상svarloka, 공기와 빛이 있는 '중간계bhuvarloka(또는 antarikṣa)' 등 세 베다 세계에 관한 산스크리트어 기록은 고요하고 평화로운 곳임을 시사한다. 〈아타르바베다〉에 있는 찬가는 이렇게 말한다. "땅은 우리의 어머니요, 우리는 그 자식들이다." 숲, 동물, 수원지를 존중하라는 한결같은 경고는 이들에 대한 가해와 손상이 흔하게 이루어지고 있었음을 이야기한다. 이것들은 모두와 각각에게 꼼꼼한 관심을 기울이는 데 대한 찬가가 아니다.[21] 베다('지식'이라는 뜻이다)의 계시는 영적으로 적절하게 민감한 인도의 현자들이 마침내 시간의 시작 이래 우주에서 울려 퍼지는 진동을 듣고 기록할 수 있게 되어서야 가능해졌다.[22]

앞으로 보겠지만 이 문헌들이 미덕으로 제시하는 이상이나 의무, 책임과 함께 자연환경과 어떻게 접촉하고 인간 세계와 동식물 세계(그리고 신의 세계)의 관계를 어떻게 이해할 것인가에 관한 상세한 지침이 들어 있다.

관념, 관습, 행동의 확산은 대략 비슷한 시기의 세계 다른 곳에서도 마찬가지였다. 예를 들어 이집트에서는 서기전 1640년 무렵에 힉소스로 알려진 왕조가 권력을 잡고 나라를 지배했다. 수도는 아바리스였으며, 나일강 삼각주에서 남쪽으로 멀리 쿠사이에 이르는 영토를 통치했다. 그들은 오아시스로 연결되어 누비아로 이어지는 서방 교역로를 장악하고 있었다.[23]

프톨레마이오스 치세의 사제 마네톤Manéthon이 쓴 이 시기에 대한 핵심 기록은 힉소스의 지배자들이 레반트에서 공격해 내려와 무력으로 통제권을 장악한 외부인이라고 묘사하고 있으나, 유골과 치아 법랑질의 스트론튬 동위원소 분석은 힉소스가 정말로 이집트 바깥 출신이지만 그들의 권력 장악은 당대 외국의 침략 결과가 아니라 서기전 2000년 무렵에 처음 이 지역으로 이주해온 공동체 성원들이 일으킨 현지 반란을 통한 것이었음을 보여준다.[24]

인도아대륙에서 있었던 이주와 마찬가지로 그들은 옷에서부터 도기에 이르기까지, 무기에서부터 매장 풍습(서아시아에서 기원한 전통적인 부적을 쓰지는 않았다)에 이르기까지 혁신의 원천이 되었다.[25] 여기서도 역시 성별 불균형이 있었던 듯하다. 이번에는 여성 쪽에 치우친 성차였다.

이집트 이름의 남성이 비이집트 이름을 가진 여성과 결혼한 경우가 그 반대의 경우보다 상당히 많았다.[26]

힉소스는 결국 남이집트 와세트(테바이) 출신의 한 왕가에 의해 멸망했지만, 그들이 도입한 혁신은 지역 안팎에서 오래도록 영향을 미쳤다. 그 중에는 자모字母 체계도 있었던 듯하다. 아마도 서기전 1800년 무렵에 자모 문자를 처음 개발하거나 채택했던 광부들에 의해 이집트에 전해졌을 것이다.[27] 레반트와 서남아시아에서 도입된 듯한 다른 기술로는 합성궁合成弓과 마차 등이 있다. 둘 다 매우 중대한 의미를 지닌 것으로 드러났으며, 정치적·사회적·경제적 권위를 확산시킬 길을 열어놓았다.[28]

이와 비슷한 일은 지금의 시리아 북부의 미탄니 왕국에서도 일어났을 것이다. 학자들은 이 왕국의 언어가 인도유럽어에 속하지 않는 후르리어이면서도 지배자들은 이례적으로 고대 인도어 왕명을 지녔고, 이웃이자 경쟁자인 히타이트인과 협정을 맺을 때도 베다 문헌들을 통해 알려진 가장 유명하고 중요한 신들 일부(인드라, 바루나, 나사티야 형제 등)를 거론했다는 데 주목했다.[29]

한 가설은 미탄니 왕국이 용병(아마도 전차병이나 기병)에 의해 세워졌다는 것이다. 얼추 비슷한 시기에 인도유럽어를 쓰는 이주자들이 인도반도로 갔던 민족 이동의 일원으로서 말이다.[30] 그러나 언어와 신학 사상은 대규모 이주보다는 접촉과 흡수에 의해 확산됐을 가능성이 더 높다. 이와 관련해 아나톨리아 일대의 경우 그 증거는 정말로 매우 제한적이다.[31] 이것은 분명히 천문학과 우주론을 둘러싼 생각의 전파에 대한, 그리고 하늘의 세 길(북쪽과 중간과 남쪽)에 대한 메소포타미아인들의 생각과 베다 문헌에 나타나는 생각의 유사성에 대한 가장 논리적인 설명일 것이다.[32]

이것은 서기전 1800년 무렵 이후 안데스 지역의 문명들에서도 마찬가지였다. 해안의, 내륙 계곡의, 고지의 공동체들 사이의 문화적·경제적 교류가 더욱 많아졌다. 시간이 지나면서 의식 절차, 신전 설계, 도기 양식, 식료품 등이 갈수록 표준화됐다. 지역들 사이의 접촉이 더 잦아지고 더 긴밀해지면서다.[33] 여기서도 역시 이런 접촉은 언어(이 경우에는 아이마라어와 케추아어다)의 전파로 이어졌다. 일부 학자들은 이 과정을 특히 영농 방식의 채택 및 확산과 연결시키고 있다.[34]

서아시아에서도 그랬지만 접촉이 늘고 교류가 활발해지고 새로운 관념·방법·기술을 채택하는 것은 큰 나라를 세우는 데서 중요한 역할을 했다. 이런 나라들은 근원이 다른 민족들을 포괄하고 그들을 단일한 중심점 아래 한데 묶을 수 있는 문화를 발전시켰으며, 그 지배층은 영적 해석자의 역할과 지위·권력·부의 수혜자로서의 역할을 동시에 해냈다.

안데스 세계에서 이 일은 서기전 1000년 무렵에 일어났다. 차빈 데완타르Chavín de Huántar가 지금의 페루 중·북부 대부분을 차지하는 지역의 의례 중심지로 떠오르기 시작하면서다. 그들은 영향력을 남쪽 깊숙이까지 미치고 여러 민족·공동체·지역을 통일된 문화적·종교적·정치적 외피 안에 집어넣었다.[35]

동아시아에서 일어난 일도 똑같다. 서기전 2000년 무렵, 성으로 둘러싸인 거대한 정착지가 중국 중원 지역의 시마오石峁에 세워졌다. 당시로서는 세계 최대급의 정착지였다. 그 중앙에는 피라미드 궁궐 단지가 있었다. 높이가 적어도 70미터 이상으로 도시와 주변 지역을 압도했다. 수천 점의 옥 공예품이 나와 시마오가 광대한 지역 및 장거리 교역망의 중심지였음을 드러냈다. 또한 대규모의 인간 희생은 지배층의 통제의 증거를 제공했으며 이 도시가 권력의 중심지였음을 보여주었다.[36]

최근 발굴은 시마오의 중요성을 보여주었고, 그 과정에서 오랫동안 인정됐던 초기 중국 문명에 대한 생각을 뒤엎어버렸다. 동아시아의 모습은 거대 도시 얼리강二里崗에 의해 이미 일부나마 분명해지기 시작했고, 이어 서기전 1200년 무렵 이후 상商 왕조 치하에서 지금의 중국 북부 및 중부 일대에서 지배권을 확립한 국가가 출현했다. 물론 정확한 연대는 문헌과 고고학 기록의 상충으로 여전히 불확실하지만 말이다.[37]

여기서도 역시 정치 구조가 드리워진 결과는 문화 양식은 물론이고 종교 행태와 사회 구조의 균질화 및 표준화였다.[38] 농업의 확대는 일꾼 무리가 왕실을 떠받침으로써 동력을 얻었고, 왕실은 자기네의 부, 시혜, 권위의 원천인 작물 수확의 극대화를 강력하게 장려했다. 다른 곳에서와 마찬가지로 여기서도 새로 생긴 관료와 상층 행정가들이 문자를 개발해 (여기서는 글자를 뼈에 새겼다) 명령과 결정을 기록하는 한편, 권력을 공고히 하고 집권화하는 낯익은 과정을 추진할 수 있게 했다.[39]

그런데 흥미롭게도 역사가들은 흔히 제국, 왕국, 국가의 붕괴나 쇠락에서는 기후의 역할에 대한 논의에 곧바로 뛰어들면서도 통합, 팽창, 개화開花의 패턴에서는 그것을 주저한다. 서기전 2200년 무렵의 위기 이후의 긴 기간 같은 경우 말이다. 물론 어떤 면에서 이는 놀라울 것이 없다. 대규모 영구 정착지가 있는 주요 지역은 환경적·생태적으로 인구를 부양하기에 적합한 곳이고, 결정적으로 그들의 성장(경작지의 규모를 늘리거나, 관개나 수로 정비 같은 보다 집중적인 개입을 통해서다)을 용이하게 하기에 적합한 곳이기 때문이다.

질병에 취약하지 않은 환경은 또한 인구 증가를 초래하는 중요한 요인이며, 역으로 왜 다른 지역은 메소포타미아, 나일강 유역, 중국의 일부 지역, 남아메리카 서북 변경 등이 서기전 2200년 이후 1천 년 동안 했던 것과 같은 방식으로 꽃을 피우지 못했는가를 설명하는 데도 중요하다. 동남아시아와 서아프리카의 많은 지역에서는 말라리아가 인구 규모를 늘리는 데서 제동 장치 역할을 했다. 다른 곳에서 매우 중요했던 종자, 곡물, 식품을 얻기 어려웠던 점도 있었다.[40]

적도 아프리카에서는 서기전 1500년 무렵 시작된 반투족의 이주와 함께 악순환이 시작됐다. 바나나와 플랜틴을 재배해 대규모 영구 정착지를 만들고 영토와 인구를 늘리는 데도 성공했지만, 이 지역이 말라리아 감염의 중심지가 되어 2천 년 후 노예무역과 관련된 유럽인들이 떼죽음을 당한 이른바 '백인의 무덤'과 같은 결과를 낳았다. 말라리아에 저항력이 없는 사람들은 '더피 음성Duffy Negativity'(삼일열 말라리아에 대한 면역을 제공하는 유전 변이)을 개발한 조상을 둔 사람들에 의해 대체됐다. 그러나 이는 오랜 시간이 필요한 일이었고, 한편으로 세계의 다른 일부 지역에서와 같은 방식으로 크고 작은 도시를 건설하지 못하게 했다.[41]

다른 경우에 기후 변화, 기상 이변, 자연재해는 질병의 발생에 끔찍한 영향을 미칠 수 있었다. 서기전 1600년 무렵의 티라(산토리니) 화산의 거대한 분출은 자연재해의 분명한 사례였다. 그것은 지난 5천 년 사이에 일어난 가장 거대한 분출 가운데 하나였으며, 히로시마에 떨어진 것과 같은 원자폭탄 200만 개의 위력이었다.

사실 이 사건의 가장 중요한 영향은 크레타섬을 집어삼킨 파멸적이고 유명한 지진해일도 아니고, 기본적으로 그 직접적인 결과로 일어난 지중해 문명들의 재편도 아니었다.[42] 그보다는 그것이 바로 병원균이 나타나는 데 역할을 했으리라는 것이다. 구체적으로 천연두 바이러스인데, 그것은 나일강 유역에서 나타났다. 아마도 분출과 그 낙진, 가스와 산성 물질 배출로 인한 진화 동력의 결과였을 것이다.[43]

그것이 과연 사실이라면 세계 자연사의 사건들이 장기적으로 어떤 큰 영향을 미치는지에 대한 더 큰 그림을 살피는 일의 중요성은 아무리 강조해도 지나치지 않다. 그것은 과거의 세계뿐만 아니라 현재(이 경우는 현재에 가까운 시기)의 세계에도 영향을 미친다. 천연두 바이러스는 20세기만 해도 3억 명의 목숨을 앗아갔다. 그리고 아마도 1850년에서 이 질병이 근절된 1977년에 걸쳐 5억 명이나 되는 사람이 죽었을 것이다.[44] 그 첫 희생자들 중에는 이집트를 지배하던 왕가 사람들도 있었다. 파라오 람세스 5세도 그중 하나였다. 미라가 된 그의 시신에는 분명한 바이러스의 흔적이 남아 있다. 특히 그의 뺨에 있는 틀림없는 고름집 같은 것들이다.[45]

대규모 화산 분출 같은 일회성 사건들이 극적이고 예기치 못한 결과를 초래할 수 있다. 그러나 더 넓게 보아 진짜 문제는 홍수나 수십 년 동안 지속되는 장기간의 가뭄이 아니었다. 비록 그것들이 방아쇠를 당기는 역할을 할 수는 있지만 말이다. 가장 큰 위험 요인은 인구 하중荷重이었다. 계속해서 흉년이 들 때 먹여야 할 입이 많으면 문제가 된다. 뜻하지 않게 이례적인 폭우가 쏟아져 농작물이 쓸려 나가면 공동체에 재앙이 될 수 있으므로 대응을 해야 한다. 두려움 때문이든 치솟는 물가의 덕을 보려는 욕망에서든 사재기는 위태로운 상황에서 재앙이 될 수 있다.

권위와 부에 대한 중앙에서의 요구는 자원 개발을 부추겼다. 그리고 흔히 그 고갈을 불러왔다. 예를 들어 메소포타미아에서는 얼마 되지 않던 목재를 금세 다 써버려 서기전 2000년 무렵에는 목재를 수입할 필요가 생겼다. 멀리 오만과 인도 서해안으로부터도 수입했다.[46] 중국 상 왕조의 구리, 주석, 납 등의 금속 수요는 의례 용기는 물론이고 무기와 연장을 만들기 위한 것이었는데, 얼마 되지 않는 자체 매장량이 금세 고갈돼 장거리 구매 조직에 의존해야 했다. 멀리 아프리카에서도 구해왔다는 주장

은 오해인 듯하지만 말이다.[47]

물론 약점은 주로 개개 도시의 규모에 있었다. 궁핍할 때 가장 취약한 요소였기 때문이다. 도시 정착지는 또한 잠재적 위기의 핵심이었다. 불만에 차고 굶주리고 열악한 상황에 처한 시민들이 스스로 문제를 해결하고자 하면 봉기가 시작될 수 있는 곳이었기 때문이다.

그러나 한 지배자나 정권 통제하의 영토 크기 역시 분명한 약점이 될수 있었다. 새로 또는 얼마 전에 편입된 민족들이 봉기하는 데는 많은 시간이 필요하지 않고, 특히 군사적으로 정복된 경우라면 말할 것도 없었다. 변경에 위치한 지역은 멀리 떨어진 중앙의 지배에 의해 잃을 것이 가장 많았고, 과거나 현재의 지배자들이 독자적으로 꾸려갈 수 있다는 전망과 해법을 대안으로 제시함으로써 가장 큰 기회를 잡을 수도 있었다.

오늘날 전 세계의 사람과 장소를 하나로 연결하는 체계를 세계화라고 부른다. 최근 시기에 분명해졌듯이 환경 비용이 상당할 뿐만 아니라, 상품과 농산물을 만들거나 기르고 연료를 추출하고 자원을 가능한 한 최저가에 개발하고 지출 대비 최고 속도로 운송할 수 있게 하는 과정은 긍정적인 측면과 부정적인 측면을 모두 가져온다. 위협과 경쟁, 효율성과 이득이 개재되는 문제에는 승자와 패자가 있다.

그러나 우리가 역시 알게 되었듯이 이렇게 세계화한 세력은 또 다른 보다 특수하고 어려운 문제를 가져온다. 긴밀한 연결이 갑자기 해법의 일부에서 문제의 원인으로 뒤집힌다는 것이다. 상호의존은 취약성이 쉽게 극대화될 수 있음을 의미한다. 그리고 빠르게 확산되고 통제를 벗어난 듯 보일 수 있다.

그 적절한 사례는 서기전 1200년 무렵에 일어나 이집트, 지중해 동부,

서아시아에 동시 위기를 가져온 광범위한 재난이다. 만성적인 식량 부족이 그 하나였다. 이는 적어도 처음에는 그 지역 사람들을 살리기 위해 파라오 메르넵타가 내린 지시에 따라 이집트로부터 배로 곡물을 실어 나름으로써 해소됐음이 알려져 있다.[48] 조속히 식량을 보내달라고 한 히타이트 왕은 애걸했다. "이는 죽느냐 사느냐의 문제입니다."[49]

에마르(지금의 시리아 텔메스케네)에서 나온 한 기록은 짧고도 간단했다. 도움을 청하는 것이었다. 그들은 이렇게 간청했다. "당신들이 빨리 이리로 와주지 않으면 우리는 굶어 죽을 것입니다. 당신의 나라에서 살아 있는 다른 사람의 모습을 볼 수 없을 것입니다."[50] 이 도시국가에서 나온 다른 점토판은 가족들이 너무 절박해서 살아남기 위해 아이들을 팔지 않을 수 없었다고 말한다.[51] 바빌론과 아시리아에서 나온 자료들도 고난의 시기를 묘사한다. 흉년, 식량 부족, 질병 발생을 언급한다. 이윽고 이집트에도 흉년이 닥쳤다. '왕가의 계곡Wādī al-Mulūk' 왕릉에서는 노동자들이 잇달아 파업을 했다. 주로 식량 배급이 불충분하거나 늦어졌기 때문이다.[52] 서기전 1170년 무렵, 식량 부족 사태는 걷잡을 수 없는 물가 상승으로 이어져 곡물 가격이 여덟 배로 치솟았다. 때로는 그보다 더 가파르게 오르기도 했다.[53]

이 무렵은 상당한 혼란의 시기였다. 당시에 "바다 한가운데의 섬들"에서 온 것으로 인식된 집단(아마도 집단들) 때문이었다. 이들은 오늘날 통상 '해민海民; peuples de la mer'으로 불린다. 프랑스 학자 에마뉘엘 드루제Emmanuel de Rougé가 19세기 말에 붙인 이름이다. 여기에는 기독교 성서 〈구약〉에 블레셋인으로 나오는 사람들이 포함돼 있었는데, 남부 유럽에서 서아시아로 이주해온 사람들이었다.[54] 그들은 지중해 동부 여러 지역에 혼란을 가져온 것으로 알려졌다. 우가리트 왕의 말을 전한다는 한 쐐기문자 서판은 이렇게 말한다. "지금 적의 배들이 왔다. 그들은 우리 도시들에 불을 지르고 나라에 해를 끼치고 있다."[55]

이집트도 같은 일을 당했다. 메디네트하부에 있는 파라오 람세스 3세의 사당에 새겨진 글과 이 시기의 파피루스 기록으로 판단하면 그렇다. 람세스의 무덤 벽의 새김글은 이렇게 말한다. "온 사람들이 모두 바다에 있었고, 강렬한 빛이 그들 앞 강어귀에서 빛나고 있었다. 울타리를 이룬 창은 해변에서 그들을 에워싸고 있었다. 그들은 끌려 들어와 포위를 당하고 해변에 엎어졌으며, 살해당해 상하 구분 없이 무더기로 쌓였다. 그들의 배와 신고 온 물건들은 바다에 빠진 듯했다."[56] 해민들은 공동체들을 하나씩 하나씩 파괴해나가며 지상의 모든 땅을 유린했다고 당대의 한 기록은 한탄했다.[57]

이 일들은 비가 적게 내린 힘겨운 시기에 일어났다. 강우량은 이 지역의 여러 대리지표로 확인됐다. 꽃가루 자료, 숯이 된 초목 잔해, 사해와 갈릴리호의 낮은 수면, 나일강의 유출량 감소, 지중해 수면 온도 저하 등이다. 흔히 강수량 감소와 연결되는 것들이다.[58] 그러나 이 변화들 역시 매우 긴 시간에 걸쳐 이루어졌다. 이 모두는 수백 년을 거슬러 올라가는 장기적 추세의 일부였다. 아마도 티라(산토리니) 화산 분출보다도 400년쯤 전이었을 것이며, 그런 거대한 분출이 지역 및 세계 기상 패턴에 변화를 일으키기 전이었을 것이다.[59]

강우량 감소는 삶을 갈수록 더 힘겹게 했을 것이며, 실수의 허용 범위를 더욱 좁히고 더욱 위험하게 했을 것이다. 그러나 다른 요인들은 청동기시대의 종말을 촉진했을 것이다.[60] 예를 들어 사회 지배층 사이의 분열과 분쟁은 대략 이 시기 히타이트 제국 격동의 주요 원인이라고 생각됐다.[61] 또 다른 학자는 셰익스피어의 작품 〈햄릿〉의 클로디어스를 인용했다.

"슬픔이 올 때는 혼자 오지 않고 반드시 떼를 지어 온다." 서기전 1225년에서 1175년까지 50년 사이에 에게해와 지중해 동부의 지질학적 단층선을 따라 '연쇄 지진earthquake storm'이 일어났고, 리히터 척도로 6.5 이상의 파괴적인 지진이 자주 일어났다.[62]

따라서 여러 붕괴의 단일한 주요 원인을 규명하는 것보다 더 중요한 것은 전염의 원리다. 관계망의 한 부분의 문제(흉작 때문이든 지진 피해 때문이든 혈족 사이의 내분 때문이든)는 장애와 혼란, 심지어 관계망 전체의 체계 와해로 급전직하할 수 있다. 교역을 촉진하고 부자와 권력자의 지위를 뒷받침했던 고도의 장거리 교역망 또한 상호의존적이었다. 극도로 응집력 있는 위쪽은 갈수록 사치품 구득이 쉬워졌고, 아래쪽은 극도의 취약성에 빠지기 쉬워졌다.[63]

다시 말해서 관계망이 붕괴하는 데는 시간이 많이 걸리지 않았다. 그렇게 되면 사회 구조, 국가, 제국이 흔들리고 심지어 붕괴할 수 있었다. 이는 여러 지역과 역사의 여러 시기에 두루 찾아볼 수 있었다. 그 한 사례는 수백 년 후 서유럽의 로마 제국 멸망이다. 대단치 않은 압박이 하락의 악순환으로 이어져 역사가들이 자주 이야기하는 '암흑시대'가 되었다. 또 다른 사례는 20세기 말 소련 진영의 붕괴다. 난공불락처럼 보였던 제국이 거의 하룻밤 사이에 해체됐다. 경제학자들 역시 작은 충격이 어떻게 공급사슬의 장애와 붕괴로 이어지는 파문을 일으키는지 보여주는 모형에 흥미를 가졌다. 채찍효과bullwhip effect로 알려진 원리다.[64]

무소불능에 잘 짜인 것처럼 보이는 제국과 관계망이 비교적 작은 압박에 의해 빠르게 흐트러지고 무너질 수 있다. 예를 들어 새로운 상품을 구할 수 있게 되었기 때문이거나, 반대로 자원 결핍으로 인해서다. 기후와 기상은 파멸적 변화의 직접적 원인이라기보다는 흔히 악화시키는 요인이었다. 더구나 단일한 충격이 때로 심각한 영향을 미칠 수 있지만, 더 일반적인 것은 오랜 기간에 걸쳐 일어난 변화가 서서히 사람들의 협력하고자 하는 의지와 능력을 잠식해 주민들의 분산으로 이어진다는 것이다. 단번에 떠나는 것이 아니라 물결을 이루어서 말이다.

그 적절한 사례 가운데 하나가 서기전 1300년 무렵 미시시피강 하류 유역의 파버티포인트Poverty Point 문화의 붕괴다. 이 지역 공동체들(사회적·정치적·민족적으로 다양하고 서로 다른 언어들을 사용한 듯하다)의 중심점은 거대한 흙 둔덕이었다. 대략 300년 전부터 시작해 인상적인 기술로 건설한 동심원의 반원형 등성이가 특징이었다.[65] 제이크타운Jaketown에 대한 층위학 분석은 서기전 1310년 무렵에 이례적인 폭우로 홍수가 발생해 제방을 무너뜨리는 특히 극적인 단일 사건이 일어났음을 보여준다.[66]

그러나 대규모 이주를 촉발한 더 결정적인 요인은 홍수가 수백 년 사이에 자주, 예측할 수 없게 일어났다는 것이다.[67] 묘한 것은 공동체들이 자체의 응집력을 해치고 새로운 곳으로의 분산을 부추긴 지속적인 위협보다 단일한 충격적 경험을 더 잘 견뎌냈다는 것이다. 환경의 문제가 안정화되거나 사라지면 이전에 사람이 살던 곳은 다시 사람이 모여들고 새로운 용도로 쓰였다. 미시시피강 하류 유역에서도 초기 우드랜드Woodland 시기 사람들이 과거에 그랬던 것처럼 다시 양호해진 곳에 정착지를 새로 만들었다.[68]

흉년으로 인한 힘겨운 시기를 지배 정권이 헤쳐 나가기가 쉽지 않았다는 것은 분명하다. 정상적인 상황이라면 이것은 경쟁자들에게 활용되기 쉬운 기회를 제공했을 것이기 때문이다. 따라서 지배자들이 선택한 방법은 그런 경쟁자들이 존재하지 못하게 만드는 것이었고, 만약에 존재한다면 그들을 통제하에 두거나 잘 관리해야 했다.

만약 그러지 못한다면 결과는 치명적일 수 있었다. 서기전 1046년 중국의 중부 및 북부 지방에서 상 왕조가 서주西周에 정복당한 경우가 그랬다. 후대의 기록은 상의 마지막 황제 제신帝辛의 몰락을 그의 개인적 문제 탓으로 돌렸다. 그가 게으르고 잔인하고 사치를 즐겼다는 것이다. 주로 군주들이 귀감으로 삼게 하고 당대에 울림이 있는 경고를 주기 위한 것이었다.[69] 그러나 문제는 분명했다. 사소한 잘못이 전체를 망칠 수 있었다.

상나라의 멸망이 중국 역사의 새로운 장을 여는 것이긴 했지만, 그것은 사실상 새로운 전략과 문화 활동을 도입하고 추가하고 거기에 적응한 관리 변화인 셈이었다. 그러나 더 서쪽에서는 상황이 좀 더 조용했다. 교역망이 회복되는 데는 시간이 필요했다. 이집트 같은 일부 지역에서는 다른 지역보다 나았다. 그들은 외부로부터의 수입에 덜 의존했거나, 더 잘 조직화됐거나, 또는 그저 압박 아래서 더 회복력이 있음이 입증됐기 (또는 필시 그 셋 모두가 함께 어우러졌기) 때문이다.

다른 수혜자들도 있었다. 몇몇 지역은 유리한 곳에 위치해 온전히 살아남고 결국 연결(그리고 경쟁)이라는 새로운 작품을 만들어냈다. 고대 그리스 세계의 근간이 된 미케네, 아테네, 스파르타 같은 에게해 왕국 및 도시국가들의 등장이 그런 사례다. 여러 도시와 국가들이 함께 등장했다가 사라지면서 교역과 경쟁을 통해 서로를 고무하고 자극했다. 성공으로도, 실패로도 귀결될 수 있는 상호의존을 형성했다.

서기전 1200년 무렵은 또한 태평양의 오세아니아에서도 이주, 식민화, 변화의 시기였다. 많은 양의 조개류와 대형 거북, 육지 악어, 새의 뼈는 라피타Lapita 문화의 이주를 입증한다. 먼저 바누아투, 누벨칼레도니, 피지로, 그리고 나중에 통가와 이어 사모아로 확산됐다.[70] 이 이동은 풍향의 변화와 역전에 따른 반응이었다고 주장돼왔다. 서쪽에서 동쪽으로 항해하기가 더 쉬워지고 더 빨라진 것이다. 그것은 바다에서 보내는 시간이 줄어든다는 얘기이고, 또한 음식과 물이 덜 필요하다는 얘기였다.[71]

그렇다면 3천 년 전(그보다 더 이를지도 모른다) 상호의존에 의해 야기된 인구 과잉, 취약성, 위험성의 위협에 관한 문제가 이미 사상가, 사제, 관리, 지배자에게 우려의 대상이 되었음은 놀라운 일이다. 갑자기 나타나 재난을 예고하는 미증유의 문제에 대한 자각은 물론이고 예리한 관심이 이미 있었다. 이런 문제들을 어떻게 찾아내고 예측하고 처리할지를 알아내는 것이 수천 년 전에 살았던 사람들의 근본적인 관심사가 되었다. 세계를 어떻게 개념화할 것인가 하는 문제의 핵심은 신과 (그리고 자연과) 인간의 관계를 어떻게 이해할 것인가였다. 문제를 예측하고, 그것을 처리할 준비를 하며, 더 바람직하게는 그것이 애당초 나타나지 않게 예방하기 위해서였다.

# 7장　자연과 신에 대한 관심
## 서기전 1700년 무렵부터 서기전 300년 무렵까지

야훼는 나의 목자, 아쉬울 것 없어라. 푸른 풀밭에 누워 놀게 하시고 (…)
— 〈시편〉 23편

환경 악화, 자원 과소비, 지속 불가능한 인구 유지 부담의 위험은 수천
년 전에 살았던 사람들도 인식하고 있었다. 예를 들어 〈아트라하시스 서
사시〉(가장 이른 점토판인 고古바빌로니아 시대의 것은 서기전 1700년 무렵까지
거슬러 올라간다)는 생태 경계를 그 한계 너머로 밀고 나아가는 데서 오는
취약성을 잘 알고 있었음을 드러낸다. 신들은 자기네가 해야 할 일이 너
무 많다는 것을 깨닫고 인간을 창조했다고 이 문서의 화자는 말한다. 이
에 따라 "수명이 제한된 인간"이 만들어지고 그에게는 "신들의 짐을 져
야" 한다는 구체적인 명령이 주어졌다.[1] 문제는 신들이 자연적인 수명의
길이를 생각하지 않았다는 것이다. 그 결과로 곧 인구 과잉이 나타났다.
오래지 않아 사람의 수가 "너무 많아졌고", "나라는 황소가 울부짖는 것
처럼 시끄러워졌다."[2]

　이것이 엔릴 신을 짜증나게 했다. 그는 "그들이 내는 소음을 들어야"
했고, 곧 "시끄러워서 잠을 못 자겠다"고 불평했다. 불평이 지속되자 신들

은 그 문제를 직접 처리하기로 하고 사람들 대다수를 없애버리기로 결정했다. 어느 정도 평화와 정숙을 이루기 위해서였다. 이에 따라 그들은 극심한 가뭄을 내려보냈고 그것이 기근을 초래했다. 그 밖에도 과도한 소음과 과도한 사람 수에 대한 다른 '해법'들도 있었다. 일반 질병과 전염병 같은 것들이었다.[3]

가장 극적인 시도는 대홍수였다. 고고학 증거로 입증됐고, 아마도 후대의 이집트 기록의 바탕이 되고 기독교 성서에도 나오는 사건이었다.[4] 여러 가지로 변형된 홍수 이야기들은 그것을 신의 벌로 묘사하고 있을 뿐만 아니라 인구 감소 및 인구 조절이라는 주제도 담고 있다. 〈아트라하시스 서사시〉의 경우는 이 주제가 구체적이고 분명하다. 지구에는 사람이 너무 많이 살고 있었고, 따라서 그 수를 줄이고 같은 일이 다시 일어나지 않도록 하는 조치가 필요했다.

어머니 여신 닌투Nintu는 홍수와 그 많은 사람들의 죽음에 특히 황당해했다고 이 기록은 말한다. 자신의 호의를 얻고자 하는 사람들로부터 받는 맥주를 매우 즐겼는데, 그 정기 봉헌이 끊어졌기 때문이다.

그러나 아트라하시스와 그의 방주가 살아남았음을 알게 된 신들은 인구 과잉을 해결하기 위한 새로운 방안을 내놓았다. 그들은 인간에 대한 설계를 수정해서 전에 없던 신형 인간을 만들어냈다. 지난번처럼 아이를 많이 낳지 않는 인간이었다. 그들의 계획 가운데는 아이를 낳을 수 없는 여성을 만들고 유산율을 높이며 처녀를 신에게 봉헌해 신들에게 봉사하게 하는 일 등이 포함돼 있었다. 모든 수정은 재생산율을 낮추고 인구를 줄이고 지속 가능하게 하고 좀 더 조용하게 만들려는 것이었다.[5]

홍수 이야기는 극적인 것이었지만, 인구 과잉과 취약성의 연결은 강력한 것이었다. 자원 고갈, 환경 악화, 물리적 세계에 대한 인간의 개입이 미치는 해로운 영향에 대한 우려라는 더 큰 그림 안에서 적합한 것이었다. 그런 우려는 근거가 확실했다. 농작물 생산 감소가 오래 이어져(비가 적게 내려서였든, 땅의 과다 이용으로 인한 지력 감퇴의 결과였든) 심각한 문제를 제기했기 때문이다. 특히 메소포타미아 남부 같은 생태적으로 민감한 지역에서는 더 심했다.

문제의 성격과 규모는 곡물 수확량에 관한 한 연구에서 분명해진다. 그것은 땅에 더 많은 부하가 걸리면서 수확량이 급격하고도 지속적으로 감소했음을 보여준다. 서기전 제3천년기의 상당 기간에 좋은 농경지는 1년에 헥타르당 2000리터가량을 생산했다. 나람신의 치세 무렵인 서기전 2200년 무렵에는 수확량이 그 절반을 약간 넘는 정도로 줄었다. 그 이후의 시기에는 상황이 더 나빠졌다. 아카드 제국은 새로 들어선 몇 개의 국가들로 대체됐다. 그중 가장 성공적인 나라가 우르 제3왕조였다. 서기전 1700년 무렵 수확량은 1년에 헥타르당 700리터가량으로 떨어졌다. 헥타르당 400리터 이하인 곳도 많았다.[6] 땅은 과다 이용으로 인해 수백 년 전에 비해 그 20퍼센트밖에 생산하지 못했다는 얘기였다.

일부 학자들은 수확량 감소가 인구 증가뿐만 아니라 중앙 관료들이 탐욕을 부린 직접적인 결과라고 본다. 그들의 필요와 야망에 따른 요구 때문에 농민들이 땅을 생태학적 한계치까지 과다 이용하게 되었다는 것이다. 특히 문제는 과도한 관개로 인해 일어났다. 그것이 땅의 염분을 증가시켜 망가뜨렸다. 단기적인 이득을 얻으려 했다가 지속 불가능할 뿐만 아니라 땅을 손상시키는 결과를 가져왔다. 국가의 내부 붕괴와 교역망의 파괴 사례에서 봤듯이 복잡성이 증가하면 수익률이 줄어들 뿐만 아니라 취약성이 증대한다. 다시 말해서 성공이 성공을 낳기는커녕 국가가 확대되고 경작하는 땅이 크게 늘면서, 끝나지 않을 성공처럼 보였던 것이 무

심코 파멸의 씨앗을 뿌린 셈이 되었다.[7]

자연의 과다 이용으로 인한 위험을 자각하고 있었음은 자료에서도 상당한 증거로 남아 있다. 예를 들어 〈길가메시 서사시〉의 작가는 가뭄이 삼림 파괴 이후에 왔다고 지적한다.[8] 아마도 가장 놀라운 것은 길가메시가 숲의 신 훔바바를 죽이는 순간일 것이다. 그의 죽음은 메소포타미아의 삼림 파괴와 이에 따른 인간의 자연계 침해 및 자연계에 대한 존중심부족의 은유다.[9] 자연환경과 생태계 평형의 섬세함에 대한 민감성은 또한 동식물의 의인화에도 함축돼 있다. 동식물에 말하는 능력과 느끼는 능력을 부여한 것이다. 나중에 길가메시의 친구이자 동반자인 엔키두가 복수심에 불타는 신들에 의해 죽자 나무, 강, 야생 동물이 슬픔에 싸여 눈물을 흘렸다.[10]

길가메시의 공훈은 신들에 의해 초래된 자연재해에 맞서 싸운 투쟁에 대한 은유다. 주인공 길가메시는 우루크 사람들로부터 존경을 받았다고 한다. 홍수로 파괴된 성지를 재건함으로써 질서를 회복했기 때문이다. 그의 책무는 하늘에서 내려보낸 파멸적인 가뭄에 맞서 싸우는 것이었다. 가뭄은 "숲과 갈대밭과 습지를 말려버리고" 강의 수위를 3.5미터가량이나 낮추었다.[11]

다시 말해서 인간은 자연을 상대로, 그리고 인간성 자체에 도전하고 그것을 위축시키며 심지어 파괴하려는 적대적인 세력을 상대로 사투를 벌이고 있었다. 〈아누와 엔릴의 날에Enuma Anu Enlil〉 같은 메소포타미아의 여타 문헌에는 하늘 및 대기의 징후에 관한 언급이 많이 나온다. 기상 조건을 알고 심지어 거기에 영향을 주려고 노력하는 데 비상한 관심을 가지고 있었던 것이다.[12]

청동기시대 붕괴 이후 시기의 신新아시리아 제국의 등장은 특히 북부 메소포타미아의 환경적·사회경제적·정치적 지형에 중차대한 변화를 가져왔다. 중심 도시들은 깜짝 놀랄 정도의 규모로 성장하기 시작했으며, 두르샤루킨 같은 일부 새로운 도시가 들어서고 기존 도시는 극적으로 확대됐다. 예를 들어 니네베는 센나케리브(재위 서기전 705~681) 치세에 750헥타르로 확대됐다.[13]

이에 따라 땅에 대해, 그리고 땅과의 관계에 대해 새로운 생각을 하게 되었다. 한 가지 변화는 관개 체계에 대한 대규모 투자의 도입이었다. 수로망이 건설돼 산의 눈 녹은 물과 강물을 필요한 곳에 흘려보냄으로써 물리적 환경과 자연환경을 완전히 바꿔놓았다. 물이 필요한 곳은 수는 적지만 규모는 큰 (따라서 식량과 물 부족 모두에 취약한) 대도시들과 이 도시들을 둘러싸고 있는 들판이었다.[14] 그 혜택을 입은 것은 아시리아 지배자들의 본거지가 된 역대 제국 수도뿐만이 아니었다. 인구 밀도가 낮았던 시골 지역들도 혜택을 입었다.[15]

이런 개입은 아시리아 왕들의 권력을 강조하는 상황을 이데올로기적으로 변화시키는 데서 중요한 부분이었다. 왕들은 강을 다스리고 그 물길을 돌리며 새 땅을 경작 가능하게 하고 모든 사람을 위해 충분한 식량을 확보할 수 있었다. 따라서 당연하게도 이런 성과들은 왕과 그가 감독한 작업들을 칭송하는, 으스대는 새김글의 대상이 되었다.

한 새김글은 "대왕이자 강한 왕이자 세계의 왕인 (나) 센나케리브"가 황무지였던 들판을 풍성한 과일이 열리는 곳으로 바꿔놓았다고 적었다. 사람들은 비를 바라며 하늘을 쳐다보곤 했는데, 그는 우물을 파고 관개 수로를 건설하며 용수 공급을 조절하기 위해 갑문과 제방을 건설했다. 이런 작업들은 매우 영광스럽고 효율적이어서 "겸손함을 드러내는 나의 조각상을 만들어" 수로 입구에 세웠다고 이 글은 덧붙였다. 이 새김글은 그것을 쓴 왕의 간청으로 마무리되었다. 그의 자손 가운데 누구라도 장래에 이 시설들을 허물거나 보수하지 않는다면 "위대한 신들께서 그의 왕조를 전복시켜주시기를" 빌었다.[16]

자연에 대한 지배는 오늘날 위성사진으로 확인할 수 있는 크고 작은 길과 중간 기착지 등의 건설로 보충됐다. 이 모든 것은 왕에 의해, 그리고 아시리아의 팽창 전쟁 때 포로로 잡힌 사람들에 의해 보수됐다.[17] 아마도 150만 명이나 되는 사람들이 서기전 800년 이후 200년 동안 당국에 의해 강제로 이주해와서, 지역의 반란 위험을 줄이고 제국의 자원을 체계적으로 개발하며 생태적 한계 안에서 살도록 내몰렸던 듯하다.[18]

이주하는 사람들은 편안하게 이동했다. 티글라트필레세르 3세(재위 서기전 745~727) 앞으로 보내진 듯한 편지들은 이 왕이 추방자들에게 "식량, 삼베 천, 가죽 가방, 신발, 기름"을 주도록 명령했다고 적었다. 왕의 당나귀가 있으면 그것도 제공하고 당나귀가 끌 수레도 제공하라고 했다고 이 글은 적었다. 아시리아 왕가 그림은 남자, 여자, 아이들이 흔히 동물이나 수레를 타고 길을 가는 모습을 보여준다. 그리고 결코 정체되는 모습은 보이지 않는다.[19] 왕들은 이주하거나 추방된 자들을 처리하는 문제에서 곧잘 정원사에 비유됐다. 귀한 나무들을 뽑았다가 그것들이 잘 자랄 수 있는 최고의 환경에 다시 심는 정원사였다.[20]

앞에서 보았듯이(그리고 다시 보게 될 것이다) 공업화 이전 사회에서 땅의 이용은 인간 노동력에 달려 있었다. 따라서 영토 확장의 핵심 동력은 위신 획득이나 좋은 땅의 취득뿐만 아니고 인력 확대에도 있었다. 이것들을 언제나 무력으로 이룬 것은 아니었다. 서기전 701년 아시리아 군대가 예루살렘을 포위했을 때에는 센나케리브 왕을 대신해 사절이 파견됐다. 주민들에게 이런 호소를 하기 위해서였다. "평화를 이루고 내게로 나아오라!" 그들이 그렇게 한다면 그들은 자기네의 것과 똑같은 나라로 안내될 것이라고 그들에게 말했다. "곡식과 포도주가 있는 곳, 빵과 포도원이 있는 곳, 올리브나무와 꿀이 있는 곳"이다. 그곳에서 그들을 보살피고 소중히 여기겠다는 것이었다.[21]

왕권의 행사 대신 자연을 통제하는 것은 다른 분야로도 확대됐다. 대표적으로 왕이 야생의 위험한 짐승을 사냥하는 형태다. 그것은 그가 동물의 세계를 지배하고 있음을 나타내며, 그의 신민들에게 위협으로부터의 방어막을 제공한다는 은유적 보호의 표현이다. 아슈르바니팔 대왕(재위 서기전 669~631)이 맨손으로 사자와 싸우고 있는 모습을 보여주는 돋을새김은 이 지배자의 초인적 용감성과 능력을 보여주어 그를 보통 사람과는 다른 위치에 올려놓음으로써 그의 권위를 확인하려는 의도를 지닌 것이었다.[22]

큰 잔치를 주관하는 것은 왕이 자신의 부를 과시하는 또 하나의 방법이었다. 말 그대로, 그리고 자신이 마음대로 할 수 있는 음식의 종류와 양으로도 말이다. 1951년 칼후(오늘날 님루드로 알려져 있으며 모술 부근이다)에서 발견된 한 비석은 이를 완벽하게 보여주는 떠들썩한 사건을 기록하고 있다. 비문에는 왕인 아슈르나시르팔 2세가 열흘 동안 잔치를 열어 6만 9574명의 손님을 대접했다고 적혀 있다. "보리를 사료로 먹은 황소 1천 마리, 송아지 1천 마리, (…) 보통의 양 1만 4천 마리, (…) 새끼 양 1천 마리, 사슴 500마리, 영양 500마리, 큰 새 1천 마리, 거위 500마리, 닭 500마리, 수키suki 새 1천 마리, 물고기 1만 마리, 메뚜기 1만 마리"를 내놓았다. 그리고 1만 개의 토기 맥주잔과 포도주를 가득 채운 같은 수의 염소가죽 부대가 있었다.[23]

수도 안에 비자생적 생태계(인공 습지와 옮겨온 초목 등의 요소가 포함된)

를 조성하는 것도 마찬가지로 자연계에 대한 지배를 과시하려는 의도였다.[24] 가장 적절한 사례는 아마도 현대의 모술 부근 니네베에 센나케리브가 조성한 놀라운 정원일 것이다. 그것은 고대 세계의 경이 가운데 하나였다. 이것이 후대의 조작과 오해와 혼동 때문에 완전히 다른 도시와 연결돼 '바빌론의 공중정원'으로 알려지게 된 듯하다.[25]

수백 년(사실은 수천 년일지도 모른다)에 걸쳐 서아시아에서 일어난 수많은 변화들에도 불구하고, 예컨대 농업이나 건축이나 정치 구조나 경제 등에서 연속성도 있었다. 제국은 건설됐다가 멸망했다. 지역들은 멀거나 가까운 다른 지역과 때로는 더 긴밀하게, 때로는 덜 긴밀하게 연결됐다. 심지어 언어도 나타났다가 사라졌다. 아시리아 쐐기문자와 언어는 대체로 서기전 612년 니네베 포위 이후 이를 대신해 등장했던 강력한 바빌로니아 국가의 손에 의해 대체로 사라졌다. 그 후 바빌로니아 역시 밀려났는데, 이번에는 페르시아의 아케메네스 왕조가 대체자였다.[26]

그런 연속성 가운데 하나가 우주론에 있다. 각 사회는 개별 신에 대한 숭배, 그들의 호의를 얻기 위한 구체적인 방법, 조언과 경고를 해석하는 방법에서 차이를 보였다. 그러나 세계를 이해하고 해석하고 개입하려고 (특히 기후 및 그 변덕과 관련해서) 노력하는 데서는 접근법이 매우 비슷했다.

천문 일지는 지식을 정리하기 위해, 그리고 이상 현상을 식별한 뒤 그것을 이해하려는 틀을 만들기 위해 천문 현상을 기록했다.[27] 해석하는 일은 메소포타미아 세계의 선지자와 사제들이 담당했다. 그들은 사람들이 신들의 변덕과 의지를 이해하도록 돕기 위해 징후와 조짐을 설명할 책임이 자신들에게 있다고 주장했다.

신들의 호의를 얻고 대화 통로를 부드럽게 유지하기 위해 동물이 희생으로 바쳐졌다. 때로는 양을 도살할 때 양을 향해 질문을 속삭여 전갈이 신들에게 빠르고 직접적으로 전달될 수 있게 했다.[28] 동물에게 선천적 결함(예컨대 방광이 없다는 따위)이 있으면 그것은 "강의 범람이 사라지고 하늘의 비는 드물 것"이라는 암시였다.[29]

이런 조짐들 모두가 기상 및 기후와 연결된 것은 아니었다. 적의 군사가 집결해 전열을 갖추고 행군해와서 우리와 싸울까? 청동기시대 붕괴의 잿더미에서 일어난 한 강력한 신아시리아 제국의 지배자는 물었다. 아니다. 대답은 그랬다. 젊은이가 간질에서 회복될 것 같은가? 또 다른 질문이었다. 그렇다. 그에 대한 대답이었다. 그러나 때로 물건 값이 오른다거나 물건이 부족해진다는 경고도 있었다. 예를 들어 달무리가 진 듯하면 곡물 공급이 줄어들 것이다. 화성이 이상 현상을 보이면 보리 가격이 비싸진다.

갖가지 조짐이 수확과, 강우와, 기근과, 농작물을 망칠 수 있는 메뚜기 창궐과 관련이 있었다. 따라서 예측은 지배자에게 경고를 줄 수 있었다. 그가 조심하고 대비해야 한다는 의미였다.[30] 당연히 이는 선지자들에 의한 교과서적인 미래 계획이었다. 그들은 언제나 말할 수 있었다. 재앙이 닥치면 그들의 경고에 주의를 기울이지 않은 것이고, 재앙이 닥치지 않으면 주의를 기울인 것이라고.

이는 중국의 상 왕조에서 자연계를 해석한 사람들에게도 비슷했다. 상나라에서는 지배층의 권력이 현실을 통제하고 설명하는 능력, 복잡한 여러 신들과 교감하는 능력과 밀접하게 연계돼 있었다. 그 신들에는 최고신인 제帝와, 강·산·태양 같은 자연계의 힘, 그리고 신화적이거나 반半신화적인 존재와 조상들이 포함됐다. 점을 치는 데는 주로 소의 어깨뼈를 사용했고, 거북의 등딱지도 점치는 도구로 사용됐다. 왕이나 정인貞人이

뜨거운 막대기로 지져 열에 의한 균열을 여럿 만든 뒤 그에 따라 '대답'을 해석했다. 한 사례는 이렇게 돼 있다. "상서롭다. 풍년이 들 것이다."[31]

초자연계와의 관계는 상나라 지배자가 담당했다. 그는 의례와 의식에서 주술사의 역할을 맡았고, 신과는 물론이고 왕실 조상과의 사이에서 매개자 노릇을 했다.[32] 이 일에는 강우나 풍년이나 기타 온화한 기후 조건을 얻어내기 위해 적절한 선물이 공물로 바쳐져야 했다. 적대적이거나 해로운 귀신들을 달래기 위해서도 마찬가지였다. 봉헌물은 양적으로 많을 수도 있었다. 한 지배자가 한 번에 "술 100잔, 강족光族 포로 100명, 소 300마리, 양 300마리, 돼지 300마리"를 바쳤다고 기록한 갑골이 있으니 이는 분명하다.[33]

포로를 바치는 인간 희생은 통상 열 명 단위로 이루어졌지만 때로는 수백 명에 이르기도 했다. 그들은 목이 잘리고 사지가 잘려 왕의 하인 및 친척과 함께 그 무덤에 묻혔다. 이런 식의 매장은 왕의 독특한 정치적·사회적·문화적·영적 위치를 강조하는 동력을 만들어내는 데 중요한 부분이었다.[34]

메소포타미아 문화에서와 마찬가지로 광범위한 주제의 질문이 있었다. 병에 걸린 사람이 나을 것인지, 이웃 민족과의 갈등의 결과는 어떻게 될 것인지, 자손의 성별은 어느 쪽일지, 왕의 건강 상태는 어떠할지 등. 갖가지 질문들이 기상, 특히 비와 관련이 있었다. 이런 일들은 일차적으로 제帝가 책임을 맡고 있었다. 제는 인간에게 재앙을 '내려보낼' 능력이 있기 때문에, 그리고 바람을 통제하고 비가 내리게 명령하며 천둥을 치게 할 수 있기 때문에 두려운 존재였다.[35] 한 갑골에는 이렇게 쓰여 있다. "오늘부터 제께서 비를 내리게 할 것이다." 또 다른 갑골은 왕이 사냥을 나가는 날에 대해 이렇게 말한다. "왕은 아무런 재난을 입지 않을 것이고, 비도 오지 않을 것이다."[36]

재난을 피하고 충분한 비를 갈구하고 풍작을 기원하는 데 대한 상나라 지배자들의 관심은 주周 왕조에서도 이어졌다. 그들은 서기전 1046년에 권력을 잡았고, 땅과 그 산물에 대한 왕실의 은혜를 과시하는 새로운 (어쩌면 이미 있던) 의례들을 치렀다. 농사철이 시작될 때 성스러운 땅에서 쟁기질을 하는 것이 그중 하나였다.[37] 한 고전 시가는 이렇게 경고했다. "맡은 일에 집중하라. (…) 가래와 괭이를 준비하라." 일을 할 때 왕이 "직접 너를 살피러" 오기 때문이다. 왕이 개입하고 하늘이 도우니 풍성한 추수를 기약할 수 있었다.[38]

자연계의 좋은 결과에 대한 책임을 떠맡는 것은 하늘과 땅 사이의 매개자임을 강력히 주장하는 것이었다. 주나라 지배자들이 우주론의 카드 한 벌을 섞어 새로운 천天 개념을 소개하면서 열심히 강조한 것이었다. 천은 대체로 하늘 또는 자연에 해당하는 것으로, 최고신과 우주의 도덕적 힘(그것이 세계를 지배하고 인간들의 문제에 관심을 가지고 있었다)을 섞어놓은 일반화된 개념이었다.

그렇게 한 이유 가운데 하나는 그들의 지배의 정당성을 주장하기 위한 정치적 선전의 필요성이었을 것이다. 그들은 상나라에 충성하는 사람들을 진압해야 했다. 그 도전은 주나라의 권력 장악 직후 일어난 대규모 반란으로 분명해졌듯이 상당한 수준이었다.[39]

이 새로운 모형에서 중요한 것은 상호 간의 끈을 유지하는 지배자의 역할을 더욱 강조했다는 점이었다. 거기서 권위는 하늘로부터 주어지고 왕에 의해 유지된다. 〈시경詩經〉은 이렇게 말한다. "주나라는 오래된 나라이지만 천명을 받은 지는 얼마 되지 않았다." 시의 저자는 상나라가 하늘의 뜻을 지키는 책무를 알지도 못하고 충족시키지도 못해 멸망했다고 말한다. 다행스럽게도 주나라가 처음에 그 창건자 문왕文王의 지도 아래 모든 사람을 보호하기 위해 나타났다. 그것이 쉽지는 않겠지만 문왕과 그 후계자들은 '천명天命'을 따르고 그럼으로써 모든 사람에게 평화, 번영, 화합을 가져다주게 된다.[40]

따라서 힘겨운 시기에는 세심하게 관심을 기울여야 했다. 비가 내리지 않는 것은 특히 우려스러웠다. 유명한 〈시경〉의 시 〈은하수雲漢〉는 서기전 800년 무렵 가뭄을 겪는 선왕宣王의 고뇌를 이야기한다.

가뭄이 너무 심해 열기가 혹혹 오르네
천지와 조상에 끊임없이 제사 지내고
위아래 제물 올리고 묻으며 섬기지 않은 귀신 없건만
(…)


가뭄이 너무 심해 물리칠 수가 없구나
두렵고 불안하니 천둥 울리고 벼락 치는 듯
주나라의 남은 백성 그마저도 없어질 듯
(…)[41]


지배자는 자신이 적절한 제물을 바치고 올바른 의례를 따랐음을 확실히 하기 위해 노심초사했다. 가뭄이 자신의 잘못이 아닐뿐더러 자신은 곤란한 상황을 호전시키기 위해 할 수 있는 모든 일을 다 했고 계속 하고 있음을 보여주기 위해서였다.

비가 너무 많이 와도 문제가 될 수 있었다. 서주 왕조 때인 거의 3천 년 전에 쓰인 또 다른 시는 말한다. 하늘이 "화가 쌓인" 뒤 "비를 내려보내"

기근이 만연하고 사람들이 고향을 떠나 "유리걸식하게" 만들었다.[42] 그런 일들은 금세 지배자들의 권위를 손상시킬 수 있었다. 식량 생산에 대한 압박이 사회 안정을 위협할 수 있는 현실적인 문제 때문이기도 했고, 신, 귀신, 성스러운 존재와의 원만한 관계를 맡은 사람들의 역량, 효율성, 적절성에 대한 의문 때문이기도 했다.

이것이 자연 현상을 이해하고 기록하기 위한 노력을 기울이게 된 이유 가운데 하나였다. 중국 초기 사료에 나오는 유명한 황제 요堯는 "천문 담당관에게 일출과 일몰, 항성과 행성을 관찰하고 366일의 태양태음력을 만들며 윤달을 계산"하도록 명령했다고 한다.[43] 기상 관측과 일식이나 월식 같은 천문 현상은 메소포타미아에서 천문 일지 형태로 열심히 기록됐다. 적어도 서기전 7세기 중반(어쩌면 그 이전)까지 거슬러 올라간다. 이례적인 천문 및 환경의 사건들을 예측하고 설명하는 데 도움을 주기 위해서였다.[44]

앞으로 무슨 일이 일어날지 안내해주는 조짐을 해석하기 위한 노력도 행해졌다. 별들과 태양의 위치의 조합에 근거한 예측을 "도시들이 서로 다투기 시작할 것이고 도시 성벽이 무너지며 사람들이 이산"하리라는 경고로 받아들이는 것이다.[45] 어떤 사람들은 위험을 분산시켰다. 아슈르바니팔 왕 휘하의 점성술사였던 아쿨라누Akkullanu 같은 사람들이다. 그는 서기전 7세기 중반 왕에게 "올해 비가 적게 내리고 수확이 없을 것"이라고 썼다. 그는 이렇게 주장했다. 사실 "이것은 왕 전하의 삶과 행복에 좋은 조짐입니다." 더구나 이것은 기회의 조짐이었다. 왕께서 "적국을 향해 떠나신다면 어디를 가든 정복할 수 있고, 전하의 시대가 오래갈 것입니다."[46]

이는 현란한 솜씨로 흉작에 대한 비난을 피하려 한 경우였지만, 다른 사람들은 일을 운에 맡기지 않기 위해 좀 더 조심스럽게 굴었다. 이집트의 한 파라오는 이렇게 자랑했다. "나는 나일강 물을 고지대에 있는 너희들의 경작지로 끌어왔다. 이전에 물이 들어가지 않던 땅뙈기에도 물을 댔다."[47] 관개수로 같은 기반시설 투자의 혜택은 일반 서민에게 돌아갔지만, 그 공로는 지배자들의 차지였다.

온화한 날씨, 신의 은총, 좋은 지도자에 대한 보상은 세계의 여러 지역에서 뿌리가 깊은 것이었다. 예를 들어 서기전 8세기의 그리스 작가 헤시오도스는 사람들이 "정의를 정직하고 공평하게" 받아들이고 법을 준수하면 "그들의 도시는 번성하고 그 백성들은 번영할 것"이라고 주장했다. 특히 "기근과 우매함은 의인을 비켜갈 것"이라고 말했다. "의인은 잘 돌아가는 들판에서 나는 것을 누린다. 그들에게 땅은 풍요하다." 헤시오도스는 단지 도덕적 자질을 권장하는 데 그치지 않았다. 그는 근면의 이점을 극찬했다. "부지런히 힘쓰면 사람들은 번영을 누리고, 사람들을 부자로 만들어준다. (…) 근면한 자는 영원한 존재의 사랑을 받게 된다." 반면에 악행을 저지르는 자들은 그 개개인이 벌을 받을 뿐만 아니라 "때로 온 도시가 그 대가를 치른다."[48]

자연 질서와 힘의 통합은 3천 년 동안 중국의 정치철학 및 종교철학, 특히 제국의 정치 이념에서 근본적인 자리를 차지하게 된다. 그것은 사실상 황제의 역할을 좋은 결과에 합쳐놓았다. 환경 문제든 다른 것이든 말이다. 천명을 정당화하기 위해 지배자는 잘 통치해야 했다. 이런 상황은 상반된 결과를 낳았다. 공이 있으면 풍요, 번영, 평화의 시기로 받아들여질 수 있었다. 그러나 마찬가지로 불균형은 하늘의 질서가 교란됐다는 신호로 해석될 수 있었고, 따라서 처벌과 고난이 정당화됐다.

물론 약삭빠른 지도자들은 이를 기회주의적으로 활용할 수 있었다.

엄중한 상황을 빌미로 다른 사람들을 비난하고 경쟁자들(실재하든 상상에 그치든)을 제거하는 것이다. 그럼에도 불구하고 균형에 대한 관념은(그리고 질서 유지의 필요성은) 매우 중요하고 영향력이 컸으며, 국가, 지배자, 각 개인에게 적용될 수 있었다.

이를 위한 최선의 방안이 무엇인가에 대해 많은 사람들이 제안을 내놓았다. 사실 너무 많아서 서기전 6세기 이후의 시기(중국 동주東周에서 도시와 그 주민의 수가 급증한 시기였다)는 제자백가諸子百家의 시대로 알려지게 되었다.[49]

이 시기의 유명한 인물 가운데 한 명이 공구孔丘(존칭인 공자孔子로 더 친숙하다)다. 그는 사람들이 도덕적 삶을 추구하고 효와 의례의 존중 및 남에 대한 헌신을 보여주어야 한다고 조언했다. 전체 사회가 하늘의 질서를 본받아야 하는 것과 마찬가지로 지배자는 그것을 지켜야 하고 모든 사람은 안정과 조화를 지키는 방식으로 살아야 했다.[50]

노자老子('나이 든 선생')와 장자莊子 같은 사람들은 이에 대응해 미덕을 알고 실천한다고 주장하는 사람들의 허식을 공격했다. 실제로 우주를 지배하는 것은 도道('길')라는 개념을 바탕으로 한 추상적인 이론이라고 그들은 주장했다. 도란 존재를 조화의 상태로 통합한 힘이었다. "사람은 땅을 본받고, 땅은 하늘을 본받고, 하늘은 도를 본받고, 도는 자연을 본받는다."[51] 고결해지는 것은 인정이 있는 것 이상을 필요로 했다. 그것은 사치스러운 생활을 버리고 전쟁을 포기하며 단순하고 천진한 삶을 살 것을 요구했다. 가장 좋은 세 가지인 '삼보三寶'는 사랑(慈), 검소(儉), "남들보다 앞서려 하지 않는 마음(不敢爲天下先)"이었다.[52]

묵자墨子는 이것이 모두 매우 그럴듯하지만 권력의 자리에 있는 사람이 모범을 보여야 한다고 주장했다. "국가가 잘 다스려지면 법과 형벌이

바르게 된다." 도덕관념이 희박한 사람을 솎아내야 하며, "자신의 친족에 대해 특별한 고려"를 하지 말아야 하며, "유명하고 부유한 사람을 역성들거나 잘생기고 매력적인 사람을 편애하지 말아야" 한다. 체계를 제공하고 유지하는 것이 지배자의 의무였다. 다시 말해서 균형은 저절로 생기는 것이 아니었다.[53]

그런 토론과 논쟁은 인도에서도 전혀 다르지 않았다. 베다 시대 아리아인들의 초기 찬가는 하늘과 땅 및 르타ṛta(고정된 질서)의 관념을 분명하게 제시했으며, 르타를 지배하는 보편 법칙이 수호신 바루나에 의해 유지된다는 것을 설명했다. 초기 인도 문학은 슈루티śruti(나중에 글로 정리된 격언들이다)라는 형태를 띠며, 그것은 리시ṛṣi(현인)만이 이해할 수 있다. 리시는 명상과 계시라는 과정을 통해 필요한 기술을 습득했다. 그런 문헌들에는 베다와 〈바가바드기타〉(서사시 〈마하바라타〉의 일부로 보존된 700행의 운문 문헌이다) 같은 것들이 있다.[54]

네 개의 베다(〈리그베다〉, 〈사마베다〉, 〈야주르베다〉, 〈아타르바베다〉)를 구성하는 찬가 모음은 보통 서기전 1500년에서 서기전 1000년 사이에 집성된 것으로 여겨진다. 지상과 천상의 관계를 탐구하고 하늘과 땅의 조합이 "우리에게 꿀과 큰 영광, 보상, 대단한 힘을 내려주는" 것에 대해 극찬한다. 〈리그베다〉의 운문들은 하늘과 땅이 "우리에게 소득, 보상, 부를 가져다주었다"라고 말한다.[55]

베다의 조언들 중에는 실용적인 것뿐만 아니라 실존적이고 영적인 것도 있었다. 뱀을 퇴치하는 주문과 병을 치료하기 위해 아파마르가apāmārga (토우슬, 학명 Achyranthes aspera) 같은 초목을 이용하는 방법, 저주를 물리치고 악몽을 피하고 굶주림과 갈증의 위협을 제거하고 도박에서 밑지지 않는 방법도 있었다.[56] 어떤 약초는 공기를 악취나 오염으로부터 보호할 수

있었다. 신선한 공기가 인간의 건강에 중요함을 생각하면 무시하지 못할 요소다.[57]

이 문헌들은 인간과 자연환경의 관계에 대한 더 넓은 개념화를 자주 언급한다. 〈야주르베다〉는 이렇게 말한다. "태양은 매우 귀중한 것이다. 따라서 그것을 보호해야 한다." 또한 물이 깨끗하고 순수하고 신선해야 하며 오염돼선 안 된다고 경고한다. 물을 오염시키지 말고 나무를 해치거나 베지 말아야 한다고 이 문헌은 요구한다.[58] 동물 보호는 중요했다. 특히 어떤 동물들은 유용하기 때문이다. "누구도 모든 사람에게 도움이 되는 동물을 죽여서는 안 된다." 이 조언은 지배자들을 위해 확대됐다. "왕이시여, 농사에 도움이 되는 황소 같은 동물을 죽이시면 안 됩니다. 우리에게 우유를 주는 암소나 다른 유용한 동물들도 죽이면 안 됩니다. 왕께서는 그런 동물들을 죽이거나 해치는 자들을 벌하셔야 합니다."[59]

많은 시들이 신들을 부와 보상을 내려주는 유익한 존재로 보는 관념과 관련돼 있다. 베다에서 거듭 반복되는 주제다. 한 찬가는 아름다운 여인으로 의인화된 '새벽'을 노래한다. 매일 아침 수레를 타고 나타나 하늘을 가로지르며 새로운 날을 인도한다. "한 치의 흔들림 없이 여신은 계속해서 재물을 만들어낸다. 번영을 향해 전진하며 갖고 싶은 모든 것을 가져다주니 찬사를 받는 여신은 더욱 빛난다."[60]

그런 관념은 베다와 초기 우파니샤드의 가르침을 바탕으로 한 후대의 여러 저작들에서 상술됐다. 이것들은 서기전 600년 무렵에 집성됐으며, 이상적인 삶의 방식에 대한 기준을 제시했다.[61] 한 문헌은 브리하드라타 왕의 이야기를 전한다. 그는 자신의 존재의 목적과 "자아의 본질"에 대해 생각하기 위해 왕위를 아들에게 물려주고 숲속으로 들어가 살았다. 그는 결국 인생이 일시적인 것이며, "파리, 각다귀, 기타 벌레들은 물론이고 풀과 나무들"도 처음에는 자라다가 나중에는 죽는다는 것을 깨달았다. 그러나 그가 정말로 우려한 것은 "광대한 대양이 말라붙고" "땅이 물속으로 가라앉으며", 끊임없는 변화를 통해 사물이 올바른 자리에 있지 못하는 것이었다. 그는 물었다. "이런 세상에서 즐거움과 쾌락이 무슨 소용이 있는가?" 인생은 살 가치가 별로 없다고 그는 숲에서 살면서 만난 유명한 성자에게 말했다. "나는 마른 우물 속의 개구리나 마찬가지다."[62]

뭉뚱그려서 스므리티smṛti(기억된 것)로 알려진 경전 문헌, 역사 이야기, 법전, 신화와 전설, 철학 저작은 우주를 이해하고 가장 적절한 의례 행위에 관해 조언하며 철학, 윤리학, 인식론의 지평을 넓히기 위한 틀을 제시했다.

자연계에 관해서는 조언의 대부분이 역시 실용적이고 규범적이었다. 나무를 심는 것은 칭찬받아야 하고, 물을 오염시키는 것은 비난받아야 했다. 동물과 상쾌하고 푸른 나무로 둘러싸인 채 다른 인간들로부터 떨어져 있는 것은 평화롭게 사는 효과적인 방법이었다. 위대한 서사시 〈라마야나〉가 주장하듯이 모든 생물이 더없이 행복한 조화 속에서 존재할 수 있게 하는 것이었다.[63]

이들 문헌은 복잡한 신학적 설명을 제시하고, 그것들에 대한 이해·서술·해석을 맡은 사람들에게 권위를 부여했다. 남아시아에서 이 정보의 특권화는 영적 권위를 사제 계급의 손에 집중시켰다. 그들은 브리하스파티Bṛhaspati(기도의 신)와 바치Vāc(말의 여신)가 원하는 것을 전달할 수 있었다. 브라흐만Brahman(성자 또는 사제)이 초자연적 존재와의 연결 또는 심지어 그 통제를 가능케 하는 의식, 기법, 지식을 장악했다. 호의적인 기후 조건의 통제도 그 하나였다. 어느 신이 모든 인간과 모든 동물, "눈에 덮인 산들"(히말라야산맥), 큰 강(땅의 끝을 이루는 라사강), 빛나는 바다의 깊은 물을 창조한 데 대한 찬사와 감사를 받아야 하는지 의문이 들 수 있다. 찬가를 아는 사람만이 그에 대한 대답을 할 수 있다. 바로 프라자파티Prajāpati 신이다.[64]

그런 관점이 기록되고 잔존하고 전파되고 추가됐다는 것은 그것들이 나중에 힌두교로 알려지게 되는 종교의 바탕이 되었다는 점에서 당연히 그 중요성이 입증된다.[65] 그러나 더 판단하기 어려운 것은 그것들이 지배층(그들은 분명히 지구와 신들, 그리고 신들의 호의를 얻는 방법에 관한 보편적 진실을 담은 가르침을 보존하는 데 시간, 노력, 자원을 투자했다) 이외의 사람들에게 어떻게 인식되고 이해됐느냐다.

다른 우주론을 제시하는 도전자들이 나타났다. 그들 상당수는 사람들이 어떻게 살고 행동하는지에 중점을 두었다. 어떤 경우에는 지식과 지혜가 자신이 아니라 다른 사람의 손에 있다는 생각에 대한 반응이었다.

그중 가장 유명하고 성공적이었던 것 가운데 하나가 붓다의 가르침이었다. 붓다는 귀족의 아들로 태어났지만 호화로운 생활을 버리고 깨달음을 찾아 나섰으며, 한 성스러운 보리수 아래서 그것을 얻었다. 지금의 인도 북부 비하르주 가야에서였다.

붓다의 것으로 알려진 많은 설법과 견해는 그의 추종자이자 계승자들인 빅슈bhikṣu(비구比丘)들에 의한 것으로 이해하는 것이 가장 합리적이다. 그들은 붓다가 죽은 뒤 황색 옷을 입고 그의 설법을 계속 전파하라는 임무를 부여받았다. 오늘날 학자들은 이것이 서기전 400년 무렵의 일이라고 보고 있다.[66]

불교철학의 핵심 요소 중 하나는 깨달음으로 가는 길이 매우 개인적인 일이라는 것이었다. 그 중심에 사성제四聖諦(네 가지 고귀한 진리)라는 원리가 있다. 이 진리들은 삶이 고난의 여정이고(苦), 이 고난은 욕망과 갈망의 결과이며(集), 그런 욕망을 억눌러야 슬픔을 제거할 수 있고(滅), 그 억누름은 치열한 집중과 명상의 결과인 엄격한 규율에 의해서만 이룰 수 있다는(道) 생각을 담고 있다.[67]

일부 학자들은 불교가 베다 브라흐만교에 대한 대응이라고 보는 것은 오해의 소지가 있다며 주의를 촉구했지만, 깨달음으로 가는 여정은 개인이 스스로 진리를 발견해야 하는(자기를 대신해 개입하도록 다른 사람에게 의존하는 것이 아니다) 것이라는 점은 중요하다.[68] 다시 말해서 불교의 신학적 입장은 브라흐만을 필요로 하지 않는다는 것이다. 〈수타니파타Sutta Nipāta〉가 날카롭게 지적하듯이 다른 사람들의 도덕적으로 우월하다는 주장은 잘못된 것이었다.

> 날 때부터 브라흐만인 사람 없고
> 날 때부터 천민인 사람 없다.
> 천민은 행실로 인해 천민이 된 것이고
> 브라흐만은 행실로 인해 브라흐만이 된 것이다.

그러므로 중요한 것은 고대 산스크리트어 문헌에 의해 드러나는 우주의 작동 원리에 대한 깊은 이해보다는 개인의 행실이었다.[69]

따라서 붓다와 그 제자들이 내놓은 많은 가르침이 신학적이기보다는 실용적이었던 데는 다 이유가 있었다. 남편은 아내를 명예롭게 대해야 하고, 아내를 존경으로 대해야 하고, 아내를 줄곧 신뢰해야 하고, 아내에게 집안일을 맡겨야 하고, 아내에게 자주 선물과 장신구를 주어야 한다. 주인은 하인을 혹사하지 말아야 하고, 그들을 잘 먹이고 제대로 보수를 지불해야 하고, 그들이 아프면 보살펴줘야 하고, 그들에게 "특히 맛난 고급 음식"을 나눠줘야 하고, 적당한 간격으로 쉬는 날을 보장해줘야 한다.[70] 너그럽고 친절하고 절제하고 삼가는 것은 개인적인 보물을 쌓는 원천이었다. 더구나 이 보물은 도둑맞을 우려도 없고 남에게 줄 수도 없는 것이었다.[71]

불교는 오늘날 흔히 생태에 대해 인식하고 지속 가능한 환경을 생각했다고 해서 호감을 사고 유명해졌지만, 이는 사실을 반영한 것이라기보다는 현대에 들어서 만들어진 것이다. 사실 초기 불교도들에게 자연계는 덧없는 곳이었다. 물리적 세계는 경이로운 곳이기보다는 인간의 삶과 마찬가지로 주로 "고통, 부패, 죽음, 무상함"과 관련된 곳이었다.[72]

물론 불교 경전이 정리되고 보존되고 전파됐다는 것은 모든 것이 개인에게만 맡겨지지는 않았다는 분명한 증거다. 개인이 깨달음이라는 목표를 향해 나아가는 데 도움을 받기 위해 안내자를 찾을 수 있었다. 명목상 평등한 세계에서도 승려와 성자들에게 특별한 자리가 마련돼 있었다는 얘기다.

이 문헌들에는 '육사외도六師外道'(그릇된 선생들)라는 위험하고 길을 벗어난 가르침에 대한 경고도 들어 있었다. 붓다와 동시대인이었던 이들의 견해는 우주의 논리와 질서를 밝혀내는 것을 무시하는 것에서부터 도덕적 선을 비난하는 것에 이르기까지 다양했다. 예를 들어 아지타 케사캄발라Ajita Keśa-kambala는 자선을 베풀고 희생을 하며 공물을 바치는 것이 아무런 이득이나 보상을 가져다주지 않는다고 말했다. '선행'을 하면 장래에 보상을 받게 될 것이라고 믿는 사람들은 바보라고 했다. "이 세계에서 다음 세계로의 이동이란 없으며", 물질세계와 초자연적 세계의 연결이 있다고 가르치는 사람은 모두 헛소리를 하고 있는 것이고 사실은 사기꾼

이라는 것이다.[73]

일부 현인들은 세계에 관한, 삶 일반에 관한, 특히 자연에 관한 단호한 재고를 옹호했다. 자이나교의 창시자인 '위대한 영웅'(마하비라) 바르다마나Vardhamāna에 따르면 소유욕이 강한 사람은 미혹된 것이며 큰 고통에 빠지게 된다. 불교에서도 발견할 수 있는 생각이다. 그러나 자이나교는 한 발 더 나아갔다. 식물을 포함한 모든 생물체는 살아 있으며 그 자체로 하나의 기본 요소라고 주장했다. 자이나교의 고전 문헌 중 하나인 〈아카랑가 수트라Ācārānga Sūtra〉는 이렇게 말한다. "땅을 손상시키는 것은 눈먼 사람을 때리고 베고 상해를 입히고 죽이는 것이나 마찬가지다. 이를 안다면 스스로 땅에 대해 죄를 짓지 말아야 할 뿐만 아니라 남들이 죄를 짓게 하거나 죄를 짓는 것을 허용해서도 안 된다."[74]

자이나교의 생태 우주론은 광대했고, 인간을 "땅과 물, 불과 바람, 풀과 크고 작은 나무, 그리고 움직이는 모든 생물"을 포함하는 수많은 생명체의 일원으로 보는 금욕주의를 요구했다. 그중 어느 것이라도 다치게 하면 "인간은 스스로를 다치게 하는 것"이다.[75] 따라서 이를 유념하고 깨달음과 공평함을 추구하는 것으로는 충분하지 않았다. 필요한 것은 나무가 베이고 껍질이 벗겨지고 톱질을 당할 때 괴로움과 고통을 느끼고 쇠모루가 대장장이의 망치에 두드려 맞으면서 고통에 몸을 떤다는 것을 드러내는 무한한 자각과 고조된 인식이다.[76]

자이나교의 가르침에 따르면 인간은 살아 있고 연결된 환경과 생태계의 일부이며 그들은 인간의 행동에 의해 영향을 받고 다치고 손상될 수 있음을 이해하는 것이 필수적이었다. "누군가가 불을 붙인다면 그것은 생물체를 죽이는 것이다"라고 한 문헌은 말한다. 곤충이 무심코 불로 뛰어들 수 있고, 땔감으로 사용한 나무에 살던 벌레가 불에 탈 수 있으며,

초목을 자르면 그 초목을 죽이는 것일 뿐만 아니라 다른 동식물의 서식지를 교란하는 것이기 때문이다. 따라서 지혜가 있고 생명의 의미를 이해하는 사람이라면 누구도 "불을 붙여서는 안 된다."[77]

현대의 일부 학자들은 인도의 새로운 사상의 개화(그것은 또한 문법, 법률, 문학, 연극으로도 확대됐다)를 우선 농산물의 잉여에 의해, 그리고 서기전 6세기에 시작된 새로운 도시화 물결에 의해 추동된 광범위한 사회적·정치적 변화와 종종 연결시켰다.[78] 이것은 작은 왕국들이 잇달아 생겨나고 이어 16개의 큰 왕국, 즉 마하자나파다Mahājanapada로 합쳐졌으며 이들역시 확대되고 합병된 중앙집권화와 통합의 시기와 겹쳤다.[79]

이것은 새로운 문제를 불러왔으며, 사고의 상당한 변화를 초래했다. 그리고 몇몇 새로운 관념이 전통적인 브라흐만의 교리(특히 동물 희생과 관련된)에 도전하게 된 것은 놀라운 일이었다. 예를 들어 불교 문헌들은 동물 도살을 거부했다. 붓다는 동물 봉헌이 큰 결과를 가져오지 못할 것이라고 경고했다. 실제로 동물 희생은 갈망, 굶주림, 노쇠 같은 부정적인 결과를 낳아 금세 98가지 추가적인 질병으로 확산됐다고 한다.[80]

역으로 봉헌은 동식물을 전혀 해치지 않는 곳에서 이루어질 수 있었다고 〈디가 니카야Digha Nikāya〉(장부長部)는 지적한다. 그것은 이렇게 말한다. "보라! 소도 잡지 않고 염소도 잡지 않고 닭이나 돼지도 잡지 않았다. 또한 도살되던 여러 생물들도 도살되지 않았다. 희생 말뚝을 만들기 위한 나무도 베지 않았고, 풀도 깎지 않았다. (…) 희생은 정제 버터, 생버터, 응유, 꿀, 당밀을 가지고 올렸다."[81]

이것은 도발적이고 혁명적인 접근법이어서 사실상 의례를 집전하고 신에게 접근하는 사제들의 권리에 의문을 제기했다. 함축적이긴 하지만 그들이 그렇게 하는 것이 불필요하고 미심쩍다는 주장인 셈이었다. 이에 따라 사회의 각 구성원들의 역할을 설명하는 모형을 제시하기 위한 노력이 기울여졌다.

가장 눈에 띄는 것이 바르나다르마varṇadharma를 중심으로 한 것이었다. 네 개의 위계적 계급(바르나)이 형성돼 있고 각 계급은 각기 자기네의 다르마와 질서를 따라야 한다고 보는 성스러운 법의 총체다. 사회를 브라흐만(사제와 교사), 크샤트리야(귀족과 전사), 바이샤(상인과 농민), 수드라(하인과 천한 일꾼)로 나누는 것은 상세한 정치철학에 해당한다. 그것은 자연계와의 접촉에 관한 추상적 개념을 다룰 뿐만 아니라 세속 사회의 작동 방식(그것은 지배자의 책임, 즉 라자다르마rajadharma를 제시한 법과 연관돼 있다)에 대한 공식적 설명과 안내를 제공한다.[82]

윤회 관념은 영적 경쟁의 격화에 대한 대응으로 개발된 것으로 보인다. 다만 그 정확한 시점과 맥락을 콕 집어내기는 어렵다. 대다수의 학자들은 베다에는 재탄생 개념이 없으며 가장 이른 표현은 초기 우파니샤드 중 하나에 나온다는 데 동의하고 있다. 그것은 이렇게 말한다. "사람이 이 세계를 떠나면 그들이 모두 가는 곳은 달이다." 달은 "천상 세계의 문"이기 때문이다. 다른 세계로 들어갈 수 없는 사람들은 비로 변하고, 그것은 이어 땅에 떨어진다. "그들은 이 다양한 조건들 속에서 다시 태어난다. 벌레, 곤충, 물고기, 새, 사자, 멧돼지, 코뿔소, 호랑이, 사람, 기타 다른 어떤 생물로 태어난다. 모두 각자의 행위와 지식에 따라 달라진다."[83]

이는 인간이 자신의 삶에서의 행·불행에 대해 이해하려고 노력하며 이전 생에서 일어난, 자신이 통제할 수 없는 사건들에 대한 설명을 구한다고 해석될 수 있다.[84] 비슷한 가설이 얼추 비슷한 시기에 지중해 동부에서 제기됐다는 것은 주목할 만하다. 서기전 5세기의 헤로도토스는 이집트인과 이어 그리스인이 "인간의 영혼은 사라지지 않으며 육신이 죽을 때마다 영혼은 마치 새로 태어나는 것처럼 다른 생명체 속으로 들어간다"는 믿음을 채택했다고 썼다.[85] 피타고라스 같은 일부 사람들은 전생을 살았을 뿐만 아니라 전생에 누구였는지까지 알았다고 한다. 이 위대한 수학자는 분명히 "자신이 전생에 파트로클로스의 적수이자 판토스의 아들인 에우포르보스였다는, 논란의 여지가 없는 증거"를 제시할 수 있었다고 한다. 이들은 〈일리아스〉에 나오는 인물들이다.[86] 또 다른 인물인 엠페도클레스는 폭넓은 여러 경험을 했다. 그는 이렇게 말했다. "과거에 나는 소년인 적도 있었고 소녀인 적도 있었으며, 떨기나무이기도 했고, 새이기도 했고, 바다에서 헤엄치는 말 없는 물고기이기도 했다."[87]

영혼 불멸에 대한 관념, 윤회에 대한 관념, 선행에 대한 관념은 사람의 행동이 이 생애와 사후에 어떻게 평가돼야 하는지에 관한 더 광범위한 질문과 관계가 있었다. 이 시기는 플라톤 같은 철학자들이 사람은 자신의 행동에 따라 보상받거나 처벌받는다고 생각하던 때였다.[88] 그런 질문들은 광범위하고 활발한 철학 개조의 일부였다. 그중 상당수는 인간 사이의 상호작용, 그들과 신의 상호작용, 그들과 자연계의 상호작용(또는 그 셋 모두)에 반영됐다. 고대 그리스에서 채택한 한 우주관은 우주가 조화로운 힘들에 의해 통합된, 살아 있고 지각이 있으며 똑똑한 존재라는 믿음이었다.[89]

이는 불가피하게 모든 살아 있는 것들에 대한 관념에 영향을 미쳤다. 플라톤에 따르면 모두가 "영혼과 이성을 타고난" 존재였다.[90] 금욕적인 믿음을 가진 사람들은 여기서 한발 더 나아가 동식물을 먹는 것이 잘못이라고 주장했다. 반드시 그들을 죽여야 하기 때문이다. 따라서 "생명을 가진" 음식을 거부하고 우유, 치즈, 꿀, 포도주, 기름, 잎채소를 선호했다. 그렇게 하면 살아 있는 동물을 해치지 않고 소비할 수 있었고, 따라서 죄의식을 느끼지 않아도 되었다.[91]

그런 생활방식의 채택은 오늘날의 세계에서도 최신 감각이고 심지어 유행에 민감한 것으로 보인다. 특히 음식에 관한 결정은 흔히 동식물 보호에 관한 여론에 영향을 받는다. 그 결정 자체는 때로 자원의 접근성이나 지속 가능성이라는 더 광범위한 맥락 안에서 결정된다.

그러나 오늘날도 그렇지만 그런 태도가 주류였다고 생각하는 것은 잘못일 것이다. 다른 많은 철학자들은 동식물을 인간과 같은 줄에 놓지 않았을 뿐만 아니라 어떤 사람들은 완전히 다른 위계 모형을 내놓기도 했다. 아리스토텔레스는 식물이 동물을 위해 존재하며 동물은 사람을 위해 존재한다고 생각했다. 열등한 사람은 우월한 사람을 섬기는 노예가 되어야 했다.[92] 소크라테스는 더욱 노골적이었다(적어도 플라톤에 따르면 그랬다). 나무, 자연, 시골에서 배울 것은 아무것도 없었다. 지식을 얻을 수 있는 유일한 곳은 도시였고, 다른 사람에게서였다.[93]

그럼에도 불구하고 환경 악화와 오염에 대한 불안은 그 옹호자들을 만들어냈다. 개인적인 차원도 있었고, 어떤 곳에서는 제도적이기도 했다. 헤시오도스는 이미 서기전 700년 무렵에 샘이나 강에서 대·소변을 보는 행위의 위험성에 대해 경고했다. 그렇게 하면 질병과 고통으로 이어질 수 있다고 강조한 것이다. 크세노폰 등 여러 사람들은 생태 서식지를 잘 관리하는 것의 이점을 주장했다. 땅은 그것을 잘 대우해주는 사람에게 보상을 한다고 그는 썼다. "땅은 대접을 잘 받으면 받을수록 더 많은 이득을 되돌려준다."[94] 테오프라스토스 같은 사람들은 어떤 서식지에 어떤 초목이 가장 적합한지 관찰하고 유형론을 세워 기록했다. 지식을 체계화해 후대에 유용하게 쓰이도록 하기 위해서였다.[95]

더 동쪽에서는 서기전 6세기 중반 페르시아의 지도자 키루스가 이끈 지역 반란으로 시작된 것이 결국 신바빌로니아 지배자를 무너뜨리고 영토를 확장해 지중해에서 인더스강 유역에 이르는 광대한 제국을 건설하기에 이르렀다. 새 지배자는 최고신 아후라마즈다('지혜의 신')와 자연 숭배를 중심으로 한 신앙 체계를 옹호했다. 이들의 자연 숭배는 너무도 철저해서 일부 학자들은 심지어 이 신앙(그 추종자들에게는 마즈다교 또는 선교善敎로 알려졌지만 다른 사람들은 자라투스트라교로 불렸다)을 세계 "최초의 환경운동 종교"라고 부르기까지 했다.[96]

자라투스트라교도들은 선善과 순수에 집중하고자 했다. 특히 불, 물, 흙이라는 형태로 구체화된 것이다. 오염을 피하려는 고집은 다른 사람들에 의해 지적됐다. 그들은 강을 매우 숭배했다. 헤로도토스는 이렇게 썼다. "그들은 강에 오줌을 누거나 침을 뱉지 않으며, 강에서 손을 씻지도 않는다. 다른 사람들도 이를 못하게 한다." 후대의 로마 작가 스트라본은 페르시아인들이 물에서 목욕을 하지 않으며 "물에 무언가 깨끗하지 않은 것을 버리지 않는다"고 지적했다.[97]

이 종교의 창시자는 자라투스트라다. 이 인물에 대해서는 알려진 바가 별로 없고, 그의 생존 시기는 서기전 1800년 무렵에서 서기전 600년 무렵 사이로 추정된다.[98] 그의 것으로 전하는 많은 가르침이 여러 문헌에 기록됐다. 그중 가장 초기의 것이 〈가사Gāθā〉로 알려진 17편으로 된 찬가 모음이다. 그중에서도 가장 오래된 것에는 아후라마즈다에게 소와 초지를 보살펴달라고 호소하는 내용이 들어 있다.

제가 누군가에게 기대할 수 있는 도움이 무엇일까요?
소 떼를 보호하는 저는 누구를 믿어야 할까요?
번영을 가져다주는 소 떼를 어찌 얻으시려나요, 현자시여?
당신이 원하시는 소 떼와 초지를요?

오직 태양을 바라보고 삶을 제대로, 올바르게 사는 사람만이 그런 혜택을 누릴 수 있다고 찬가는 말한다.[99]

또 다른 찬가는 "물과 좋은 초목"을, 질서와 빛과 흙을, "그리고 모든 좋은 것"을 창조한 아후라마즈다에게 감사를 올린다.[100] 또 다른 찬가에서 황소의 영혼은 소를 죽이고자 하는 인간의 "잔인성과 포악함"을 생각하며 현신賢神을 향해 탄식한다. "인간은 아랫것을 어떻게 대해야 하는지 알지 못해요." 황소는 이렇게 탄식하고, 나아가 자라투스트라가 지정한 그의 보호자조차도 그를 "힘없는 사람의 힘없는 말"에 맡겨버렸다고 말한다.[101] 자연은 기쁨의 원천이 되어야 한다고 또 다른 찬가는 말한다.[102] 그러나 이 문헌들이 직·간접적으로 밝혔듯이 인간과 자연계의 관계는 불완전한 것이었다. 특히 인간의 행동을 지배한 파괴적인 습관과 경향 때문이었다.[103]

자라투스트라의 가르침에 대한 옹호는 페르시아 왕들과 새로운 지배층의 특징이었다. 그들은 권력과 지위를 소수의 손에 집중시키고, 다른 시대와 지역에서 그랬듯이 지배층에게 우주론 해석과 영적 중재의 집중화를 위한 강력한 도구를 제공했다. 새로운 위계의 등장, 그리고 지배를 위한 토론과 논쟁, 논의와 경쟁은 아시아, 북아프리카, 지중해의 여러 지역에서 동시에 일어났다. 이에 따라 발전의 유형뿐만 아니라 민족, 문화, 문명 내부 및 그 사이의 관념, 영향, 반응을 살펴보는 것에도 솔깃하게 만들었다.

그중 하나가 유대교였다. 그것은 서기전 7~6세기 아시리아와 신바빌로니아 제국의 손아귀에 있던 유대인들의 경험에 관한 당대의 기록에 크게 영향을 받았다. 이 영향의 크기는 한편으로 아시리아가 기독교 성서에서 150번(모두 부정적으로) 언급됐다는 사실과 다른 한편으로 서기전 580년대 네부카드네자르 왕에 의한 예루살렘 포위와 신전 파괴, 그리고 그 연장선상에서 이루어진 바빌론 억류(수십 년 동안 지속됐다)를 통해 짐 작할 수 있다.[104] 페르시아인이 부상하고 신바빌로니아 제국이 멸망하면 서 속박에서 풀려나고 예루살렘 신전 재건축을 허용하는 칙령이 내려지 자 선지자 이사야는 페르시아 지도자 키루스를 "신에 의해 임명"된 존재 로 간주했다.[105]

이 경험들은 유대인 학자들이 자기네 주변의 자연계와 과거에 관해 어 떻게 생각하는지에 심대한 영향을 미쳤다. 많은 학자들이 지적했듯이 모 세 오서의 설화 부분은 신전 파괴와 유대인 억류 이후에 쓰였다. 〈창세기〉 의 신, 자연, 인간 사이의 관계에 대한 논의, 〈출애굽기〉에 나오는 이스라 엘 민족이 이집트에서 노예 생활을 하다가 떠난 일의 원인과 의미, 〈신명 기〉에 나오는 신이 모세와 동의했던 '약속' 파기의 결과 같은 것들이다. 유대인들의 경험은 대략 이 시기에 처음 기록된 문헌들을 낳았고, 그것 은 헌신과 복종과 사제의 가르침 준수의 중요성을 강조했다.[106]

유대교 작가들은 과거로 멀리까지 거슬러 올라가는 풍부한 이야기 모 음에 의존했다. 그중에는 앞에서 보았듯이 수백 년(심지어 수천 년) 전에 일어난 사건들에서 가져온 노아와 홍수에 관한 기록, 수메르의 〈엔메르 카르와 아라타의 영주〉에 나오는 이야기와 여러모로 흡사한 바벨탑에 관 한 기록 등이 포함된다.[107] 멀거나 그리 멀지 않은 과거에서 가져온 다른 사건들이 묶여 글로 쓰이고 그것이 이어져 오늘날 우리가 아는 기독교 성 서의 바탕이 되었다. 그중 하나가 요셉 이야기다. 그는 출세해 파라오의 오른팔이자 이집트에서 가장 힘센 사람 가운데 한 명이 되었다. 이것 역 시 마찬가지로 어떤 고위 관료의 삶에서 끌어온 듯하며, 서기전 1200년 무렵에 살았던 바야Baya라는 재상이었던 듯하다.[108] 이집트에서 벌어진 힉소스 지배자 축출이 유대인들의 사고에 어떤 영향을 주었는지는 최근 학자들 사이에서 활발하게 토론되는 주제다.[109]

그러나 유대교 사상의 가장 흥미로운 요소는 이미도 도시 공간을 향해 드러낸 반감이었을 것이다. 서아시아의 고급문화에 대한 광범위한 거부의 한 요소였다.[110] 도시가 아니라 사막이 신자들이 신을 직접 알 수 있게 되고 또한 신으로부터 검증을 받는 장소였다. 유대교뿐만 아니라 다른 아브라함계 종교(즉 기독교와 이슬람교)에서도 마찬가지였다. 유대교 진화의 또 다른 중요한 부분은 다신교를 거부하고 유일신 신앙을 채택한 것이었다. 동물 희생과 우상숭배에 대한 비판도 제국 수도에서 이스라엘인들을 억압한 태도와 정면으로 배치되는 신앙 체계를 단호하게 공식화했음을 반영한 것이었다.[111]

이렇게 유대인의 자연계와의 관계 설정 방식은 레반트의 환경 구조에 대한 전통적 견해로부터 주목할 만한 방식으로 일탈했다. 에덴동산은 비록 풍요로운 전원 구실을 했지만, 그것은 아담과 하와의 몰락으로 잃어버린 낙원이었다. 인간은 이 동산에서 일하며 봉사하도록 창조됐다. 사제들이 신전에서 신을 위해 봉사하는 방식으로 말이다. 그럼에도 불구하고 이 관계는 지속됐다. 신에 대한 봉사는 땅을 경작하고 자원을 꼼꼼히 관리함으로써 이루어졌다.[112]

이것은 도시 무대 대신에 이상화된 시골을 환기시킴으로써 전형화되었다. 신 자신이 목자로서 가축을 보살폈다. 가장 분명한 것이 〈시편〉 23편이다. "야훼는 나의 목자, 아쉬울 것 없어라. 푸른 풀밭에 누워 놀게 하시고 물가로 이끌어 쉬게 하시니 지쳤던 이 몸에 생기가 넘친다."[113] 기독교 성서 설화의 핵심 인물들은 보통 농부와 목자로 그려진다. 아브라함,

다윗, 그리고 모든 족장들이 목자다.[114]

사실 이스라엘인들이 이집트의 노예 상태에서 구원받고 가나안에 정착한 이후 신과 맺은 '약속'은 신이 환경 협정을 허락해준 이야기다. 신은 그들이 우상과 다른 신을 숭배하지 않는다는 등의 계명을 준수하는 대가로 그 땅을 비옥하고 생산성 높은 곳으로 만들고 이스라엘인들에게 평화를 보장하기로 동의했다. '약속' 조항에는 환경 관련 벌칙도 들어 있었다. 모세가 동포들에게 상기시켰듯이 '약속의 땅'은 "씨를 심은 다음 채소밭에 물을 줄 때처럼 발을 놀려 물을 대야" 했던 이집트와 달라서 "하늘에서 내리는 빗물로 땅을 적시는" 곳이었다. 따라서 신과의 합의를 조금이라도 어기면 그 결과로 비가 내리지 않아 식량과 건강과 행복에 분명한 영향을 미치게 된다.[115] 신과 자연 사이는 간격이 없어 신은 구름의 모습으로 나타나고 모세와 사람들은 신이 하고자 하는 말을 들을 수 있었으며, 그전에는 무지개의 형태로 "계약의 표"를 드러냈다.[116]

역으로 (신이 아니라) 자기네가 땅과 그 자원의 주인이라고 생각하는 사람들은 벌을 받게 된다. 신은 이집트 파라오가 자신이 나일강을 통제하고 그것을 개선했다고 자랑하는 데 짜증이 나서 "이집트는 쑥밭이 되어 황폐해질 것"이며 그렇게 해서 교훈을 얻을 것이라고 위협했다. 〈에제키엘〉에 나오는 경고는 이러했다. "나는 이집트를 황폐한 쑥밭으로 만들리라. 40년 동안 빈들이 되어 사람의 발길도 닿지 않고 짐승도 지나가지 않을 것이다." 도시는 폐허가 되어 사람들이 떠나고, 이집트는 "어느 나라보다도 약해져서 다시는 뭇 민족 앞에 우쭐대지 못할" 것이라고 했다. 다시 말해서 신은 자연을 자신의 뜻대로 복종시킬 뿐만 아니라, 그렇게 함으로써 자신의 힘을 과대평가하고 신의 힘을 과소평가하는 사람들에게 겸손의 미덕을 심어주려 한 것이다.[117]

서기전 8세기부터 서기전 3세기까지 황허강과 창장 유역, 지중해 동부, 레반트, 갠지스강 유역의 철학, 종교, 행동이 정립되고 재정립된 정도와 그 파장에 대해서는 여러 사람이 언급했다.

가장 유명한 사람이 독일의 철학자 카를 야스퍼스다. 그는 제2차 세계대전 직후에 출간한 영향력 있는 책에서 이 시기를 '추축시대Achsenzeit'로 묘사했다. 이 시기는 인류가 '심호흡'을 하고 새로운 수준의 자각을 자극하는 심오한 질문을 숙고한 시기였다고 주장했다. 야스퍼스는 이것이 다섯 개의 '빛의 섬'에서 독립적으로 일어났다고 주장했다. 인도, 중국, 페르시아, 팔레스타인, 지중해 동부다.[118]

다른 학자들도 이를 따라했다. 이 시대는 '문화적 결정화結晶化'의 시대, '초월시대'였다고 주장했다. "물러나서 앞을 내다보는" 것으로 묘사된 새로운 능력이 특징이었다.[119] 이 시기는 여러 지역뿐만 아니라 "인류 역사 일반에" "되돌릴 수 없는 효과를 지닌 사상과 그 제도적 기반의 영역"에서 혁명적인 시기였다. 그것은 "사회의 내부 모습과 그 내적 관계를 광범위하게 재조정"하는 일로 이어졌고, 그 결과로 "역사의 동력"을 변화시켰다.[120]

동시에 여러 곳에서 분기점이 나타나 옛 가치관이 폐기되거나 현대화됐다는 주장에 모두가 납득한 것은 아니었고, 그들은 이 가설이 지나친 단순화라고 일축하고 이른바 변화의 '시대' 수백 년 전, 심지어 수천 년 전에 명백한 몇몇 변화가 일어났다고 지적했다.[121] 그러나 중요하게 보이는 것은 추상적인 인지 전환보다는 지식이 어떻게 정리되고 전파되느냐 하는 기제의 변화였다.

중요한 것은 문헌의 급증이었고, 그에 못지않게 중요한 것은 그 보존·전파·복제였다. 목록, 설화, 경전과 기타 기록물들이 정보 뭉치를 형성해, 그것을 배우고 토론하고 추가하고 해석할 수 있었다. 종교는 분명히 중요했지만 그것은 결코 더 많은 사람들이 글자를 알게 된 것의 덕을 입은 유일한 지식 분야는 아니었다. 그것은 대표적으로 지중해 동부에서(그러나 그곳만은 아니었다) 탄생한 철학, 수학, 과학 분야의 중요한 저작들을 통해 분명히 알 수 있는 일이다.[122]

또 다른 요인은 도시화와 풍요의 수준이 높아진 일이었던 듯하다. 그것이 얼핏 생각하는 것과 달리 물질적 보상으로부터 자기수양과 이타심으로의 좀처럼 이해되지 않는 변화를 자극했다. 이는 서기전 6세기 무렵 꽃을 피운 여러 신앙 체계를 통틀어 공통적인 특징이었다. 남아시아의 불교와 자이나교, 고대 그리스의 스토아 철학, 동아시아의 공자와 노자 등의 가르침이 모두 그랬다. 중점은 단식, 금욕, 고행, 연민을 통한 절제와 욕망 억압에 있었다. 탐욕, 방종, 소비를 줄이는 것이다. 이런 관념은 아마도 실존적 질문을 탐구하는 데 시간을 할애할 수 있는 자원과 영향력을 가진 새로운 학자와 사상가 계급의 출현에서 비롯된 것으로, 경제적 권력을 넘어 보다 영적인 영역으로 권위를 확장하는 지배층의 이익과 생활양식을 드러내는 것이었다.[123]

아마도 당연한 일이겠지만 이는 다시 지배자에게 조언을 할 뿐만 아니라 부정적인 자연현상을 이유로 그들을 책망하는 일로 이어졌다. 서기전 5세기 무렵 집성된(때로 더 오래된 자료들을 인용하기는 하지만) 〈상서尚書〉의 한 장에서는 풍작을 양심적인 지배자, "개명된 통치", "재능 있는 사람"에 대한 의존이 가져온 안정성과 명확하게 연결시킨다.[124] 왕의 인격상의 단점과 기상 조건 사이의 연결은 당연했다. 비가 많이 오는 것은 수양 부족이 드러난 것이고, 바람이 많이 부는 것은 어리석음이 나타난 것이고, 너무 추운 것은 판단력이 부족함을 나타내는 것이고, 너무 더운 것은 게으름의 결과이고, 가뭄은 오만의 결과였다. 왕들이 수백 년 동안 농사철이 시작될 때 친경親耕 의례를 치른 이유 중 하나가 그것이었다.[125] 따라서 날씨는 도덕성과 연관돼 있어 날씨에 관해서는 수단을 부릴 여지가 거의 없었다. 날씨가 조금만 이상하거나 좋지 않으면 그것은 단 한 사람의 잘못이었다. 바로 지배자였다. 이런 등치는 수천 년에 걸친 중국 문화에서 매우 오래 지속된 것으로 드러났다.[126]

역으로 이는 중개자들에게 기회를 제공했다. 국가의 기우제를 지내는 사람들 같은 부류인데, 이들은 비를 빌기 위해 무용, 제물 봉헌, 기도 등 복잡한 의식을 개발했다. 대략 서기전 3세기 이후에 쓰인, 중국 왕들이 다른 사람들을 보호하기 위해 노력하면서 치른 희생에 관한 기록들에는 이례적인 개인적 고통에 대한 이야기가 좀 더 흔해진다. 아마도 당대의 독자들을 위해 이상화된 과거 지배자의 모습을 제시하려는 의도였겠지만, 이런 이야기들은 흔히 심한 박탈을 이야기한다. 장기 손상이나 신체 훼손, 걷는 능력을 박탈하는 물리적 변형 같은 것들이다. 많은 경우 뙤약볕에 나가 열렬하게 기도하고 스스로를 제물로 바치겠다고 위협한다. 예컨대 고위 관리가 고난을 자청하는 것은 자신의 사심 없음을 암시하는 한편 자기네의 지배자에 대한 에두른 비판을 의도한 것이기도 했다.[127]

이것은 지배층이 일반적으로 의례를 장악해(그러나 지역과 시대를 통틀어 특수하게는 물과 기후를 통제해) 정치권력을 획득하고 유지하는 익숙한 패턴의 일부였다. 19세기 말 마다가스카르 왕의 목욕 의례는 흥미로운 사례 하나를 제공한다. 또 다른 사례는 식민지가 되기 전의 발리 사회다. 그곳에서는 물과 의식이 지위와 권위를 극화하기 위해 사용됐다. 한 영향력 있는 학자가 기억하기 쉽게 '극장 국가theatre state'라고 묘사한 것의 핵심 요소였다.[128] 불교 이전의 고행자들은 장맛비에 대비해 은거했는데, 이 관행이 이후 불교 수도 규율의 필수 요소가 되었고 하안거夏安居로 알려진

일련의 의례로 발전했다.[129]

비에 대한 관념은 시간이 지나면서 변화했고, 북인도의 뱀신에 대한 믿음(특히 대승불교 전통에서의)은 동아시아에서 답습됐다. 그곳에서는 용이 비를 통제하며 이 권능은 적합한 자격을 갖춘 중개자가 사용할 수 있다고 생각됐다. 그런 중개자들은 자기네 기술을 보여주기 위해 의식을 동원했을 뿐만 아니라 문헌을 만들어 이런 능력을 입증했다. 그것은 또한 약삭빠르게 귀족 및 왕의 후원과 고귀함을 두드러지게 하고 한편으로 불교 '용왕Nāgarāja'과의 이른바 연결을 보여주었다.[130]

중앙아메리카에서는 '고전기' 시작(학자들은 보통 서기 250년 무렵으로 잡는다) 때까지 인구 밀도와 정착지 건설 수준이 여전히 낮은 상태였다. 인구 밀도가 높아지면서 물을 통제하는 것이 갈수록 중요해졌다. 마야 저지대의 척박한 카르스트 토양이 불규칙적인 계절적 강우에 의존하기 때문이기도 했고, 천연 수원지가 없기 때문이기도 했다.[131] 기우祈雨는 종교적 사고, 사회 위계, 기후 대응에서 중요한 요소가 되었다. 고고학적 증거는 비 관련 의식이 동굴에서 치러졌음을 시사한다. 호루라기, 피리, 뼈로 만든 줄칼, 거북 껍데기(북으로 사용됐다) 같은 것들이 발견됐다.[132] 어떤 경우에는 아이들을 비의 신에게 인간 희생으로 바치기도 했다. 그런 전통의 일부는 서기전 1500년 무렵까지 거슬러 올라간다.[133]

땅과, 온화한 날씨 및 기후 조건과 연결된 풍요 의례는 복잡한 우주론적 설명을 바탕으로 한 의식이 개발돼 신과의 교류를 통해 날씨에 영향을 미치는 인간의 작용을 과시하면서 널리 확산됐다(어쩌면 어디에나 있었다). 그 지식을 통제하는 사람들은 자기네의 특권적 지위를 빈틈없이 보호했다. 고대 그리스의 엘레우시스 밀교에서는 비밀을 누설하면 사형으로 처벌했다.[134]

해석과 온화한 기후 조건을 보장하기 위한 시도들은 서로 달랐지만 원리는 마찬가지였다. 풍성한 수확의 공적을 차지하고, 식량 부족을 초래하는 기상 이변에 비난을 떠넘기는 것이었다. 따라서 한정된 자원의 과다 이용은 심지어 신도(지상의 중개자는 말할 것도 없고) 해결할 수 없는 소모와 고갈로 이어진다는 것을 점점 더 인식하게 되면서, 이러한 등치가 여러 지역에서 함께 일어났다는 것은 전혀 놀라운 일이 아니다.

서기전 524년, 주나라 조정의 고위 관료였던 선單 목공穆公은 "산의 삼림"을 무절제하게 벌채하는 것의 위험성에 대해 경고했다. 나무가 사라지고 "덤불과 습지가 더 이상 존재하지 않게" 되면 환경에만 좋지 않은 것이 아니었다. 이런 일이 일어나면 어떻게 될까? "백성들의 힘이 약해지고, 곡물과 삼이 자라는 농지가 경작되지 않아 자원이 부족해질 것이다." 이는 단지 그 결과로 고통받는 사람들을 보살피는 문제가 아니었다. 생각이 있는 사람이라면 누구나 "이 문제에 관심을 가져야" 하며, 더구나 "긴장을 풀지 말고" 관심을 가져야 했다. 결국 이것이 땅에서 일하는 사람들뿐만 아니라 온 사회에 문제를 일으키리라는 것은 이해하기 어려운 일이 아니었다.[135]

어떤 경우에는 천연자원에 접근해 이용하는 것을 금지하는 법이 제정되었다. 예를 들어 서기전 243년에 아쇼카(북인도 대부분을 지배하는 제국을 건설한 찬드라굽타 마우리야의 손자다) 황제는 삼림에 불을 지르는 것을 금지하는 칙령을 발포했다.[136] 이는 부분적으로 자원에 대한 범법자, 강도, 고행자가 많다는 명성을 얻은(그리고 유지하고 있는) 지역들에 대한 제국의 통제를 확립하기 위한 것이었다. 실제로 붓다 자신이 사나운 산적 앙굴리말라와 논쟁을 벌인 것은 유명하다. 붓다는 숲을 지나다가 그를 만나자 강도질을 그만두고 불교의 길을 따르라고 설득했다.[137]

그러나 아쇼카의 동기는 동식물에 대한 더 광범위한 철학적 태도와 관련돼 있었던 듯하다. 그의 영토 전역의 바위에 이런 칙령이 새겨져 있다. "살아 있는 어떤 것도 도살하거나 희생으로 바쳐서는 안 된다." 수백 년 동안 사람을 포함해 "산 것을 죽이고 해치는 일"이 늘었다고 이 새김글은 덧붙였다. 모두가 "온갖 욕망과 정열"에 지배되지 않고 "자제력과 마음의 순수함"을 발휘하는 것이 중요했다. 황제는 자선 행위를 지원하기 위해 자신이 두 유형의 의료를 준비했다고 밝혔다. 인간을 위한 의료와 동물을 위한 의료다. "나는 인간과 동물에게 필요한 약초를 구할 수 없는 곳에서는 그것을 들여다가 기르게 했다. 나는 약으로 쓸 근채와 과일을 구할 수 없는 곳에서는 그것을 들여다가 기르게 했다. 나는 길가에 우물을 파고 나무를 심게 했다. 인간과 동물에게 도움을 주기 위해서다."[138]

이 놀라운 복지 투자(실제로 그렇게 한 것으로 보인다)에서 더 나아가 왕실이 채식을 실천하겠다는 선언도 이어졌다. 아쇼카는 이렇게 말했다. "이전에 주방에서는 카레를 만들기 위해 날마다 수많은 동물을 죽였다. (그러나 이제부터는) 단 세 마리만 잡겠다. 공작 두 마리와 사슴 한 마리다. 그리고 사슴도 매일 잡지는 않겠다. 나중에는 이 세 마리도 잡지 않겠다."[139]

아쇼카는 야생 동물을 보호하기 위해 또 다른 조치를 취했다. "앵무새, 쇠찌르레기, 아루나aruna, 붉은거위, 들오리, 박쥐, 여왕개미, 후미거북, 무골어無骨魚, 땅거북, 호저豪豬와 기타 여러 동물들("유용하지도 않고 먹을 수도 없는 모든 네발짐승"까지 포함하는)을 보호하는 선언을 발표했다. 지정된 날에는 물고기 판매가 금지됐고, "염소, 양, 멧돼지와 기타 동물"의 거세와 말이나 소에 낙인을 찍는 것도 금지됐다.[140]

이런 명령들이 어떻게 강제됐는지는 분명하지 않다. 누구에 의해, 어디서, 언제 그랬는지도 마찬가지다. 아쇼카의 종교적·영적 믿음과 그의 왕권 사이의 구분도 분명하지는 않다. 그런 명령의 중요한 요소는 필시 동식물뿐만 아니라 행동·관습·표준에 관한 권리를 주장하는 것이기 때문이다. 그럼에도 불구하고 아쇼카의 영토 곳곳의 바위에 새겨졌다는 것은 그 자체로 중요하다. 지배자가 인간인 신민에 대해서뿐만 아니라 환경과 그 안의 동식물, 천연자원에 대해서도 권한을 요구하고 있음을 보여주기 때문이다.

또 다른 사례는 카우틸랴Kauṭilya의 〈치국론Artha-śāstra〉에서 볼 수 있다. 서기 1세기에 쓰인 이 책은 그보다 적어도 100년 전의 자료들을 인용하고 있다.[141] 현명한 지도자의 역할과 책임에 많은 부분을 할애하고 있다. 제시된 권고 가운데는 학자와 성자들에게 세금과 부담금이 없는 토지를 주라는 것이 들어 있었다. 중요한 일을 맡은 관리들에게 팔거나 저당잡힐 수 없는 선물도 주라고 했다. 세무관, 행정관, 코끼리 및 말 조련사, 집사 같은 사람들이었다. 경작되지 않는 땅은 몰수해 재분배해야 했으며, 그 땅에서 일해 수익을 낼 수 있는 사람들에게 모든 도움을 주어야 했다. "빈 금고를 안고 있는 왕"은 백성을 뜯어먹고 착취해야 하기 때문이다.[142]

관료를 부리는 데 대한 권고 가운데는 "농학, 기하학, 식물학에 능력이 있거나 그 전문가들의 도움을 받는 농업 책임자"의 임명이 들어 있었다. 정해진 방식(미리 "금이 든 물"에 담가 준비한 첫 한 줌으로 "모든 종류의 씨앗을 처음 뿌릴 때" 프라자파티, 카시야파, 데바, 시타 여신을 찬양한다)에 따라 특별한 기도를 올렸다는 것은 아쇼카 자신의 불교 숭배가 독실했음을 시사하지만, 그 기도는 그가 죽고 제국이 멸망한 뒤에 베다 신앙과 함께 존재했거나 그것에 의해 대체됐다.[143]

어쨌든 여기서 중요한 것은 카우틸랴(2천 년 전 인도 고전기에 가장 중요한 사상가이자 작가 중 한 명)가 지배자는 나라의 모든 중요 자원을 보호하고 관리해야 한다고 선언했다는 점이다. 이 목표를 위해 가축, 인간의 기술, 농업, 광업, 상업은 물론이고 야생 생물, 삼림, 임산물, 물에 세심한 관심을 기울일 필요가 있었다. 이들 자원에 해를 끼치거나 과도하게 이용하는 사람은 죽음의 형벌을 받게 했다.[144] 속뜻은 분명했다. 관리가 잘되면 최상의 결과를 얻는다는 것이었다. 그리고 이를 뒷받침하는 것은 사회·경제·환경의 지속 가능성이라는 미덕이었다.

이것은 대략 비슷한 시기 수천 킬로미터 떨어진 곳에서 활동한 사람들의 글과 부합하는 내용이었다. 서기전 202년 패권을 차지한 중국 한 왕조의 시들 가운데 이상화된 자연에 대한 표현(여기서 초목의 이름은 도덕적 자질에 대한 직·간접적인 비유로 사용됐다)이 가장 잘 나타나는 것은 〈초사楚辭〉 같은 선집이었다.[145] 수백 년 후 크세노폰이 쓴 〈오이코노미코스 Oikonomikós〉(가정론)의 한 구절은 이를 다른 방식으로 이야기한다. "땅은 배울 수 있는 자들에게 올바름에 대해 기꺼이 가르친다. 땅을 잘 대우해주면 땅은 그 대가로 더 좋은 것을 내놓는다."[146] 그는 이 말이 동시에 의미하는 바에 대해서는 설명할 필요가 없었다. 자원에서 너무 많은 것을 뽑아내고 과도하게 이용하는 자들은 땅을 해칠 뿐만 아니라 인간으로서도 실패자임을 드러낸다는 것을 말이다.

# 8장 스텝 변경과 제국들의 형성

## 서기전 1700년 무렵부터 서기전 300년 무렵까지

역사는 유기적인 총체가 되었다.
— 폴리비오스(서기전 2세기)

이미 보았듯이 인간의 정착과 서로 간의 접촉 패턴은 농작물 재배 이후 급격하게 변했다. 염소, 양, 이어서 소의 사육은 마찬가지로 여러 가지 소小혁명을 초래했다. 안정적인 단백질 공급원, 옷감과 신기술이나 저장용으로 쓰일 수 있는 양모와 가죽 같은 자재의 공급원을 구할 수 있게 된 결과다. 동물들이 일에 투입되면서 새로운 에너지원 또한 생겨났다. 사람의 힘을 적게 들이고도 농업 생산을 더 늘릴 수 있게 되었다. 그것은 다시 이 추가 시간을 투자하는 방법을 만들어냈다.

말의 사육 역시 이런 발전들에 못지않게 중요했다. 어느 학자가 말했듯이 말(인간의 속도보다 대략 열 배는 빠르게 이동할 수 있다)은 "고전시대 대제국 건설에 필수적"이었다.[1] 사실 세계 역사에서 말이 중심적인 역할을 했음은 고대 세계에만 국한되지 않는다. 특히 아메리카 대륙에서는 말의 유입이 토착민들에게 가한 충격을 아무리 과장해도 지나치지 않다.[2] 무엇보다도 말의 사육은 인간의 환경과의 관계, 환경 이용, 환경에 대한 대응을 변화시켰다.

유럽과 아시아에는 전신세 초에 말이 매우 많았지만 생태계 변화로 유럽에서는 말이 급감했다. 기후 패턴이 온난해진 결과로 스텝-툰드라가 사라지고 삼림이 복구되면서 말의 서식에 덜 적합한 환경이 되었으며, 아마도 빽빽한 삼림 환경에서 햇볕에 덜 노출된 결과로 짙은 털빛을 지정하는 유전자 변이의 빈도 증가까지 유발한 듯하다.[3]

유럽 대부분의 지역에서 말 개체군이 파편화되고 유전적으로 고립된 듯하지만, 기후가 훨씬 호의적이었던 중앙아시아 스텝에서는 상황이 달랐다.[4] 비록 시기와 장소에 대해서는 학자들이 상당한 논란을 벌이고 있지만, 말을 처음 길들이고 사육한 사람들 가운데는 서기전 3500~3000년 무렵 지금의 카자흐스탄에 살던 보타이인도 있었다. 수십만 점의 말뼈 잔편은 말에 대한 의존이 광범위했음을 입증하고 있고, 도기에서 나온 지방 침전물은 말이 그 젖으로 인해 귀하게 여겨졌음을 시사한다.[5]

이 시기에 적어도 일부 민족들은 말타기 기술을 익혔고, 전차와 수레를 끌도록 말을 훈련시켰다. 무겁고 튼튼한 재갈 막대기와 말 이빨에 난 긁힌 자국은 말에 마구를 채우고 통제하는 것이 결코 쉽지 않았음을 보여주지만 말이다.[6]

오래지 않아 말은 다른 지역에도 전해졌다. 메소포타미아에서는 적어도 처음에는 말이 널리 활용되는 동물이기보다는 호기심의 대상이었다. 기록을 보면 말은 종종 현지 지배자들이 오락을 위해 잡아 가두고 있던 사자의 먹이로 주어졌다.[7] 서아시아 전역에서는 말이 기록과 고고학 자료에 처음 나타나기 시작한 이래 대체로 의존할 수 없고 위험한 것으로 여겨졌다.[8]

그럼에도 불구하고 말이 끄는 수레는 이집트 신왕국(서기전 1550년 무렵에서 서기전 1050년 무렵까지) 파라오 치하에서 영토 확장을 가능하게 하는 데 중요한 요소가 되었다. 〈투트모세 3세 연대기〉 같은 기록에는 수레가 지배층의 지위 표지와 정치적 통제의 도구로서 얼마나 귀중하게 여겨졌는지를 보여주는 전리품 목록이 들어 있다.[9] 이는 또한 투탕카멘의 무덤에 귀중한 소유물로서 '고성능 기계'인 이 수레 여섯 대가 완전한 상태로 함께 묻혀 있는 것이 발견됨으로써 다시 한번 드러났다.[10]

중국 주 왕조 때 쓰인 시들은 붉은 칠을 한 큰 수레를 타고 길이 잘 든 회색 얼룩말을 몰아 "천둥이 치는 듯" 요란한 소리를 내며 적진으로 돌격하는 용사들을 찬양했다.[11] 말과 수레는 또한 신분이 높은 사람들의 선물로서 호의와 명예를 보이기 위해 주어졌다. 서기전 900년 이후 관리 임명이나 왕의 사여賜與를 기록한 청동기 명문銘文인 금문金文의 3분의 1은 수레와 관련된 물품을 기록하고 있다.[12] 한 지배자는 이렇게 선포한다. "나는 너에게 수레 한 대를 주며, 이와 함께 청동 부속품, 말에게 씌울 붉은 칠을 한 부드러운 가죽 올가미, 붉은 안감을 댄 호피 덮개, 멍에에 달 청동 종, 금박 동개와 비늘 화살집, 재갈·굴레와 청동 장신구를 갖춘 말 네 필 한 조, 금박 뱃대끈, 종 두 개가 달린 진홍색 깃발을 준다."[13]

유라시아 대륙 전역에서 말은 중요한 의례상의 지위를 부여받았다. 예를 들어 서기전 1600년 무렵에 쓰인 법률 문서인 히타이트의 '네실림 Nesilim 법'은 돼지, 개, 소와 수간獸姦을 한 사실이 발각된 자는 모두 재판을 거쳐 사형에 처하지만 말과의 수간은 처벌 대상으로 간주되지 않는다고 규정했다.[14] 말은 더 동쪽에서도 숭배의 대상이었다. 인도의 〈리그베다〉에는 말이 희생 의례에서 신들에게 봉헌되는 것으로 나온다. 신들이 부리고 타는 동물 또는 신들이 탄 마차를 끄는 동물이다.[15]

그러나 말 문화의 확산에서 가장 놀라운 점은 그것이 아주 멀리까지,

매우 빠르게 전파됐다는 것이다. 서기전 1200년 무렵에 말을 희생으로 바치는 풍습은 카자흐스탄에서 중국 서북부와 몽골에 이르기까지 유라시아 대륙의 광범위한 지역에서 이루어지고 있었다.[16] 남아시아에서는 말을 제물로 바치는 것이 또한 사제 일반과 특히 지배자의 권위와 권력을 강화하는 핵심 수단이었다.

서기전 900년에서 서기전 700년 무렵에 집성된 문헌인 〈샤타파타 브라흐마나Śatapatha Brāhmaṇa〉는 말을 죽여 희생으로 바치는 아슈바메다 의식에 대해 상세하게 기술했다. 이것은 베다 의례 중 가장 중요한 의식 가운데 하나였다. 이 문헌이 분명하게 밝히고 있듯이 말은 특별한 중요성과 가치를 지닌 것이었다. 그래서 창조주인 프라자파티(저자는 그를 최고신으로 대우한다)는 다른 신들에게는 다른 희생을 배정하고 말 희생은 자신의 것으로 한다.[17]

서기전 1200년 무렵, 말을 다루고 조련하고 기르는 기술이 갈수록 정교해지면서 식용으로의 의존도와 경제적 이용이 모두 증대했던 듯하다. 그러나 아마도 가장 중요한 것은 동물고고학 증거가 말 사육 두수가 크게 증가하고 아울러 몽골과 중앙아시아 일대에서 말타기가 확산되기 시작했음을 보여준다는 것이다.[18] 이 시기 인간의 유골 또한 발, 엉덩이, 팔꿈치 관절과 연결된 근육, 힘줄, 인대의 상당한 증가를 보여준다. 이는 기마와 연관된다고 보는 것이 가장 합리적이다. 광범위하고 급속한 기마 관습의 성장을 나타내고 있는 것이다.[19]

이런 변화의 원인은 분명하지 않지만, 그것이 레반트 안팎의 광범위한 지역에 영향을 미친 기후 재편과 대략 비슷한 시기에 일어났다는 점은 우연이 아닐 것이다. 뼈 콜라겐에서 추출한 안정질소동위원소 값이 보여주는 것처럼, 기마가 등장하기 전에는 스텝에서 소비되는 고기와 유제품

은 주로 양, 염소, 소에서 얻은 것이었다.[20]

말 사육이 흑해에서 중앙아시아를 가로질러 몽골까지 뻗어 있는 개방된 스텝 지역이 특히 건조했던 시기에 시작되고 극적으로 확산했다는 사실은 학자들에 의해 지적돼왔다. 그들은 목축을 통한 생계유지와 음식, 단백질, 우유의 공급원이자 노동력 보충을 위해 말에 의존한 것은 기후 조건 변화에 대한 반응이었다고 주장했다. 특히 몽골 중·서부의 건조도가 높아 생겨난 건조지에서 자라는 풀과 스텝 초목들에 의존해 말이 번성하고, 물이 부족한 상황에서 말의 장거리 방목이 가능하고 회복력이 좋았던 점이 말 사육에 더 많은 시간과 노력을 기울이게 된 이유를 설명해준다.[21]

게다가 말을 이용하는 새로운 전략과 기술을 건조화가 진행된 시기와 연결시키는 것은 그럴듯하고 또한 논리적인 듯하지만, 원인과 결과를 밝혀내는 것은 복잡하고 어려운 과제다. 어떻든 더 중요한 것은 기마의 도입이 생태계에 미친 영향이었다. 그것은 양을 기반으로 했던 경제에서 더 다양한 목축 경제로의 이행이었다. 시간이 흐를수록 말이 늘어남에 따라 더 많은 목초지가 필요해졌다. 정착 형태도 반#정주적인 것에서 보다 분산 수준이 높은 형태로 크게 바뀌고 이동의 빈도도 높아졌다.[22] 동위 원소 자료는 반추동물이 정착지 부근에서 집중적으로 풀을 뜯은 것과 달리, 말은 스텝을 가로질러 넓은 지역을 돌아다녔음을 시사한다.[23]

이런 변화들은 사상, 신앙, 의례의 확산과 상품 및 기술의 교류를 촉진해 장거리 접촉망을 형성하는 데 중요했다.[24] 유목민들은 이미 수백(심지어 수천) 년에 걸쳐 유라시아 대륙 전역에 농작물을 전파하는 데 중요한 역할을 했다. 탄화된 보리, 밀, 기장 씨앗에서 나온 초기 증거가 장례 상황(흔히 인간의 화장)에서 발견됐다는 것은 교역의 시작이 먹기 위한 식료품

이나 열량 소모의 중요성 때문이 아니라 의례와 연관돼 있었음을 시사한다.[25]

서기전 1500년 무렵에 잡곡, 밀, 보리 같은 재배 곡물이 서남아시아에서 대륙의 동쪽으로 전파됐다. 내륙 아시아의 산악 지역까지도 들어갔다.[26] 잡곡은 특히 중요했던 듯하다. 생육 기간이 짧고 특히 더운 기후 조건에서 회복력이 강한 덕분이었던 듯하다.[27]

목축민과 유목민의 연결망을 따라 이동한 것은 식료품만이 아니었다. 구리와 주석 같은 산물, 도예와 야금 같은 기술도 전파됐기 때문이다. 이에 따라 청동 칼과 도끼, 기타 인공품들이 스텝을 가로질러 비슷한 방식과 비슷한 모양으로 만들어졌다. '유라시아 횡단 교환' 기제의 일부였다.[28]

기마의 도입은 다양한 생태 지역들 사이의 접촉을 강화하는 데 한몫했을 것이다. 목축민이 더 큰 목초지를 찾아 여기저기로 퍼져 나간 것이 그 한 이유였을 것이다. 그것은 가장 좋은 목초지와 수원지를 둘러싼 경쟁으로 이어졌다. 또 한 가지 이유는 그것이 사람들을 서로 가깝게 만들고 더 자주 접촉하게 했다는 것이다. 한 가지 영향은 얼추 이 시기에 중앙아시아 일대에서 상당한 유전자 변환과 유전자 혼합이 일어난 데서 찾아볼 수 있다.[29] 또 하나는 급속한 사회경제 변화의 국면을 통해 분명히 알 수 있다. 스텝 지역의 장례가 갈수록 복잡해졌다는 사실과 기술 전문화가 심화되고 있었다는 증거들에서 나타나듯이 유목민 사회의 위계가 확대된 것이 그 한 예다.[30]

일부 학자들이 지적했듯이 상당한 다양성이 있었고, 그것은 국지적인 생태 조건 및 제약과 밀접하게 연관돼 있었다. 여름에 비가 많이 내리는 지역이나 토양이 비옥한 지역에서는 서로 다른 정착 유형이 개발됐다.

그런 경우에는 농경이 집중적으로 이루어질 수 있었고, 어떤 경우에는 관개시설의 개발을 통해 확대할 수 있었다.[31] 지역적인 차이도 상당했다. 동부 스텝에서는 농경의 증거가 많아, 제한적이고 미미한 증거들만 있는 더 서쪽 지역과 뚜렷한 대조를 이뤘다.[32]

그럼에도 불구하고 치아 법랑질과 유골 잔편 분석이 보여주듯이 유목민들은 단일한 모형의 목축에 의존하기보다는 매우 다양한 범위의 경제 전략을 개발했다.[33] 농경이 목축민 생활방식의 중요한 일부였음을 보여줄 뿐만 아니라, 잉여를 만들어낼 수 있는(아마도 실제로 만들어냈을 것이다) 식품원의 생산은 스텝에 사는 사람들에게 땅의 용도와 환경과의 접촉에 대해 다시 생각하게 하는 데 중요한 역할을 했다. 이것은 학자들이 유목민 제국의 등장(그것이 유라시아와 세계 역사의 큰 주제들 가운데 하나를 제공했다)을 이해하도록 돕는 데 매우 중요했다.[34]

고대에 도시에 살던 작가들에게 유목민은 그 생활방식도 흥미로웠지만 활기 또한 관심의 대상이었다. 헤로도토스는 '스키타이' 기병이 강력한 페르시아 군대를 물리칠 수 있었을 뿐만 아니라, 그들을 효과적으로 괴롭힌 뒤 후일을 기약하며 사라질 수도 있었다고 말했다. 왜 정면 대결을 하지 않고 계속 퇴각하느냐고 묻자 스키타이 지배자는 이렇게 말했다고 한다. "내가 지금 하고 있는 일은 평화 시의 내 생활방식과 그리 다르지 않다. 나는 너희와 싸우지 않을 텐데, 그 이유를 말해주겠다. 우리가 도시에 살고 있다면 우리는 그 도시가 점령당하지 않을까 걱정할 것이고, 우리가 경작지를 가지고 있다면 우리는 그 경작지가 버려져 황무지가 되지 않을까 걱정할 것이다. 그러나 우리는 어느 것도 가지고 있지 않다." 이 대화는 분명히 표현상의 자유를 반영하고 있지만, 유목민들이 정주민과 싸울 때 퇴각할 공간이 무한대라는 이점을 지닌다는 생각이 반영된

이 진술은 스텝 민족들과 그들의 타격 거리에 있는 사람들의 실제 관계를 포착하고 있다.[35]

유목민족이 항구적인 정착지를 가지지 않았다는 것은 전혀 사실이 아니었다. 그 이후 시대에 두각을 나타내고 광대한 영토를 지배한 흉노, 위구르, 요遼 같은 집단들은 모두 큰 도시 지역을 형성하거나 확대했다. 거기에는 거대한 건축물, 정원, 과수원, 관개시설이 있었다.[36] 중국 신장자치구의 모후차한거우커우莫呼查汗溝口에서 실시한 무인 항공기 조사는 수백 개의 경작지, 수로, 둑, 저수지, 집을 드러냈다. 이는 유목민 사회들이 복잡하고 다양한 생활방식들(사소한 환경 및 생태 변화에도 민감해 그 이점을 취하고 위험을 적절히 줄이려는 전략을 채택했다)을 조합했음을 보여준다.[37]

유목민들에 대한 저작은 저자가 어느 시기의 사람이든, 그리고 어느 지역 또는 대륙의 사람이든 한결같이 그들을 야만적이고 무질서하다고 묘사했다. 유목민은 원숭이처럼 생겼고, 신을 숭배하지 않고, 산자락에서 버섯을 캐고, 날고기를 먹는다고 수메르의 한 작가는 썼다. 그들은 "들새와 들짐승의 심장"을 가졌고, "인간의 지능이 없는 고삐 풀린 사람들"이고, "하늘이 버린" 자들로서 "악의 온상"이고, 늑대처럼 남의 것을 훔치는 데만 관심이 있었다. 거의 3천 년 전에 기록된 사례의 극히 일부가 이렇다.[38] 그런 기록들은 크고 작은 도시에 사는 사람들이 크고 작은 도시에 사는 사람들의 이익을 위해 쓰인 것이었으며, 자기네의 자존감을 한껏 뽐내고 남들이 사는 방식을 경멸하는 대도시 지식인들의 견해를 드러낸다.

유목민들이 달콤한 말을 속삭이고 좋은 보물을 주겠다는 오만한 도시 거주자들에 대해 시큰둥했다는 약간의 증거가 있다. 그들이 언제나 속셈을 가지고 있었기 때문이다. 한 아버지는 아들에게, "하늘에 맞닿은", 혼이 달아나는 성채에 사는 이런 사람들에게로 가서 그들과 함께 살자는

꼬임에 넘어가지 말라고 말했다. 그들과 멀찍이 떨어져 있는 것이 훨씬 낫다고 아버지는 말했다.[39]

유목민들에 대한 도시 지식인의 이런 거친 묘사는 뒤섞이고 유연하며 적응력 있는 생활방식이 의사 결정과 효과적인 정책(공통의 목적 및 함께 사는 집단들의 사회적 단합을 보장하는)을 결합한 정교한 관리 과정을 요구했다는 사실을 흐려놓을 뿐만 아니라 무시하고 있다. 스텝 사회들은 무지하고 충동적이며 이성이 없기는커녕, 효율적이고 잘 짜여 있고 매우 성공적이었다. 사실 심지어 헤로도토스조차도 그런 말을 했다. 스키타이인(스텝의 모든 유목민족들의 잡동사니였다)은 결코 존경스럽다고 할 수는 없지만, 이런 점은 있었다. 그들은 "한 가지 해낸 것이 있었고, 그것은 인간사에서 가장 중요한 것이었다. 이 세상의 그 어느 누구보다도 더 잘해냈다. 바로 자기네 자신을 보존하는 일이었다."[40] 이들 사회는 관료 지배층에 의해 통제된 도시를 기반으로 하는 나라들(강력한 귀족들의 이해가 의사 결정 과정에서 중요한 역할을 했다)과는 달랐다. 대신에 중앙집권화된 권력이 아니라 지역 차원에서 결정을 내렸다.[41]

물론 정주 사회와 유목 사회의 관계에서 가장 놀라운 것은 그들의 상호의존성이었다. 동물을 기르는 사람들은 산물(유제품에서 고기까지, 양모에서 가죽까지, 짐 나르는 짐승에서 말까지 다양했다)을 필요로 하거나 원하는 소비자들과 가까이 위치해 있어야 했다. 이런 필요는 단일하지 않았고, 그것 자체도 현지의 요구와 취향과 기후를 반영했다. 예를 들어 우유와 채소는 중앙아시아에 비해 서아시아 일대에서 식료품으로 더 중요했다. 중앙아시아에서는 고기 소비가 눈에 띄게 많았다.[42]

그럼에도 불구하고 교환의 패턴은 비슷한 방식으로 작동됐다. 목축민들은 식료, 자재, 상품을 제공했고, 그 대가로 사치품과 사회 위계 및 부족

지도자의 권위를 뒷받침하는 데 유용한 핵심 요소가 되는 물건의 원천을 이용할 수 있었다. 그 지도자들은 그것을 자신의 지위를 과시하는 데 사용하고, 자기 가족이나 친족 집단, 더 넓은 관계망을 상대로 사여했다.[43] 초지는 집단의 공동 소유였지만, 동물은 개인의 소유였다. 그 결과로 위신은 가축의 구성이나 규모를 통해서 과시할 수 있었다.[44]

집중적인 교류가 일어난 지역 가운데 하나가 지금의 중국 북부와 서부였다. 교역이 빈번하고 활발하게 이루어져 동물 부산물과 동물이 한 방향으로 팔려갔고, 비단이나 금·동 장신구, 도기, 기타 유목민 시장을 겨냥해 '유목민 양식'으로 특별하게 디자인된 물건들이 다른 방향으로 흘러갔다.[45] 서아시아와의 교역 또한 홍옥수 목걸이 거래로 입증됐다. 그것은 거의 확실하게 메소포타미아에서 가공됐으며, 대략 이 시기 웨이허와 황허 유역의 무덤들에서 많이 나왔다.[46] 교역은 장거리를 오가며 이루어졌을 뿐만 아니라 관념이나 디자인도 주고받았다. 사자와 독수리를 합친 그리핀 모티프는 에게해, 동지중해, 페르시아로부터 동아시아와 남아시아로 확산됐다.[47]

자패紫貝 껍데기(아마도 중국 남해안이나 어쩌면 인도양에서 산출됐을 것이다)가 대량으로 발견된 것은 이 시기에 전체적으로 상품과 사람의 이동이 증가했고 그것은 육상 통로에 국한되지 않았음을 보여준다. 그런 조개껍데기가 부유하지 않은 사람의 무덤에서 발견됐다는 것은 방대한 유통망의 존재와 사회경제적 팽창의 진행을 알려준다.[48] 자패 껍데기가 일종의 화폐로 사용됐다는 주장이 많이 나왔지만, 그 가치는 보다 자연스럽게 장식, 의례, 장례 기능과 연관돼 있었던 듯하다.[49]

그럼에도 불구하고 지리, 환경, 기후는 생태적·문화적 경계를 짓는 데 중요한 역할을 했다. 특히 동아시아의 유목 사회와 정주 사회의 관계에서 그랬다. 중국 문헌들은 흔히 유목민과 그들의 문화를 부정적이고 심지어 경멸적인 용어로 묘사했지만, 동물 사육이 크고 작은 도시에서 적당한 거리에 있는 지역으로 확산된 것은 분명히 도시 주민들이 식료품을 확보하고 직물과 가죽을 위한 재료를 얻는 데 역할을 했다. 그것은 사치품의 이동과 미술 양식의 전파보다 더 실제적이고 즉각적인 중요성을 지니고 있었다.

학자들은 오랫동안 수백 킬로미터에 걸친 장거리 교역망의 형성과 발전에서 유목민들이 한 역할에 주목했지만, 최근 일부에서는 유목 생활의 형태가 다양했으며, 따라서 장기간에 걸쳐 (그리고 지역 사이 또는 지역 내부에서는 더욱) 같은 행동을 보였다고 생각하는 것은 지나친 단순화라는 점을 강조하고자 했다.[50] 실제로 일부 학자들은 한발 더 나아가, 유목민들이 정주 공동체들에 대안적인 방식을 제공했다기보다는 서로 이익을 주고받는 통합된 세계의 일부를 이루었음을 강조하고자 한다. 유목민들은 도시 생활의 대안이 되기보다는 많은 경우 필수적인 상품과 물자를 공급하면서 다른 한편으로 위협을 가하는 쌍둥이 동력을 통해 자기네의 성장을 자극했다. 이를 통해 그들은 사회·정치·군사적 통합을 촉진했다.[51]

중국의 전국시대戰國時代라는 상황에서, 그리고 특히 서기전 4~3세기 동안에 유목민들이 한 기본적인 역할은 한 중진 학자에 의해 설득력 있게, 그리고 능숙하게 제시된 바 있다. 그는 이 시기에 일반적으로 스텝 주민들의, 그리고 특수하게는 말의 중요성이 갈수록 커졌음을 분명히 보여주었다. 이 시기는 중국에 분포하는 여러 국가의 지배자들 사이의 경쟁과 적대감이 자원에 대한 거의 끝없는 욕구를 불러일으킨 시기였다. 우선 말이 있지만 군사 장비를 나르는 짐꾼 동물들도 있고, 마부, 조련사,

안장, 피륙과 가죽(특히 갑옷을 비롯한 많은 용도가 있었다)도 있었다.[52]

이런 수요는 기병 개혁과 국가들 사이의 거의 끝없는 경쟁으로 증가일로를 걸을 뿐이었는데, 스텝 사람들에 대한 관심을 증대시키고 있던 사료들에 나타나 있다. 이들 사료는 유목민들의 군사적·전략적 중요성과 함께 대략 2500년 전 무렵의 늘어가는 교역 규모에 대한 강력한 단서를 제공한다.[53] 또 다른 단서는 전술과 군사적 계획의 변화에 있으며, 그중 아마도 가장 중요한 것은 거대한 성벽 축조였을 것이다. 그 의도는 흔히 생각했던 것처럼 이민족의 침입을 막는 것이 아니라 국가 통제하의 영토를 확장하는 것이었다. 공급원을 보호하자는 것이었다.[54]

이는 다른 무대에서도 역시 중요했다. 투키디데스는 서기전 5세기에 그리스의 기원과 일부 도시들이 어떻게 강력해졌는가에 대해 썼는데, 비옥한 땅을 보호할 수 있게 된 것이 핵심이었으며 농업 잉여를 축적할 능력과 필요성도 중요했다고 말했다. 성벽 축조는 결정적으로 중요했으며, 강국들이 다른 나라들을 지배하고 복속시킬 수 있게 하고 그 과정에서 더욱 부유하고 강해졌다고 그는 지적했다.[55]

메소포타미아에서도 그랬지만 요새에 대한 투자는 방어적 동기뿐만 아니라 가장 좋은 땅과 노동력에 대한 통제에도 초점이 맞추어져 있었다. 현실적으로 도시, 국가, 정치체가 능력을 키우는 방법은 오직 둘 중 하나였다. 생산성을 높이거나, 아니면 추가적인 경작지를 합병하는 것이었다.[56]

경쟁의 동력은 기술 진보와 함께 정치적 중앙집권화의 과정을 추동했다. 이는 우선 이웃과 한 발 건너 이웃의 위협이 적절한 방어 및 공격 전략을 요구했기 때문이다(문제 해결 능력이 지위의 근거인 사람들은 그런 전략 제시를 통해 위치를 강화할 수 있었다). 경쟁자들의 도전은 불가피하게 중심에 있는 사람들로 하여금 자원에 대한 더욱 강력한 통제를 요구하게 했다. 팽창 또는 저항 정책을 지원하기 위해서다.

둘째로, 도시, 국가, 정착지가 더 커지고 더 복잡해지면서 그들은 제도를 개발해, 통합되고 조화를 이루고 동질화되는 분명한 정체성을 만들고 협력을 위한 통합, 사교성, 열의를 자극했다. 이런 제도들은 관료제에서 문자 체계까지, 교육에서 종교까지 다양했다. 얼핏 이상하게 생각되겠지만 군사적 위협과 전쟁은 중요한 역할을 했다. 둘 다 상처가 될 수 있고, 비용이 많이 들고, 특권 지배층 수를 늘린다. 그럼에도 사람들을 하나로 묶는 데 매우 유용했으며, 규범과 일부 학자들이 '초超사교성ultrasociability'이라 부르는 것의 개발과 진화를 촉진했다.[57] 외부의 위협은 정신을 집중시켰다. 그러나 그것은 또한 협력의 이유를 제공하고, 그럼으로써 단일한 정체성의 형성과 강화에 결정적인 역할을 했다.

이런 움직임은 세계의 여러 지역에서 공통적이었다. 그러나 놀랍게도 그것은 스텝과 가까운 지역에서 가장 활발하고 소란스러웠다. 말 사육, 온화한 생태 조건, 스텝 민족들과 도시에 사는 사람들 사이의 교역 증대는 아시아 여러 지역의 급속한 변화를 촉진한 것이 농업 국가와 유목민 연합의 상호작용이었음을 시사한다. 이것은 정교한 기병 전술의 도입과 유목민족들이 주변 국가들을 습격하고 약탈할 수 있게 한 안장, 등자, 합성궁 같은 혁신에 의해 좌우됐다. 그것은 다시 주변국 자신도 기병 전술을 채택하고 변형시키는 결과를 낳았다. 거의 군비 확장 경쟁을 방불케 하는 대결이었다. 이는 국가의 효율성을 높였지만, 또한 유목민들에게 자기네의 역량을 강화하고 그들이 얻을 수 있는 보상의 규모를 키우기 위한 더 많은 당근을 제공했다.[58]

둘 사이의, 그리고 각각의 내부 경쟁은 둘 모두에게 극적인 팽창을 추동한 구심력으로 이어졌다. 서기전 제1천년기 동안에 잇달아 등장한 약한 국가들과 유목민 집단들이 사라지고 그 과정에서 가장 큰 농업 국가들이 몸집을 네 배로 불렸다. 같은 충격으로 인해 유목민 집단의 복합체는 광역의 집단들로 재편됐다. 그들에 대한 사료의 식별은 종종 복잡하고 다양한 정체성을 오해하게 만들어, 지배 집단의 이름을 언급하는 것으로 단순화하고 있다. 예컨대 유라시아 스텝의 흉노나, 후대 만주 지역의 부여, 한반도의 조선 같은 식이다. 이들 연합체는 모두 상당히 강력해져서 갈수록 많은 영토를 통치하게 되었다. 농경 국가들이 그랬듯이 말이다.[59]

그 이유 가운데 하나는 크고 작은 도시들과 정주 집단들(당연히 땅의 생산성의 한계에 묶일 수밖에 없었다)이 성장하면서 큰 연합체들이 말, 고기, 유제품, 직물, 가죽, 기타 물자의 공급자로서 더욱 중요해졌다는 것이다. 또 하나는 좋은 목초지와 상당한 규모의 가축 떼에 대한 수요가 늘고 그에 대한 통제력이 강화되면서, 스텝 지도자들이 자기네 추종자들에게 더 큰 영향력을 발휘할 수 있게 되었다는 것이다. 물건을 원하고 필요로 하는 사람들과 거래를 할 때와 흡사한 상황이었다. 물론 이는 자원을 증대시켰고, 인력 역시 다른 부족과 이웃 나라들을 공격할 수 있는 능력과 공격하겠다고 위협할 수 있는 능력을 향상시켰다. 공격이든 위협이든 모두 돈이 되는 것으로 드러났고, 위신의 원천이 되었다. 단결을 위한 도구인 전쟁의 이득은 모두에게 적용됐다.[60]

그 결과는 모호하면서 동시에 불안정한 균형이었다. 고대의 상황에서만 그런 것이 아니라 현대에 들어서도 마찬가지다. 예를 들어 역사상 첫 제국들이 띠를 이룬 스텝 지대 인근 지역에서 성장한 것은 결코 우연이 아니었다. 한 연구는 비록 계량화와 분류에 문제가 많다고 할지라도 3천 년 이상 동안 큰 제국의 85퍼센트 정도가 유라시아 스텝 안이나 그 부근에서 발전했다는 근사치는 지리와 함께, 서로 다른 종류의 땅을 서로 다른 방식으로 사용한 사람들 사이의 상호작용이 얼마나 중요한지를 분명히 보여주고 있다.[61] 스텝은 떠도는 유목민들이 사는 황량한 불모지이기는커녕 제국 팽창의 촉매제임을 끊임없이 입증해왔다.

예측 모형과 통계 분석 같은 과거를 이해하기 위한 새로운 접근법은 크고 복합적인 인간 사회가 형성되는 데 생태적이고 지리적인 요소가 중요함을 강조하고 있다. 특히 이런 긴밀한 상관관계가 분명해졌다. 제국은 농경이 더 오래 이루어져온 곳과 전쟁이 보다 격렬해 사회가 대응 압박을 받은 곳에서 더 흔히 탄생했다는 사실이다. 스텝 지역은 중앙집권화와 성장의 동력을 낳은 기회와 과정을 만들어내는 데서 중요한 역할을 했다.[62]

사실 스텝의 동력원이 중국 역사에서 그저 중요한 요인 중 하나가 아니라 절대적으로 중요한 요인임을 입증하는 것은 어렵지 않다. 한 저명 역사가가 지적했듯이 중국 역사에서 제국의 원천은 거의 전적으로 북쪽 변경에서 나왔다. 그곳이 3500여 년 동안의 주요 '통일 사업' 가운데 하나를 제외한 모든 것의 근원을 제공했다. 그 유일한 예외는 명 왕조의 통일이었다. 이 왕조는 중국 중부에서 생겨났다. 다만 앞으로 보겠지만 이 경우에도 맥락이 중요했다.[63]

핵심 요인은 지형이었다. 중국 역사에서 북쪽 땅이 한 큰 역할은 그 평탄함으로 설명된다. 천연 장벽의 부재는 군사적 정복과 정치적 통합을 용이하게 했다. 중국의 나라들이나 유목민 연합체나 마찬가지였다. 사실 1800년 이전에 중요한 침입은 모두 북쪽으로부터 시작되었다. 다시 말해서 이 평탄한 땅의 지리적 특성 탓에 유목민의 급습(또는 더 험악한 일)에 늘 취약했을 뿐만 아니라, 지리가 단일 중앙집권 국가의 탄생에 결정적인 역할을 했다는 얘기다. 분명히 중국 역사에는 분열의 시대가 있었다. 그러나 대부분의 동력은 통일을 향하고 있었고, 변경을 방어하고 통제하고 확장하고자 하는 정치적 중심을 향하고 있었다.[64]

중앙집권화를 향한 이 몰이는 다시 중심부 바깥에 제한된 권력을 위임하는 지배자와 그 궁정을 바탕으로 하는 '부챗살 조직'을 만들어냈다. 그 중심부의 힘은 효율적인 정보 분배, 표준화된 관료제, 그리고 좀 덜 일반적이긴 하지만 단일 언어와 문자 체계에 있었다. 그러나 약점은 주민들의 심한 변덕, 경제의 생산량, 그리고 내부 압박에 직면했을 때의 제한된 회복력이었다. 이는 내부의 동란, 왕조 전복, 개인 지배자의 폐위가 자주 일어난다는 얘기였다.[65] 그럼에도 불구하고 이는 예컨대 유럽과 뚜렷한 대조를 이루었다. 유럽에서는 큰 국가가 드물고 단명했다.

최근의 모의실험이 보여주었듯이 동아시아 전반과 특히 현재 중국의 산악 위치 역시 줄기찬 통합 과정의 한 요인이었고 그것은 당대 사람들에게도 흥미를 끌었다. 서기전 3세기 진秦 왕국의 상방相邦 여불위는 한때 수만 개의 나라가 있었지만 당시 남아 있는 것은 얼마 되지 않는다고 흥미를 보이며 이야기했다. 망한 나라들이 "상벌을 비효율적으로 시행"해 그렇게 되었다는 그의 설명이 아주 설득력이 있는 것은 아니다. 보다 의미심장한 것은 그가 죽은 뒤 바로 진나라가 이웃과 경쟁자들을 압도해 흔히 중국 역사상 최초의 제국으로 표현되는 나라를 건설하면서 그들의 수를 더욱 줄였다는 사실이다.[66]

이는 단순히 한편으로 흑해 북안에서부터 중앙아시아를 가로질러 멀리 태평양까지 뻗어 있는 스텝 지역과, 다른 한편으로 그곳과 경계를 맞대고 있거나 가까운 지역 사이의 관계가 제국의 발전에 대한 통찰을 제공한다는 것만이 아니었다. 그것은 또한 큰 국가가 발전하지 않는 곳을 설명하는 데도 도움이 된다. 가축(말 포함)을 기르는 것은 건조한 초지에 매우 적합했다. 그러나 열대 기후에서는 어렵고 심지어 불가능했다. 초지와 식량원이 별로 없고 또한 가축 전염병이 만연했기 때문이다.[67]

이는 제국들이 왜 인도에 발을 붙이기 위해 고투했는지를 설명하는 데 도움이 된다. 인도는 일찍이 프랑스 역사학자 조르주 뒤비Georges Duby가 '제국이 없는 곳'으로 묘사한 지역이다. 특정 시기의 분명하지만 단명한 예외가 있기는 했다. 서기전 3세기 아쇼카 대제 치하 또는 500년 후 굽타 왕조 치하 같은 경우다. 그러나 대체로 말해서 동아시아와 서남아시아에서 그렇게 중요했던, 그리고 말 사육과 정치적 경쟁에 의해 가속화된 합병, 팽창, 중앙집권화의 동력원은 인도아대륙에서는 약하거나 존재하지 않았다.[68]

생태적 요인이 여기에 핵심적 역할을 했다. 남아시아와 동남아시아에서 변동이 심한 기후 패턴에 따른 강의 불안정은 문제가 될 수 있었다. 강들은 자주 토사가 쌓이고, 수심이 깊은 수로가 막히며, 강의 삼각주가 예측할 수 없게 형성된다. 메콩강과 이라와디강은 하구에서 매년 50미터씩 육지를 넘어 확장된다. 자바섬의 솔로강은 라인강의 여섯 배나 되는 퇴적물을 나른다. 길이가 60퍼센트나 짧은데도 말이다.[69]

이 때문에 도시 생활은 위태로웠다. 동남아시아 일대의 주요 도시 정착지들은 자주 붕괴하고 버려졌다. 근세에 이르러서도 말이다. 믈라카, 바루아스, 팔렘방 같은 큰 도시들이 그랬다.[70] 남아시아에서는 주요 상업 중심지와 정치적 수도조차도 불충분한 물 공급, 강줄기 이동, 기타 물과 관련된 문제 등 환경 변화에 적응할 수 없어 붕괴했다. 캄베이, 카나우지,

데발, 카얄, 가우다 같은 도시들은 그 결과로 사실상 버려진 큰 도시권 가운데 일부일 뿐이다.[71] 한 중진 평론가는 이렇게 말했다. "불가피하게 인도는 도시들의 무덤이 되었다." 남아시아와 동남아시아의 대부분은 더욱 심했다.[72]

　기후 조건의 불확실성은 관개수로를 건설할 장소와 방법을 선택하는 일을 어렵게 만들었다. 이는 농업 잉여가 드물었던 것처럼 보이는 이유를 설명해준다. 그리고 도시가 얼마나 번성하기 어려웠는지를 더욱 잘 보여준다.[73] 14세기의 유명한 탐험가 이븐바투타 같은 사람들의 경험은 시사적이다. 1330년대에 델리를 방문한 그는 이곳을 "인도국의 수도, 매우 빛나는 도시, 크고 아름다움과 권력을 겸비한 곳"으로 묘사했다. 그곳은 "인도의 도시mudun al-hind 가운데 가장 컸고, 심지어 이슬람권 동방의 모든 도시 가운데서도 가장 컸다." 그러나 6년 뒤 델리를 지나면서 그는 이 도시가 "불이나 연기나 그을음도 없이 (…) 완전히 버려졌음"을 발견했다. 한때 "거대한 도시"였지만 지금은 황폐해졌고 "그 주민은 모조리 흩어졌다."[74]

　이것은 과장이라 하더라도(그는 몽골의 공격 이후의 델리를 묘사했다), 도시들이 갑자기 붕괴하거나 버려졌다는 생각은 다른 시기의 여러 기록에도 나온다. 예컨대 16세기에 무굴 왕조를 창시한 바부르는 〈바부르 이야기〉에서 이렇게 말한다. "힌두스탄에서 크고 작은 마을과 심지어 도시가 파괴되고 건설되는 것은 순식간에 벌어질 수 있다. 사람들이 여러 해 동안 살아온 큰 도시라 할지라도 버려지게 되면 하루 만에, 심지어 한나절 만에 버려질 수 있다. 아무런 조짐이나 흔적도 남기지 않고 말이다." 당연히 이것은 도시의 위치와 그에 따라 조성되는(조성되지 않을 수도 있다) 기반시설에 영향을 미친다. 바부르는 이렇게 썼다. "그들이 도시를 건설할 생각이 있더라도 관개수로를 파거나 제방을 쌓을 필요는 없다. (…) 집을 짓거나 성벽을 쌓아 올리지도 않는다. 그들은 그저 풍부한 짚이나 헤아릴 수도 없이 많은 나무로 오두막을 지을 뿐이며, 곧바로 마을이나 도시가 생겨난다.”[75]

이는 1560년대에 인도를 방문한 뒤 책을 써서 잉글랜드에서 널리 읽힌 한 여행가가 기술한 모습과 비슷했다. 그는 이렇게 썼다. “해마다 부토르Buttor 사람들은 마을을 세웠다 허물었다 한다. 집과 가게는 짚으로 짓고, 그들이 사용하는 모든 필수품들도 있다. 이 마을은 배들이 그곳에 있는 동안, 그들이 인도 여러 나라로 떠나기 전까지 유지된다. 그들은 떠날 때가 되면 각자 자기네 집이 있는 곳으로 가서 집에 불을 지른다. 그것이 내게는 신기했다.”[76]


습한 계절풍 기후는 남아시아와 동남아시아에 또 다른 영향을 미쳤다. 특히 광대한 열대 삼림의 존재가 그것이다. 벌채하려면 많은 노동력과 시간이 필요했다. 초지가 없다는 것은 말을 번식시키고 기르고 방목하기가 어렵다는 얘기다. 특히 대규모로는 말이다. 따라서 말의 조달은 당국자들이 대단한 관심을 가진 문제였다. 특히 군대를 지원하기 위해서였는데, 말은 기병대와 전차 부대에서 모두 큰 역할을 했다.

말을 어디서 구할 것이냐에 특별한 관심이 쏠렸다. 가장 좋은 말은 서북부인 지금의 이란, 아프가니스탄, 파키스탄에서 왔다. 카우틸랴는 〈치국론〉에서, “전투에 적합한 가장 좋은 말을 기르는 곳”은 간다라, 신드, 펀자브, 그리고 바나유Vānāyu(아마도 페르시아인 듯)라고 썼다. 다른 지역에서 온 것은 중간 등급이거나 그 아래였다.[77] 달리 말하자면 인도 지배자가 될 수 있는 가능성은 말을 구할 수 있는 능력과, 따라서 그들이 말을 구할 수 있는 지역과의 지리적 근접성에 달려 있었다.

그러므로 당연한 일이지만 인도와 그 이웃들 사이의 교역 관계가 발전하는 데 핵심적인 내용 중 하나는, 적어도 공업화 시대 이전까지는 말 수입(특히 중앙아시아로부터의)에 관한 것이었다.[78] 그뿐이 아니었다. 중국 역사가 북쪽 스텝 유목민들의 활동에 영향을 받은 것처럼 인도의 운명도 비슷한 영향에 크게 좌우됐다. 스텝 민족들이 남쪽으로 팽창할 때 그 영향은 두드러졌다. 그 분명한 사례 가운데 하나가 대략 2천 년 전 쿠샨 제국의 건설이었다. 그들은 카니시카(재위 서기 127?~150?) 치하에서 전성기를 누렸다. 또 하나는 바로 바부르와 무굴 제국이었다. 이 왕조는 뿌리와 시선이 분명하게 중앙아시아와 연결돼 있었다.[79]

이는 중앙집권화나 영토 확장이 없었다는 말은 아니다. 스텝 지역에 사는 사람들과 그 인근 사람들 사이의 복잡한 관계에서 그랬듯이 말이다. 다만 그 과정의 강도와 범위는 그리 크지 않았다. 이것이 하나의 차이였다면 또 하나는 질병 환경이었다. 열대 기후는 전염병이 창궐하는 도가니임이 드러났다. 인구 추이는 지역, 병원균 서식지, 동물원성 감염(그것이 동물에서 사람으로 질병을 옮기는 데 중요한 역할을 한다)에 따라 분명한 형태를 보였다. 아시아의 병원균 일반에 관한 우리의 이해는 이 주제에 대한 학술적 연구가 매우 미진해(유럽 및 남·북아메리카의 연구와 뚜렷한 대조를 보인다) 제약을 받고 있다. 또한 고유전학古遺傳學 연구의 대부분이 유럽의 표본에 의존하고 있기 때문이기도 하다.[80]

이는 말라리아, 결핵, 나병, 천연두와 전염병의 서로 다른 변종이 어디서 어떻게 발생했으며, 이것들이 서로 다른 지역과 소지역에 언제, 어떻게, 왜 영향을 미쳤는지에 관한 여러 의문들을 남긴다.[81] 마찬가지로 사망률의 실제 수치와 추정치와 가능치를 평가하는 것은 정확성이나 확실성을 갖고 해내기 어렵다. 질병이 인구 증가에 어떤 식으로 제동을 거는지에 대한 가설은 어쩔 수 없이 모호하고도 조심스러울 수밖에 없다는 얘기다. 그럼에도 불구하고 상이한 지리, 생태, 기후는 고대와 그 이후에 사회가 발전해온 방식의 지역적 다양성을 설명하는 데 도움이 되는 배경과 맥락을 제공한다.

이는 남·북아메리카에서도 진실이었다. 그곳에서는 2천 년 이상 전에 출현한 구조들 사이에 상당한 다양성이 있었다. 남아메리카에서는 안데스 문화에서 탄생한 일부 초기 정치체들(모체Moche, 와리Wari, 티아우아나코Tiahuanaco 같은)이 자원 통제를 둘러싼 경쟁과 적대에 내몰렸던 듯하다. 그것이 지배 집단들로 하여금 자기네 권위를 주장하고 전쟁, 종교, 사회 규범을 사용해 과거에 메소포타미아와 기타 지역에서 했던 것과 흡사한 방식으로 지배적인 정체성을 만들어내게 하는 데 이바지했다.[82]

서기전 800년에서 500년 무렵에 멕시코만 일대에서 교역이 증가하면서 지역 군장君長들이 생겨났다. 이들 모두가 경쟁과 정복을 통한 흡수로 국가 또는 국가와 유사한 정치체로 발전하지는 않았지만, 출현한 모든 국가들은 권한을 위임하는 데 더 뛰어나고 관리 역량을 개발하는 데 더 효과적이었던(어쩌면 둘 다였던) 군장 정치체에서 성장했다.[83]

그런 사례 하나가 서기전 800~500년 무렵에 꽃핀 올메카Olmeca 문화다. 이 이름은 지금의 중앙아메리카와 멕시코 일대에 살던 주민들의 사회적 정체성이나 민족적·언어적 정체성을 나타낸 것이 아니라 그들의 예술 양식을 반영한 것이다. 가장 중요한 도시는 라벤타La Venta였다. 그 중심에는 30미터 높이의 피라미드, 300미터 길이의 기단(지배자의 권력을 과시하는 의례에 사용됐다), 그리고 '거대한 공물'(우주의 모형과 식품의 아버지 '옥수수 신'의 중심적 위치를 나타내기 위해 설계되고 장식됐다)로 알려진 묘실墓室로 장식된 주 광장이 있었다.[84] 쿠에요Cuello와 치아파데코르소Chiapa de Corzo 같은 유적지와 마찬가지로 옥, 사문석蛇紋石, 편마암 같은 녹암綠巖에 특별한 중요성이 부여됐다.[85]

옥수수는 중앙아메리카 여러 곳에서 오랜 기간 마법의 재료였다. 마야인들의 창조 이야기인 〈포폴 우흐Popol Wuj〉에 따르면 신들은 세상을 소리 없고 고요하며 어두운 물의 세계에서 자기네의 필요를 충족시킬 수 있는 세계로 변화시켰다. 자기네를 부양할 동물들을 만들려는 신들의 노력은 실망으로 끝났다. 처음에 신들은 사슴, 새, 퓨마 같은 동물들을 만들었는데, 그 동물들은 제대로 말을 하지 못했다. 이어 쓰레기와 흙으로 사람을 만드는 엉터리 시도에 나섰으나 역시 잘 마무리되지 않았다. "그것 역시 좋지 않았다. 그것은 그냥 흐트러져 부서졌다. 그것은 그저 물에 흠뻑 젖어 곤죽이 되어버렸다." 이 처음의 인간은 몇 마디 말을 할 수 있었다. "그러나 지식이 없었다. 곧바로 그것은 그냥 물에 녹아버렸다. 강하지 않았기 때문이다."[86]

세 번째 시도 역시 허사가 되었다. 나무로 만들었는데, 번식해 아들딸들을 낳았지만 무지하고 이해력이 없었으며 "손과 무릎으로" 기어 다녔다. 다행스럽게도 마지막 시도는 성공을 거두었다. 신들은 놀라운 재료인 옥수수를 사용해 첫 인간을 만들었다. 그들은 "걷고 대화할 수 있었다. 그들은 들을 수 있었다. 그들은 걷고 손으로 물건을 잡을 수 있었다. 그들은 뛰어나고 선택된 사람들이었다." 그들은 의식이 있었고, 지식을 잘 갖출 수 있었다. 마침내 자기네의 편의를 위해서뿐만 아니라 신들의 목표와 필요를 충족시키기 위해 땅을 경작할 수 있는 생명체가 만들어진 것이다.[87] 다시 말해서 옥수수는 귀중한 식량일 뿐만 아니라 지적 생활의 비밀 자체이기도 했다.

서아프리카에서도 도시화의 진척, 협력, 사회 조직에 대한 관념이라는 맥박은 다른 사람들을 흉내 내는 것이 아니라 자기네 방식대로 고동쳤다. 대륙의 다른 대부분의 지역과 마찬가지로 서아프리카는 초기 도시들에 대한 학술 연구의 주류에서 거의 배제됐다.[88] 사실 사헬(북쪽의 사하라사막과 남쪽의 대륙에 걸쳐 있는 사바나 지역 사이의 띠 형태의 점이漸移 지역)에 대한 현대의 연구는 이 지역의 사회들이 독특한 정치체들임을 강조한다. 그들은 같은 시기 세계 다른 지역의 정치체들과 아주 다른 방식으로 기능했다.[89]

사하라 이남 아프리카에서는 정치의 중앙집권화, 사회 위계, 서로 간의 흡수에 대한 증거가 희박하다. 중심 도시들, 지배층의 주거, 집권화된 권력을 강화하고 외부의 위협에 의해 제기된 문제의 해결에 사람들을 끌어들이기 위해 설계된 행정 기구들이 없기 때문에 더욱 두드러진다.[90]

티시트Tichitt 문화는 아마도 서아프리카 초기 복합사회의 가장 적절한 사례일 듯한데, 서기전 1000년 무렵 모리타니 남부 티시트와 우알라타 급경사면을 따라 나이저강 삼각주까지 뻗어 있는 수십 개의 대규모 자연석 건축 정착지로 입증되고 있다. 인구가 늘고 경작 가능 토지가 줄어 중앙집권화가 촉진됐다고 오랫동안 생각돼왔지만, 가장 동쪽에 속하는 정착지들 중 하나인 다르네마Dhar Néma 발굴은 그것이 사실이 아님을 시사한다. 토지 구득에 대한 압박의 흔적이 별로 없는 것이다. 마찬가지로 이곳과 남쪽의 메마Méma에서 입증된 서로 다른 생활양식의 범위는 주민들을 '정주', '유목', '반유목'으로 분류하는 것이 지나친 단순화의 위험을 안고 있음을 상기시킨다.[91] 큰 정착지와 그것을 둘러싼 지역들 사이의 관계는 복합적이었다. 고대에만 그런 것이 아니라 그 이후의 시기에도 마찬가지였다.[92]

사회 변화도 마찬가지다. 그것은 당연히 시간이 지나면서, 그리고 자주 요동쳤다. 끊임없이 조정을 겪었다고도 할 수 있다. 흔히 기후 변화의 결과였다. 티시트 문화 형성의 핵심 요소 가운데 하나는 사하라의 건조화였던 듯하다. 그것은 습한 지역으로의 주민 집중과 그로 인한 적응(펄기장 재배 같은 것이다)을 촉진했다. 서기전 500년 무렵 건조화가 극심했던 시기는 가족, 집단, 개인의 점진적인 이산을 재촉했다. 그들은 덜 위험한 환경 조건을 찾아 떠났다.[93] 이 이산자들이 나중에 와가두 제국(그 지배자 칭호를 따라 가나 제국으로도 불렸다)의 핵심이 되었다는 설득력 있는 주장이 있다. 이 제국은 서기 300년 무렵에 일어나 1100년 무렵까지 번영했는데, 이 시기는 서아프리카에서 기후 조건이 좋은 시기였다.[94]

이 지역 중심지들 사이의 가장 큰 차이점은 그들이 서로 연결된(또는 연결되지 않은) 방식에 있었다. 남·북아메리카에서는 생기 넘치는 중심지들이 서로 너무 멀리 떨어져 있어, 15세기 말과 16세기 초 유럽인들이 오기 전까지 의미 있는 방식으로 접촉하기가 어려웠거나 아예 접촉이 없었다. 중앙아메리카와 남아메리카의 문화들은 서로 독립적으로 발전했다는 얘기다. 반면에 서아프리카에서는 지역 또는 소지역 안에서 긴밀한 접촉이 이루어졌다. 먼 곳에서 가져온 사치품들이 취향과 양식을 규정하는 역할을 했다.[95] 그러나 이 연결의 강도, 서로 연결된 지역들을 엮어놓은 모습, 그들이 제시한 도전과 기회, 그들이 초래한 영향은 다른 곳에서는 완전히 규모가 달랐다.

그리스 역사가 헤로도토스는 유럽, 아프리카, 아시아에 왜 여자 이름을 붙였는지 하는 모호한 이유는 제쳐두고 그 각각에 애당초 별도의 이름을 붙인 것 자체가 바보 같은 일이었다고 잘 지적했다. 실제로는 한 땅덩어리이기 때문이다.[96] 그의 관심은 지리에 있지 않았고, 이들 지역에 살며 서로 싸우고 거래하고 부대끼는 사람들의 모자이크에 있었다. 그리고 그 연결, 차용, 각자의 풍습에 있었다. 그의 재기才氣는 로마의 웅변가이자 작가인 키케로의 찬사를 들었다. 키케로는 그를 '역사의 아버지'라 불렀다. 물론 플루타르코스 같은 사람은 그가 부정확하고 편견에 가득 차 있으니 '거짓말의 아버지'로 불려야 한다면서 사뭇 다른 목소리를 냈지만 말이다.[97]

여기서 중요한 것은 아마도 고대 세계 학자 및 작가들의 인식 범위일 것이다. 그들이 제공하는 정보가 때로 미심쩍은 것으로 드러나기는 하지만 말이다(예컨대 로마 제국에서는 "바람과 비가 순조롭지 않으면" 황제가 물러나고 "적격자가 그를 대신해 통치"한다고 한 중국 역사 기록자가 그렇다).[98] 그런 언급은 창조적 사고와 심지어 희망적 사고에도 배치되며, 불리한 기후 환경이 일으킬 수 있는 문제들에 관한 우려에 비추어 특히 흥미롭다. 그러나 이것들은 결국 지중해를 페르시아만 및 홍해를 거쳐 중앙아시아, 남아시아, 동아시아와 연결하는 겹치고 서로 맞물린 연결망을 입증한다.

이는 상품 교환 및 사람의 이동뿐만 아니라 사상과 신앙의 전파도 가져왔다. 예를 들어 고대 로마에서는 인도에서 했던 것과 아주 흡사한 방식으로 말 희생 의례를 치렀다는 사실이 알려져 있다. 여기에는 경주에 이긴 종마를 제물로 선택하고, 말의 몸을 상징적으로 분할하며, 이 행사를 영적·물질적 행복과 연결시키는 것이 포함된다.[99] 그러한 유사성은 세계 다른 지역의 비슷한 산물에 대한 소비 유형과 수요에 관해 많은 것을 드러낸다.

서기전 2세기의 역사가 폴리비오스도 자신이 살고 있는 시대를 돌아보면서 바로 그 점을 떠올렸다. 과거는 한때 "이를테면 서로 연관되지 않는 여러 사건들로 이루어져 있었다"고 그는 쓴 적이 있다. 이것은 세계화가 진척되는 새로운 시기에 변화했다. 이제 "역사는 하나의 유기적 총체가 되었다. 이탈리아와 아프리카에서 일어난 일은 아시아와 그리스에서 일어난 일과 연결되고, 모든 사건은 관련성이 있고 단일한 결말에 이바지하다."[100] 먼 과거에나 지금이나 마찬가지로 세계화는 생산에, 생태계 이용에, 환경에 대한 접근에 영향을 미친다.

이들 연결이 야생 생물, 생태, 신앙과만 전적으로 이루어진 것은 아니지만, 모두 과거로 2천 년 이상 거슬러 올라가는 중요한 맥락을 제공한다. 예를 들어 수백 년의 연구를 통해 이끌어낸 전통적 견해는 유대교 저작들이 기본적으로 지중해의 상황으로 틀지어졌다는 것이지만, 놀랍게도 아시아에서 온 코끼리, 공작, 원숭이, 석류, 직물, 상아와 기타 동식물과 생산품들이 그 안에서 두드러진 위치를 차지하고 있음이 발견된다. 이렇게 아시아의 부와 그 지배자들은 히브리어 경전에 거듭 언급되고 있다. 그리고 인도의 학식과 민담 역시 마찬가지인 듯하다.[101]

천국과 지옥, 세상의 종말, 마지막 심판, 천사, 보편신, 육신의 부활에 대한 관념들은 자연스럽고도 분명하게 자라투스트라교에서 가져왔고, 그것은 다시 이전의 전통들에서 가져왔다.[102] 예를 들어 솔로몬 왕이 한 아이의 혈통을 둘러싼 두 여인 사이의 분쟁을 해결하는 이야기는 불교 삼장三藏의 티베트어 번역판에 나오는 이야기와 섬뜩할 정도로 유사하다. 타밀어 시인 아함aham을 연구해 보면 기독교 성서 〈아가雅歌〉와의 놀라운 유사성이 발견된다. 이 이야기의 히브리어판에 섞여 들어간 듯한 남아시아로부터의 차용어도 있다.[103] 아시아에서 받은 영향은 유대교에서, 기독교에서, 나중에는 이슬람교에서 근본적인 중요성을 지닌다. 학자들은 통상 이를 간과한다. 그들의 참조점은 거의 변함없이 지중해에 맞춰져 있다.

거기서 더 동쪽으로는 가지 않는다.[104]

역설적으로 이런 편협한 시각은 수천 년 전 작가들이 사태를 파악한 방식이 아니었다. 서기 2세기의 작가 파우사니아스는 이렇게 썼다. "내가 알기로 인간의 영혼이 죽지 않는다는 말을 처음으로 한 부류는 칼데아인들과 인도의 마법사들이었다. 그리고 그들이 가장 중요한 그리스인이라고 확신한 인물 가운데 한 명은 플라톤이었다."[105] 그들은 또한 엠페도클레스 같은 학자들에게 생각할 거리를 제공했을 것이다. 그는 살아 있는 것들을 죽여서는 안 된다고 주장했다. 그들의 영혼이 나중에 환생하기 때문이다. 때로는 사자로, 때로는 "풍성한 가지의 월계수 잎"으로 말이다.[106]

그러한 교환은 쌍방향으로 이루어졌다. 그리스 점성가들이 만든 행성계 모형에 대한 관념이 대략 파우사니아스가 활동하던 시기에 인도에서 채택됐고, 반면에 히파르코스 등에 근거한 천문학 문헌들이 그 이후 시기에 영향을 미쳤음이 입증됐을 뿐만 아니라 분명히 유포됐다.[107]

신앙과 실천에 대한 공통 관념도 진화했다. 예를 들어 문신은 인간 역사에서 오래전부터 실행돼왔다. 알프스 티롤과 남아메리카 친초로Chinchorro 문화에 그 사례가 있고, 〈상서〉 같은 중국 문헌에도 언급돼 있다. 신체의 문신이 여러 대륙에서 알려졌을 뿐만 아니라 수천 년을 거슬러 올라간다는 사실을 알 수 있다.[108]

그러나 시간이 지나면서 문신은 모종의 지표가 되었다. 중국 사회에서 문신은 야만인들이나 하는 것이지 '문명'인이 할 것은 아니라고 여겨졌다.[109] 더 서쪽에서는 그것이 구체적으로 노예와 동의어가 되었다. 이집트와 메소포타미아에서는 전쟁 포로, 억류자, 노예들에게 그 소유주의 종파 이름을 낙인으로 찍었다. 이런 연관성은 모세 오서가 이 관행을 "노예의 상징"으로 금지한 이유일 것이다. 〈이사야서〉에는 신체 표지를 허용한다는 언급이 있지만 이는 신에 대한 복종의 표시일 뿐이었다.[110] 서기전 5세기에 페르시아와의 전쟁에서 포로가 된 그리스인들은 그들에 의해 문신이 새겨졌다. 아테네인 등도 에게해와 멀리는 시칠리아에서 자기네가 격파한 사람들에게 문신을 강요했다.[111]

교역망으로 긴밀하게 연결된 지역들은 한 지역의 공급과 수요가 오르내리면 혼란, 부족, 가격의 등락을 겪어야 했다. 바빌론에서 나온 방대한 쐐기문자 서판 기록물들은 보리, 밀, 양모 같은 상품의 가격 정보뿐만 아니라 노예들이 자유를 얻기 위해 지불한 대가에 관한 정보도 제공한다. 이 자료에 대한 연구는 알렉산드로스 대제의 서아시아 및 중앙아시아 일대에 대한 원정이 극적인 물가 상승으로 이어졌고, 물가가 20여 년 동안 높은 수준에 머물렀음을 보여준다. 아마도 알렉산드로스의 재정 정책과 그가 추종자들에게 후하게 은을 하사한 탓이거나, 또는 좀 더 개연성이 높은 것으로는 서기전 323년 그가 죽은 뒤 권력을 잡기 위해 경쟁하던 사람들에게 거액을 나눠주었기 때문이었을 듯하다.[112]

뒤얽힌 해상 세계 역시 모습을 드러냈다. 불교의 〈본생담Jātaka〉은 서기전 300년에 이미 상인들과 그 상품들을 실은 최고 75톤의 큰 배들이 벵골만을 휘젓고 다녔다고 묘사했다. 그러나 "계절풍에 숙달"된 부류는 해상 동남아시아와 오세아니아의 오스트로네시아인이었다. 그들은 배를 타고 멀리 라파누이섬까지 이르는 태평양의 섬들에 가고 정착지를 건설한 경험을 통해 이를 배웠으며, 마침내 길이가 50미터에 이르고 곤란한 항해 여건을 견딜 수 있는 400~500톤의 배들을 건조했다. 서기 3세기의 한 중국 자료에 나오듯이 배의 설계와 선원들의 항해 기술은 상당했다. "그들은 강한 바람과 거센 파도를 피하지 않았으며, 따라서 매우 빨리 나아갈 수 있었다."[113] 이 저자는 이것이 왜 그렇게 중요했는지는 말하지 않았다. 바람, 조류, 날씨에 휘둘리지 않게 됨으로써 그저 활동기를 확대했을 뿐만 아니라 세계의 새로운 부분도 열었다.

이것은 태평양의 여러 지역에서 일어났고, 피지 같은 곳에서는 서기전 1000년 무렵부터 대규모 인구 팽창이 경관과 자연환경의 큰 변화로 이어졌다. 새 연구는 이 시기가 의도적인 개간과 새로운 식물종 도입(해외에서 온 신참자들이 의도적으로 또는 우연히 가져온 것이었다)의 시기였음을 보여주었다. 현지의 수혜자도 있었다. 흔한 토종 벌이 새로운 환경과 자극에 의해 번성한 것 같은 경우다.[114]

아마도 항해 기술의 발달이 큰 충격을 가져온 가장 적절한 사례는 대략 2천 년 전 칼리만탄(보르네오)과 지금의 인도네시아 주민들이 6천여 킬로미터 떨어진 마다가스카르에 정착한 일일 것이다. 부계로 이어지는 Y염색체 혈통과 모계로 이어지는 미토콘드리아 DNA 혈통의 흔적은 분명했다. 민족의 이동, 유전학, 인류학 모두에 관한 광범위한 문제들을 이해하는 데 유례없이 도움이 되는 혼합물을 만들어냈다.[115]

이 연결망을 따라 흘러간 것은 유전자만이 아니었다. 언어도 흘러갔다. 마다가스카르의 최대 언어인 말라가시어는 아프리카의 반투 제어를 차용하고 있지만 그 지배적인 계통은 동남아시아에서 왔다. 그 기본 어휘의 90퍼센트가 마아냔Maanyan어와 공통인데, 이 언어는 칼리만탄 남부와 구체적으로 바리토강 부근에서 사용되고 있다.[116]

인간의 이주, 언어, 생태계 변화 사이의 연결은 중요하고도 심원한 것이었다. 언어학과 식물고고학의 비교에 관한 최근 연구는 채소 재배가 사헬에서 남아프리카로 확산된 것을 설명하는 새로운 모형을 제시했다. 반투 제어를 사바나 통로를 통해 확산시킨 사람들에 의한 것이었다.[117]

마찬가지로 호두에 관한 연구는 아시아의 등뼈가 풍광이 변하고 숲에 나무가 들어차며 정착지가 건설 또는 확장(교역, 이주, 정복에 의해)되면서, 인위적인 요인에 의한 초목 확산과 생태계 변화를 위한 통로가 이리지리 뚫리게 되었음을 보여준다. 이란과 남캅카스 토착종이 중앙아시아로, 중국 서부와 동부로, 그리고 지중해로 확산된 것을 추적하면 역시 일반 호두의 식생 구조와 인간 언어의 다양성의 상관관계가 드러난다. 호두 유전자의 확산과 언어의 진화가 겹치는 것은 식물과 인간의 작용이 수천 년에 걸쳐 생물 다양성과 생태계를 변화시켰음을 확인하게 해준다. 언어에 대한 영향도 마찬가지다.[118]

물론 인간이 씨앗과 초목 확산의 유일한 매개체는 아니다. 이 역할은 모든 종류의 동물들이 했기 때문이다. 그들의 이동, 생활방식, 기후 조건에 대한 대응이 마찬가지로 지구 자연사에 큰 영향을 미쳤다.[119] 차이점은 그런 재분배가 무계획적이었다는 것이다. 이는 그것이 인간 행동과 병원균, 미생물, 곤충, 설치류의 확산(모두 우연적이면서도 눈에 보이지 않는 것들이다)일 경우에 흔히 사실이었다.

그러나 회복력 있는 농작물, 탄수화물과 단백질이 풍부한 공급원, 더 맛난 음식, 약효 성분이 있는 재료들, 더 강하고 다재다능한 짐꾼 동물(더 많은 에너지를 제공하는 역할을 한다)의 추구는 생태계의 끊임없는 변화와 증식으로 이어졌다. 오늘날 수많은 사람들은 동남아시아, 오세아니아, 남아메리카에서 기원한 덩이줄기, 곡물, 유실작물 재배에 의존한다. 이것들은 주식의 일부가 되었을 뿐만 아니라 전 세계 열대농업을 지배하게 되었다. 다양하고도 힘겨운 기후 조건 및 생태 조건에서도 회복력이 뛰어났기 때문이다. 또한 노동력을 적게 들이고도 안정적인 식품 생산을 가능하게 하기 때문이다.[120]

다시 말해서 중앙집권화되고 단순화되고 통합된 것은 정치 체제와 인간 사회만이 아니었다. 초목, 농작물, 채소, 과일, 향신료, 꽃 등은(낙타, 말, 들소, 당나귀 같은 동물도) 그저 아시아, 유럽, 아프리카의 여러 지역을 연결하는 교역 및 교류망의 일부만이 아니었다. 그것은 또한 광범위하고 끊임없는 환경 및 동식물 재편의 일부이기도 했다.[121] 이것은 기본적으로 하나의 동력원에 의해 구동됐다. 인간의 욕망과 필요라는 동력원이다.

# 9장  로마의 온난기

### 서기전 300년 무렵부터 서기 500년 무렵까지

> 내가 포도원에 온 이후 얼마나 강해졌다고 느끼는지 상상해보게.
>
> — 세네카(서기 1세기)

인간이 직면한 가장 큰 문제 가운데 하나는 물 부족이다. 물론 수자원 압박은 소비 수요와 밀접하게 연관된 문제이고, 그것은 다시 인구 집중에 의해 더 커진다. 평상시보다 적은 강우량, 강의 유로 변경, 자원의 고갈 또는 과다 이용으로 인해 급수원에 문제가 생긴 공동체는 금세 기근, 질병, 죽음에 노출될 수 있다. 이에 대처하는 한 가지 방법은 자원 소유 및 배당과 관련한 사회 개혁을 통해 문제를 예측하는 것이었다. 또 하나는 재난의 위험을 완화하기 위해 비축(물과 식량 모두)하는 것이었다.

사회 위계의 꼭대기에 있는 사람들은 흔히 예기치 않은 기후 변화로 야기되는 동란의 시기에 가장 잃을 것이 많은 사람들이었다. 그리고 미리 계획할 경우 가장 얻을 것이 많은 사람들이었다. 이집트 프톨레마이오스 지배자들이 그 적절한 사례다. 알렉산드로스 대제 사후 권좌에 오른 대제 휘하 장군의 후손인 프톨레마이오스 왕가는 위기 때 자기네가 통제권을 유지하고 재확인할 수 있게 해주는 사제들과의 협상을 타결하

기 위해 세심한 노력을 기울였다.[1]

유명한 로제타석에 있는 것 같은, 왕국 일대에 알린 포고에서 눈에 띄는 점은 그것들이 이 관계가 어떻게 작동했는지에 대한 증거를 제공할 뿐만 아니라 비석 건조가 대규모 화산 분출과 통계적으로 중요한 상관관계를 보여준다는 점이다. 열대 지방의 대형 분출은 연례적인 나일강 범람에 영향을 미칠 수 있었고, 그것은 서기전 3세기 초의 파피루스 기록 (이 기록은 "대다수의 농민들이 죽었고, 땅은 말라갔다"라고 한탄했다)뿐만 아니라 대량의 토지 매각에 의해서도 입증된다. 후자는 세금과 기타 의무를 이행하기 위해 돈을 마련하려는 다급한 시도를, 더 넓게는 사회경제적 압박을 시사한다.[2]

이 경우에 이집트 지배자들은 과거에 그랬던 것처럼 지배층이 자기네를 밀어줄지 확신할 수 없었고, 대신에 테바이시를 중심으로 해서 일어난 큰 반란에 맞서 싸워야 했다. 이 반란에서는 사제들이 지도적 역할을 했다. 마침내 질서가 회복되는 데는 수십 년의 시간이 걸렸다.[3]

화산 분출이 나일강과 그 연례 범람에 의존하는 사람들에게 극적인 영향을 미칠 수 있었지만, 수위가 평균 수준을 훨씬 밑돌면서도 재난을 피하고 식량 재고가 대규모 기근을 피할 수 있을 만큼 충분하거나 비상 조처가 효과적인 경우도 많았음을 강조하는 것 역시 중요하다. 바로 30년쯤 전에 프톨레마이오스 3세가 "많은 돈을 들여" 식량을 수입함으로써 "주민 구제"를 이룰 수 있었던 것 같은 경우다. 다시 말해서 중요한 것은 정권이 전에 없던 문제에 어떻게 대처하고, 문제가 혼란의 수렁으로 빠져드는 것을 막고 이에 잘 대응할 수 있는 결정(재정적·사회적·정치적 결정)을 어떻게 내리느냐였다.

물론 모든 기후 사건이 동일한 것은 아니었다. 예를 들어 화산의 경우도 분출이 어디서 일어나느냐, 그 규모는 어느 정도냐, 그리고 앞에서 보았듯이 한 해의 어느 시기에 일어나느냐에 따라 구체적이고도 상당한 차이가 있었다. 북반구에서 여름철에 일어나면 사태는 더 큰 영향을 미쳤다. 영향은 심지어 비교적 좁은 지역 안에서도 동일하지 않았다. 지중해 연구자들이 능숙하고도 강력하게 보여주었듯이 생태의 차이는 바다의 한쪽과 다른 쪽의 차이라기보다는 한 만과 이웃 만의 차이에 가까웠다.[4] 따라서 기후 변동의 추이, 변화, 조정의 영향을 일반화하는 것은(그래도 여전히 '정상'이라고 할 수 있는 조건이 존재함을 덜 가정하고 있다) 문제투성이다.

그럼에도 불구하고 대규모 분출은 큰 영향을 미칠 수 있다. 알래스카의 오크목Okmok 화산은 강력하지만 짧게 분출한 뒤 2년이 지난 서기전 43년에 거대한 힘으로 폭발했다. 여러 달에 걸친 것이었고, 어쩌면 2년이나 지속됐을 수도 있다. 그 영향은 지중해에서도 기록됐다. 여러 작가들은 태양 빛이 약하고 희미해졌다고 썼다. 하늘에 해가 세 개 있는 것 같다고도 했고(아마도 하늘에 떠다니는 입자들 때문이었을 것이다), 추워서 과일이 익지 않고 시들었다고도 했다.[5]

북극의 얼음 시료, 중국 동북부의 탄산염 침전물, 스칸디나비아·오스트리아·캘리포니아의 나이테에서 나온 자료들은 갑작스럽고 극심한 기후 조건 변화를 보여준다. 모의실험은 남유럽과 북아프리카 일부 지역에서 기온이 아마도 섭씨 7도나 떨어졌을 것임을 시사한다.

그것이 전통적으로 지중해의 곡창이었던 이집트의 곡물 수확량이 급감했다는 기록을 설명하는 데 도움이 될 것이다. 서기전 43년과 42년 모두 나일강이 범람하지 않은 결과였다. 물 부족, 기근, 전염병, 물가 상승, 이주, 토지 방기, 인구 감소가 나라를 크게 약화시켰다.[6] 이에 따라 사회적·정치적 압박이 당시 이집트 지배자였던 클레오파트라 여왕에게 꾸준히 가해졌다. 이 요소는 프톨레마이오스 왕조의 붕괴, 로마의 이집트 합병, 로마가 제정으로 이행하는 순간을 이해하는 데 중요하다.[7]

당대의 일부 학자들은 이례적인 기후 조건에 대한 묘사가 많았고 서로 간에 인용하기도 했음을 지적한다. 때로는 해당 사건이 일어난 지 한참 뒤에까지 이어졌다. 더구나(그리고 아마도 더욱 중요한 것으로) 그들은 세계 한쪽의 거대한 움직임과 다른 쪽의 정치적 변화 사이에 깔끔한 연결선을 긋고자 하는 역사결정론historical determinism의 위험성을 경고했다.[8] 확실히 세계의 다른 곳에서 비슷한 동란이 없었다는 사실은, 화산이 클레오파트라의 몰락을 초래했다는 최근의 흥분에 찬 뉴스 제목이 좀 차분해져서 맥락이 제시돼야 함을 의미한다.

오크목의 분출물이 필시 클레오파트라가 직면한 어려움을 가중시켰겠지만, 다른 요인들은 서기전 30년 여왕의 죽음으로 이어지는 사건의 연쇄를 설명해준다. 이집트를 통치하는 것은 가장 상황이 좋을 때도 어려운 일이었다. 근친 및 동족 간의 결혼도 그것으로 설명할 수 있다. 이집트 지배자들은 흔히 여자 형제, 어머니, 남자 형제, 아버지, 또는 가까운 친척과 결혼했다. 권력을 가족 안에 집중시키고 다른 지배층의 권력 접근(그것은 위협이 된다)을 막기 위해서였다.[9] 프톨레마이오스 왕가의 또 다른 어려움은 그들이 외부인으로 인식된다는 것이었다. 그것이 장점이 되기도 했지만 자칫하면 아킬레우스의 발뒤꿈치가 될 수도 있었다. 이는 이집트가 혼란과 위기에 특히 취약했다는 말이다.[10]

그러나 가장 중요한 것은 오크목 분출의 시점이었다. 불과 몇 달 전에 율리우스 카이사르가 로마의 원로원 계단에서 암살됐다. 그의 죽음은 도시를(그리고 로마 공화국을) 격렬한 내전으로 몰았다. 파벌들이 통제권을 잡기 위해 격투를 벌였다. 그러면서 그들은 사방에서 동맹자와 지원자를 찾았다. 그런 상황에서 승자 편에 서면 큰 이득을 얻을 수 있었고, 패자 편에 선다면 패가망신이었다.

위기를 맞은 클레오파트라는 마르쿠스 안토니우스에게 패를 걸었다. 그의 군사적 실적과 대중성으로 판단할 때 권력 투쟁에 나선 사람들 가운데 최고 유망주라고 생각했다. 대단히 합리적인 것처럼 보이는 결정이었다. 적어도 처음에는 말이다. 문제는 카이사르 암살범을 추적하고도 일이 끝나지 않았다는 것이다. 오히려 이를 계기로 로마의 가장 강력한 인물들 사이의 격렬한 투쟁의 시기가 이어졌다. 여기서 이번에는 안토니우스가 고립돼, 야심찬 젊은이 옥타비아누스에 의해 제거됐다. 클레오파트라와 이집트도 그와 함께 몰락했다.[11]

여러 면에서 옥타비아누스의 출세는 로마의 정치적 기회주의의 걸작이었다. 이탈리아반도 중부의 한 작은 도시가 지중해를 지배한 것은 이례적인 일이었다. 그렇게 많은 이질적인 지역, 지형, 문화, 민족을 한데 묶은 것은 이례적인 성과였고, 특히 그 내구성이 돋보였다(지난 1500년이 보여주었다).

많은 사람들이 로마의 성취를 사회, 경제, 군사, 문화의 측면에서 설명하고자 했다. 예를 들어 수많은 상이한 언어가 사용되고, 다양한 종교가 신봉되며, 다양한 관습이 받아들여지는 느슨한 정체성 같은 것들이다. 그러나 가장 설득력 있는 설명은 로마와 그 시민들이 다른 무엇보다도 한가지에 뛰어났다는 점이다. 그들은 적들에 비해 더 잘 조직되고 곤경에서 신속하게 빠져나올 줄 알았다. 그들은 남들에 비해 우호적인 상황을 잘 이용했다. 기회를 잡아 가시적인 성과를 내는 데 뛰어났다. 요컨대 로마는 그 모든 경쟁자들과 잠재적 경쟁자들을 압도했기에 제국을 건설할수 있었다.[12]

로마인들은 또한 운이 좋았다. 우선 지중해가 다른 주요 바다나 수계에 비해 고요하고 건너는 데 덜 위험했다는 사실은 전체 연안의 통제권을 장악하는 것이 다른 지역들에 비해 돈이 덜 들고 덜 위험했다는 얘기다. 더욱이 연결망이 확장되거나 추가될 기회가 제공돼 교역이 증가하고 지적 지평이 넓어지며 공통의 문화적 가치가 확산됐다.[13]

기후 조건도 로마가 이웃, 한 칸 건넌 이웃, 더 먼 이웃들과 대결하고 있던 바로 그 시기에 이례적으로 좋았다. 여기에는 서기전 200년 무렵부터 시작된 습도가 높았던 긴 기간이 포함된다. 이 시기는 그리스 및 페니키아 식민지의 확대, 그리고 로마 및 카르타고(지중해에서 그 주요 경쟁자였다)의 등장과 때를 같이한다.[14]

이 시기는 '로마 온난기'(또는 '로마 기후 최적기')로 알려지게 된다. 이 시기는 350여 년 동안 지속됐다. 정확히 로마가 지중해, 유럽, 북아프리카, 지중해 동안에서 최강자로 떠올랐던 시기다. 이 시기는 지난 4천 년 중에서 단연 가장 습한 시기(꽃가루 및 바다와 호수 생물에서 나온 유기물 증거로 알수 있다)였을 뿐만 아니라 지난 4천 년의 지중해 역사에서 단연 가장 생산성이 높은 시기였다.[15] 다른 무엇보다도 이것이 남유럽과 북아프리카에서 농업 생산을 증대시키는 데 이바지했고, 그것은 다시 인구 증가, 정복을 위한 인력, 안정성을 개선했으며 그 과정에서 정치권력자들이 자기네의 권력을 정당화하고 강화했다.[16]

이런 상황에서 터진 오크목 화산 분출은 불과 10여 년 뒤에 이루어진 로마의 이집트 정복이라는 관점에서 이례적으로 적절한 시기였을 뿐만 아니라, 300년 이상에 걸친 낮은 화산 활동 수준, 최소한의 기상 이변 발생, 예측 가능한 기후 패턴의 시기에 드문 예외이기도 했다. 프랑스 동북부 지방의 상시적인 강우와 함께 나일강의 범람이 거의 기계적인 정확성

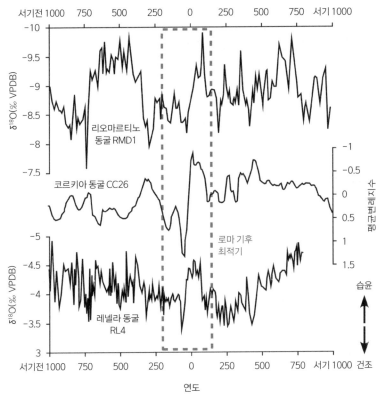

이탈리아 세 곳의 서기전 1000년~서기 1000년의 동위원소비($δ^{18}O$) 분석표

자료: Bini et al, 2020

을 가지고 일어나 평균 5년마다 특별한 풍작을 가져왔다는 사실은 이집 트가 지중해와 제국(이제 감사하는 로마인들로부터 아우구스투스라는 새 칭호 를 받은 옥타비아누스 치하에서 부상했다)의 곡창 역할을 했다는 사실을 감안 하면 상당한 중요성을 지닌 것이었다.[17]

세계 다른 지역의 대리지표 자료에 대한 평가와 분석이 상당히 부족하 긴 하지만, 로마의 절정기가 다른 곳들의 비슷한 발전과 짝을 이루었다 는 것은 주목할 만하다. 중국의 한漢 왕조는 인구 증가, 중앙집권 심화, 농

업 팽창이라는 비슷한 궤적을 보였다.

지금의 북부 베트남 홍강 삼각주와 탄호아성 지역의 관리들은 "올바른 약혼 및 결혼 절차"(그리고 모자를 쓰고 신발을 신는 방법)를 가르치고 과거 한나라 영토 바깥에 있던 사람들에게 "존경심과 윤리의식"에 관해 배우도록 장려하는 일에 나섰다. 그들은 또한 간척 기술과 농작물을 더 빠르고 더 쉽고 더 풍성하게 생산하는 데 도움이 되는 새로운 도구들을 도입했다.[18]

미시시피강 유역에서는 2천 년 전 무렵 농민들이 확장된 농업을 지원하기 위한 더 집약적인 기술들을 개발하기 시작했다. 수자원 관리, 작물선택, 식량 저장 시설 같은 것들이다. 생산 증대는 식량 안정성 확대와 어우러져 미시시피 군장 정치체들의 등장과 일련의 사회혁명(그것이 미국 서남부의 오랜 변모의 시작이었다)으로 이어졌다.[19]

한편 중앙아메리카에서는 강의 유로 변경이 테오티와칸 계곡의 농경마을들이 통합되고 서기 1세기 이후 테오티와칸 도시가 세계 최대급 도시로 눈부시게 성장하는 일로 이어졌다. 도시 면적이 로마의 그것과 비슷했다.[20]

이 도시의 엄청난 성장의 원인 가운데 하나는 멕시코 분지와 푸에블라-틀락스칼라 계곡으로부터 사람들이 유입된 것이었던 듯하다. 그들은더 쾌적하고 생태적으로 지속 가능한 곳을 찾아 이주했다.[21] 뼈의 스트론튬 동위원소 분석은 테오티와칸 계곡에서 태어나지 않은, 그리고 와하카,멕시코 서부, 중앙아메리카의 마야 중심지에서 사상, 공예품, 건축 양식을 가져온 사람들이 새로이 정착했음을 보여준다.[22]

묘하게도 이런 이동의 방아쇠는 시트예Xitle 화산의 분출이었던 듯하다. 고고지자기 연대측정법에 의한 측정은 화산 분출이 로마의 이집트 합병과 거의 비슷한 시기에 일어났음을 시사한다.[23] 그 이후의 호황으로 화려한 새 의례용 건축물들이 세워지거나 확장됐다. 그중 하나가 거대한 '태양 피라미드'였는데, 일부 학자들은 이 도시 발전을 위한 기본 설계가 이루어져 그것이 이후 수십 년, 심지어 수백 년 동안 준수됐다고 주장했다.[24]

다시 말해서 이 시기는 서로 연결되지 않은 세계의 여러 지역에서 제국의 시대였다. 그것만이 중요하다. 제국은 흔히 이웃하는 세력권들이 서로 경쟁하고 모방하고 위협받는 상황을 이루는 것과 동시에 출현하기 때문이다. 비슷한 팽창 과정이 일반적으로 기후 조건이 유리한 시기에, 그리고 아마도 더 중요하게는 긴 안정기에 일어난다는 것은 시사적이다.

서로 다른 성격의 제국 출현을 기후 때문으로 돌리고 싶겠지만, 더 중요한 것은 각 정치체가 사회적·경제적·정치적 안정을 유지하는 데 필요한 행정과 물류상의 기술을 개발했다는 사실이다. 각 제국은 그 과정에서 각기 다른 반응에 직면했다. 중국의 한나라에서는 단일 문자 체계와 제한된 언어의 다양성이 화합과 제국 핵심의 강화를 추동하는 역할을 했다. 로마 영토에서는 상황이 전혀 달랐다. 여러 문자가 사용됐고(때로는 서로 뒤섞여서), 많은 언어가 일반 주민들뿐만 아니라 문학에서도 사용됐다. 아람어, 켈트어, 페니키아어, 그리고 소아시아의 정말로 셀 수도 없이 다양한 언어들이었다.[25]

로마의 경우 서로 다른 민족들을 하나의 정치체로 통합하는 데 성공한 것은 더욱 인상적이었다. 지중해 연안을 넘어선 지리상의 어려움을 생각하면 말이다. 이탈리아반도를 지배한 것은 그렇다 치더라도, 이베리아반도, 발칸반도, 소아시아, 북아프리카는 물론이고 북유럽 평원(오늘날의 독일, 프랑스, 베네룩스의 상당 지역으로 이루어진)의 많은 부분을 점령하고 유지하는 데 성공한 것은 전략적 감각뿐만 아니라 기후, 생태, 사회, 문화가 매우 상이한 지역들을 한데 묶는 이례적인 능력도 가지고 있었음을 보여준다. 이 통합의 위업은 로마 제국이 멸망한 후 수백 년 동안 거기에 비견될 만한 상대가 없을 정도였다.

로마의 성공은 공무원 개념과 함께 개인적 야심과 과시적 소비(특히 지배층의)를 촉진했다. 공무에 적합한 자질을 갖춘 사람은 "조금도 망설이지 말고 마기스트라투스magistrátus(정무관) 피선에 도전해 정부에 참여해야 한다"라고 키케로는 촉구했다.[26] 그는 동생에게, "너의 이름에 대한 기억을 길이 남길" 수 있다 하더라도 자신만을 위한 영광을 추구하지 말아야 한다고 말했다. 그렇게 해야 영광을 "나와 함께", 그리고 가문의 다음 세대와 함께 나눌 수 있다는 것이었다.[27]

키케로는 이상화된 세계관(특히 자연에 관한)에 윤기를 낼 수 있는 그런 조언을 열심히 했다. 농업보다 나은 것은 없고 "자유인에게 그보다 더 생산적이고 더 즐겁고 더 가치 있는" 것은 생각할 수 없다며, 관심 있는 이들은 이에 대해 상술한 자신의 글을 읽어보라고 권했다. 그러나 그는 취미로 자연을 가꾸는 것과 생계를 위해 가꾸는 것 사이에는 차이가 있으며, 매우 고된 일에서 즐거움을 얻는 것은 강요당하지 않고 그 일을 선택할 수 있느냐에 달려 있다는 말은 하지 않았다.[28]

한편으로 전쟁에서 얻은 전리품, 속국이 보내온 공물, 역내 교역의 증대에 따른 번영의 혜택과 다른 한편으로 사치품(식품 포함)의 장거리 교역 가속화는 구매력 증가로 이어졌다.[29] 플리니우스(양부)에 따르면 서기전 1세기 로마 최고의 가옥은 불과 100년 후 상위 100채 안에도 들지 못했다.[30] 풍성한 잔치는 부자들이 자기네 지위를 과시하고 끌어올리는 흔한 방법이 되었다. 다른 문화, 지역, 시기에도 그랬듯이(특히 〈바빌로니아

탈무드Talmud Bavli〉가 그 한 사례를 제공한다) 사회적·정치적 위치 구축을 지원하는 여러 경쟁적인 표현 중 하나일 뿐이었다.[31] 사실 로마가 팽창하면서 오락에 대한 과도한 지출을 겨냥한 법이 만들어졌다.[32] 지식인들은 국내의 미술과 건축에 많은 지출을 하는 데 대해 자주 불만을 표했다. 흔히 그것이 도덕적 타락과 판단 착오를 보여준다고 주장했다.[33]

그러나 이득은 아래로도 쏟아져 내렸다. 고르지는 않았지만 말이다. 유베날리스는 이를 간결하게 표현했다. 로마인들은 한때 자기네 스스로의 운명과 자기네의 지도자를 선택했지만 "그들은 이제 딱 두 가지만 바란다. 빵과 곡예다"라고 했다. 로마의 지배자들에게 필요한 것은 식료품이 계속 흘러들어오고 오락이 준비되는 것이었으며, 그러면 만사가 좋았다.[34]

로마는 하나의 유용한 사례 연구를 제공한다. 모든 제국, 국가, 도시들과 마찬가지로 정치적·군사적·경제적 성공이(그리고 도시화도) 막대한 환경 훼손을 통해 이루어졌기 때문이다. 상품, 사람, 관념이 중심부로 몰려들면서 천연자원에 부담이 가해졌다. 그것들을 원거리에서 가져다가 원하거나 필요로 하는 소비자와 산업에 공급해야 하기 때문이었다.

스토아 철학자인 세네카(아들)는 땅속에 '숨겨진' 금속과 광물을 찾아내고 뽑아내는 인간의 재주에 놀랐던 듯하다. 그러나 그가 다른 곳에서 밝혔듯이 줄기찬 산업 발전에는 치러야 할 대가가 있었다. 그는 "숨 막힐 듯한 대기", "연기 나는 솥"의 악취, 매연, "유독 가스"가 있는 로마를 떠나면 건강뿐만 아니라 기분도 금세 좋아진다며 한 친구에게 이렇게 썼다. "내가 포도원에 온 이후 얼마나 강해졌다고 느끼는지 상상해보게."[35]

그린란드와 러시아 북부의 얼음 시료에서 얻은 자료가 보여주듯이 로마 제국의 첫 200년 동안에 납 오염이 네 배로 늘었다. 아마도 군사 원정에 성공한 뒤 이베리아 북부와 독일 라인강 일대의 광산을 개발한 것과 관련이 있을 것이다. 일부 역사가들은 이를 번영과 생산(특히 주화)의 증가를 강력하게 나타내는 '평화 배당금'이라 불렀지만, 더 놀라운 점은 이 모두가 환경의 지속 가능성을 압박했다는 것이다.[36]

많은 논자들이 이에 주목했다. 그들은 삼림 파괴로 인해 많은 지역에서 목재 공급이 심각하게 감소했다고 지적했다. 토스카나의 삼림은 선박과 로마 안팎의 가옥('페르시아의 장엄함'을 갖춘 초호화 저택 같은) 건립을 위한 목재로 쓰기 위해 벌채한 탓에 소진됐다고 대략 2천 년 전에 스트라본은 썼다. 화려하고 과도하고 나쁜 취향에 휩쓸린 것이었다.[37] 그보다 조금 후대의 사람인 (양부) 플리니우스는 너무 많은 사람들이 자신을 가꾸기 위한 목적으로 자연을 훼손한다고 슬퍼하면서 지적했다. 따라서 지구가 이따금씩 지진 같은 재난을 통해 그 불쾌감을 보이는 것은 놀라운 일이 아닐 것이다. 인간은 세계가 제공하는 풍성한 음식과 자연의 부에 만족하기는커녕, 탐욕을 부리는 데 정신이 팔려 자원의 과다 이용을 멈추지 못하고 있다.[38]

그런 우려는 지중해 일대에서 오랜 전통을 쌓아왔다. 수백 년 전에 플라톤은 수천 년이 지나는 동안 "여러 큰 격변"이 일어났고, 그 과정에서 지형을 변화시켰다고 지적했다. 땅의 혹사와 이런 변화들이 겹쳐 다음과 같은 결과로 이어졌다. "지금 남아 있는 것을 예전에 있던 것과 비교해보면 해골만 남은 병자나 마찬가지다. 비옥하고 부드러운 흙은 모두 빠져나갔고, 그저 땅의 앙상한 뼈대만 남았다."[39] 어떤 사람들은 더 나아갔다. 인간의 활동과 개조가 초래한 환경의 변화와 기후 자체를 명확하게 연결시켰다. 서기전 4세기에 활동한 테오프라스토스는 테살리아의 도시 라리사에 대해 이렇게 썼다. "이전에 고인 물이 많고 평원이 호수였을 때 공기는 탁하고 시골은 더 더웠다. 그러나 지금은 물이 빠져나가고 모을 수가 없으며, 땅은 더 추워지고 얼어붙는 일이 더 흔해졌다." 한때는 인근 시골뿐만 아니라 라리사에도 멋지고 커다란 올리브나무가 자랐지만, "지금은 어디서도 그것들을 볼 수 없다." 게다가 전에는 포도주가 언 적이 없었는데 이제는 자주 얼었다.[40]

지속 가능성 문제에 대해서는 로마 작가들도 걱정했다. 루크레티우스 카루스는 땅을 인류를 낳은 어머니에 비유했지만, 이제는 "가임 연령"이 지나버린 "나이 든 여자처럼" 되어버렸다고 했다. 다시 말해서 땅은 한정된 자원을 가지고 있어서 조심스럽게 보살펴야 한다는 뜻이었다.[41] 루크레티우스는 이렇게 말했다. "가련한 우리 땅은 지치고 고갈돼 더 이상 위대한 시대를 낳을 수 없다." 들판은 더 이상 풍성한 작물을 산출하지 못하며, 그저 "보잘것없고 옹색한" 수확만 가능하게 한다. 농민은 한숨을 쉬며 일을 하고, 종종 일을 해도 아무것도 거두지 못한다. "현재와 과거를 비교해보면 과거가 더 낫다. 절대적으로 그렇다."

이는 기후 변화와는 아무런 관련이 없고 모든 것은 인간의 무능과 관련이 있다. 적어도 로마 작가 콜루멜라에 따르면 그렇다. "나는 근년에 우리 국가의 지도자들이 수확 문제에 대해 우선은 땅을 탓하고 그다음에는 날씨를 탓하는 것을 수도 없이 들었다." 그는 이어 누구라도 이를 자연환경 탓으로 돌리는 것은 터무니없는 일이라고 말했다. "우주의 창조자가 영속되는 비옥함을 주신" 땅이었다. 흉작은 "자연의 분노" 때문에 일어나는 것이 아니라 "우리 자신의 잘못 때문"이었다. 땅은 잘 보살펴지지 않았다. 로마인들은 다만 스스로를 탓해야 했다. 땅은 과거에 그랬던 것처럼 최대의 보살핌 속에서 경작되지 않았고, 땅을 제대로 보살필 능력이나 자격이 없고 그렇게 하는 데 관심이 없는 사람들에게 넘겨졌다. 바로

강제노동자들이다. 그것도 형편없는 사람들에게 말이다.[42]

과다 이용에 애를 태운 것은 그리스와 로마의 저자들만이 아니었다. 3천 년 전으로 거슬러 올라가는 산스크리트어 베다 문헌 〈야주르베다〉는 "자연과의 완전한 조화 속에서 살라"라고 충고한다.[43] 7세기 전반에 죽은 이슬람교의 창시자 무함마드의 것이라는 격언집에 나오는 한 하디스hadīth(가르침)는 이렇다. "세계는 아름답고 생기가 넘치며, 신은 그대를 그 세계를 관리할 자신의 집사로 삼았다." 신은 에덴동산을 만들어 첫 인간에게 보여주며 이렇게 말했다. "내가 만든 것을 보라. 얼마나 아름답고 장한가! 내가 만든 모든 것은 바로 너를 위해 만든 것이다!" 9세기 무렵에 쓰인, 모세 오서의 주석 모음인 〈코헬렛 랍바Kohelet Rabbah〉에 나오는 이야기다. 신은 이렇게 경고했다. "주의를 기울여 나의 세계를 오염시키고 망가뜨리지 않게 하라. 네가 그것을 오염시키면 너 다음에는 그것을 바로잡을 사람이 아무도 없다."[44] 근세 일본의 대표적인 신유학자 가이바라 에키켄貝原益軒은 이렇게 썼다. "새, 짐승, 곤충, 물고기 같은 생명체는 어느 것도 멋대로 죽여서는 안 된다. 풀과 나무조차도 제때가 아니면 베어서는 안 된다. 모든 것은 자연의 사랑의 대상이고, 자연이 낳고 기른 것이다." 동식물을 아끼고 보호하는 것은 "자연을 섬기는 방법"이며, 하늘과 땅의 관계를 보호하는 것이다. 새와 짐승을 "인간의 방치"에 맡겨두는 것은 잘못이라고 그는 덧붙였다. 그렇게 하는 것은 "잔인한" 일이었다.[45] 다시 말해서 자연보호, 생태계 관리, 자연환경에 대한 관심은 뿌리가 깊은 것이었다.

로마 세계에서 생태 파괴에 대한 불평을 얼마나 심각하게 받아들였는지는 판단하기 쉽지 않다. 특히 지주들은 일반적으로 육림育林, 구체적으로는 나무 심기를 우려했다는 증거가 많기 때문이다. 그것은 환경에 대한 배려, 널리 퍼진 가지치기 같은 기술에 대한 지식, 생물 다양성 및 땔나무의 자급자족과 시장 공급을 유지하는 것 사이의 균형이 지니는 가치에 대한 높은 인식 수준을 말해준다.

제국 일대 여러 곳의 꽃가루 연구와 문헌 증거들을 종합하면 삼림 고갈이 심각했음을 짐작할 수 있다. 적어도 로마 제국의 일정 시기 및 장소에서는 그랬다. 그러나 삼림 파괴가 무절제하고 해로운 방식으로 이루어졌음을 강력하고 설득력 있게 입증하기 위해서는 더 많은 양질의 증거가 필요할 것이다.[46]

정확한 추산은 쉽지 않으나 수십만 명(흔히 이야기되는 80만에서 100만명에 이르렀다는 추산은 믿기 어렵지만)에 이르는 로마 같은 대도시의 주민들에게 난방과 음식과 물자 등 필요한 모든 것을 공급하는 데는 분명히 실제상으로나 물류상으로나 어려움이 있었을 것이다.[47] 황제들과 그들의 음모에 관한 이야기가 당시에 역사가들의 시선을 사로잡고 그 이후에도 그런 상태가 이어졌지만, 사람들을 먹이고 집을 난방하는 시시콜콜한 일들은 중요했다. 시간이 지나면서 어떻게 그런 공급을 안정적으로(그리고 지속 가능하게) 할 것이냐의 문제도 마찬가지였다.[48]

일부 학자들이 지적했듯이 "로마 시대로 거슬러 올라가는 모든 벽돌, 주화, 기와, 유리 제품, 철제 도구"는 장작의 산물로 간주할 수 있다. 로마 전성기의 에너지 생산 규모가 그렇게 컸기 때문에 그린란드의 얼음에 들어 있는 납 미립자가 공업혁명 시작 이전의 어느 시대에 비해서도 많았다.[49] 모든 제국은 생태발자국을 남긴다. 로마의 그것은 엄청났다.[50]

서로 다른 기후 지역에 사는 사람들에게 필요한 것의 지역적 차이와 더불어 식습관, 개인적 선호, 특정 농작물과 식품의 구득 가능성도 다양했을 것이다. 고기 소비는 지중해의 여러 지역에서 많은 차이를 보일 뿐만 아니라 그 양에서도 차이가 있는데, 이는 아마도 구득 가능성의 오르내림과 기호의 변화 및 더 광범위한 사회적 추세의 결과였을 것이다.[51]

그럼에도 불구하고 어른이 건강을 유지하려면 하루에 2천~3천 칼로리를 소비해야 한다는 가정을 기초 사실로 잡을 경우, 소비 필요량에 관한 대체적인 근사치에 도달할 수 있다. 더구나 매일 필요한 1인당 나무의 양을 집, 신전, 선박 건조 용도(당대의 논자들이 불평했듯이)가 아니라 기본적인 난방과 조리 용도로 가정하는 것이 합리적이다. 에너지는 또한 동물 사료를 만드는 데도 필요했고, 요업, 유리, 기와 생산, 야금 등의 산업에도 필요했다. 이를 모두 합쳐 1인당 1.5헥타르가 필요했다고 추정하는 것이 합리적일 듯하다. 그것이 식품 생산, 삼림, 초지로 나뉜다. 서기 2세기 중반에 7천만 명 정도의 인구 규모인 제국에서 이 정도의 공급을 하려면 수송상의 어려움이 있었을 뿐만 아니라 수요를 충족하기 위한 단기적 해법에도 상당한 압박이 가해졌을 것이다.[52]

이 시기로부터 오래전에 로마령 지중해 일부 지역에서는 토양 침식이 문제가 되었다.[53] 식량 공급 부족은 또한 로마 부근 테베레강의 높은 말라리아 발생 빈도와도 관련이 있었다. 물론 일부에서는 이 지역에서의 물고기 남획과 모기를 잡아먹는 물고기의 감소가 그 원인이었다고 주장하지만 말이다.[54] 제국 여러 곳에서 발견된 유골의 충치 및 치아 마모 연구는 크고 작은 도시에 사는 사람들과 시골에 사는 사람들의 식습관의 차이(구할 수 있는 식품의 차이라는 것이 나을지도 모르겠다)를 보여준다. 거기서 나타난 상당한 차이는 어떤 주민들은 다른 주민들에 비해 더 잘 먹고 더 건강했음을 시사한다.[55]

이국적인 동물을 식용으로 쓰려는 수요는 엄청났다. 오락 또는 호기심을 위해 경기장에서 죽인 것들이었다. 디온 카시오스는 트라야누스 황제가 마련한 한 경기 대회(열흘 동안 계속됐다)에서 1만 1천 마리의 동물이 살해됐다고 주장한다.[56] 동물들은 로마와 제국의 다른 도시 시민들의 오락을 위해 일상적으로 사냥당했다. 멸종위기에 몰릴 정도였고 때로는 그것을 넘어서기도 했다.[57] 마찬가지로 고래와 기타 해양 동물도 개체수가 급격하게 줄어들 정도로 포획됐다.[58]

식량과 에너지 공급을 늘릴 방도가 있었다. 도구의 개선은 약간의 차이를 만들어냈다. 물론 그런 개선에 의해 도출된 이득은 대체로 최소한에 그쳤다. 다른 연료원(로마 치하 브리타니아에서 널리 사용된 석탄 같은 것이다)으로의 전환은 더 큰 영향을 미칠 수 있었다. 다만 석탄이 매장된 장소와 채굴의 용이성에 많은 것이 달려 있었다.[59] 어떤 식품들은 염장, 훈제, 건조를 통해 보존할 수 있었다. 생선 염장 공장들이 지중해 일대 여기저기에 생겨났던 이유 중 하나다.[60] 다른 대부분의 식품은 상하는 것을 막기 위해 도살, 수확, 수집 후 곧바로 소비해야 했다. 신선도가 공급, 배송, 가격의 문제를 제기했다.

디오클레티아누스(재위 284~305) 치세 같은 위기 때에 당국은 이따금 심지어 개입을 해서 가격을 통제하려 했다. 다른 시기와 지역에서 보통 그랬던 것처럼 국가의 개입은 별다른 효과를 보지 못했고, 의미 있는(긍정적인 것은 고사하고) 결과를 내는 조치가 되기보다는 정치 지배층 사이의 공포감을 드러내는 데 더 이바지했다. 그들은 흔히 시장이 어떻게 돌아가는지에 대해 제한적으로만 이해하고 있을 뿐이었다.[61]

수확량은 토양 유형, 농업 경쟁력, 날씨 같은 요인들만으로 결정되지 않는다. 상당 부분은 또한 토지 소유권, 소유 규모, 시장 및 공급망과의 거리 같은 사회적 인자에도 달려 있기 때문이다. 이는 정치적 결정에 의해 개선될(그리고 분명히 영향을 받을) 수 있었다.[62] 정복을 통해서든 개간을 통해서든 새로운 땅을 개척하는 것은 분명히 소득이 있었다. 그것은 뚜렷한 문제 역시 안겼다. 영토 확장은 사실상 자원이 한 부류의 사람들에게서 다른 부류의 사람들에게로 넘어가는 것이었다. 때로는 그 과정에서 주민들이 이동하기도 하고 때로는 그러지 않기도 했다. 어느 쪽이든 이것이 생산량을 증대시키지는 않지만, 새로운 부류의 수혜자에게로 재분배가 이루어졌다.

경작을 위해 새로운 지역을 개발하는 것은 말로는 간단한 것처럼 보이지만 실제로는 언제나 더 복잡했다. 모든 상황에서 생산의 주요 결정 인자는 땅 자체가 아니라 노동력의 확보 가능성이었다. 노동력을 통제하는 것이 훨씬 중요했다. 예를 들어 나일강 중류 수단 왕국들에서는 동물을 사용하지 않고 쟁기도 별로 없었으며 땅은 많고(비옥도에서는 차이가 있다) 인구는 적었기 때문에 농업의 집약화가 이루어지는 데는 여러 가지 한계가 있었다.[63]

그런 문제들을 해결할 수 있다고 해도 흔히 소득이 줄어들 수 있었다. 가장 좋은 땅은 보통 가장 먼저 개발되기 때문이기도 하고, 토지 개간과 정착은 시간과 확신이 필요한 일이기 때문이기도 했다. 게다가 그런 땅들은 원래 기존의 땅들 주변에 있기 십상이었다. 개발하기 힘들거나 보호가 필요한 변경 지역일 가능성도 높았다. 더구나 새로운 지역은 필연적으로, 그리고 필요에 의해 큰 도시 정착지에서 먼 곳에 자리 잡아, 물건을 자기네가 원하고 필요한 곳에서 실제로 얻기가 간단치 않았다. 그리고 돈이 많이 들었다.

서기 386년 이후 150년 동안 북중국을 통치했던 북위北魏 왕조의 관리들은 "경작 면적을 확대하고 곡물 비축을 늘리기" 위해 의도적인 조치를 취했다. 그러면서 새로 조성된 경작지를 보호하기 위해 꼼꼼하게 군대를 배치했다.

얼추 같은 시기에 남쪽의 지배자들은 당시 돼지, 양, 말에게 내주고 있던 초지를 개간하고, 아직 "경지로 개간"되지 않았으나 생산성이 높을 것으로 보이는 습지를 간척할 계획을 세웠다. 분명히 부유한 가문들이 개발에 걸림돌이 되었다. 그들은 자기네가 통제하고 있던 풍부한 어류 자원을 포기하고 싶지 않았던 것이다. 그럼에도 불구하고 지배자들은 그 일을 추진할 필요가 있었다. 식량 불평등이 상당한 문제의 근원이 되고, 특히 "먹을 것을 찾아 이리저리 떠도는 많은 사람들"이 있었기 때문이다.[64]

국가는 법을 만들고 범법자들을 단호하게 처벌해 개입할 수 있었고 그렇게 했다. 남조 송宋 왕조의 사료에 언급된 한 법은 허가 없이 땅을 개간하는 것은 "폭력을 동반한 강도나 마찬가지"이며 "열 자 이상의 땅을 침탈한 자는 공개적으로 참수"한다고 규정했다. 그러나 이 법은 분명히 먹히지 않았다. 사람들은 그저 포고를 무시한 채 산의 초목을 베어내고 강에 둑을 쌓아 막대한 환경 훼손을 초래했다. 그것은 중단돼야 한다고 한 고위 관리는 썼다. "이런 침탈은 선정을 손상시키는 심각한 악폐다."[65]

과소비의 위험을 줄이는 한 가지 확실한 방법은 기반시설에 투자하는 것이었다. 그것은 수용력을 확대하거나 안전을 위한 완충 기제를 제공하는 것이었다(또는 그 둘 모두였다). 적절한 사례는 정교한 수자원 관리 체계인데, 이는 크고 작은 도시와 심지어 목축민들에게조차 특히 중요했다. 쿠시 왕국(오늘날의 수단을 중심으로 한)의 수백 개의 저수고貯水庫, 우물, 수조水槽는 한편으로 왕권이 확대되고 강화됐으며 세원을 확보하고 늘리는 데 관심이 기울여졌음을 보여준다. 그러나 다른 한편으로는 상당한 조직화와 노동력 동원이 필요했을 건설 공사나 그러한 개입이 주민의 생계를 보호하기 위해서만이 아니라 국가, 행정 조직, 지도부의 생계를 위해서도 필요했음을 보여준다. 수자원의 부족이나 공급 변동에 대한 보험을 제공함으로써 말이다.[66]

같은 방식은 콘스탄티노폴리스 같은 대도시에서도 발견할 수 있다. 서기 330년 콘스탄티누스 황제가 보스포루스해협의 유럽 쪽 기슭의 안정적인 곳에 이 도시를 세웠다.

대규모 건설 공사에 큰 투자를 하고 여기에 상당한 규모의 주민들이 새로 들어오면서 이미 도시에 물을 공급하고 있던 47킬로미터에 이르는 기존 고가 수로를 대대적으로 개선할 필요가 생겼다. 이것은 4~5세기에 극적으로 확장돼 거대한 수조와 저수지에 물을 공급했다. 이를 위해 건설한 다리와 굴이 90개가 넘었다. 이 수로망은 길이가 500킬로미터(더 될 수도 있다)나 되어서 고대 세계 어느 도시의 물 공급 시설보다도 길었다.[67] 이 수로망은 건설된 후에도 정기 점검이 필요했다. 탄산칼슘이 축적되지 않고 진흙 침전물로 더러워지지 않게 하기 위해서였다.[68]

이것은 대규모 인구를 부양하는 데서 자원 부족이라는 생태적 문제를 극복하기 위한 해법을 마련하기 위해 얼마나 많은 사전 계획과 투자가 필요한지를 보여주는 하나의 사례다. 또 다른 사례는 과테말라 북부 티칼의 경우다. 티칼은 기본적으로 계절적 강우에 의존하는 곳에 위치해, 주민들을 상당한 환경적 문제로부터 보호하기 위해서는 인간의 개입이 필수적이었다. 거대한 건축물들은 그것들을 건설하고 유지한 사람들의 부와 권력을 강조하기 위해 설계됐지만(그리고 오늘날까지도 방문자들에게 깊은 인상을 주지만), 도시의 생존 가능성은 물을 얻기 위해 설계된 정교한 여러 수로망을 바탕으로 하고 있었다. 광장과 마당은 집수 체계로 연결되고 그것은 빗물을 커다란 저수조로 보낸다. 저수조는 안쪽에 돌을 쌓고 진흙을 발라 100만 세제곱미터 가까운 물을 저장하며 필요에 따라 수문을 열어 물을 수로로 흘려보낸다.[69]

이것은 도시의 생태 안정을 위해서뿐만 아니라 사회적·정치적·경제적 통제의 도구로서도 중요한 것으로 드러났다. 그러나 무엇보다 중요한 것은 그 덕분에 티칼이 다른 도시 및 비도시 중심지들에 비해 최고의 자리를 굳히게 되었다는 점이다. 가정 집수조集水槽는 한 번의 갈수기를 넘기기에 충분한 물을 담을 수 있었다. 그러나 1년 이상 비가 오지 않으면 소용이 없었다. 지역적 차이에 의한 것이든 더 근본적인 기후 패턴 변화 때문이든 말이다. 티칼의 정교한 용수 계획에 반영된 생각과 투자는 이 도시, 그 주민 및 지배자들이 단기적인 문제를 헤쳐 나갈 수 있고 그것을 남들보다 더 잘할 수 있게 해주었다. 이는 자연스럽게 추가적이고 분명한 이점을 제공했다. 적어도 더 큰 시장, 더 많은 조세 수입, 노동력 증가로 덕을 보는 사람들에게는 말이다.[70]

여러모로 토지 이용이 집약화되고 더 많은 개발이 이루어지며 사회 복잡성의 정도가 증가하는 데서 가장 주목할 점은 환경 압박의 수준이 여전히 놀랄 정도로 낮다는 사실이다. 분명히 부족한 시기가 있었다. 그러나 대체로 2천 년 전 무렵의 세계는 놀랄 만큼 회복력이 강했다. 적어도 식량 부족으로 인한 대규모 기근과 높은 수준의 사망률을 피했다는 측면에서는 말이다. 그렇다고 해서 생태계 확장을 위해 치러야 할 대가가 없었다는 말은 아니다. 일부 학자들은 인구 밀도가 최대치일 때 생물학적 생활수준은 최저치라는 주장을 하기 위해 통계 자료를 활용하고자 했다. 로마의 정치적·군사적 융비는 기대수명만 희생해 얻은 것이 아니라 평균 신장 하락의 대가까지 치르고서 얻은 것이었다. 지리적으로나 시기적

으로나 고르지 못한 자료를 믿을 만하다면 말이다.[71]

사실 도시는 기후 패턴의 변화보다도 훨씬 치명적이었다. 부자들은 악취와 대도시 생활의 북적거림에 투덜댔지만, 밀집해서(때로는 비위생적인 조건에서) 사는 사람들이 질병이 발생하고 급속하게 퍼지기 위한 이상적인 조건을 제공한다는 것이 훨씬 걱정스러운 일이었다.[72]

두 가지 사례를 제시할 수 있을 것이다. 서기 165년에 발생한 안토니누스Antoninus 전염병과 대략 100년 후에 발생한 이른바 키프리아노스Kyprianós 전염병이다. 일부 현대 역사가들에 따르면, 이 전염병들이 대파괴를 초래하고 인구 붕괴로 이어져 물가와 임금 충격을 촉발했으며 농업 생산, 토지 가치, 공업 생산을 큰 폭으로 떨어뜨렸다. 그리고 아마도 기독교 확산에 도움을 주었을 것이다.[73] 그러나 다른 사람들은 이들 전염병의 영향에 관해 좀 더 회의적이다. 이에 관해서는 기본적인 역학疫學 자료들조차 모호하기는 하지만 말이다.[74]

분명한 점은 질병 발생이 얼음 시료에서 산소 동위원소 수준이 변화하고 유황 함량이 급증한 직후에 일어났다는 것이다. 그것은 상당한 규모의 화산 분출의 결과로 기온이 떨어졌음을 의미한다. 3세기 후반 키프리아노스 전염병의 경우에는 복수의 분출이었다.[75] 그것은 표면적으로 매우 불규칙한 강우(적어도 프랑스 동북부와 중부 유럽의), 북극해 얼음과 유럽 빙하의 동시 팽창, 태양 활동 수준 감소에 의해 악화된 듯하다.[76] 안토니누스 전염병이 발생하기 직전은 "300년에 걸친 기후 혼란"의 시기였다고 한 중진 학자는 지적했다. 또한 기후 불안정이 심해 로마 제국의 "힘의 축적"에 부담을 주고 "그 과정에서 극적으로 개입"했다. 전체적으로 보아 서기 150년 무렵에서 650년 무렵까지 "전신세 전체에서 가장 극적인 기후 변화가 잇달아 나타났다."[77]

기후와 병원체의 문제가 일어난 시점은 극적인 사회적 변화가 일어난 것과 대략 비슷한 시기였다. 230년대에 급강하기 시작한 로마 제국에서만 그런 것이 아니었다. 로마에서는 이후 50여 년 동안에 26명의 황제가 제위에 올랐고, 대략 그 수의 두 배에 이르는 찬탈 기도자들이 권력 장악을 노렸다. 동아시아에서는 중국의 한나라가 서기 220년 헌제獻帝의 퇴위로 막을 내리고 삼국시대로 알려진 격동기가 이어졌다. 그 후에는 다시 진晉나라가 통일한 국가가 더 작은 단위로 계속 분열하면서 오호십육국시대가 뒤를 이었다.

페르시아에서는 서기 224년에 아르다시르 1세가 모든 경쟁자들을 쓸어버리고 새로운 왕조의 건설자가 되었다. 이어 영토를 확장하고 특히 실크로드를 따라 위치한 오아시스 도시들로 진출했다. 그 후 얼마 지나지 않아 인도 동북부에서 비슷한 정치·경제·영토 통합 과정이 진행돼 결국 굽타 제국을 수립했다. 남아시아의 이 대단한 나라는 지적인 강국으로서 칼리다사, 아리야바타, 바라하미히라 같은 위대한 고전학자, 과학자, 수학자들을 배출했다.

그러나 문제는 기후 변화가 이들 극적인 동란을 일으킨 한 요인이었느냐를 따지는 것보다는 이들 사례의 일부 또는 전부에서 기후 변화가 정확히 어떤 역할을 했느냐를 밝혀내는 것이다. 기상 패턴에 미친 영향에 대한 전체적인 모습은 일관되면서도 강력한 것처럼 보일지 모르지만, 유일하게 지중해는 매우 다양한 지리, 환경, 기후계로 이루어져 있음을 다시 강조해둘 필요가 있다. 한 자료 뭉치에서 보편 모형을 추론하고 싶겠지만, 그렇게 하는 것은 지나친 단순화이면서 동시에 오도하는 것일 수 있다.[78] 예를 하나 들자면, 이집트 일대의 도기들을 모아보면 포도주의 생산과 소비가 모두 증가했음을 알 수 있다. 그것은 기온이 낮지 않고 농업

생산이 극단적으로 위협받지는 않았음을 시사한다.[79]

요란한 사회적·정치적 변화 역시 더 넓은 시간적 맥락과 인과관계의 맥락 속으로 집어넣을 필요가 있다. 페르시아에서 아르다시르의 찬탈은 중요한 순간이었고, 당연하게도 변화에 관한 개념화의 분수령이었다. 로마나 다른 곳에서도 그렇지만 황제 자리를 놓고 다투는 의자 빼앗기 놀이는 누가 권력을 차지하고 누가 잃느냐에 확실한 관심을 가진 사람들한테나 중요한 문제였다. 이것이 당시에 정말로 어떤 의미였고 어느 정도의 의미를 지녔느냐는(그리고 누구에게) 또 다른 문제다. 물론 누군가 가족 관계에 있는 사람이 페르시아의 왕좌에 앉는 것은 중요했다. 그러나 누가 왕좌에 앉았는지는 주민 다수에게 아마도 당시 논자들이 생각했던 (그리고 이후에도 종종 그랬던) 것만큼 중요하지는 않았을 것이다.

굽타 제국의 성공 역시 마찬가지다. 카우샴비Kauśāmbī의 한 비문에 따르면, 이 제국은 북인도 일대의 고대 아리아인의 본향, 즉 아리아바르타를 지배했다. 굽타 지배하의 영토가 너무 광대해서 4세기의 지배자 사무드라 때 굽타는 멀리 스리랑카, 네팔, 간다라에 이르는 지역의 주인으로 인정됐고, "지상에 사는 신"으로 일컬어졌다.[80] 자신이 보고 싶은 기후 요인과 패턴에 수긍하기보다는 정치적 기회주의, 약삭빠른 지도자, 수송 개혁이 어우러져 어떻게 교역을 자극하고 새로운 지배 계급(그리고 새로운 지배 가문)의 등장을 촉진했는지 살피는 것이 더 유용하다.[81]

마찬가지로 한나라가 통합했던 땅의 요란한 분열이 헌제 퇴위 이후 200년 동안에 나타난 모습 가운데 하나였지만, 현실은 제국을 흔드는 세력들이 수십 년에 걸쳐 형성되고 있었다는 것이다. 이를 뒷받침한 것은 낯익은 문제였다. 침체가 시작되면서 복잡성이 증가하고 수확이 줄며, 여기에 다음과 같은 문제가 가중되었다. 국가의 적응 및 조정 실패, 해법이기보다는 문제의 일부가 된 관료 계급의 특징인 무능·비효율·부패, 수입과 지출 사이의 불균형(그것은 재정 압박과 환멸로 이어질 뿐만 아니라 직접 기회를 틈타 과감하게 한번 시도해보거나, 위기를 넘기게 하거나, 둘 다를 하려는 도전자들을 부추긴다) 등이다.

로마 제국에서도 상황은 비슷했다. 서기 3세기 말 이후 끝없는 내전이 기존의 문제를 악화시켰다. 공공건물의 붕괴와 공민의식에 대한 지역 유력자들의 태도 변화 같은 것들이다. 아마도 자기네의 사회적·정치적 지위를 합법화하려는 욕구 또는 필요를 접었거나, 아마도 그들이 그렇게 할 수 있도록 했던 자원이 줄었기 때문일 것이다.

어느 쪽이든 경제와 문화 활동의 상당한 둔화는 기후라는 프리즘을 통하는 것만으로는 설명될 수 없다. 농업 생산이 안정적인 기후 패턴과 긴밀하게 연결돼 있기는 하지만, 많은 것이 또한 노동력의 구득 가능성, 땅에 대한 직접적이고 상속 가능한 통제, 농업 이외의 기능·기술·상품에 대한 수요에도 달려 있었다. 그리고 도시 시장의 회복력 및 소비자 구매력의 회복력에도 달려 있었다.[82]

따라서 큰 국가는 놀랄 만큼 취약한 것으로 드러날 수 있고, 비교적 약한 압력과 불균형에 의해서도 무너질 수 있다. 그 영향은 줄기차게 이어진다. 예를 들어 로마 제국에서는 제국 대리인을 통한 지중해에서 라인강 유역으로의 물자 공급이 대체로 군사 배치와 변경 통제를 유지하기 위한 필요에서 이루어졌다. 이는 시장의 위치가 군대의 위치와 밀접하게 연관돼 있을 뿐만 아니라 소비 패턴이 병사들의 소비(개인적이든 집단적이든)와 연관돼 있다는 얘기였다. 무엇보다 중요한 것은 국가가 내부에서 파열되기 시작하면서 이 공급망과 교역망이 완전히 붕괴했다는 사실이다. 곡물이 군대로 들어오지 않자 지역 경제가 곤두박질치고 도시 중심지가 축소됐으며 제국의 방어가 약화됐다.[83]

한편으로 주변부에서 누적된 압력이 다시 중심부로 돌아와 붕괴 과정을 악화시키고 가속화했다. 단순한 처방만으로는 문제를 해결할 수 없었다. 대체로 애당초 그런 문제가 발생한 것이 정치 중심부의 지시와 감독의 결과였기 때문이다. 국가 개입에 의한 구조는 관료와 수송 기능이 제대로 돌아가는 데 달렸기 때문에 여기에 무리가 가거나 망가지면 사태를 막기가 어렵고 심지어 불가능했다. 따라서 시간이 지나면서 붕괴한 것이 로마 제국의 서반부였던 것은 우연이 아니다. 그곳이 국가의 지배력이 가장 오래되고 가장 활발했던 곳이기 때문이다. 반면에 도시와 시장이 유기적으로 형성된 동반부에서는 난관을 처리할 힘이 더 컸다.[84]

다시 말해서 기후 악화가 적어도 일부 지역에서 농작물 수확에 영향을 주었을 수 있고 아마도 식량 공급에 지장을 주었겠지만, 2세기 말과 3세기 초에 전 세계의 여러 곳에서 전개되기 시작한 동시다발적인 혼란과 재편의 일부를 더 잘 설명해주는 더 중요한 힘들이 있었다. 그러나 기후 변화는 350년 무렵 이후 중앙아시아 스텝에서 일어난 사건들의 경우에 더욱 결정적이고 중요했다.

지금의 중국 서북부 칭하이성에서 나온 향나무 나이테 기록은 350~550년 무렵부터 세 차례의 극심한 가뭄이 있었음을 입증한다. 모두가 지난 2천 년 사이에 겪은 가장 심한 가뭄이었다.[85] 그런 가뭄은 보통 유목민 무리의 대규모 이주와 관련된 것으로 보인다. 훈족은 부족들을 서쪽으로 카스피해와 흑해 북쪽 스텝을 지나 로마 국경 쪽으로, 그리고 남쪽으로 캅카스를 통과해 페르시아 쪽으로 몰아댄 최대의 동력으로 생각되고 있다. 이 물결은 로마의 서방 속주들을 파고 들어가 지금의 독일, 프랑스,

에스파냐를 유린하고 북아프리카에 도달했다. 서기 410년에는 심지어 로마를 약탈했다.[86]

그 결과로 도시는 쇠퇴하고, 장거리 교역과 공급망이 전면 붕괴했으며, 주민들이 대규모로 이산하고, 공격당한 곳뿐만 아니라 많은 곳이 궁핍에 시달렸다. 실제로 그 영향은 이집트에서 브리타니아까지 모든 곳에서 느낄 수 있었다.[87] 사실 그것은 심지어 로마 세계 바깥에서도 느껴졌을 것이다. 수단의 쿠시 왕국 멸망은 아마도 그 인접 세계가 오랫동안 사회적·경제적·정치적 심박 정지의 상태를 경험하고 있었다는 맥락에서 가장 잘 설명될 수 있을 것이다.[88]

분명히 쇠락은 떠들썩하거나 극적일 필요는 없었다. 카르파티아 분지의 묘지에서 나온 유골에 대한 여러 동위원소 연구는 5세기 훈족 등의 침략 이후에 일어난 많은 변화는 폭력이 아니라 식습관, 생활방식, 영농 기술의 도입으로 특징지을 수 있음을 보여준다.[89] 많은 사람들이 훈족의 생활방식을 도입하고 또 많은 훈족이 현지 관습을 따랐기 때문에 일부 익살꾼들은 여기에 '훈족 농민Tiller the Hun'(서양인의 뇌리에 박힌 훈족 지도자를 가리키는 'Attila the Hun'(훈족 아틸라)과 비슷한 발음의 패러디로 보인다)의 영향이라는 이름을 붙였다.[90]

오래지 않아 도시들은 붕괴되어 고통을 당하고 황폐해졌으며 인구가 줄었다. 사나운 공격 때문이 아니라 자원에 대한 지속적인 압박 때문이었다. 중심 도시들은 맞아 죽은 것이 아니라 질식해 죽었다. 학자들이 늘 이야기하는 '암흑시대'로의 추락은 혼란과 마구잡이의 유혈 사태로 인한 것이 아니라, 국가의 분열과 이전에 서방의 주들을 한데 묶어주던 중앙집권적 권력의 실종 때문이었다.

이민족의 침입은 오랫동안 대중(현대 학자들도 마찬가지다)의 상상 속에서 특별한, 그러나 섬뜩한 역할을 누려왔지만, 일부 역사가들은 이제 다른 주장을 하려 든다. 악화된 기후 조건이 스텝으로부터의 이주를 촉발하는 데 도움이 되었을 뿐만 아니라 로마 제국의 쇠락에도 영향을 주었으리라는 것이다. 레반트와 소아시아(이곳에 비가 석게 내린 것이 필시 농업 생산에 영향을 미쳤을 것이다)뿐만 아니라 서방 속주들에도 말이다.[91] 좋지 않은 기후 조건, 국지·광역·장거리 교역의 퇴락, 돈과 인력에 대한 중앙의 수요 증가가 어우러져 치명적인 결과를 낳았다.[92]

물론 건조화가 정확히 어떻게 민족 이동과 침략이나 군사 정복과 관련됐는지를 평가하는 것은 간단한 문제가 아니다. 또한 동아시아 한 지역의 상세한 기후 자료 뭉치가 중앙아시아 전체와 기타 지역에 적용돼, 다른 지역으로 이동하게 된 배후에 평균 이하의 강우가 작용했다는 가설을 뒷받침할 수 있는지도 분명하지 않다.

결국 유목민들은 변화하는 여건에 적응하려 노력하고 있었다. 그들이 원거리를 이동 또는 이주했듯이 말이다. 그리고 어떻든 광범위한 지역이 똑같이 기후 압박을 받았다면 아무래도 이주가 꼭 문제를 해결하지는 않았을 것이다. 그보다는 스텝 서부의 남쪽 겨울 목초지가 동부에 비해 상당히 더 온화했기 때문에 훨씬 많은 동물 집단과 그 주인들을 부양할 수 있었다고 설명하는 것이 훨씬 적절할 것이다.[93] 부족들이 로마와 페르시아 변경으로 이동한 것을 스텝 민족들이 이 제국들에 그저 가거나 심지어 정복하기 위한 노력이었다고 보기는 어렵다. 그보다 그것은 기후 조건이 혹독한 시기에 생존을 확보하려고 가장 좋은 땅과 위치를 차지하기 위한 경쟁 과정의 일부였다.

뉴멕시코와 뉴질랜드에서 나온 증거들은 이 시기가 전체적으로 태평양 적도 구역에서 엘니뇨-남방진동(ENSO)에 상당한 변동이 있던 시기

가운데 하나였으며, 이것이 스텝에서의 수분 가용성에 영향을 미쳤음을 시사한다. 그러나 역설적으로 가장 중요해 보이는 것은 건조와 가뭄의 기간이 아니라 건조화의 흐름을 끊은 평균 이상의 비가 내린 긴 '우기'다. 이는 유목민들에게 더 나은 조건을 제공하고, 가축들에게 더 넓은 초지를 제공했으며, 위기 때 꾸려진 지휘부가 처분할 수 있는 말의 개체수의 급속한 증가를 초래했을 것이다. 다시 말해서 중요한 것은 가뭄이나 비가 아니라 그 둘의 관계였다.[94]

기후는 농촌 주민들이 단기적인 압박에 직면했을 때 내리는 결정에 중대한 영향을 미칠 수 있었다. 서기 386년 이후 150년 동안 북중국을 지배한 북위 왕조의 역사인 〈위서魏書〉와 이 시대에 관한 기타 사서들은 흉작과 극단적인 기후 사태들(극심한 가뭄과 홍수 같은)을 기록하고 있다. 이런 일들은 당국의 상당한 우려를 자아냈다. 농촌 주민들이 도시, 특히 핑청平城(현재의 산시성 다퉁)으로 몰려들었기 때문이다. 그 인구는 5세기 중반에 100만 명이나 되었을 것이다. 핑청은 하이허강의 한 지류 가에 위치했다. 그곳은 반건조 목초지와 집약적인 경작이 가능한 습한 지역 사이의 점이 지대로서, 스텝과의 교역 지점으로 적합했으며 상당한 규모의 농업 배후지의 이점도 누릴 수 있었다.

계속 증가하는 인구를 부양하는 일은 수요가 예측되는 한 불가능하지도 않고 심지어 반드시 어려운 일도 아니었다. 예를 들어 서기 469년에, 그리고 다시 6년 후에 위나라 영토의 다른 곳에서 수도로 곡물을 보내라고 지시하는 칙령이 발포됐다. 일부에서는 이를 "북중국에서 이례적으로 추운 시기"에 우려스러운 식량난이 발생한 지표로 보지만, 더 큰 문제는 불확실성으로 인해 사전 계획을 세우기가 어려웠다는 점이다. 어려움을 안긴 것은 5세기 말에 일어난 것으로 입증된 섭씨 1도 남짓한 기온 하락이 아니라, 필요한 곳에서 제때에 감당할 수 있는 가격으로 식량이 공급되도록 확실하게 하는 것이었다. 그 의미를 가늠하려면 486년의 식량 부족 사태를 보면 된다. 일부 추산에 따르면 이때 핑청 주민의 절반 이상이 공포에 질려 도시를 떠났다.[95]

따라서 수도를 뤄양으로 옮긴다는 효문제孝文帝의 493년 결정은 부분적으로 정치적 동기(남조 송나라의 붕괴를 활용하고자 한 것이었다)에 의한 것이었지만, 이 천도로 제국 궁정이 생태적으로 보다 지속 가능한 곳에서 새로운 출발을 할 수 있게 되었다는 사실이 중요했다. 식량난으로 인해 경제적으로나 영양학적으로나 가치가 높아진 남쪽 땅으로 수도를 옮긴 것은 합리적일 뿐 아니라 변화하는 환경에 대처하기 위한 해법이었다.

핑청이 6천 개 이상의 절과 8만 명 이상의 남녀 승려가 있는 곳이었음을 감안하면 이 천도는 상당히 큰 작업이었다. 뤄양과 룽먼의 석굴 단지 및 붓다와 불교를 위한 사당에 많은 투자가 이루어졌다. 이곳이 황제의 시주와 관심의 대상이 되는 곳임을 알리는 것이었다. 룽먼 동굴들은 나중에 당唐 왕조(618~907)에서 기술공들에 의해 추가되고 확장됐다. 그러나 이곳(그리고 큰 도회인 뤄양)의 변모의 규모는 명 왕조(1368~1644)의 한 관리 같은 후대의 논자들이 "북위 국가의 멸망은 석불의 수가 지나치게 많았던 탓"이라고 주장한 데서 잘 드러난다.[96]

물론 그것은 재정을 축내고 백성들의 마음을 흐트러지게 하는 허황된 사업에 돈을 쓰는 당대 지배자들에게 경고하기 위한 것이었다. 지배층의 권력을 지킬 필요와 나라를 관리할 필요 사이의 균형을 맞추고, 세금을 거두는 일과 법을 집행하는 일 사이의 균형을 맞추는 데는 상당한 절충이 필요하다. 그 어려움은 다른 여러 문제들로 인해 가중될 수 있었다. 반란, 이웃과의 전쟁, 흉작으로 이어지는 기상 이변, 그리고 중대한 변동을 초래하는 기후 패턴의 심각한 변화 같은 것들이다.

　따라서 그런 의미에서 많은 것이 위험을 사전에 어떻게 예측하고, 위협에 실시간으로 어떻게 대응하는지에 달려 있었다. 모든 재난에서 고통스러운 짐은 가난한 사람들에게 편파적으로 지워진다. 현대의 연구는 사회경제적 압박과 기근에 대한 취약성의 결정적 요인은 구체적으로 자산을 가지지 못한 사람의 비율임을 입증하고 있다. 요컨대 가난한 사람의 비율이 높을수록 식량난, 기근, 국가 붕괴의 위험이 커진다.[97] 그렇다면 균형이 깨지는 데 많은 시간이 걸리지 않는 것은 당연하다. 그 결과는 단지 극적이라는 말만으로는 부족하다. 어떤 경우에 그것은 세상을 근본적으로 바꿀 수 있다.

# 10장    고대 말의 위기

### 500년 무렵부터 600년 무렵까지

춥고 배고픈 사람에게 진주 천 상자를 준들 무슨 소용이랴?

— 센카 덴노(530년 무렵)

인간에게 영향을 미치는 기후 조건의 변화는 당연히 논자들의 가장 큰 관심사였다. 그러나 동식물에 미치는 영향은 단기적으로나 장기적으로나 중요하고 극적일 수 있었다. 메뚜기의 이동은 기상 패턴과 밀접하게 연관돼 있다.

중국에서의 대략 2천 년 동안의 동아시아풀무치(학명 *Locusta migratoria manilensis*) 발생에 관한 연구에서는 메뚜기의 번성이 춥고 건조한 시기에 절정을 이루는 것으로 나타났다. 별도의 연구는 평균 이상 빈도의 홍수 및 가뭄과도 연관이 있음을 시사한다. 적어도 창장 하류에서는 그랬다.[1] 한편, 20세기 황허강 및 화이허강 일대의 메뚜기 떼에 관한 연구는 엘니뇨 현상과 긴밀한 관련이 있음을 시사한다. 그 이후 첫 번째나 두 번째 해의 발생에 말이다.[2]

군집도 증가에 따라 메뚜기에게서 일어난 호르몬 변화는 그 형태 변화를 촉진한다. 예컨대 색깔, 몸, 날개 크기 같은 것들이 변한다. 그렇게 되면 메뚜기는 떼를 지어 수백만, 수천만을 헤아리고 20억 마리에 이르기도 한다. 그것들이 농작물, 초목, 나무껍질을 완전히 파괴한다. 그들은 단 하루 만에 몸무게를 두 배로 불릴 수 있다.[3]

당연히 메뚜기 떼가 입히는 피해는 고대 문서들에서 쉽게 눈에 띈다. 우파니샤드에서부터 메소포타미아, 고대 이집트, 중국의 문명들의 기록에 이르기까지, 그리고 그 밖에도 많다.[4] 기독교 성서에는 메뚜기 떼의 위협에 관한 내용이 여러 번 나온다. 종종 메뚜기가 식량 공급에 끼친 해를 신의 징벌과 연관시켰다. 아마도 당연한 일이겠지만 메뚜기가 심지어 하늘에서 오는 것처럼 보였기 때문이다. 로마인들은 주기적으로 아프리카에서 이탈리아로 휩쓸고 넘어오는 메뚜기에 대해 걱정했다. 메뚜기가 몰려오면 사람들은 "해결책을 찾기 위해 〈시불라서Libri Sibyllini〉를 뒤져야" 했다. 벽장 속에 넣어두었던 예언집으로, 기근이나 메뚜기 떼가 일으킬 수 있는 어려움에서 살아남는 가장 좋은 방법을 알아보기 위해서였다.[5]

기후 패턴의 변화는 비정상적으로 많은 비가 쏟아진 이후 매개체 감염병 발생을 더 잦게 할 수 있다. 실제로 지난 2천 년 사이에 발생한 가장 치명적인 유행병 가운데 셋(6세기의 유스티니아누스Iustinianus 전염병, 1340년대의 흑사병, 17세기의 전염병)이 기후 변화에 크게 영향을 받은 것이었다. 세 경우 모두 봄이 따뜻하고 여름이 습해서 박테리아가 크게 유행하도록 부채질했고, 그것이 가래톳페스트를 일으켰다. 물론 이것 자체만으로는 인간의 대량 사망으로 이어지기에는 충분하지 않다. 그것이 일어나려면 전염병의 중심에서 질병을 전달하는 통로가 존재해야 한다. 감염시키기에 충분할 만큼 가까이 살고 있는 숙주도 있어야 한다.[6]

이는 다른 많은 질병의 경우도 마찬가지다. 말라리아도 그중 하나인데, 다만 다른 병원균에서도 그렇지만 이것은 지리, 수리, 기후, 인간 행동, 그리고 모기 종들(그중 상당수는 인간에게 말라리아를 옮기지 못한다) 사이의 부화 장소 잡기 경쟁 등의 변수들을 감안할 때 국지 수준의 미시적 분석을 통해 이해할 필요가 있다.[7]

질병의 위험과 그것이 건강에 미치는 악영향에 대한 인식은 과거 사람들을 줄곧 괴롭힌 문제였다. 문화권을 넘어 편지를 쓸 때는 건강에 관해 알리고 묻는 것이 표준적인 투식이었다. 쓰는 사람들은 자기네가 쌩쌩한 기분이라고 하기보다는 가련하게 편찮은 구석이 있다고 하는 경우가 많기는 했지만 말이다. 그러나 서기 400년 무렵 지금의 중국에서 쓰인 한 편지에는 특이하게 쾌활한 말이 나온다. "어머니는 매우 건강하십니다. 여기는 다른 사람도 모두 건강합니다." 그러나 이어지는 말을 보면 이를 당연하게 여길 사람은 아무도 없다. "우리는 말라리아가 다시 발생하지 않을까 늘 걱정하고 있습니다."[8]

인간이 변화를 앞서가기는 언제나 쉽지 않았다. 예를 들어 페루 남부 파타칸차Patacancha 계곡의 집약 농업을 촉진했던 안데스의 기후 호전은 목초와 퀴노아(중요한 식용 작물이다), 그리고 암브로시아ambrosia(변형토에서 잘 자라는 식물로, 인간의 재배와 환경 개입에 유용한 지표를 제공한다)의 꽃가루 수준의 상당한 감소로 이어졌다. 지속적인 기온 하락(그것은 빙하 증거와 와스카란산 얼음 시료에서 알아낼 수 있다)의 결과인 듯한 농업의 위축은 목축 생활방식으로의 이동을 촉진했다. 더 힘들어진 환경 상황에 대처하기 위해서였다.[9]

환경에 적응하기는 쉽지 않았다. 특히 생태계 외형이 위험스럽게 균형을 맞추고 있는 곳에서는 그랬다. 예를 들어 미국 서남부에서는 물을 얻을 수 있느냐가 정착 및 생존 전략과 인구 추이(이주 포함)를 결정하고 아울러 영농 가능성을 좌우하는 핵심 요인 가운데 하나였다.[10] 따라서 '2세기 가뭄'으로 알려진 극심한 건조기(나이테 기록으로 입증됐다)는 동물과 식물의 생존에 심한 압박을 가했다. 초목 성장에 영향을 주는 기후 변화는 그 초목에 의존하는 동물들에게 영향을 미쳤다. 그리고 그 둘 모두에 의존하는 인간에게도 영향을 미쳤다.[11] 그 압박은 매우 커서 인간 집단은 살아남기 위해 장작불로 동굴의 얼음을 녹여 물을 얻어야 했다.[12]

그 원인은 이례적으로 높은 수준의 일사량과 관련이 있는 듯하다. 많은 일사량은 또한 '로마 기후 최적기' 및 북반구 일대의 이상 고온을 초래했다.[13] 다른 지역들에서는 평균 이상의 강우량을 기록했다. 멕시코 분지 같은 곳이 그러한데, 이곳에서는 강우량이 갑작스레 60퍼센트 증가한 이후 지난 2천 년 사이 가장 많고 가장 지속적인 강우량을 보인 기간이 300년쯤 이어졌다.[14] 이 경우 물을 더 쉽게 얻게 된 것이 관개 농업 증가와 아울러 인구 증가를 촉진하는 데 도움이 되었다. 그것은 다시 테오티와칸과 푸에블라 계곡 촐룰라의 거대한 건축물 건설이 활기를 띠도록 뒷받침했다.

이것은 서기 250년 무렵의 공사 중단과 거의 같은 시기 테오티와칸 '깃털 달린 뱀' 피라미드의 훼손에서 분명하게 알 수 있듯이 무제한적인 성장과 번영의 과정은 아니었다. 이 혼란의 원인은 아주 분명하지는 않으나, 도시 정치 체제의 중요한 재조정의 한 사례로, 지배층과 나머지 사람들 사이의 불편함의 한 징표로, 그리고 미래에 대한 위기감의 표출(아마도 자원에 대한 압박에 직면해서)로 이해하는 것이 당연히 가장 자연스럽다.[15]

멕시코 분지의 경우 더 많은 강우 패턴으로 추가적인 물이 공급되면서 상당한 이득과 기회를 가져왔다. 그러나 다른 곳에서 이는 큰 문제를 안겼다. 초목 성장이 기후 패턴과 밀접하게 연관돼 있는 것은 사실이지만

(여름이 따뜻하고 습하면 농업 생산량이 늘어난다), 초목 성장이 너무 빠를 때는 문제가 생긴다.[16] 특히 열대 지방의 경우에 그렇다. 따라서 인간의 정착지를 유지하기 위해서는 청소와 보수 관리가 필요하다.

현대 콩고의 우림 지역은 일반적으로 기후 변화가, 특수하게는 강우량 변화가 초래할 수 있는 문제의 적절한 사례를 제공한다. 반투어 사용자들이 처음에 이 지역으로 이주한 것은 서기전 400년 무렵 이후인데, 삼림으로 덮인 지역이 줄면서 정착자들이 넓은 지역으로 금세 퍼져 나갔다. 이는 여러 유적지에서 몇 가지 뚜렷한 양식의 도기가 발견됨으로써 입증됐다.[17]

그러나 400년 후인 서기 1년 무렵부터 습한 기후 패턴이 뚜렷하게 나타나면서 번식력이 높은 나무들이 이례적인 속도로 빨리 성장했고, 그 결과 숲은 갈수록 축축하고 습한 공간으로 변모했다. 그것이 식량 생산에 지장을 초래해 생활 조건을 악화시키고 정착자들에게 상당한 자원 부족을 야기했다. 이것이 적어도 인구 밀도의 상시적인 하락의 원인 가운데 하나였다. 다만 최근 연구는 서기 400년 무렵 이 지역의 인구가 격감하는 데 전염병도 한몫했음을 지적하고 있다.[18] 다시 말해서 비가 많이 오고 기온이 올라가면 어떤 지역에서는 살아가기 더 쉬워졌지만 또 어떤 지역에서는 더 어려워졌다는(어쩌면 불가능해졌다는) 것이다.

이미 보았듯이 제국의 등장은 풍광을 바꿀 수 있었다. 인구 증가, 도시화, 소비 패턴의 변화로 생겨난 수요 때문이었다. 제국의 멸망도 같은 역할을 할 수 있었다. 로마의 서방 속주들이 오랜 쇠락기에 접어들자 초목이 차지하는 면적 역시 변화했다. 한때 제국 군대의 말과 가축들이 뜯어 먹는 자주개자리로 덮였던 들판은 새로운 작물에 넘어가거나 아예 빈터가 되었다. 식물의 관점에서 보자면 로마의 손실은 호밀의 이득이었다.

유럽에서 4세기부터 8세기 사이에 호밀 재배가 급속하게 늘었다.

한편으로는 여러 가지 '금지 초목'이 자연스럽게 남북 축으로 확산됐고, 흥미롭게도 종들의 동서 이동은 크게 일어나지 않았던 듯하다. 따라서 대다수의 논자들이 낭연하게도 로마 제국의 쇠락과 멸망에 동반되는 인적 측면(교역망 붕괴, 이동 감소, 문자 해득률 하락 등)에 초점을 맞추고 있지만, 생태의 변화가 또 다른 요인이었음을 지적해두는 것 또한 중요하다.[19]

그렇다면 작가, 시인, 음악가 등이 자연을 이상화된 형태로 제시하는 작품들을 창작한 것은 놀랍지 않다. 자연은 안정적이고 유순하며 인간의 통제와 매개 아래에 있다. 그것이 언제나 아주 분명하지는 않을지라도 말이다. 이는 약간의 수작을 동반한다. 사영운謝靈運(385~433)의 〈산거부山居賦〉를 보자. 저자는 여러 목가적인 무대에 은둔해 동식물과 함께 사는 것의 즐거움을 묘사했다. 그가 가족 장원莊園을 확대 쇄신하는 거대한 사업을 벌이는 중이라는(그리고 그럴 여유가 있다는) 사실은 그가 묘사한 장면들이 인간이 풍광에 개입한 산물이지, 이미 존재하는 자연적 무대에서 인간이 평화를 발견한 결과는 아니라는 얘기다.[20]

동로마 제국의 수도 콘스탄티노폴리스에서, 아라비아인의 정복 이후 시리아·요르단·이라크에서, 무굴 시대 북인도의 아그라에서, 아니면 현대 영국의 글로스터셔에서 그랬듯이 천상낙원을 재현한 듯이 보이는 정원을 만드는 것은 매우 좋은 일이다. 한 중진 학자가 말했듯이 격식을 갖춘 세련된 정원은 감탄을 자아내고 누구나 원하는 것이지만, 그것은 사람이 가꾸어야 하는 것이어서 그런 사치를 부릴 여유가 있는 사람들의 부와 지위를 반영한다.[21]

자연계를 이상화해 묘사한 것의 모호함은 불교 경전에서도 분명하다. 많은 불교 문헌은 자연에 대해 적대적이다. 예컨대 〈베산타라 본생담

Vessantara Jātaka〉이 전하는 이야기는 자연을 존중하는 것이 아니라 그것을 길들이는 것이다. 게다가 후대의 자연에 대한 미화는 흔히 인간의 행동과 과다 이용의 결과로 그것이 상실됐음을 반영한 것이다. 일본의 경우 초목에 대한 관심은 사찰의 경제성 있는 자연자원(즉 들과 삼림) 통제와 밀접하게 연결돼 있었다.[22]

사막과 황무지에 관한 태도 역시 양면적이었다. 특히 신학 사상에서 그랬다. 외지고 적막한 곳은 여러 종교에서 신과 교감하는 장소로 미화됐다. 아브라함계 신앙(유대교, 기독교, 이슬람교)에서 신의 목소리를 들을 수 있는 곳이었다. 크고 작은 도시에서 멀리 떨어진 한적하고 고립된 장소인 동굴은 또한 힌두교, 불교, 자이나교에서 중요한 곳이었다. 여러 신앙에서 신이나 더 높은 영적 수준과 교감하는 것은 다른 인간을 벗어나는 것과 연관돼 있었다. 흔히 푸릇푸릇하고 자연의 열매를 제공하는 곳이 아니라 그 정반대를 찾는다. 건조하고 황량하고 엄혹한 곳이다.

역설적으로 동굴과 사막으로 떠난 개인들의 명성은 추종자와 모방자들을 끌어모았다. 그 결과로 수도원과 암자 단지가 들어서 이 자가격리의 장소는 북적거리는 공동체로 바뀌어버렸다. 시나이, 둔황, 뭄바이 앞바다의 엘레판타섬 같은 곳들이다. 이는 현실도피라는 본령이나 영적 성취 추구에 대한 믿음을 좌절시키지는 않더라도 분명히 그것을 더 어렵게 만들었다.

1500년 전에 쓰인 인도 문학에는 계절에 관한 여러 가지 시적 표현들이 들어 있다. 형식은 여섯 계절sadritu과 우기 넉 달chaumasa, 또는 열두 달 주기의 변화하는 기상 조건과 서로 다른 계절barahmasa이 중심이다.[23] 서기 6세기 무렵에 쓰인 듯한 시, 음악, 천문학에 관한 별개의 글들에 나오는 정보를 묶은 〈비슈누다르못타라 푸라나Viṣṇudharmottara Purāṇa〉 같은 문헌은 계절에 대해 말하는데, 다시 돌아오며 인간 행위자가 예상할 수 있는 뻔한 주기의 일부로 제시한다. 장·단기적으로 상당한 변동이 있다는 사실을 고려하지 않고 말이다. 여름은 괴롭고 봄에는 꽃이 핀다는 식이다.[24]

온화한 기상 조건과 풍성한 농작물 수확을 보장하기 위해 날씨에 영향을 미치고 통제하려는 노력에 관한 이 시기의 사례도 많다. 예를 들어 〈마하프라티사라 마하비디아라지니Mahāpratisarā-mahāvidyārājñī〉는 깃대 꼭대기에 특별한 주문을 달라고 권한다. 그렇게 하면 "모든 종류의 바람, 추운 기간, 때 아닌 구름, 번개, 천둥"이 사라지며 "쏘는 곤충, 파리, 메뚜기, 벌레 떼" 같은 "농작물의 적"을 막아준다고 보장했다.[25] 이것은 수백 년에 걸친 산스크리트어, 한문, 티베트어 자료에서 찾을 수 있는 기우제, 그리고 악천후 및 그 결과로부터의 보호에 초점을 맞춘 수많은 문헌들 중 하나일 뿐이다.[26]

자연을 인간이 이해하고 통제하고 변형시킬 수 있다는 관념은 이례적이고 혹독한 기상 조건의(또는 자연재해 같은 극적인 개입의) 현실을 도외시한 것이다. 예를 들어 지중해에서 지진해일은 자주 일어나는 현상이었다. 이례적으로 강하고 난폭한 경우도 있었다. 지중해 동부 이스라엘의 항구 카이사레아는 이탈리아에서 들여온 베수비오산 화산재로 만든 급속 건조 수경水硬시멘트를 사용해 건설한 거대 항구였다. 부두의 기초로 쌓은 자갈과 잡석은 소아시아, 키프로스, 그리스에서 들여왔다. 이 항구에는 네 차례 큰 해일이 덮쳤다. 서기 115, 551, 749, 1202년이다. 매번 상당한 손상을 입었다.[27]

다른 지진과 지진해일은 매우 파괴적이었다. 이는 서기 365년에 일어난 사태에 대한 기록에서 분명해진다. 로마 말기의 한 작가는 이렇게 썼다. "동이 튼 직후, 견고한 온 땅이 흔들려 몸을 떨었고, 파도가 밀려갔다. 그 파도는 다시 밀려왔다가 사라졌다." 많은 배가 육지에 얹혔고, 사람들은 돌아다니며 손으로 물고기를 잡을 수 있었다. 파도는 "모욕이라도 당한 것처럼" 포효하고 "쏟아지는 물고기 떼"를 헤치고 돌아와 섬과 본토에 "사납게 내리꽂혀" 건물을 박살내고 수천 명의 사람을 죽였으며 지형을 바꿔버렸다.[28] 일부에서는 이 묘사가 작가의 극적인 상상력이 보태져 국지적인 재난을 보편적인 격변으로 포장한 것이 아닌지 의문을 표하지만, 크레타섬의 해안선이 9미터나 올라간 것은 사실이다. 한 번의 사건 때문이 아니라 지진이 여러 차례 일어난 결과일 것이다.[29]

화산 분출 역시 매우 파괴적일 수 있었다. 엘살바도르 일로팡고호의 티에라블랑카호벤Tierra Blanca Joven 화산 분출이 보여준 대로다. 서기 431년 무렵으로 추정된 이 분출의 위력은 엄청났다. 퇴적물 모형화는 58세제곱킬로미터의 무더기 암석이 분출돼 기둥 높이로 주위에 거의 30킬로미터까지 뻗었을 것임을 시사했다.[30] 분출로 인한 화산재는 태평양의 해양화학을 바꾸어 해양의 생산성을 크게 높였고, 이후 시기의 대기 이산화탄소 및 산소 농도 변화를 초래했다. 이 분출의 결과로 세계의 기온은 섭씨 약 0.5도 떨어진 듯하다. 남극 얼음 시료의 증거는 그 영향이 남반구에서 더 현저했음을 시사한다. 초목을 포함해 분화구에서 80킬로미터 이내의 모든 것이 파괴됐고, 그것이 복구되는 데는 수십 년이 걸렸다.[31]

중앙아메리카의 기후에 미친 영향을 규명하기란 쉽지 않다. 현재 고해상도 표본 추출이 부족하기 때문이며, 이는 미래에 해결될 문제다. 중국 중부의 나이테 자료를 보면 이 시기에 가뭄이 든 것으로 나타나 이것이 화산 분출과 관련이 있는지, 아니면 태양의 활동과 관련된 기온 하락인지 (또는 둘 다 관련이 있는지) 의문이 제기되고 있다.

또한 이 시기 유목민 집단들에 의한 새로운 통합 물결과 이주에서 기후 압박이 어떤 역할(만약 그런 것이 있었다면)을 했는지에도 의문이 있다. 일부 학자들은 스텝의 식생에 대한 압박이 서쪽으로의 이주에 기폭제 노릇을 했다고 주장한다.[32] 이들 이주민 가운데 가장 유명한 부류가 훈족이었다. 그들은 이 분출 이후의 시기에 가공할 새 지도자 아틸라의 지휘 아래 유럽으로 몰려갔다.[33]

그런 상황에서는 장기적 안목을 가지는 것이 중요했다. 그리스 역사가 폴리비오스는 이렇게 썼다. "홍수, 전염병, 흉작, 또는 그 유사한 원인에 의해 때때로 인류에게 엄청난 재난이 닥쳤으며, 이에 따라 예술과 사회 제도에 대한 모든 지식이 사라졌다." 이는 예상할 수 있는 일이다. "전승에 따르면 그런 재난은 인류에게 종종 닥쳤으며, 다시 일어나리라고 예상하는 것이 합리적이었다." 그러나 상황이 아무리 암울해 보일지라도 인간 집단은 회복하고 "마치 처음부터 시작하듯이" 다시 시작할 수 있었다.[34]

이런 관점은 훌륭하며, 공정하게 말해서 대체로 옳다. 그러나 어떤 재난은 다른 것들에 비해 더 심하며, 때로 그것이 가한 파괴의 규모가 파멸적으로 보일 수도 있었다. 6세기 전반에 잇단 기후 관련 현상들이 세계 곳곳에서 심각한 규모의 변화를 가져왔다. 여기에 치명적이었던 것이 530년대와 540년대에 일어난 여러 차례의 대규모 분출이었다. 알타이산맥과 중동알프스산맥의 나이테 자료 및 남·북 양극의 얼음 시료는 이 시기에 기온이 급격하게 떨어졌음을 보여준다. 그것은 태양 활동 감소와 이미 떨어진 해양 온도로 인해 더욱 가중됐다.[35]

얼음 시료 자료에서 추출할 수 있는 징표는 단일한 대규모 분출로 시작된 것이 아니라 적어도 두 차례의 큰 분출, 어쩌면 여러 차례의 분출과 관련이 있는 듯하다. 536년 무렵과 540년 무렵 북아메리카, 아이슬란드,

캄차카의 화산들에서 일어난 분출들이다.[36] 그 이후의 시기에는 열대 지방에서 분출들이 있었고, 그로 인한 영향은 오래갔다. 특히 황산염 침적이 그랬다.[37] 그러나 많은 학자들이 반론을 펴고는 있지만 여기에는 일로팡고의 분출이 포함되지 않았다. 100년 전에 일어난 그 분출은 지난 7천 년 사이에 일어난 10대 분출 가운데 하나이지만 그 연대는 오랫동안 방사성탄소 자료를 부정확하게 읽은 데 의존해왔다.[38]

'기관총' 효과 속의 분출 다발은 여파가 그렇게 심각했던 이유 중 하나일 것이다. 폭발의 시점과 위도는 특히 중요했다.[39] 일부 학자들은 열대 지방의 분출 가운데 적어도 하나는 해저 화산이었다고 주장한다. 그것이 얼음 시료에서 발견된 이 시기의 온수성 해양미생물의 존재를 설명해줄 것이다.[40] 종합해보면 화산 활동은 극적이고도 상당한 기온 하락을 초래했다. 한 학자는 이렇게 주장했다. "530년대와 540년대는 그저 추웠다는 말로는 부족하다. 이 시기는 전신세에서 가장 추운 때였다."[41]

이들 분출은 막대한 양의 파편을 대기로 쏟아내 지구 주위에 '먼지막'을 형성했고, 당대의 논자들도 이를 많이 언급했다. 동로마의 작가 프로코피우스는 536~537년에 관해 쓰면서, 이때가 무서운 전조의 시기였다고 지적했다. 태양은 빛과 열기가 너무나도 미약해 달과 같았다. 요안네스 리도스Ioánnes o Lydós는 태양이 거의 구름에 가려 빛이 희미했으며, 거의 1년 동안 제대로 볼 수 없을 정도였다고 기록했다. 한편 중국 당 왕조 때 쓰인 〈남사南史〉는 530년대 중반에 "황사"가 "눈처럼" 떨어졌다고 했다. 아마도 대기로 분출된 유황 침적물과 화산재가 다시 땅으로 떨어지는 것을 이야기한 듯하다.[42]

그렇지만 냉각 효과는 화산 활동의 가장 중요한 결과였을 것이다. 농작물 수확량이 온도 변화에 민감한 것은 사실이다. 특히 고도가 높은 지역과 고위도 지역에서는 더욱 그렇다.[43] 그러나 추운 기후 조건의 시작보다 더 중요한 것이 먼지막 효과다. 육상의 광합성과 농작물 생산은 태양 복사와 밀접하게 연관돼 있다. 따라서 햇빛과 그 열기가 차단되면 불가피하게 식물의 생상에 심각한 문제가 일어난다. 인간의 식량원으로 기르는 작물도 마찬가지다.[44]

일부에서는 황허강 이북 어떤 지역들에서 인구가 70퍼센트 이상 감소했다고 평가하지만, 그런 주장의 근거가 아주 확실한 것은 아니다.[45] 더욱 눈에 띄는 것은 이 시기의 일부 기록들이 기근과 식량 부족을 강조하고 있다는 것이다. 아일랜드의 〈울라 연대기Annála Uladh〉는 "식량 부족"을 언급했고, 530년대 중반의 센카 덴노宣化天皇에 대해 기록한 초기 일본 연대기는 이렇게 탄식하고 있다. "식량은 제국의 근본이다. 황금과 만전萬錢이 있어도 배고픔을 덜 수 없다. 춥고 배고픈 사람에게 진주 천 상자를 준들 무슨 소용이랴?"[46] 그럼에도 불구하고 여기서 요점은 분명하다. 돈이 많으면 좋다. 그러나 그것이 사람들에게 밥을 먹여주지는 않는다.

애리조나 샌프란시스코산맥의 강털소나무와 뉴멕시코 강우량 재구에서 얻은 자료는 북아메리카 서남부에서 540년대가 극도로 추운 시기였음을 보여준다. 최근에 이것이 바로 이 시기에 일어난 급속한 인구 분산의 원인이며, 더 나아가 같은 세기에 따뜻하고 습한 기후 조건이 회복되면서 콜로라도고원에서 대규모 사회경제적 재편의 과정을 촉진했다는 주장이 나왔다.

넓은 지역에 영향을 미친 한 세대 동안의 위기는 복잡한 반응을 초래해 농업 지식과 기술이 여러 공동체로 확산됐고, 그 공동체들은 비슷한 형태의 정주적 생활방식을 채택했다. 널리 퍼진 칠면조 사육이 그중 하나였다. 그것은 또한 복합 사회의 발전을 촉발하고 마을의 출현을 자극

해 결국 아나사지Anasazi(고古푸에블로) 문화의 기반이 되는 위계의 발전으로 이어졌다.[47]

기후 조건의 극적인 변화는 스칸디나비아에서도 큰 영향을 미쳤다. 이곳에서는 이 시기에 마을들이 무더기로 버려지면서 6천 년 사이에 스웨덴의 정착 형태가 크게 변했다. 덴마크에서는 희생제 장소의 위세품 수급증이 6세기 중반 충격적인 침체기에 신에 대한 자포자기와 호소를 표현한 것과 연관돼 있었다.[48] 사실 추운 날씨(그리고 구체적으로 태양의 강도 약화)는 생각을 변화시키고 믿음에 영향을 주며 미래에 대한 경고인 표준을 만드는 요인이었다.

일부 중진 학자들이 주장했듯이 먼지막은 노르드 신화에 나오는 핌불베트르Fimbulvetr(혹독한 겨울)의 표본을 제공했다. "눈발이 사방에서 날리고", 어디에나 강추위와 살을 에는 바람이 불고, "태양은 아무런 도움도 되지 않는" 때였다.[49] 이것은 세계의 종말을 앞둔 마지막 전투 라그나로크Ragnarök(신들의 최후)의 서곡이었다.[50] 사상 최고 흥행 영화 가운데 하나인 〈토르: 라그나로크〉(10억 달러 가까운 흥행 수입을 올렸다)가 제작되도록 힘을 보탠 영화 팬들은 그들이 맛보는 짜릿함이 1500년 전에 일어났던 여러 화산들의 분출 때문임을 실감하지 못할 것이다.

이 분출들에 이어진 변화의 세기는 학자들의 상당한 관심거리가 되었다. 그들은 이 화산 폭발들 및 그와 연관된 기후 충격이 연쇄적인 사건들의 시작이라고 흔히 생각했다. "동로마 제국의 변화, 사산 제국의 붕괴, 아시아 스텝과 아라비아반도 바깥으로의 이동, 슬라브계 민족들의 확산, 중국의 정치적 격변" 같은 사건들이다.[51] 앞으로 보겠지만 이것들은 남·북아메리카, 아프리카, 그리고 남아시아 일대의 주요 변화와도 관련이 있고, 또한 선지자 무함마드의 죽음 이후 이슬람 세력이 일어나고 광대한 아라비아 제국을 건설하는 길을 열기도 했다.

6세기 중반의 화산 분출들 이후 100년 동안에는 분명히 이례적인 규모의 사회경제적·정치적·문화적 변화가 일어났다. 그러나 화산 활동과 그 영향에 대해, 거대한 일련의 사회적·정치적·경제적 혁명의 원인으로서가 아니라 기존의 문제를 악화시키고 당시 급격한 변화를 초래했던 파열을 드러낸 것으로 평가하는 것이 훨씬 유용하다. 예를 들어 식량 부족은 수확량 감소와 함께 인구 압박의 산물이었다. 센카 덴노의 왕국 인구가 더 적었다면 그들을 먹이는 일은 그의 주장처럼 그리 어렵지 않았을 것이다.

이미 본 것처럼 도시의 취약성은 단지 기후와 관련이 있는 것이 아니었다. 도시는 또한 홍수, 교역로의 이동, 외부의 압박(또는 그 셋의 조합)으로 금세 무너질 수 있었기 때문이다. 그 조합의 경우를 인도 파탈리푸트라의 사례가 보여준다. 파탈리푸트라는 한때 인도 최대의 도시로 일컬어졌다. 그곳의 건물들은 너무 아름다워서 "이 세상 인간의 손으로 만들 수 없다"고 했다. 이 도시는 화려했을 뿐만 아니라 "5천 년은 갈" 도시라고 했다. 그러나 서기 600년에 이 도시는 폐허가 되었다. 아마도 지속적인 강우가 갠지스강의 흐름에 영향을 미쳐 결국 파멸적인 범람을 일으켰기 때문인 듯하다. 다만 정확히 언제 이 일이 일어났는지는 분명하지 않다.[52]

7세기 초에 서·북인도의 모든 교역 도시들은 쇠락기에 접어들었다. 그 상태로 200년이 흘러갔고, 이제 전체 지역은 물이 부족하고 강도가 들끓고 묘지 같은 곳으로 묘사됐다. "굶주림과 배고픔으로 죽어가던" 침략군 때문이었다. 그런 증언들은 왜, 누구를 향한 것인지에 관해 중요한 의문을 제기하지만, 굽타 제국을 한데 묶었던 끈이 6세기 말이 되면서 급속하게 풀렸다는 사실은 잘 조직되고 계층화되고 물자가 풍부한 듯했던 국가의 취약성에 관해 분명하게 이야기하고 있다.[53]

따라서 이 격변기의 수혜자가 더 잘 적응하거나 기회를 잘 이용할 수 있는 사회·민족·문화였던 것은 아마도 우연이 아니었을 것이다. 로마 치하 브리타니아의 용병에서 정치적 지배자로 갈아탄 앵글로족과 색슨족 같은 사람들이다. 발칸반도의 슬라브인, 이탈리아의 랑고바르드인, 북아프리카의 베르베르인, 팔레스타인·시리아·이라크의 사막 변두리의 아라비아인, 흑해 북안 스텝의 아바르인, 남아시아의 훈족 역시 입장이 호전돼 변두리 집단에서 중요하고 심지어 나름대로 지배적인 위치로 올라서는 변신을 하기까지 했다.[54]

물론 지역마다 서로 다른 경향이 나타났지만, 일반적인 모습은 위계적이고 도시화된 사회의 취약성을 드러냈다. 예를 들어 유럽 일부 지역(특히 서북 지역)에서는 기후 조건 악화의 영향이, 이전 수십 년 동안 기후가 한결같이 춥고 습했다는 사실로 인해 완화됐다. 이것이 무거운 흙을 더 잘 다룰 수 있는 쟁기 유형의 혁신으로, 그리고 재배 농산물 의존을 줄이고 목축 의존을 늘리는 더 다양한 식량 생산 형태의 채택으로 이어졌다.

일부 학자들 역시 지적했듯이 반복된 이민족의 침입과 공격은 확장된 공급망을 붕괴시켰고, 공동체들이 더 국지적이면서 더 자급자족적으로 생활하도록 부추겼다. 이것은 식량 공급의 압박에 직면해 그 대처 방안을 짜내기 힘든 도시 주민들의 어려움 따위에 대한 분명한 완충 장치를 제공했다.[55]

결핍에 대처하는 것은 6세기 중반 일련의 거대한 충격을 경험한 세계의 여러 지역에서 걱정거리가 되었다. 예를 들어 굽타 시대 인도에서는 바라하미히라 같은 학자들이 하늘의 먼지막에 수반되는 위험에 관한 글을 써서, 이것이 사나흘 지속되면 "식량용 곡물, 물, 즙이 나는 식물들이 파괴될 것"이라고 경고했다. 이것이 더 오래 지속되면 "왕의 군대에서 반란이 일어날 것"이라고 했다.[56]

대략 비슷한 시기에 만들어진 〈티토갈리Titthogali〉 같은 자이나교 경전들은 홍수, 가뭄, 기근, 박해가 지배하는 말세적 미래상을 제시하고, 이 혼란스러운 시기에 관한 통찰을 제공한다. 물론 일부 학자들이 지적하듯이 그런 기록들을 역사에 대한 증언으로서 얼마나 의존할 수 있는지, 그것들이 당시 돌아다니고 있던 다른 작품들(이 경우에는 특히 〈마하바라타〉)을 얼마나 베끼고 대응했는지가 아주 분명하지는 않지만 말이다.[57]

식량 부족과 정치적 혼란에 대한 불안은 중국 역사가들, 특히 황제의 결정에 영향을 미치고자 하는 사람들이 큰 관심을 갖는 문제였다. 8세기 초 당 왕조의 궁정 관리 오긍吳兢은 수隋 문제文帝(재위 581~604)가 큰 가뭄 이후 기근을 당하여 "백성을 구제하기 위해 물자를 나눠주도록 허락하지 않은" 것을 혹평했다. 그것은 미친 짓이었다고 오긍은 썼다. 문제가 죽었을 때 그에게는 "50~60년 동안" 버틸 수 있는 양곡이 비축돼 있었다.[58]

문제는 수 왕조(당나라는 그들로부터 권력을 빼앗았다)의 건립자였기 때문에 오긍의 말은 조금 에누리해서 들어야 한다. 그럼에도 그가 하고자 하는 말은 분명하다. 환경 재난의 시기에 지배자가 할 일은 공급 부족에 대한 대비책을 세우고 필요한 경우 비상 지원을 해야 한다는 것이었다. 너무 많이 비축하는 것은 의미가 없었다. 그러나 마찬가지로 문제가 생겼을 때를 대비해 충분히 확보해둬야 했다. 이 충고가 받아들여지지 않으면 "위험과 파멸"이 닥치는 것은 불가피했다. 말할 것도 없이 황제를 도와 "왕국을 보전"하게 할 수 있는 사람은 그에 걸맞은 역할을 해야 했다.

더 중요한 것은 학습된 교훈이었다. 제국의 안정성은 기후 압박의 시기를 겪고 난 뒤의 회복력에 달려 있다는 것이다. 기근은 단지 가난한 자들을 죽음으로 몰아넣거나 지배자에 대한 분노를 일으키는 것으로 그치지 않았다. 그것은 정권을 무너뜨렸다.[59]

동란의 영향은 멕시코 계곡의 테오티와칸에서도 혹심했다. 이곳은 16세기 중반에 극심한 사회적·정치적·종교적 격변을 겪었다. 강우와 관련된 신들의 우상과 공예품들을 훼손하고 박살냈다. 신전과 궁궐 단지도 조직적으로 파괴했다. 이것은 흔히 문제를 해결하기 위한 지배층의 대응(특히 강우량 감소의 압박에 대한 대응)에 대한 대중적 불만의 한 사례로 해석됐다. 그리고 더 나아가 통상 6세기 중반의 화산 분출과 연관시켰다.[60] 분명히 중앙아메리카의 다른 곳(대표적으로 540년 무렵 마야가 지배하고 있던 영토 일대)에서 건설 공사가 중단됐다는 사실은 화산 분출로 인한 혼란의 규모가 즉각적이고도 막대했음을 시사한다.[61]

600년 무렵에 테오티와칸은 옛 모습을 찾아볼 수 없을 만큼 변했고, 몬테알반Monte Albán과 리오비에호Río Viejo 같은 곳의 유사한 국가 조직들 역시 쇠퇴기에 접어들었다. 주민들은 큰 도시에서 더 작은 도시 정착지로 빠져나갔고, 이에 따라 지배자도 야망이 줄어든 국지적 지배자가 되고 지리적 연결의 범위도 줄었으며 자원의 크기도 더 제한됐다. 고고학 기록은 흑요석(여러 용도에 쓰이고 희소하며 의례에서의 역할 때문에 귀중하게 여겨진 화산유리) 같은 상품 유통망이 크게 축소됐음을 입증한다. 람비테코Lambityeco, 할리에사Jalieza, 엘팔미요El Palmillo 같은 계곡의 새로운 중심지들이 생겨났지만 그중 어느 것도 과거에 메소아메리카 문화를 지배했던 대도시들의 규모에 다가서지 못했다.[62]

남아메리카에서는 이 분출들이 파멸적인 여러 차례의 환경 및 기후 변화의 새로운 단계를 알렸다. 그것은 갈수록 잦아지고 심해지는 6세기의 엘니뇨 현상(그 특징은 심한 홍수와 오랜 기간의 가뭄이 번갈아 나타나는 형태였다)에 의해 더욱 힘겨워졌다. 엘니뇨 현상이 문제를 일으키기 시작했다는 지표가 있다. 남아메리카 해안 앞바다에서 영양분이 많은 차물이 따뜻하고 영양분 없는 물로 바뀌면서 건조화와 바다의 식료 감소를 초래한 것이다. 대합 조가비의 방사성탄소 연대측정은 이것이 분출 이전에 이미 시작됐음을 시사한다. 해양 자료의 연대 추정은 조심스럽게 다뤄야 하지만 말이다.[63]

흔히 모체 문화의 일부로 묘사되는 지역 일대에서 6세기 동안의 결과는 극적이었다. 관개시설은 엉망이 되었고 토양은 손상을 입었으며 식량 생산은 급격하게 감소했다.[64] 바람에 날린 모래는 북쪽 해안과 세로블랑코Cerro Blanco 단지(이곳은 도시가 붕괴했으며, 한 번 또는 그 이상의 큰 홍수가 발생해 추가적인 영향을 미쳤다) 같은 일부 지역에서는 거의 처리하기가 불가능한 것으로 드러났다.[65] 물과 음식을 확보하기 위한 경쟁이 매우 치열해 공동체들은 요새를 건설함으로써 스스로를 보호하는 조치를 취했다. 예를 들어 헤케테페케Jequetepeque와 사냐Zaña 계곡 같은 곳들이었다.[66]

테오티와칸에서도 그랬지만 지배층에 맞선 대응이 예술 및 종교적 반응을 형성했다. 그중 하나가 과거의 도상 모티프로 회귀한 것인데, 이는 혼란스러운 시기에 조상에게 도움을 청한 것으로 가장 잘 이해될 수 있다.[67] 그러나 적응의 정도는 문화마다 차이가 있었다. 와리와 티아우아나코는 6세기 말 무렵에 안데스 중앙 산지로부터 확장해 지금의 페루, 볼리비아, 칠레 북부의 해안 지역과 내륙 상당 지역을 지배하는 제국을 건설(또는 적어도 문화적 패권을 확립)했다.[68]

이 시기에는 세계 여러 지역에서 변화가 일어났다. 예를 들어 지금의 소말리아, 에티오피아, 에리트레아, 수단 동부를 지배했던 기독교도인 악숨 왕국은 6세기 초에 홍해 건너 힘야르 국가와의 접촉을 강화했다. 그들은 아라비아반도에서 기독교 교회 확대를 후원하고, 이 지역의 정치에 간섭했다. 악숨에 우호적이거나 심지어 악숨이 직접 통제하는 지배자를 세우는 식이었다.[69]

그러나 550년대에 악숨의 상황은 암울해 보였다. 큰 건물들이 무너져 버렸고, 그것들이 사용됐다면 한 학자가 '무단 점유자'라고 부른 사람들을 위한 임시 피난처로 쓰인 것이었다.[70] 채석장이 갑자기 버려져 큰 건설 공사들이 중단됐음을 알려주고, 주화 제작의 질적 하락(사용된 금속의 질도 그렇고 제작량도 그렇다)은 과거에 활기차고 뻗어나가며 야망이 있던 나라가 최종적 쇠락의 상태에 접어들었다는 또 하나의 지표를 제공했다.[71]

학자들은 오랫동안 6세기 중반 악숨의 인구 감소에 주목해왔으며, 흔히 그것을 과잉 정착과 지속 불가능한 자원(특히 상아, 목재, 물)의 감소 문제와 연결시켰다.[72] 일부에서는 또한 힘야르가 정복당한(먼저 페르시아인들에게, 그리고 얼마 지나지 않아 아라비아인들에게) 이후 홍해를 건너는 교역이 갑작스럽게 붕괴하고 이에 따라 악숨이 중요한 해외 시장을 빼앗기고 경제가 더욱 침체됐음을 강조하고 있다.[73] 악숨은 쇠락 상태로 떨어지기 시작했으며, 교회와 관련 없는 건물이나 기념물들은 더 이상 관리되지 않았다. 그리고 정치 중심지(그런 것이 존재했다면)는 쿠바르Kubar(그 위치는 여전히 알 수 없다)로 이동했거나 어쩌면 지배자가 영토 안을 돌아다니는 데 따라 이동 수도 형태가 되었을 것이다.[74]

기후 조건은 악숨이 처해 있던 침체된 환경에서 결정적인 역할을 했을 것이다. 그리고 이 시기에 아프리카, 유럽, 아시아에서 일어난 이례적인 변화들에 대해 많은 것을 설명해줄 것이다. 앞에서 보았듯이 화산 분출에 따른 먼지막은 식량 생산에 압박을 가했고, 많은 경우 환경적·물질적·사회적 압박의 원인이 되었다.

그것은 6세기의 혁명들을 일으키는 데 아마도 근본적인 또 다른 효과를 가져왔을 것이다. 이례적으로 추운 날씨는 쥐의 생존과 벼룩 번식에 흔치 않은 기회를 제공함에 따라 전염병 발생을 야기했다. 흉작을 메울 필요 때문에 지중해를 건너는 식량 수송이 늘었고, 그렇게 늘어난 접촉은 다시 전염병의 급속한 확산을 초래한 연결망의 강화로 이어졌을 것이다. 마지막으로 햇빛 감소 역시 중요한 역할을 했을 것이다. 인간의 면역 체계와 특히 세균 감염에 대응하는 데 중요한 비타민 D 결핍을 초래한 것이다. 이런 요인들이 이제 대규모 전염병이 유행하는 데 완벽한 조건을 조성했다.[75]

전염병에 대해 글로 쓰인 첫 번째 전갈은 이집트의 항구 도시 펠루시움으로부터 왔다. 이 도시는 지중해와 홍해 및 인도양을 연결하는 핵심 고리였다. 541년 여름부터 질병이 발생해 가자와 북아프리카 일대로 퍼졌다. 몇 달 후에는 콘스탄티노폴리스에 도달한 데 이어 "전 세계로" 퍼졌다(동로마 작가 프로코피우스의 말이다).

이 질병은 전체 인류를 말살시킬 뻔했다고 이 작가는 지적했다. 그는 전염병이 극성일 때 제국 수도에서 하루 1만 명이 죽었다고 주장했다. 그들을 묻어줄 사람이 부족해서 시체가 무더기로 쌓였다.[76] 이 유스티니아누스 전염병(그렇게 알려지게 된다)으로 수백만 명이 죽은 것으로 알려졌다. 사실은 수천만 명, 어쩌면 그 이상이었을 수도 있다. 아마도 지중해 일대 인구의 50퍼센트가 사망했을 것이다.[77]

더 최근의 경험이 보여주듯이 사망률 수준이 조금만 상승해도 경제가 크게 위축되고 어떤 경우에는 정부를 전복시킬 수 있다. 다시 말해서 붕괴는 많은 사람이 죽어서 생길 뿐만 아니라 교역망, 수송망, 접촉망이 망가져 생길 수도 있다.[78] 그럼에도 불구하고 유스티니아누스 전염병의 규모에 관한 평가는 최근 지속적인 공격을 받고 있다. 학자들은 꽃가루 자료, 파피루스, 비문, 주화 제작 등 광범위한 증거들이 사회와 인구와 경제에 중대한 변화가 있었음을 나타내지 않는다고 주장했다. 그들에 따르면 이 질병의 영향은 그저 '미미'한 수준이었다.[79]

또 어떤 사람들은 사망률이 높았다 하더라도 인구 감소가 모든 곳에서 나타난 것이 아니고 매우 국지적이었으며 그리 중요하지 않았다고 지적한다.[80] 이런 매우 회의적인 평가는 확실히 눈길을 끈다. 더 확신에 찬 사람들은 사망률 수준 평가에 추측과 맹신이 수반되는 것이 분명한 사실이지만 이 전염병이 엄청난 영향을 미쳤다는 주장을 의심할 만한 이유가 있다고 주장한다.

흥미로운 점은 관련은 있지만 별개인 이 시기 이후 여러 변종의 전염병이 프랑스, 이베리아, 바이에른, 심지어 케임브리지셔에서도 확인된다는 것이다. 이 질병이 고립된 시골 지역에서 발생했다는 사실은 인상적이다. 전염병이 인구가 적은 변두리 환경에서 확산됐다면 주거 밀집도가 높은 크고 작은 도시에서는 엄청나게 파괴적이었을 것임을 시사한다.[81]

더구나 콘스탄티노폴리스의 제국 당국은 540년대 초에 임금 통제를 강제하고자 하는 법을 공포했다. 일부 노동자들이 "이전 관례의 두세 배에 해당하는 임금을 요구"했기 때문이다. 이는 전염병으로 노동자들이 많이 죽었다는, 우리가 알고 있는 그 이후의 영향과 자연스럽게 부합한다. 많은 사람이 죽는 바람에 노동자 수가 크게 감소했다는 것이다. 콘스탄티노폴리스에서 취해진 다른 비상조치들 역시 갑작스럽고 극단적인 압박이 닥친 시기에 재정을 떠받치기 위해 필사적으로 노력하는 국가의

모습을 강력하게 시사한다.[82]

게다가 공포와 붕괴를 드러내는 몇몇 지표들이 있다. 하나는 레반트의 로마 속주들에서 쓰레기 수거 같은 공공 서비스가 중단됐다는 사실에서 나온다.[83] 또한 네게브고원에서는 이 지역 성작의 경제적 기반인 포도 재배와 고급 '가자 포도주' 생산이 줄었다는 주장이 있다. 그것은 후대의 이슬람 정복 때문이 아니라, 좋지 않은 기후 조건과 더 중요하게는 전염병에 의한 인구 감소, 그리고 포도를 재배하고 수확하고 가공하는 데 필요한 인력 부족으로 인한 것이었다.[84]

비슷한 문제는 지금의 예멘에 있던 마리브 제방이 6세기 말에 붕괴한 원인이기도 했던 듯하다. 그 붕괴는 홍수를 일으켰다. 범람한 물이 "땅과 동산과 건물과 가옥을 덮쳤고, 이 나라의 주민들이 죽고 그 시민들이 쓸려 나갔다." 한 후대 작가에 따르면 제방이 무너진 것은 크게는 제대로 관리하지 못했기 때문이고, 구체적으로는 그것이 망가지지 않도록 막는 데 필요한 노동력의 규모가 줄었기 때문이다.[85]

지중해 동부와 서아시아 주민들에 대한 유전자 연구는 그들이 자가염증성 질환에 민감하게 하는(그리고 그 결과로 전염병을 일으키는 세균인 페스트균에 저항력이 강한) 돌연변이를 보여주었다. 재구된 그 유전체는 유스티니아누스 전염병, 1340년대의 흑사병, 그리고 그 후에 계속 나타난 전염병들과 일치했다. 6세기의 발병이 유전체에 새겨졌을 뿐만 아니라 그것이 대유행병에서 살아남은 사람들이 감염에 널리 노출된 결과로 주어졌음을 시사한다.[86]

대략 이 시기 유럽의 곰쥐 개체수의 극적인 감소는 대유행병의 결과일 것이다. 기온 하락이나 서유럽(나중에 발칸반도까지)의 접촉망 및 교역망 붕괴도 이들 및 다른 해충의 개체수에 영향을 미쳤겠지만 말이다. 아니면 물론 이 요인들 일부 또는 모두의 조합이 8~10세기 이후 쥐가 두 번째 물결을 이루어 온화한 유럽으로 들어온 일의 유전적 영향을 설명해줄 것이다.[87] 어느 경우든 전염병은 인간에게서만 발생한 것이 아니고, 유럽 여러 지역의 쥐 서식지의 분포와 규모 역시 바꾸어놓았다.

대유행병이 가한 대대적인 파괴는 아프리카 중부의 콩고 우림으로도 확산됐을 것이다. 이곳에서는 대략 유스티니아누스 전염병과 비슷한 시기에 파멸적인 인구 붕괴가 일어났다. 수백 년 동안 존재했던 공동체들이 빠르고도 완전하게 사라졌다. 몇몇 산재한 공동체들만이 남았다.[88]

유전체 증거는 전염병의 병원균이 중앙아시아로부터 왔음을 보여주지만, 획기적인 새 연구는 540년대 대유행병이 발생하기 수년, 심지어 수십 년 전에 유럽의 여러 곳에서 전염병으로 인한 죽음이 있었음을 보여준다.[89] 전염병은 지중해나 다른 지역에서 퍼지기 전에 아프리카에서 확산됐을 것이다. 그것이 사실인지, 또는 전염병이 정말로 콩고나 아프리카 여타 지역의 파멸적인 인구 감소의 원인이었는지를 확인하려면 더 많은 연구가 필요할 테지만 말이다.[90]

그렇다면 이 전염병 변종의 본래 기원보다 더 중요한 것은 그것이 전파된 경로와 희생자 수가 소수였다가 대량 희생자를 낳은 대유행병으로 옮겨간 시점이다. 이 질병이 예를 들어 나일강 하구 부근의 북아프리카에서 처음 추적되고 악숨 왕국에서 나온 증거도 바로 이 시기의 상당한 인구 감소를 보여주는 것은 우연이 아닐 것이다. 일부 자료는 전염병이 "쿠시 땅으로부터", 그리고 힘야르로부터 왔다고 이야기한다. 이는 중앙아시아나 중국의 원천으로부터 해상 또는 육상 교역로를 거쳐 홍해로 들어와 전파됐음을 시사한다. 페르시아에서 전염병 발생이 더 서쪽에서 발생한 이후에 나타나고 중국 사회들의 유행병은 수십 년 뒤에나 나타난다는 사실은, 지중해와 홍해의 질병에 적합한 기후와 더 광범위한 기후 조건이 질병이 퍼지는 데 이상적인 배양기를 제공했음을 시사한다.[91]

최근의 한 논자가 지적했듯이, 극심한 기후 변화와 전염병이라는 '쌍둥이 재앙'이 아무리 파괴적이었다 하더라도 그것이 로마 제국을 멸망으로 이끈 것은 아니었다. 사실 그것들은 유스티니아누스 정권조차도 허물지 못했다. 또한 황제 자신조차도 쓰러뜨리지 못했다. 그도 감염되었던 듯하지만 살아남았다. 이 시기에 발행된 주화를 잘 살펴보면 이 지배자의 목에 감염으로 인한 고름이 가득한 전형적인 종기가 있었음을 알 수 있다.[92]

지중해 경제권의 여러 지역과 특히 사산 제국(이 나라는 6세기에 필시 발전하고 있었던 듯하다)에서 상당한 연속성의 증거가 있음을 지적하는 것이 중요하지만, 대부분의 지표들은 대유행병으로 인한 커다란 변화를 시사한다.[93] 물론 대폭적인 인구 감소는 중앙집권화된 정부에 영향을 미쳐 생산성을 떨어뜨리고 조세 수입을 줄이며 대형 사업 자금을 조달할 능력을 떨어뜨렸을 것이다.[94]

물론 이는 국가 운영에 영향을 미쳤다. 그러나 역설적으로 임금 상승을 억제하기 위한 유스티니아누스의 시도라는 증거가 시사하듯이 많은 사람들은 쭈그러드는 경제에서 더 잘나갔다. 그들은 스스로를 위해 더 나은 보수와 지위를 흥정하거나 취득할 수 있었다.[95] 앞에서 보았듯이 "쇠락과 멸망"은 사람에 따라 의미가 달랐다.

전염병의 영향에 관한 물음표는 현대 학자들 사이에서 광범위하고 때로는 고약한 논쟁의 일부다. 특히 로마 경제의 경우가 그렇다.[96] 아마도 더 분명한 것은 6세기 중반에 세계 여러 지역에서 갖가지 큰 사회적·정치적 변화가 일어났다는 것이다. 그런 변화들에서 기후와 질병 환경은 어떤 경우 기존 사회경제적 추세를 악화시키거나 촉진한 요인이었다.

예를 들어 6세기 스칸디나비아와 발트해 지역의 재정착 유형에 관한 상세한 연구는 땅이 버려지고 곡물 생산에서 동물 사육으로 옮겨간 광범위한 사례들을 보여준다. 그것은 북반구에서 530년대의 화산 분출과 함께 시작되고 100년 이상 지속된 추운 날씨에 대한 적응 등 복잡한 여러 가지 환경에 대한 반응이었다. 그것은 또한 전염병의 영향에 대한, 그리고 북유럽에서 로마의 권위가 사그라지는 데 따른 경기 침체와 교역망 붕괴에 대한 반응이었다.

이런 환경들은 시장의 활력을 근본적으로 변화시켰고, 경제 및 문화의 지평을 바꿔놓았으며, 토지 소유와 노동관계를 변모시켰다.[97] 시간이 지나면서 이는 대규모 토지 소유의 등장과 상당한 규모의 영지 창출을 초래해 새로운 '초상류층'의 등장으로 이어졌다. 이것이 '노르드Nord인의 시대'의 바탕을 제공했으며, 그렇지 않더라도 적어도 그 부상의 토대 노릇은 분명히 했다.[98]

일부 학자들에 따르면 6세기 중반의 충격은 또한 유럽 안팎의 심리적·정서적·종교적 변화를 설명하는 데 도움이 된다. 예를 들어 콘스탄티노폴리스의 수호자가 동정녀 마리아라는 관념은 이 시기 이후 발달했다고 지적돼왔다. 그것이 전염병과 연관(직접 또는 간접적으로)되어 있느냐에 약간의 의문은 있지만 말이다.[99] 또 어떤 사람들은 6세기 중반의 질병, 나쁜 날씨, 군사적 좌절, 지진 등이 임박한 세상의 종말에 관한 우려를 부채질했다고 지적했다. 이는 이후 수십 년 동안 지속되고 심지어 강화됐으며, 그런 공포가 계속 실현되지 않고 근거가 없음이 분명해진 뒤에도 그랬다.[100]

투르의 그레구아르Grégoire de Tours는 경작이 불가능할 정도로 심각했던 홍수에 대해 썼으며, 지진, 운석의 낙하 가능성, 우박폭풍, "신이 일으킨" 불에 대해 이야기했다. 그는 이렇게 경고했다. "여러 곳에서 전염병, 기근, 지진이 일어날 것이고, 가짜 구세주와 가짜 선지자가 나타날 것이다. 그들은 하늘에 징조와 불가사의를 만들 것이다." 이는 극심한 기후 현상에 대한 뚜렷한 관심뿐만 아니라 그것을 어떻게 해석하느냐에 대한 관심도 반영한다.[101] 그레구아르에게는 분명한 듯했다. 이런 사건들은 "고통의 시작"을 의미하며, 그 고통은 예수가 마지막 날의 전조가 되리라고 경고했던 것이었다.[102]

마지막 날을 미리 이야기한 종말의 예언은 단지 유대교와 기독교 전승의 근본적인 부분일 뿐만 아니라 반복적으로 나타나는 것이기도 했다. 심지어 6세기 중반의 어려움 이전에도 세상의 종말에 대한 공포는 상당히 강렬하게 커가는 듯했다. 우울한 생각들이 교역로를 따라 전해졌다. 특히 동로마 제국 안에서 그랬다. 앞으로 보겠지만 그것들은 아라비아반도 등 서아시아에서 특히 잘 받아들여졌다. 그러나 멀리 스칸디나비아의 이교도 공동체들까지도 금과 은 같은 귀금속을 봉헌물의 일부로 바치기 시작했다는 것은 우연이 아닐 것이다. 임박한 마지막 재앙이라고 여겨지는 것을 피하기 위한 필사적인 노력이었다.[103]

그런 사례들은 얼핏 보기에 매우 설득력이 있는 듯하다. 그러나 이 원자료는 복잡하고, 이 시대의 다양하고 서로 다른 개념 체계를 가진 여러 저작들(임박한 종말에 대해 이야기하지 않는 것들)의 맥락 속에 집어넣을 필요가 있음을 강조할 만하다.[104] 그럼에도 불구하고 여러 차례의 실존적 고뇌와 위기가 신에 대한 관념을 다시 측정하고 평가하고 강화하는 데 중요할 수 있다는 여러 시기와 지역의 강력한 증거가 있다.[105] 어떤 사람들은 불교가 한국과 일본에 전해진 시기가 정확하게 화산 분출로 인한

먼지막이 가장 심할 때였다고 지적한다.[106]

한편 기독교의 중앙아시아 진출과 스텝 민족들의 개종은 당대 기록에 의해 구체적으로 전염병이 나타난 시기나 효과적이라고 입증된 해결책과 연결됐다. 유목민들 가운데 "이마에 십자가 표시를 검게 문신한" 사람들이 있었는데, 콘스탄티노폴리스에서 동맹을 맺기 위해 온 대표단이 왜 그렇게 했느냐고 물었다. 전염병이 돌았는데, "그들 가운데 어떤 기독교도들이 그렇게 하자고 주장했고(신의 보호를 받기 위해서) 그 이후 그들 나라는 안전"했다는 것이 그들의 대답이었다.[107]

6세기 이탈리아 중부의 고기후학 대리지표와 역사 기록에 관한 최근 연구는 북대서양진동(NAO)의 소강 국면으로 인해 그 이후 6세기 말에 매우 습한 조건의 기간이 있었을 뿐만 아니라 성인들의 삶에 대한 기록에서 물과 관련한 기적 이야기가 급증했음을 보여준다. 이는 기후 현상이 당대 저자들의 눈에 어떻게 비치고 또한 해석됐는지를 보여주는 동시에, 이미 커지고 있던 주교, 수행자, 교회의 권위를 더욱 높이는(의도적이든 그렇지 않든) 수단이기도 했다.[108]

다시 말해서 충격적인 단일 사건과 기후 충격의 기간은 신앙을 변모시켰을 뿐 아니라 기관들(기독교 교회 같은)의 확산과, 미래의 대재앙에 대한 설명과 대재앙부터의 보호를 제공할 수 있는 사람들에게 권위와 권력을 강화하는 기회를 제공했다. 그것은 7세기 초에 중요한 것으로 드러났다. 중앙아시아 스텝 일대의 급격하고도 빠른 기온 하강이 또 다른 일련의 혁명에서 한몫했고, 그 혁명들이 다시 한번 광범위한 영향을 미쳤다.

# 11장 제국의 전성기

### 600년 무렵부터 900년 무렵까지

왕국의 정연한 통치는 종교 신앙, 예의, 법, 질서를 바탕으로 한다.

— 알이스타흐리, 〈길과 왕국〉(10세기)

7세기의 첫 25년은 유럽 및 아프리카 일대와 아시아의 상당 지역에서 이 례적인 정치적 불안정의 시기였다. 로마 제국과 페르시아 제국은 거의 끊임없는 전쟁 상태에 들어갔고, 여기서 서아시아와 북아프리카의 여러 큰 도시들의 주인이 바뀌었다. 그리고 두 제국은 군사 원정으로 상대를 굴복시켰을 뿐 아니라 멸망 직전으로 몰고 가기도 했다.

운세의 변동은 빠르고도 중대했다. 626년, 페르시아 군대가 콘스탄티 노폴리스 성벽 주위에 모여들었다. 이 큰 도시 안에 웅크리고 있던 시민 들은 최악의 상황을 우려했다. 불과 몇 달 후, 헤라클리우스 황제는 역 사상 가장 거창한 후방 작전 가운데 하나를 펼친 끝에 번개 같은 속도로 동쪽으로 진군해 지금의 이라크 땅인 니네베에서 페르시아 대군을 격 파했다.[1]

몇 주 지나지 않아 로마 군대는 페르시아 샤 후스로 2세가 애지중지하 던 궁궐이 있는 다스타기르드에 도달해 막대한 양의 전리품을 탈취했다.

각종 피륙, 설탕, 향신료, 은, 온갖 종류의 귀중한 장비들이었다. 그리고 과거 여러 전투에서 빼앗겼던 군기 300개도 회수했다.

로마와 페르시아의 대결은 양쪽에서 빛과 어둠의 싸움이라는 불길히고 종말론적인 용어로 표현됐다.[2] 자기네 군대가 진격하고 후스로 샤가 그의 궁정 파벌들에 의해 전복됐다는 소식이 콘스탄티노폴리스에 전해져 성서적인 용어로 각색됐다. "신을 적대한 오만한 후스로"가 추락해 "땅속 깊은 곳으로 던져졌고, 그에 대한 기억은 지상에서 완전히 사라졌다." 그것은 부당하고 오만하게 말하고 "진정한 신인 우리 주 예수 그리스도와 그의 순결한 어머니이자 성녀聖女이고 신의 어머니이자 영원한 동정녀인 마리아"를 멸시한 사람의 운명이었다.[3]

따라서 헤라클리우스가 제국 수도로 돌아오기 전에 예루살렘으로 가서 승리 행진을 벌이고 후스로 샤에게 탈취당했던 성聖십자가를 엄숙하게 되찾은 것은 우연이 아니었다. 그날은 축하의 도가니였고, "눈물을 흘리고 울부짖는 소리"가 가득했다. 기쁨의 눈물이 구경꾼들의 "엄청난 감정의 열기 속에서 흘러나왔다." 그들은 너무도 압도당해 감사의 찬가를 부를 수조차 없었다.[4]

로마 승리의 원동력은 강력한 돌궐 제국 지배자와 맺은 동맹이었다. 그들은 6세기 중반 서쪽의 흑해 북안으로부터 동쪽의 몽골 평원에 이르는 스텝의 상당 부분을 지배했다. 626년, 헤라클리우스는 당시 돌궐이 통제하고 있던 땅의 서반부 카간qaghan인 통야브구統葉護와 포괄적인 협정을 맺었다.

헤라클리우스는 이 동맹을 굳히기 위해 상당한 조건을 양보하지 않을 수 없었다. 이것은 황제와 카간 사이의 이례적인 만남에서 확인됐는데, 이 회의에서 황제는 머리에 썼던 왕관을 벗어 돌궐 지배자에게 씌워주었다. 그런 다음 카간과 그 수행원들에게 푸짐한 선물을 주고 카간과 결혼시키겠다는 황제의 딸 그림을 보여주었다.[5] 제국 황실 사람과 이민족 유목민 지배자 사이의 결혼은 사상 초유의 일이었다. 그것은 황제의 입장이 약하고 필사적이었음과 페르시아에 맞서는 데 돌궐의 지원이 중요함을 동시에 보여주었다.[6]

돌궐을 동맹자로 끌어들인 것은 형세를 로마에 유리하고 페르시아에 불리하게 돌리는 데 결정적이었다. 이 유목 세력은 6세기 중반 기후 위기와 거의 같은 시기에 유명해지고 힘을 키웠다. 정확히 어떻게, 왜 그렇게 되었는지는 분명하지 않지만, 다른 유목민 국가의 팽창을 통해 판단해보면 한편으로 평상시 수준 이상의 강우 및 그에 따른 초지의 수용 능력 개선과 다른 한편으로 가축 무리의 규모 증대의 상관관계가 중요했을 것이다.[7] 이 경우에도 마찬가지였던 듯하다. 그러나 돌궐이 정주 국가들로부터 공물을 뽑아내고 교역로와 교역망을 통제하며 동물(특히 말)을 판매함으로써 패권을 강화할 수 있었던 점 역시 중요했다.[8]

550년 무렵에 돌궐은 스텝에서 지배적인 위치를 확립했다. 그들과 경쟁하던 유목민들을 흡수하거나 서쪽의 도나우강 너머, 또는 남쪽의 인도로 쫓아버렸다.[9] 그렇게 쫓겨난 민족 가운데 하나가 아바르인이었다. 그들은 발칸반도로 흘러들어갔고, 나중인 620년대에 후스로 2세가 콘스탄티노폴리스를 공격하기 위해 그들을 끌어들였다. 그것은 유목민 세력의 군사적 능력과 조직화 능력, 이 시기 정치에서 그들이 한 중요한 역할의 징표였다.[10]

페르시아 안팎에서 극적인 일이 일어나고 있는 것과 같은 시기에 동아시아에서도 모종의 비슷한 일이 일어났다. 618년, 이연李淵이라는 귀족이 수隋 왕조에 대한 적대감을 활용해 반란을 일으켰다. 운하 확장(결국 베이

징과 항저우를 잇는 '대운하'가 된다) 같은 비용이 많이 드는 기반시설 정비와 엉성하게 계획된 동쪽의 고구려 원정 등은 재원을 갉아먹고 대량의 인력 동원이 필요해 많은 원성을 샀다. 그 이후의 불확실한 기간은 동돌궐의 카간이지 명목상 전체 돌궐 연맹의 최고 지도자였던 일릭Illig: 頡利에게 기회를 제공했다. 그는 수나라의 축성 사업(그것이 만리장성의 일부가 된다)으로 유목민의 가장 좋은 초지와 농경지를 빼앗긴 데 대한 대항 조치를 노리고 있었다.

620년대에 돌궐은 북중국을 마구 약탈했다. 626년에 카간과 그의 군대는 웨이허강에 도달해 고조高祖 이연이 다스리는 새로 건국된 당 왕조의 수도 장안(현재의 시안西安)을 위협했다. 돌궐은 당시 세계 최대 규모였던 이 도시에 대한 전면 공격을 고려했을 수 있다. 더 가능성이 높은 것은 침략군이 철수의 대가로 두둑한 보상금을 뽑아내고자 했다는 것이다. 보상금이 적절하게 지불되자 침략군은 철수했다.[11]

이때가 동돌궐의 최고 시기였다. 4년이 채 되지 않아 거대한 연합체가 붕괴하고 당나라의 대군에게 궤멸됐다. 당군은 스텝의 초지로 진격해 파멸적인 패배를 안겼다.[12] 서돌궐 또한 페르시아를 물리치는 데 중요한 역할을 했지만 급속하게 몰락했다. 630년대에 어려움에 빠진 뒤 해체돼 흑해와 카스피해 북안 스텝 민족들의 재편을 준비했다. 동돌궐 제국의 붕괴를 닮은 서돌궐 제국의 갑작스러운 붕괴는 대단한 충격이었다. 두 세력은 어느 순간 여러 종족들을 대량으로 받아들였지만, 또 어느 순간 그들을 허공으로 날려버렸다.[13]

이 극적인 운세의 변화는 흔히 튀르크 세계 내부의 분열에 기인한 것으로 간주된다. 서방에서 스텝의 지배적인 인물이었던 통야브구가 살해된 것이 대개 불안정, 내부 경쟁, 쇠락의 시기를 재촉했던 것으로 인식됐다.[14]

동쪽에서도 당대인들이 지적했듯이 지도부 내부의 알력이 갑작스러운 좌절의 요인으로 인식됐다. 629년 중국 북부 대주 도독代州都督이던 야심가 장공근張公謹이 당나라 황제에게 제출하기 위해 준비한 보고서는 기회의 원천으로 경쟁관계를 콕 집어 주시하고 있다. 이 보고서에서 장공근은 유목민들이 보통 역습에 취약하다며, 호의적인 환경을 활용하라고 황제에게 진언했다. 적이 비튀르크인에게 과도하게 의존하고 있고 복속 종족들 사이에 불만이 있으며 일부 지역 주민들은 튀르크의 지배에 반발하고 있다는 것이었다. 그들이 약화된 또 다른 이유는 갑작스럽게 엄혹한 기후 조건의 시기가 닥친 것(그리고 그 결과로 초래될 듯한 취약성)이라고 장공근은 말했다.[15]

아시아, 유럽, 남·북아메리카, 오스트레일리아 태즈메이니아의 나이테와 남·북극의 얼음 시료 증거에 대한 새로운 연구는 626년에 대규모 화산 분출이 일어났음을 시사한다. 남극 자료에 징후가 나타나지 않은 것은 그 화산이 북반구에 있었음을 강력하게 시사한다. 북부 그린란드에서 기록된 이 분출의 황산염 변이가 지난 2천 년 동안의 최대치(나중에 이야기할 18세기 말의 라키 화산은 제외하고)였다는 사실은 그것이 이후 중앙아시아 알타이산맥(다른 곳도 마찬가지다)의 갑작스러운 기온 하강의 원인이었음을 시사한다. 재구에 따르면 한창때에 섭씨 3.4도가 내려갔다.[16]

기온 하강과 함께 먼지막도 식물 성장에 영향을 미쳤다. 그 영향은 모든 곳이 동일하지 않았다. 생태계 균형이 잘 이루어지거나 이용 한계에 가까운 지역이나 장소는 폭포효과를 낳는 데 약간의 수정만이 필요했다. 스텝 띠 지역은 완벽한 사례였다. 특히 가축 무리의 규모를 늘릴 수 있게 한 온화한 기후 이후에는 그랬다. 게다가 그 영향은 열대 태평양 및 북대서양의 해수면 온도 변화에 의해 심해질 수 있었다. 그것이 중앙아시아

의 강우 패턴을 좌우하고 추가적인 악화 인자가 될 수 있었다.[17]

이는 중국 자료에 많이 나오는 이례적으로 혹독한 날씨들을 설명하는 데 도움이 된다. 식량 부족과 기근으로 이어진 중국 중부의 광범위한 지역(심지어 남부까지도)의 폭설과 가뭄 같은 것들이다. 이것이 농업 생산에 얼마나 영향을 미쳤는지 정확하게 계량화할 수는 없겠지만, 여기서 아마도 더 중요한 것은 스텝에 미친 영향, 특히 가축에 미친 영향일 것이다. 강설이 약간만 늘어도 사망률에 영향을 미칠 수 있다. 적절한 먹이를 찾기가 더 어려워지기 때문이다.[18] 이 문제는 가뭄 뒤끝일 경우 극적으로 악화된다. 동물들이 영양실조로 약해진 상태이기 때문이다.[19] 예를 들어 서기 1세기에 짧지만 한결같은 가뭄의 시기가 지난 뒤 흉노(돌궐의 전신) 유목민의 "인구 및 가축 3분의 2"가 죽었다고 〈후한서後漢書〉는 기록했다.[20]

따라서 압력과 위험을 늘려가는 일련의 환경에 직면해 취약함을 드러내는 곳은 정주 사회 국가들만이 아니었다. 오늘날에도 이례적으로 추운 시기에는 수백만 마리의 가축이 금세 죽어나간다.[21] 그런 재난은 종종 경기 부진에 기인한 사회적 영향을 촉발했다. 빈곤 증대와 대량 이주 같은 것들이다.[22] 돌궐의 경우 장공근이 발견한 문제가 커져 어떻게 위기의 복합체를 만들었는지를 알아내기는 어렵지 않다. 가축의 감소, 식량 부족, 엄혹한 기후 조건이 부족 집단을 묶어주던 끈이 풀리는 데 이바지했고, 지도자의 권위를 손상시켜 연합체의 분열을 초래했다.

다시 말해서 체제 붕괴는 급속하게 일어날 수 있었다. 당대의 한 기록이 말했듯이 "돌궐은 순전히 그들의 양과 말에 의해 흥하고 망했다." 가축 수의 감소는, 특히 갑작스럽고 급격한 경우에는 전체 연합체 안의 개개 유목민 집단의 운세에 매우 심각한 영향을 미칠 수 있었다. 그 충격은 가장 신분이 낮고 재산이 없는 사람들에게 가장 뼈저리게 다가온다.[23] 따라서 기후 충격은(다른 충격도 마찬가지지만) 회복력 있고 강력해 보이던 구조를 갑자기 불안정하게 만들 수 있었다. 그러면 종속 집단과 야망 있는 개인들에게 "중앙집권화된 지도력을 비교적 약하게 만들었던 동맹과 위계 체제의 내재적 불안정성"이라고 적절하게 묘사됐던 것을 허물 기회를 제공한다.[24]

629년에서 630년에 걸친 겨울에 당나라 대군이 기회를 노려 진군하자 초지로 물러나 있던 돌궐인들은 허를 찔려 많은 사상자를 내고 포로로 잡힌 사람도 많았다. 일릭 카간 자신도 포로로 잡혔는데, 만년을 포로 신세로 보내다가 상심한 끝에 죽었다고 한다. 이것이 동아시아에서 돌궐 제국의 와해에 일조한 동시에, 이후 300년 동안 중국의 상당 지역을 지배하게 될 당 제국의 등장으로 이어졌다.

태종 황제는 626년 즉위한 이후 '천자天子'와 '황제'라는 전통적인 칭호를 보유했다. 스텝에서의 극적인 변화는 그의 정통성을 크게 신장시키고 그의 권력 장악을 강화했다. 이제 대담해진 황제는 자신의 칭호를 추가했다. "나는 대당大唐의 천자"라고 그는 장안의 황궁 앞에서 열린 한 의식에서 말했다. 이제부터 자신은 "천가한天可汗(텡그리 카간)의 일을 살필 것"이라고 선언했다. 북방과 서방에 있던, 그의 직접 통제를 받는 지배자 및 민족들에게 보내는 모든 서신에 찍기 위한 인장이 새로 만들어졌다. 다시 말해서 그는 그저 유목민들을 격파한 것이 아니었고, 그들의 지배자라고 선언한 것이었다.[25]

서방에서도 서돌궐이 폭동, 반란, 요인 암살(그중에는 최고 지도자 통야브구도 있었다)로 점철된 격동의 시기를 겪었다.[26] 투루판(토로번吐魯番), 쿠치(구자龜玆), 사마르칸트 같은 지역의 토착 지배자들은 과거에 공물을 바쳤던 돌궐을 버리고 그 대신 당나라 궁정에 보호를 구하는 선택을 했다.

이 격변의 크기와 속도는 엄청났다. 유명한 중국 당나라의 승려이자 여행가인 현장玄奘이 630년에 서돌궐을 찾아갔을 때 그 카간이 녹색 비단 옷을 입고서 잘 꾸민 장식품과 화려한 옷을 두른 수행원들에게 둘러싸여 있었다고 묘사했는데, 그는 전성기의 제국을 보고 있다고 생각했을 것이다. 실제로 그가 방문한 시점은 그 멸망 몇 달 전이었다.[27]

현장은 사실 자신에 대한 응접이 아주 낯설고 이상해서가 아니라 현지의 질서정연하고 잘 짜인 의례 요소들이 자기 나라와 비슷해서 놀란 것이었다. 상징적인 권력의 표현, 무릎을 꿇고 지배자에게 경의 표하기, 발을 잡고 머리를 땅에 대는 것은 모두 스텝에서뿐만 아니라 유라시아의 한쪽 끝에서 다른 쪽 끝까지, 지중해를 서아시아, 동아시아, 중앙아시아 스텝으로 연결하는 모든 곳에서 널리 행해지던 관습이었다.

다시 말해서 이곳은 서로 맞물린 세계였고, 당시의(그리고 현대의) 작가들이 정주민 국가와 혼란스러운 유목민 세계에 대해 내놓은 조악한 설명과는 거리가 멀었다. 물론 의식과 상징은 동일하지 않았지만, 이들 세계의 경계는 틈이 많고 유동성이 있으며 조정할 수 있었다.[28]

스텝 세계의 격변은 당나라에 기회를 제공했다. 그들은 한반도와 서방으로 진출했고, 의식에 외국인들을 포함시키고 그들의 지위를 존중하도록 변경해 능숙하게 자기네가 얻은 것을 공고히 했다. 이는 제국에 새로들어온 사람들을 종속자로 취급하기보다는 편입시켜 존중하는 데 기여했다. 공교롭게도 이는 유목민들이 흔히 새로운 민족을 흡수하던 방식이었다(그리고 유럽인들이 아프리카와 특히 남·북아메리카, 그리고 아시아에서 전개했던 제국의 시대와 극명한 대조를 이루었다).[29]

이것은 유라시아 땅덩어리의 다른 쪽 끝에서도 역시 중요했다. 그곳에서는 스텝의 떠들썩한 변화가 로마-페르시아의 큰 대결과 어우러져 새로운 시대의 개막을 알렸다. 시간, 인력, 자금이라는 엄청난 자원이 전쟁에 투입되었다. 20년 동안 지속된 이 전쟁은 지중해, 레반트, 페르시아의 도시와 시장들에 영향을 미쳤을 뿐만 아니라 그들과 관련된 연결망 및 지역(아라비아반도 남부 같은 곳이었다)의 경제도 침체시켰다.[30] 그 영향은 더 먼 곳에서도 느껴졌다. 일부 학자들은 이 시기 유럽에서 수요가 매우 많았던 석류석(남아시아 산지에서 오는 것이었다) 교역의 갑작스럽고도 급격한 감소를 무역 일반, 특수하게는 홍해 무역의 차질과 연관시켰다.[31]

이런 엄청난 변화들에 대한 설명을 제공하는 사람들 가운데 한 명이 무함마드라는 젊은 상인이었다. 그는 자신의 주위에 비록 많지는 않지만 충성스러운 추종자들을 모았다. 임박한 종말에 관한 그의 경고는 히자즈 지역 교역로상의 어려워진 경제 상황, 북쪽에서 벌어지는 지속적이고 불길한 전투, 로마 및 페르시아 양쪽의 종말론적 선전이라는 상황에서 분명한 울림이 있었다. 물론 결국 신의 은총을 얻게 될 순수, 통합, 충성의 필요에 대한 그의 급진적인 주장, 그리고 자리가 잘 잡힌 아라비아의 다른 지역들로부터의 일탈에는 상당한 저항이 있는 것이 분명했지만 말이다.

선지자 무함마드와 그 동반자들에게 결정적인 순간은 628년에 찾아왔다. 그는 절묘한 정치적 합의로 메카의 지배층과 협정을 맺었다. 그는 예루살렘이 아니라 바로 메카를 향해 기도를 하는 것으로 결정했으며, 과거 이교도 사당이었던 카바가 이 도시의 핵심으로 지정됐다.[32] 이것이 아라비아반도의 여러 파벌들 사이의 화해를 위한 길을 열었고, 공통의 정체성을 위한 기반을 마련했다. 그 정체성이 제공하는 우산 아래 지역의 서로 다른 모든 민족들이 모일 수 있었다. '후다이비야 화약hudaybiyya 和約'으로 잘 간직된 이 합의는 메카, 그 주변 지역, 그리고 무함마드 자신에게 전환점이 되었고, 세계사에서도 커다란 전환점 가운데 하나였다.

공교롭게도 시점은 그렇게 좋을 수가 없었다. 우선 페르시아는 군사적으로 좌절을 겪은 데 더해 전염병까지 창궐했다. 수도 크테시폰에서는 많은 사람들이 죽었다. 이 전염병의 재발은 아마도 626년의 화산 분출 및 뒤이은 관련 생태 및 병원균의 상황과 맞물려 있었을 것이다.[33]

무함마드와 그의 운동 및 추종자들은 전쟁과 질병으로, 경제 위축으로, 그리고 붕괴하는 정주민 국가들과 유목민 연합(전자는 탈진했고, 후자는 끈이 풀어지고 있었다)의 세계 질서에 의해 생채기가 난 세계에 등장했다. 무함마드의 생각은 종말론적이기도 했다. 그는 태양이 사라지고 별들이 떨어지며 바다가 끓고 하늘이 두 쪽으로 갈라지며 무덤이 열려 시체를 내던질 시간이 빠르게 다가오고 있다고 경고했다. 마지막 심판이 가까워졌다고 무함마드는 경고했다. 선인은 천국으로 가고 악인은 지옥으로 떨어질 터였다.[34]

공교롭게도 무함마드와 그 추종자들은 최대의 수혜자가 되었고, 그 과정에서 광대한 새 제국을 건설했다. 그러나 그렇게 되지 않을 수도 있었다. 630년 무렵, 로마와 페르시아는 기우뚱거리며 경제적·군사적으로 탈진했다. 유목민들이 스텝으로부터 지배 영역을 확장해 역사상 가장 큰 축에 속하는 제국을 건설할 무대가 준비됐다. 돌궐은 로마 제국의 운명을 자기네 손에 쥐고 있었다. 페르시아는 궤멸적인 패배와 전염병 창궐로 벼랑 끝에서 비틀거리고 있었다. 동아시아에서는 당나라가 사실상 속국이나 마찬가지였다.

그런데 이때 돌궐이 붕괴하면서 규모 면에서 몽골의 그것을 능가했을 제국 건설이 좌초했다. 몽골은 13세기에 돌궐이 하지 못했던 것을 이룰 수 있었다. 정확하게 620년대 말과 630년대 초의 기후 및 생태적 상황이 다른 방식으로 전개됐다면 아시아 전체는 물론이고 아마도 유럽 일대와 북아프리카까지 모든 방향으로 급속하게 확산된 것은 스텝의 알타이계 언어와 퉁야브구가 독실하게 믿었던 불교였을 것이다. 이제 그 상의 대부분은 정작 무함마드와 그 추종자들에게(그리고 아라비아어와 이슬람교에) 돌아갔다.

630년대와 그 이후 수십 년 동안 아라비아 군대는 히자즈에서 서아시아를 넘어 북아프리카를 거치고 남유럽으로, 그리고 중앙아시아 깊숙이까지 폭발적으로 팽창했다. 그 결과는 이슬람 신앙과 가르침뿐만 아니라 아라비아 문화의 광범위한 확산이었다. 여기에는 물론 아라비아어도 포함됐다. 음악, 시, 패션에 대한 생각 역시 확산됐고, 미술과 건축에 관한 생각도 마찬가지였다.

이베리아반도의 아라비아 지배자들은 고향을 떠올리며 궁궐과 기념물을 세웠고, 역사 기록과 초기 아라비아 지도자들의 복잡한 계보를 만들도록 주문했다. 그 결과로 이베리아는 "아라비아보다 더 아라비아 같은" 곳이 되었다.[35] 한 시인은 자기 정원의 외로운 야자나무에 말을 걸며 둘 다 "동방의 고향을 멀리 떠난 서방의 낯선 이"라고 탄식했다. 생태계나 사람이나 모두 새로운 장소에 적응하기가 쉽지 않다는 인식이었다.[36]

서쪽의 캅카스와 소아시아에서 동쪽으로 멀리 히말라야까지 뻗어 있는 페르시아 제국의 핵심 영토와 로마 제국의 가장 부유하고 가장 중요한 지역들(이집트의 곡창, 레반트의 항구들, 지중해의 막대한 영향력을 포괄하는)을 한데 묶은 광대한 새 세계를 창출한 것은 또한 광범위한 영향을 미친 환경 및 생태의 변화를 뒷받침했다.

이는 부분적으로 아라비아인이 정복하고 지배하는 지역 일대에 관개

기법과 농업 기술이 확산된 결과였다. 그러나 작물과 품종의 확산 역시, 문화적으로 합쳐졌을 뿐 아니라 특정한 음식, 풍미, 조리법에 관한 취향으로도 연결된 세계를 하나로 엮는 데 긴요했다.[37] 이 '이슬람 녹색혁명'의 규모, 성격, 범위에 관한 기설은 뜨거운 논생거리다. 일부에서는 종종 이슬람교의 확산과 연결되는 음식 및 작물 품종이 세계의 다른 지역에서 오래전에 재배됐다고 지적한다.[38] 분명히 신중한 평가는 식물고고학 증거를 검토하는 데 달려 있고, 이 학문은 아직 신생 분야다.[39]

아마도 새로운 작물의 구득 가능성보다 더 중요했던 것은 이전 시기에 공급이 달렸던 두 가지를 아라비아의 새 제국이 제공했다는 사실일 것이다. 바로 평화와 인력이었다. 아라비아 지도부 핵심에서의 승계 정치학은 피가 흐르고 잔인한 것이었지만(무함마드의 후계자 첫 네 명 가운데 셋이 암살당했다), 다른 곳에서 새 주인들은 공동체와 주민들을 대체로 건드리지 않고 내버려두도록 신경을 썼다. 그들이 세금을 바치는 한 말이다. 일부에서는 새 지배자 아래서 재정적 의무가 세 배로 늘었다고 불평했지만, 그 말을 액면 그대로 받아들여도 되는지는 확실치 않다.[40] 그러나 대체적으로 이행은 매끄러웠고 논란이 없었던 듯하다.

시장 관행, 농산물 수확량, 재정 예측에 익숙한 관리 및 행정가들에게 의존하는 것이 이런 성공의 핵심 요소였다. 로마와 페르시아 영토에서는 지방 관리들이 유임됐는데, 이는 아마도 지역 주민들이 자기네 재산, 권리, 신앙을 건드리지 않는 한 잘 살아갈 수 있게 하는 요소였을 것이다.[41] 중앙아시아에서 아라비아인들은 돌궐인들이 개발해 성과를 거둔 체제를 물려받았고, 그것은 현지 도시 상층부(그들은 자기네 위치를 자기네 이익을 보호하는 데 사용했다)에 의존하는 것이었다.[42] 이것 역시 새 주인에 의해 대체로 유지됐다.[43]

놀랍게도 무함마드와 그의 상속자이자 계승자들(그들은 칼리파라는 칭호를 가졌다)이 건설한 세계 안에서 내부 마찰이 자주 빚어지기는 했지만 바깥 세력과의 경쟁이나 그들의 위협은 수백 년 동안 최소에 그쳤다. 751년의 탈라스 전투는 곧 논자들에 의해 이슬람의 동방 팽창과 당 왕조의 서방 정복을 마감한 사건으로 간주되는데, 이 국가(칼리파국)를 동방의 어떤 심각한 압박으로부터도 지켜주는 가장 효과적인 절연물은 파미르와 히말라야의 산맥이었다. 마찬가지로 서방에서도 큰 문제가 없었다. 이베리아에서 북쪽 프랑스로 진군한 원정군은 따낼 만한 과실이 별로 없음을 알았다.

반발과 경쟁이 벌어진 유일한 곳은 소아시아였다. 그곳에서는 동로마 제국이 필사적으로 매달리며 이따금씩 허세를 부려보는 정도였다. 그러나 아나톨리아의 고고학 증거가 보여주듯이 7세기 중반 이후 잦은 습격과 군사 방어 비용 상승이 겹치면서 장기적인 경제 쇠퇴뿐만 아니라 생활수준 하락과 기대수명 감소로도 이어졌다. 그것이 하락의 악순환을 형성해 수백 년 동안 이어졌다.[44]

반면에 아라비아의 통제하에 있던 지역들은 호황기를 맞았다. 도시는 팽창해 시골에서 이주해온 지방 노동자들로 인해 인구가 증가했다. 이것은 도시 생활을 확대하기만 한 것은 아니었다. 그것은 또한 신·구 연결망으로 사람, 물건, 관념이 몰려들기 시작하면서 도시 내부와 도시 사이의 경제 및 인구 성장을 가속화했다. 이런 발전은 새로운 연결과 기회가 떠오르면서 다른 지역들에서 변화를 촉발했다.

예를 들어 북쪽의 땅들(수천 킬로미터 펼쳐져 있는 스텝 띠 지역)은 동시에 번창했다. 하자르인들은 동물과 그 부산물 수요 증가의 결과로, 그리고 자기네가 직간접적으로(복속 부족의 연결망을 통해) 통제 중이던 영토 일대의 교역을 통해 번영했다. 한편 동남쪽에서는 서아시아와 동아시아 양쪽의 안정적이고 번영하는 정권들과 함께 인도양 교역망이 꽃피기 시작했다. 주요 수혜자 가운데 하나가 스리위자야국이었다. 수마트라섬의 팔렘방에서 성장해 믈라카해협을 통제했다. 그곳은 동서 교역의 중요한 동맥이었다.

7세기에 스리위자야는 불교 학자와 학술의 중심지였다. 승려가 1천 명이나 되었다고 한다.[45] 스리위자야의 정치적·경제적 야심은 이제 급속하게 커졌다. 다른 해안 도시들을 정복(때로는 상당한 피를 흘린 대가로)했음을 말하는 고古말레이어 비문들이 이를 입증한다.[46] 학자들은 스리위자야의 성격과 그것을 제국, 왕국, 군장사회 가운데 어느 것으로 이해하는 게 좋을지에 대해 논쟁을 벌이고 있다. 그 이유 중 하나는 지배자인 다투datu와 해안가 사람들인 오랑라우트orang laut의 관계가 복잡하기 때문이다. 오랑라우트는 국가의 세력권을 넓히는 데 동원되고 우대를 받았다.[47]

인도네시아 군도, 남아시아, 동남아시아 일대의 교역 수준이 시야가 좁아지고 접촉이 늘며 국지·광역·장거리 해상 연결(지중해, 홍해, 인도양, 남중국해, 태평양의 해안과 민족들을 연결했다)을 통해 상품 이동이 많아지면서 높아지기 시작했다는 것은 의문의 여지가 적다. 8~9세기 이후 이 전체 지역에 새로운 국가들이 우후죽순처럼 생겨났다. 지금의 미얀마의 파간, 캄보디아의 앙코르, 베트남의 다이비엣(대월大越)과 참파, 인도의 촐라 등이다.

이곳들은 관료적 중앙집권제, 문화적 통합, 신정적神政的 왕권, 작고 약한 정치체들을 집어삼키는 영토 확장(삼림 벌채나 생태 한계 확장, 또는 그 둘 모두의 결과다) 등 비슷한 특성을 지녔다. 그 많은 복합국가들이 같은 궤적을 그린 것은 '이상한 유사성strange parallels'(한 현대 역사가가 만든 용어다)이

며, 상호의존적인 지역 강자들의 성공은 서로의 지속적인 팽창과 성공을 촉진했다.[48]

이슬람 정복전쟁은 새로운 지리적·생태적·문화적 변경을 열었다. 아라비아 작가들은 환경이 어떻게 개인의 성격에 영향을 미치는지에 관해 쓴 히포크라테스와 아리스토텔레스 같은 그리스 학자들에 크게 의존하면서, 시야가 넓어진 덕분에 새로 접촉하게 된 민족들에 대해 고찰했다. 슬라브인과 서유럽의 프랑크인에 대해 알마수디al-Mas'ūdi는 이렇게 썼다. 그들은 "신체가 우람하고, 기질이 괴상하며, 성격이 까다롭고, 지능에 한계가 있고, 입이 무겁다." 이는 그들이 눅눅하고 추운 곳에서 살기 때문이다. 그곳에는 거의 끊임없이 비와 눈이 내린다. 이 사실은 그들의 피부색이 그렇게 하얘서 때로 푸른빛에 가까운 이유를 설명해준다. 온기가 없다는 것이 그들 종교가 활기 없고 맥빠진 것이 되는 이유를 분명하게 해준다. 더 북쪽에 사는 사람들은 더욱 멍청하고 기괴하며 짐승 같다. 날씨가 춥기 때문에 그들은 매우 뚱뚱하고 얼굴도 둥글어서 눈이 작아 보인다. 한편 흑인들은 "사자의 용감함과 여우의 교활함"을 지녔지만 열기 때문에 집중하는 시간이 짧다. 다만 그들은 춤과 율동을 매우 좋아한다. 그러나 그것은 단순한 얘기라고 알자히즈al-Jāḥiẓ는 말한다. 기후가 "성격, 개인적 자질, 태도, 말하는 방식, 욕망, 야심, 외모"를 좌우한다는 것이다.[49]

북아프리카 정복 또한 사하라 사막 너머와의 새로운 연결망을 만들었다. 이슬람 대제국이 마주친 마지막 변경이다. 그 핵심 이유는 사하라 횡단 금 교역의 발전과 나이저강 및 세네갈강 상류의 풍부한 매장지에 대한 접근이었다. 이 교역에 관한 첫 번째 문서 기록이 아라비아 문헌에 나오기는 하지만, 이 지역이 대륙 간 교환망에 편입된 것은 칼리파국이 팽창하기 훨씬 전이었다. 서아프리카의 금은 적어도 100년 전에 카르타고의 로마 금화 주조를 뒷받침했다.[50]

서아프리카에 대한 관심은 부분적으로 자원, 인력, 금이 많다는 이야기들에 의해 형성됐다. 그것이 여행가, 학자, 작가들로 하여금 더 많은 것을 찾아내도록 부추겼고, 그 결과로 때로 신화와 실제가 뒤섞였다.

예를 들어 많은 아라비아 작가들은 세계의 주민들이 노아의 세 아들로부터 내려왔다고 생각했다. 그중 한 부류가 노아의 아들 함의 자손이었다. 함은 아버지의 벗은 몸을 보았다는 이유로 저주를 받았다. 그 벌로 신은 "그의 피부색과 그 후손의 피부색을 바꾸었다"라고 이븐쿠타이바Ibn Qutaybah는 썼다.[51] 흑인이 된 함의 자손들은 아프리카로 건너가 일부는 동쪽에, 일부는 서쪽에 정착했다.[52]

사실 기독교 성서 〈창세기〉에 나오는 '함에 대한 저주' 이야기에서는 피부색에 대한 언급이 전혀 없다. 아프리카로의 주민 이주나 이산 이야기도 마찬가지다. 아라비아 작가들은 오래전에 나온 유대교와 기독교의 '검음'에 대한 비유를 가져왔고, 그것은 상당한 논의와 추측의 대상이 되고 번식에 대한 연구의 가설로까지 이어졌다.[53] 검은 피부색이 신의 벌과 관련이 있다는 생각은 힘을 얻었다. 그것은 유해한 생각으로 드러났을 뿐만 아니라 한 학자가 말했듯이 "흑인 노예화에 대한 유일한 정당화"로서 이후 시기에 심원한 영향을 미치게 된다.[54]

그럼에도 불구하고 아라비아 지리학자들은 사하라 이남 아프리카에 사는 사람들과, 그들의 풍습과 행동에 흥미를 가졌다. 물론 많은 사람들은 그들의 부와 서아프리카 왕국들(특히 "그 왕이 매우 강력한" 나라 가나)에 있는 금광에도 관심을 쏟았다.[55] 금광이 있는 곳은 엄격한 순찰이 이루어지고 접근이 금지됐다. 채굴한 금은 벽돌 형태로 만들어 사하라 북쪽 끝의 시질마사 같은 도시에서 팔았다. 상업 중심지 역할을 해서 매우 부유해진 이 도시는 거대한 이슬람 사원이 네 개나 있었고 중심 거리는 너무 길어서 한쪽 끝에서 다른 쪽 끝까지 걸어가려면 한나절이 걸렸다.[56]

논자들은 종교적·문화적 관습에 대해 호기심을 보이기도 하고 무시하기도 했다. 분명히 자기네의 우월성을 정당화하고 이슬람교의 '문명화' 영향을 강조하기 위해서였고, 또한 노예무역 발전이 경멸적인 인종 희화화와 함께 이루어졌기 때문이기도 했다. 아프리카의 많은 민족들에 관해서는 길게 쓸 필요가 없다고 알이스타흐리al-Iṣṭakhrī는 썼다. "왕국의 정연한 통치는 종교 신앙, 예의, 법, 질서를 바탕으로 한다. 그리고 정착한 사람들의 조직은 건실한 방침의 감독을 받는다. 이 사람들에게는 이런 자질이 전혀 없기 때문이다."[57] 따라서 많은 사람들이 아라비아 상인들과 거래할 때 조심스러워할 줄 알게 되는 것은 당연한 일이었다. 어떤 사람들은 떨어져서 협상하기를 고집하고 서명을 해서 합의를 마무리했다. 이는 "그들의 극단적인 경계심"의 결과였다고 한 저자는 썼다. 그는 그것을 "맹수를 만난 가축의 경계심"과 같다고 보았다.[58] 균형이 무너진 인종에 대한 견해와 노예화의 위협을 감안하면 이 두려움은 적절한 판단이었을 것이다.

9세기에 아라비아 및 베르베르계 이슬람 상인들은 나이저강 기슭에 위치한 도시 가오Gao에서 활동했다. 그들은 금뿐만 아니라 직물과 상아도 거래했다.[59] 교차로를 차지한 가오의 위치는 중요했다. 물론 일부 학자들의 주장처럼 그것을 단일 도시라기보다는 정착지들이 퍼져 있는 것을 언급한 것으로 이해해야 하지만 말이다.[60] 가데이Gadei, 구가이舊Gai, 가오 사네이Gao Saney 같은 유적지들에서 드러난 인구 밀도와 건물 증가는 아마도 사하라 횡단 교역에 의해 열린 새로운 기회의 결과였을 뿐만 아니라 다양한 강우 및 홍수 패턴(그리고 특히 그 결과로 일어난 침전물과 어종의 이동)의 결과이기도 했을 것이다.[61]

비슷한 연결 강화 과정은 이 무렵의 남·북아메리카에서도 발견할 수 있다. 이 시기는 미국 서남부에서 이행의 시기였다. 푸에블로 문화 사람들은 수혈주거竪穴住居에서 보다 크고 보다 정교하며 보다 영구적인 구조물로 옮겨갔다.[62] 이 시기에는 또한 북아메리카 중서부, 동부, 동남부의 미시시피 문화에서 정치권력이 단일 군장의 지도력 아래로 집중되기 시작했다. 그리고 그것은 경쟁을 유발하고 이어 통합과 팽창을 추동했다.[63]

이 모든 경우에 변화의 원인은 복합적이었지만, 연쇄반응의 원리는 정치체들이 서로를 자극하는 방식에서 특히 중요했던 듯하다. 분명히 인구 팽창은 하나의 요인이었고, 그것은 식량 작물을 재배하고 저장할 능력, 날씨의 영향 또는 장기적인 기후 변화에 대처할 능력과 밀접하게 연결돼 있었다. 마찬가지로 안정성은 점점 커지는 중앙의 권력과 주장에 적응하고 확장돼야 하는 조직 정교화의 진척에 달려 있었다.

이것은 언제나 말은 쉽지만 행하기는 어려웠다. 특히 인구 증가, 소비 패턴, 지속 가능성 사이의 관계의 경우에 그랬다. 1~6세기에 카리브해 지역 참게의 양과 크기가 모두 줄어든 것은 인간의 활동과 남획 때문이었다. 암초어류 같은 해양생물이 남획으로 급격히 줄어드는 것 역시 늘어나는 인구를 부양할 식량의 구득 가능성이 빠르게 소진될 수 있음을 보여준다.[64] 이런 상황에 대처하려면 정상적으로는 적응, 새로운 생활방식, 이주가 필요하다. 그러지 않으면 굶어 죽는다.[65]

도시 정착지 역시 스스로의 성공의 희생양이 될 수 있다. 판자켄트의 경우가 그것을 온전히 보여준다. 지금의 타지키스탄에 있던 멋진 도시의 보석 판자켄트는 실크로드의 번창한 중심지였다. 소그드인과 기타 상인들이 거래하는 중심지 노릇을 하고 있었는데, 그들 일부는 사치품의 장거리 교역에 종사하고 있었다. 이 도시는 교역이 늘면서 꽃을 피웠고, 5세기에 급속하게 팽창해 거대한 궁궐들이 들어서게 되었다. 인도 서사시 〈마하바라타〉, 페르시아 고전 〈샤흐나메Šāhnāme〉, 그리고 고대 그리스 문학에서 가져온 장면들을 그린 벽화는 오늘날에도 여전히 숨을 멎게 할 정도다.[66] 판자켄트의 영광은 자연환경의 희생을 바탕으로 이루어진 것이었다. 시간이 지나면서 주변 지역의 대규모 삼림이 파괴되었고, 주민들을 먹이기 위한 농업 생산과 건설 공사를 위한 벽돌 제작으로 땅에 대한 요구가 많아진 결과 심각한 토양 침식이 일어났다.

그런 일들은 어떤 환경에서도 문제를 초래했다. 그러나 강우 수준과 원천으로부터의 물 공급에 약간의 변화라도 생기면 그것은 문제를 안길 뿐만 아니라 대처할 수도 없게 된다. 한때 실크로드의 핵심 길목 가운데 하나였다가 버려진 것은 이 지역에 대한 아라비아의 정복과 교역로의 변화에도 원인이 있지만, 과분한 생활을 했던 도시들로서는 피할 수 없는 결과이기도 했다.[67]

그렇다면 칼리파국의 세계에서 압박은 주로 내부로부터 온 것이 당연한 일이었다. 궁정의 경쟁 파벌들 사이의 대결은 때로 왕조의 격변으로 번질 수 있고, 최악의 경우 분리 독립까지도 일어날 수 있다. 그런 사례 가운데 하나가 8세기 중반, 거의 100년 동안 권좌에 있었던 우마이야 왕조가 아바스 왕가에 의해 전복된 일이다. 다만 우마이야 왕가 사람들은 이베리아에서 권력을 잡는 데 성공해 코르도바를 중심으로 한 독립국가를 건설했다.[68]

이런 혁명은 개혁과 변화를 촉발해 사회경제 및 정치 체제를 재시동할 수 있었다. 기본적으로 상층부를 숙청하고 새로운 계층과 계급으로 대체하는 것이다. 새 지도자들은 전폭적인 지지를 얻기 위해 바로 휘하의 사람들에게뿐만 아니라 공공사업과 더 널리 먹힐 수 있는 후원에도 많은 돈을 지출하게 된다. 이슬람 황금기라기보다는 다수의 황금기 또는 황금파黃金波가 있었다. 그것들을 감독한 지배자들은 자기네가 쓸 수 있는 서로 다른 자원과 서로 다른 목표를 가지고 있었다.

예를 들어 과학에 관한 산스크리트어 문헌들을 수집하고 아라비아어로 번역하기 위해 많은 노력을 기울였다. 인도에서 의사들을 데려왔다. 의학을 가르치게 하고 세계의 다른 지역에 대해 더 많이 알기 위해서였다. 이것은 한편으로 진정한 호기심에서 출발한 것이었다. 최근에 나온 주장처럼 지배자들이 학술 진흥에 앞장섰던 이슬람 정복 이전의 사산 제국의 모범을 따른 것이기도 했지만 말이다. 이득도 있었다. 비이슬람교도 신민들을 지원하고 그들에게 특권을 제공한 것이었다. 포용과 관용은 마음이 열려 있다는 표시만이 아니었다. 그것들은 소수자가 널려 있는 세계에서 영리한 방침이었다.[69]

천문학과 점성술 분야의 기술들 역시 정치적 의사 결정(그 중요성은 왕조 지도부 교체 이후 높아졌다)을 정당화하고 확인하기 위한 추가적인 도구를 제공한다는 점에서 중요했다.[70] 인도, 중국, 서아시아, 동로마와 기타 지역 사이의 정보·지식·전문 기술의 전파는 서로 연결되고 서로 뒤얽힌 제국들 간 경쟁의 특징이었다.[71]

8세기 중반 이후 지식의 폭발(때로 그것은 중국으로부터 서아시아로 종이가 전래된 것과 연관이 지어지기도 한다)은 무엇보다도 번영이 가속화된다는 징표였다. 부와 여가는 출판에 대한 관심을 불러일으키는 데 이바지했고,

필사공과 학자들에게 연구하고 생각하고 글을 쓰도록 비용을 지급하는 데도 마찬가지였다.

일부 작가들은 탐독자들이었다. 알자히즈도 그중 한 명이었는데, 그는 밤새 책을 읽기 위해 서점을 통째로 빌렸다고 한다. 한 자료에 따르면 그는 늙고 쇠약해졌을 때 책 무더기가 무너지는 바람에 거기에 깔려 죽었다.[72] 또 어떤 사람들은 일벌레 정보 편찬자였다. 10세기 바그다드에 살며 일했던 이븐알나딤Ibn al-Nadim 같은 부류다. 그는 "다양한 학문을 다루는 (…) 아라비아인과 외국인 등 모든 민족의 책들"의 목록을 만드는 일에 나섰다. 그리고 "그것을 만든 사람, 그 저자들의 분류, 그들의 관계"를 기록하고 "그들이 태어난 때, 향년, 죽은 때, 그리고 그들이 살던 도시의 위치를 적었다." 그들의 공과도 나열했다.[73]

당연하게도 이 풍성한 문화 세계를 가능하게 한 많은 부는 신의 축복과 동일시됐다. 둘 다 온화한 기후와 무엇보다도 먹을 것의 구득 가능성과 긴밀하게 연결돼 있었다. 결국 이것은 메카 부근의 한 동굴에서 무함마드가 신으로부터 전달받은 내용 가운데 하나였다. 순종하는 사람은 "영원한 행복의 동산"을 경험하게 될 것이라고 한 시(나중에 성문화돼 〈쿠란〉으로 알려진 문헌을 이루게 된다)는 약속했다.[74] 신은 "남녀 신자들에게 그들이 살 동산을 약속했다. 그 아래엔 강물이 흐른다. 그리고 영원한 행복이 있는 아름다운 저택도 약속했다."[75] 낙원은 인간의 모든 필요가 충족되는 곳이었다. 과일에서부터 원하는 것은 무엇이라도 말이다.[76]

물론 이 모두는 다른 아브라함계 신앙(유대교와 기독교)에서도 익숙한 것이었다. 신이 일반적으로 적합한 환경, 구체적으로는 먹을 것을 충분히 제공하는 데 핵심적인 역할을 한다. 신은 하늘에서 만나manna를 내려주었다. "맛있고 플레이크 같은 것"으로, 햇볕에 녹기 전에 모아서 날로 먹으면 꿀 같은 맛이 나고 구워서 과자로 만들면 "냄새가 나거나 구더기가 끓지 않았다."[77] 예수가 갈릴리호로 고기잡이를 나갔는데, 그물이 찢어질 만큼 많이 잡았다. 제자들이 했을 때는 아무것도 잡히지 않았다.[78] 그러나 먹을 것을 제공하는 신의 개입 사례로 가장 유명한 것은 아마도 5천 명을 먹인 일일 것이다. 네 복음서 모두에 나오는 유일한 기적이다.[79] 유대교, 기독교, 이슬람교에서 신은 자연계의 창조자일 뿐만 아니라 자원의 궁극적인 제공자이기도 했다. 필요할 때 양식 공급을 보장할 수 있었고, 마음대로 온화한 기후 조건을 제공할 수 있었다.

사실 이슬람교에서 신의 자연계 통제는 절대적이었다. 동물들은 금요일을 특히 경계한다고 할 정도였다. 이날 세상의 종말이 일어날 것임을 알았기 때문이다. 이슬람교도들은 모든 생명체의 따귀를 때리거나 그들을 학대하지 말라는 주의를 들었다. "모든 동물이 신에 대한 찬가를 부르기" 때문이다.[80]

기독교 성서에서 모든 생명체는 신이 완성했다는 관념을 강조한 것과 마찬가지로, 〈쿠란〉은 자연의 질서, 아름다움, 조화가 신이 정한 것이라고 말한다. 더구나 전체적으로 보아 자연은 그저 인간에게 유용한 정도가 아니라 본질적이고 내재적인 가치를 지녔다. 일부 현대 학자들이 주장하듯이 이슬람교의 초기 가르침은 생물 다양성과 풍부한 생태계가 신의 창조에서 비롯되었으므로 존중되고 유지돼야 마땅하다는 것이었다.[81]

당연한 일이지만 풍요라는 선물은 인자한 신에 의해 주어진 것만이 아니고, 좋은 지배자의 징표이기도 했다. 칼리파 알무타와킬Al-Mutawakkil(재위 847~861)에 대해 당대의 한 시인은 신만이 아니라 그도 함께 감사의 말을 받아야 한다고 지적했다. 그는 황홀감 속에서 이렇게 썼다.

넓은 땅이 비옥해진 것을 당신께 감사드리나이다.

당신이 그 보호자로 계시는 한

세계는 황폐해지지 않을 것이 확실합니다.[82]


그런 칭송은 관개 및 농경의 확대와 관련된 것이었다. 예를 들어 중앙아시아에서는 오아시스 정착지 수와 그들 지역이 이슬람 정복 이전에 이미 증가하기 시작했다. 이는 그 이후에도 지속됐다. 아라비아의 이 지역 진출이 상당한 저항에 부딪히고 적어도 일부 지역에서는 고의적인 파괴가 일어난 상황이 분명해진 이후에도 말이다.[83] 농작물 재배의 발전은 분명히 650년 무렵 중앙아시아, 티베트고원, 몽골 스텝, 중국 동부에서 기후 조건이 서늘해지고 동시에 더욱 습해졌으며 비가 더 많이 내렸다는 (그것이 작물 재배에 도움을 주고 초목 서식지를 확산시켜 가축 사육을 늘렸다) 사실에 의해 촉진됐다.[84]

시야가 확대되고 인구가 증가하고 부가 늘어나는 북적거리고 활기찬 세계에서 '고급 요리'는 특히 도시의 유산시민bourgeoisie(곧 부유하고 권력 있는 사람들이라는 한계를 넘어 범위가 확장된다)에게 문화적 정체성을 표현하는 중요한 방식이었다.[85] 누군가는 바그다드가 "여유 있는 자에게는 즐거운 땅"인 반면에 "궁핍한 자에게는 괴로움과 슬픔의 집"이라고 말했지만, 최고의 재료와 그것을 어디서 구할 수 있고 어떻게 준비해야 하는지에 관한 정보의 수요가 매우 많았다.[86]

부자는 보통 사람들과는 다른 음식을 먹는다고 오해하지 말라고 바그다드에서 나온 한 요리책의 저자는 경고했다. 풍미와 경험의 차이는 재료의 청결성을 꼼꼼히 챙기는 데까지 이르렀다. 요리할 때 사용하는 냄비의 청결성도 마찬가지다. 따라서 주방에서 위생 관리를 잘하는 것이 중요했다. 고기와 채소를 썰 때 별도의 칼과 도마를 사용한다거나, 손을 소독하는 데 좋은 재료를 사용하는 따위였다.[87]

개인적 취향은 때로 엉뚱할 수 있었다. 칼리파 알와시크al-Wāthiq bi-llāh 는 가지를 좋아해서 ㄱ 자리에서 40개를 먹었다.[88] 일부 미식가들은 채식주의를 멸시했다. 채소만으로 만들어진 요리는 사기이며, 종종 고기처럼 보이는 것이 나와서 먹어보면 그 맛이 전혀 나지 않는다고 주장했다. 한 시인은 이렇게 따지며 썼다.

시시한 채소 요리는 내게 맞지 않아.
꼬치구이는 어디 있나?
튀김 요리는 어디 있나?
즙이 많은 구이와 양념 고기는?
그런 걸 가져와![89]

인구 증가, 도시화, 소비 증가세의 시대에 대도시민의 관심이 이들 모든 지역의 당대 논자(그들은 권력의 회랑에 특히 관심을 기울였다) 대다수의 뇌리에 박혀 있는 가운데 농업의 지속 가능성을 지키는 것이 긴요했다. 이는 다시 여러 요인들에 따라 달라졌는데, 그것은 지역마다 상당히 달랐을 뿐만 아니라 때로는 약간만 떨어져 있어도 달랐다. 물론 기후가 한 요소였다. 그러나 시장과의 거리, 땅에서 일할 노동력 확보 가능성, 작물 특화, 토양 적합성, 최대 수확량 같은 것도 마찬가지였다.

무엇보다도 중요한 것은 수자원 관리였다. 농업 생산의 평가라는 측면만이 아니었다. 공업화 이전 국가는 그 농업경제에 크게 의존했고, 무엇보다도 땅에 매기는 세금에 의존했다. 교역은 분명히 중요했고, 현대 학

자들로부터 합당한 관심을 받고 있다. 그러나 땅에서 거두는 수입은 장·단
거리 교역에서 거두는 것에 비해 훨씬 많았다.[90]

당연하게도 땅의 품질, 소유권, 거기서 나올 수 있는 수입을 평가하는
데 상당한 노력이 기울여졌다. 따라서 이슬람 지배자들은 정기적인 토지
조사를 실시했다. 그들 이전의 선임자인 사산이 하던 것이었다.[91] 이와 함
께 국가 관리들은 수리학水理學, 관개시설, 수자원에 관한 기록들을 꼼꼼
하게 챙겼다. 왕이 거둘 수 있는 수입을 극대화하기 위한 노력이었다.[92]

이 평가는 당연히 비가 잘 와야 한다는 것과, 역시 중요한 것으로 땅이
나 물과 관련된 요구가 일어나지 않아야 한다는 것 등에 의존했다. 균형
이 그릇된 쪽으로 기울면 문제가 뒤따랐다. 예를 들어 9세기 초에 몇 가
지 문제들이 생겨나 중대한 사회경제적·정치적 결과를 가져왔다. 중앙
아시아 알타이산맥의 나이테 기록, 아랄해의 염도 수준, 북대서양진동이
매우 활발해진 쪽으로 변화했음이 관찰된 것 등으로 판단해볼 때, 800년
무렵부터 유라시아 대륙의 많은 지역에서 더 춥고 더 습한 조건에서 더
따뜻하고 더 건조한 조건으로의 추세 전환이 나타나기 시작했다. 이것이
제기한 문제는 오아시스 정착지 수의 감소에서 찾아볼 수 있다. 정착지
는 이후 수십 년 사이에 거의 70퍼센트가 줄었다.[93]

이는 중앙아시아에 독특한 현상이 아니었다. 이란 서부와 유프라테스
강 범람원(서아시아뿐만 아니라 세계에서도 가장 생산성이 높은 지역 중 하나)
에서 도시와 마을, 농경지가 버려진 사실을 보면 분명한 듯하다.[94] 기후
변화에 더해진 것은 토양 염분의 급속한 증가로 인한 생태계 압박이었
다. 메소포타미아의 비옥한 충적평원의 밀 수확량은 820~850년 무렵에
급격하게 떨어졌다. 보리 수확량이 늘어났다는 사실은 염도의 차이에 대
한 한 가지 근거를 제시한다. 보리는 악화된 땅에서 밀에 비해 더 잘 자라

기 때문이다.[95] 아프리카로부터 강제노동을 시킬 사람들을 들여온 것은 또 한 가지 근거다. 땅을 경작 가능한 상태로 만들기 위해 그들에게 염분이 밴 층을 손으로 제거하는 일을 시켰다.[96]

이 문제는 800년 무렵 부유한 지배층이 지위, 연줄, 정치적 압력을 동원해 토지 소유를 성공적으로 늘려가기 시작하면서 더욱 악화됐다. 그들은 조세 체계와 수자원 배정에도 영향을 미쳤다.[97] 이것은 장기적인 지속가능성을 희생시켜 단기적인 이득을 가져왔다. 경제와 환경 모두에서 그랬다. 9세기 초에 아바스 국가는 이라크에서 땅에 대한 세금으로 매년 1억 2500만 디르함 정도를 거둘 수 있었다. 100년 뒤에 그 수치는 거의 80퍼센트가 줄었다.[98]

그렇게 얻을 수 있는 자금이 감소한 것은 그 자체로 문제를 만들어냈다. 특히 지도부는 자기네가 왜 선조들만큼 넉넉하고 영광스럽게 살지 못하는지 설명해야 하는 압박을 받았다. 거창한 건설 공사에서부터 영토확장과 아낌 없는 지출에 이르기까지 여러 측면에서 말이다. 그것은 흔히 먼 기억으로 생각됐다.

한 가지 반응은 방탕, 몰상식한 생활방식, 무책임한 지출을 비판하는 것이었다. 10세기 초의 인물인 알리 이븐이사'Alī ibn 'Īsā에 따르면 칼리파국 연간 예산의 거의 3분의 1이 비빈妃嬪, 환관, 궁정 고위 관료에 대한 지출이었다.[99] 이런 식의 지출이었으므로 충격이 불만을 악화시키고 저항과 불안정(그리고 때로는 더 심한 것)의 문을 열게 되는 것은 놀라운 일이 아니었다.

예를 들어 919~920년에 바그다드에서는 식량 부족 때문에 반란이 일어났고, 그것은 비축 곡물이 할인 가격으로 배급된 뒤에야 진압됐다.[100] 20년 후에 닥친 기근은 너무 심각했다. "가옥, 포도원, 동산이 고기 몇 점,

빵 몇 조각에 팔렸다. 그리고 사람들은 말과 당나귀 똥에서 보리 낟알을 골라내 먹곤 했다."[101] 몇 년 후 자지라에서 식량 부족이 너무 심각해 이런 일이 일어났다. "많은 사람들이 미쳐, 잔인하게 서로를 공격하고 야만스럽게 서로를 잡아먹었다."[102]

그런 기록들을 믿을 수 있는지는 의문이다. 심지어 이례적인 기후 패턴이나 사태(가뭄, 홍수, 또는 보통 때보다 더 덥거나 추운 시기 같은)를 시사하는 기후 자료와 상관관계가 있는 듯한 경우에도 그렇다.[103] 물론 식량 부족이 항상 기후나 심지어 생산성과 관련된 것은 아니다. 시장의 예측에 많은 영향을 받기 때문이다.

일부에서는 곡물을 사들여 위기를 완화하고자 노력했다. 이집트의 파티마 왕조 당국 같은 경우다. 다만 인상적이게도 이 방식은 폐기됐다. 너무도 흔히 비축 곡물을 시장가격보다 비싸게 사들여서 팔 수가 없었기 때문이다.[104] 마찬가지로 투기꾼들이 값을 올려 돈을 벌고자 하는 것은 불가피한 일이었다. 칼리파 알하킴al-Hākim은 이런 행위를 처벌하겠다고 위협해 처리했다. 그는 1007년 나일강 범람이 빈약해 흉년이 들었을 때 이렇게 선언했다. "누구든지 종류를 막론하고 곡물을 가지고 있는 자는 목을 베겠다. 그의 집을 불태우고 재산을 몰수하겠다."[105]

칼리파의 대응에서 분명하게 나타나듯이 그런 사태는 불만이 있고 야망이 있고 용감한 사람들에게 자신의 지위를 높이기 위한 시도로서 한번 모험해볼 기회를 제공했다. 흉작, 충격적인 기상 패턴, 군사적 불안정에서 비롯될 수 있는 경제적 문제는 칼리파의 경쟁자, 그의 궁정, 근본적인 구조적 문제(너무 많은 권력이 너무 적은 사람의 손에 집중된 데서 나오는 것이었다) 위에서 돈을 벌고자 열심인 이익집단에 활용될 수 있었다. 변경 지역은 흔히 반대파들의 온상이었다. 반란의 근원지였고, 신참자들이 권력의 자리에 오르는 도약대였다.

칼리파국의 경우 사회적·경제적·정치적 문제의 핵심 근원 가운데 하나는 국가에 안정되고 확실한 수입을 보장하기 위해 시행된 개혁이 결국 돈 있고 권력 있는 사람들의 입지를 더욱 다져주는 역할을 했다는 것이다. 10세기 중반 이크타iqtāʿ 제도가 만들어져 복무의 대가로 징세권이 위임됐다. 이는 오용될 가능성을 열어둔 것 외에, 국가의 목표와 지배층의 목표가 같지 않다는 얘기였다. 지배층은 국가와, 그리고 소작인 및 농민 (그들은 세금을 위해 최대한 쥐어짜이게 된다)을 희생시켜 이득을 추구했다. 이는 기존의 광범위한 불만의 원인과 심해지는 불평등을 악화시켰고, 이미 비효율적이고 부패에 열려 있으며 약자를 희생시켜 대지주들을 챙기는 경향이 있던 체제를 더욱 확산시켰다.[106] 아마도 기후 변화는 이미 장작에 불이 붙어 있는 문제에 부채질을 했겠지만, 잦은 위기의 궁극적인 원인은 탐욕스러운 유력자 계층을 통제하지 못한 데 있었다.

당 왕조의 중국 역시 마찬가지였다. 최근 많은 학자들은 기후 변화를 지배 가문의 몰락 및 제국의 내부 파열과 연결시키고자 했다. 50년에 걸친 가뭄, 홍수, 메뚜기 떼의 습격, 기근과 함께 엄혹한 겨울 및 시원찮은 여름 장마로 인해 반란의 물결이 촉발됐다고 주장했다.[107] 그런 사태가 도움이 되었을 리는 없고, 불안정과 반란과 907년 마지막 당 황제 몰락의 근본 원인은 한 역사가가 말한 "격렬한 반귀족 정서" 때문이었다. 그것은 "오랜 가문들에 대한 증오와 고관들에 대한 증오"에서 드러났다.[108]

이런 정서는 광범위한 대중을 희생시켜 사복을 채우고 이득을 지킬 뿐만 아니라 그것을 늘리려는 부자들의 성공에 많은 책임이 있다. 당 왕조의 중국은 폐쇄적 기업체가 되었다고 12세기의 논자 정초鄭樵는 지적했다.

관직 임명은 능력이 아니라 가문 배경과 관련돼 있었다. 관리들(그들 자신이 모두 똑같은 좁은 사회 집단 출신이었다)은 족보와 혼맥, 그들이 줄곧 유지해왔고 누가 어떤 인물인지를(더구나 누구를 잘난 사람들의 일원으로 받아들일지까지도) 보여주는 안내자로 의존해온 기록을 참고했다.[109]

870년대에 궁정의 "낭비와 사치는 나날이 극단으로 치달았으며", 부패와 부정이 관료들 사이에서 만연했다고 100여 년 후의 한 역사 기록자는 말했다. 해마다 계속되는 가뭄이 어려움을 초래했지만 진짜 문제는 그 영향이 당국에 "진실하게 보고되지 않는다"는 것이었다. 그러니 고통을 구제할 조치도 취해지지 않았다. "서민들은 먹을 것을 찾아 떠돌았고", 아무도 도와줄 사람이 없어 곧 "도적 무리로 뭉쳐 벌떼처럼 횡행했다." 더욱 고약한 일은 평화가 너무 오래 지속되다 보니 관군 병사들이 경험 부족으로 종종 약탈자 무리에게 패했다는 점이었다.[110]

870년대와 880년대의 반란들은 국가를 결정적으로 약화시켰으며, 황실의 신뢰성을 훼손하고 지방 군벌의 권력을 강화했다. 그 군벌들의 책동은 마지막 황제(그에게는 사후 '슬프다'라는 뜻의 애제哀帝라는 이름이 주어졌다)의 피살 이후 당이 통제하던 영토는 분할되었다. 한 역사가가 말했듯이 오대십국五代十國시대로 알려진 그 이후 시기는 중앙의 희생 위에 지방이 점차 발전한 논리적 정점이었으며, 그 형성 과정은 수십 년(관점에 따라 100여 년)에 걸쳐 있었다.[111]

기후 변화로 초래된 것이 아닌, 문제의 깊숙한 근원을 밝혀내는 것은 또한 중앙아메리카의 마야 문화의 운명을 이해하는 데도 도움이 된다. 마야의 '붕괴'는 기후 압박과 환경 악화의 위험을 보여주는 가장 유명하고 흔히 인용되는 사례 중 하나이자 현재와 미래의 문제들에 대한 분명한 경고가 되었다. 예를 들어 일부 사람들은 기후 요인이 매우 심각한 압박을 초래해 대재앙이 불가피했다고 말한다. 한 중견 학자 집단은 이렇게 말했다. 마야인들이 "할 수 있었거나 했어야 하는 일은 아무것도 없었다. 결국 식량과 물이 바닥나 그들은 모두 죽었다."[112]

이는 일종의 과장이다. 마야인들은 모두 죽지 않았다. 대부분의 평가는 오늘날 그 주민이 900만 명 정도임을 시사하고 있으며, 과테말라, 멕시코 일부, 그리고 중앙아메리카의 기타 지역에서 그 문화의 발자취를 알아볼 수 있을 뿐만 아니라 극히 중요한 부분이다.[113] 게다가 필시 심각한 변화의 시기가 있었지만 일부 마야 정치체는 계속 살아남아 번영을 누렸고, 마지막으로 1697년이 되어서야 에스파냐의 지배하에 떨어졌다. 대파멸이었다고 하는 몰락 이후 거의 800년이 지나서였다.[114]

중앙아메리카 마야 문화는 수백 년 동안 꽃을 피웠다. 그 상징적 정점은 747년 티칼의 4호 신전 건설이었다. 이것은 15세기 말 유럽인이 들어가기 이전 남·북아메리카 대륙에서 가장 높은 건축물 중 하나였다는 점에서 특이성이 있다.[115] 티칼은 오랫동안 중요한 중심 도시였으며, 흑요석 같은 사치품의 이동을 촉진한 방대한 교역망으로 묶인 여러 도시, 정치체, 정착지 가운데 하나였다.[116]

이 교역망들은 또한 어느 정도의 자율성을 지닌 개인 및 가족 집단에 의한 정치적 권위 유지와 밀접하게 연관돼 있었다.[117] 장거리 상호 접촉은 유지됐다. 1천 킬로미터 이상 떨어진 테오티와칸도 그중 하나였는데, 그곳은 문화적 기준의 근원이었고 심지어 그 자극을 받고 그곳을 본떠 티칼의 큰 건축물들을 세우기도 했다.[118]

권력, 지위, 부의 분배는 도시들 사이에서나 그 내부에서나 고르지 않았다. 다른 곳들과 연결이 잘되고 주요 교역로와 가까운 곳에 사는 사람들은 주변부에 사는 사람들보다 번영을 누렸고, 독재적 지배층의 통치를 받는 사람들은 부의 불평등 수준이 높았다.[119] 정치적 동맹의 그물은 지역들 사이를 오가는 관리와 외교관들에 의해 유지됐으며, 그것은 조각된 기념물, 벽화, 채색 용기에 자주 나타난다.

유카탄반도 동부 엘팔마르El Palmar의 한 작은 광장 일대에 대한 최근 발굴에서는 아즈파치 와알Ajpach' Waal이라는 외교관의 특히 멋진 묘실이 발견됐다. 그는 라캄lakam(기수旗手)이라는 직함을 갖고 있었으며, 엘팔마르와 거기서 남쪽으로 350킬로미터 떨어진 코판의 지배 왕조 사이의 협상에 관여했다.[120]

아즈파치 와알은 옥을 얻었으며, 사춘기나 청소년기에 가짜 금을 이에 박았다. 신분이 높은 사람들(특히 동부 저지대의)이 사회적 차별성을 과시하기 위해 흔히 하던 것이었다.[121] 그의 유골에 근거한 어느 선구적인 골격기록학osteobiography 연구는 가짜 금이 그의 오른쪽 송곳니에서 떨어져 나온 것임을 보여주었다. 그 주위에 치태가 형성돼 있고 딱딱해져 치석이 되었다는 사실은 그가 그것을 갈아 박을 수 없었음을 시사한다. 이는 다시 8세기 중반 그가 살았던 시기에 그의 신분과 엘팔마르의 지위가 떨어진 것이 아닌지 하는 의문을 불러일으킨다.[122]

지역적인 편차는 있지만 수백 년에 걸쳐 장기적으로 인구가 상당히 증가해 도시국가들은 수만 명을 헤아리는 인구를 거느리게 되었다.[123] 일부 평가는 마야인 지역의 전체 인구가 가장 많을 때 대략 1천만 명(어쩌면 그 이상)에 이르렀을 것으로 보고 있다.[124] 티칼의 중요성은 하사우 찬카위일Jasaw Chan K'awiil과 그의 아들 이킨 찬카위일Yik'in Chan K'awiil이 이끌던 시기에 높아졌다. 그들은 7세기 말부터 일련의 군사적 승리와 정치적 확장을 지휘했다.[125] 이것은 이 도시 주민의 규모가 이후 100년 정도 지나는 사이에 세 배(어쩌면 네 배)로 증가한 한 요인이었다.[126]

정착지를 유지하고 확장하려면 도시화에 상당한 투자가 필요했다. 관개수로망 건설과 집수를 극대화하기 위한 정교한 공학적 해법(제방 축조에서부터 침전물과 불순물이 섞인 물을 정화하는 모래 여과 기술에 이르는) 개발 같은 것들이었다.[127] 침식 문제를 해결하는 것도 중요했는데, 그것은 부분적으로 정교한 삼림 관리와 토양 관리를 통해 이루어졌다.[128] 그 결과 옥수수, 콩, 호박, 고구마와 기타 뿌리 작물을 바탕으로 하는 식량 생산이 확대되었으며, 밀집 분포하며 증가하고 있던 인구의 늘어나는 수요에 부응할 수 있었다.[129]

벨리즈의 욕발룸Yok Balum 동굴의 퇴적물 자료, 유카탄반도 북부의 호수 퇴적물 시료, 카리브해 남부 카리아코 퇴적분지의 티타늄 함량 등은 모두 9세기 중반의 긴 가뭄 기간을 가리킨다. 수십 년 지속된 가뭄이었다.[130] 평균 강우 수준은 50퍼센트 정도 떨어졌고, 때로는 70퍼센트까지도 떨어졌다. 이는 태양 활동의 변화 또는 화산 분출(또는 둘 다)의 결과였던 듯하다.[131]

이는 급속한 삼림 파괴로 야기된 문제를 악화시켰다. 삼림 파괴는 농경지를 늘리고 조가비나 돌로부터 생석회(회칠과 건축을 위한 결합재로 쓸 수 있는 물질)를 만들기 위해 탄산칼슘을 굽는 데 필요한 화목을 얻기 위한 이중의 필요와 연결돼 있었다.[132] 벌목은 가뭄 상황을 증폭시켰다. 벌목된 땅에서 수분 증발이 줄면서 구름 형성과 강우에 부정적인 영향을 미쳤기 때문이다.[133]

이런 상황은 마야인들이 갖가지 식물을 재배하게 되는 데 이바지했고, 더 중요한 사실은 그 상당수가 가뭄에 잘 견디는 종류였다는 점이다.[134] 기후 변화를 명확한 문명 붕괴와 연결시키고자 하는 역사가들에게 큰 관심을 끈 것이 강우량 감소였지만, 생태학적 관점에서는 강수량 부족보다 여름의 기온 상승과 그것이 옥수수에 미치는 영향이 더 중요했을 수 있다.

현대의 연구가 보여주었듯이 옥수수 생산량은 대기 온도가 섭씨 30도 이상일 때 하루당 1퍼센트씩 감소한다.[135] 이것은 마야 문화에서 중요했다. 식량 확보의 관점에서뿐만 아니라 정치적 정당성과 옥수수 사이의 상징적 관계 때문에도 그랬다. 수확량 감소는 지배자의 능력과 특별한 지위에 대한 의문을 제기했다. 그리고 더 나아가 군사적 정복을 통해 권력을 유지하고 위신을 얻으려는 분명한 동기를 제공했다.[136]

이에 따라 8~9세기에는 폭력이 횡행해 불안정한 상태가 되고 교역망에 압박이 가해졌다. 그러나 이것은 또한 군인과 관리들이 더 많은 부와 자원을 축적하고 전용할 수 있는 기회를 낳았다. 이것은 도자기 같은 사치품 수요를 증대시켰고, 새로운 양식의 발전을 촉진했다.[137] 게다가 복잡한 의식에 의존해 왕권을 쥐고 있는 지배자에 대한 요구를 늘렸다. 그런 의식 가운데 하나가 사혈瀉血(때로 독이 있는 노랑가오리 가시를 사용하기도 한다)이며, 그것은 "자연계와 초자연계 사이의 통로를 열었다."[138]

그런 의식은 지배층이 평민과 거리가 있음을 주장하고 유지하기 위해 설계된 것이었다. 지금의 멕시코 센트랄레스 계곡(와하카 계곡)의 몬테알반 문화에서도 마찬가지였다. 그곳의 지배자들은 조각된 돌을 세워 자기네 가계를 자랑했으며, 그렇게 자기네와 평민들 사이의 간격을 유지했다. 몬테알반에서는 점점 어려움이 가중되는 시기에 지배층의 경쟁이 격화돼 마찬가지로 도시 해체, 인구 감소, 국가 기구의 붕괴를 촉진하는 데 한 몫했다.[139]

또 다른 문제는 역시 화려한 애호품에 사용된 물자와 마야인들이 택한 기술들에서 왔을 것이다. 최근 연구는 염료와 칠(점토 제품, 건축 장식, 의례 활동 등에 사용된다)에서 선홍색을 만드는 데 사용되는 진사辰砂에 주목했다.

수은에 많이 내포된 진사는 폭풍우가 칠 때 건물이나 인공물에서 씻겨 나가 도시가 의존하고 있는 저수지로 침출됐다. 시간이 지나면서 오염물질이 위험 수준까지 증가하고, 건조한 기간에 더욱 악화됐다. 남조세균이 정상치에 비해 더욱 농축되고 유해해졌다. 오염물질은 도시의 지속 가능성에 의문을 제기했고, 그 지배자와 지배층의 권위를 손상시켰다. 게다가 수은에 상시적으로 노출된 상태가 비만과 인지 기능에 미친 영향은 심지어 이미 압박을 받고 있던 사회 구조를 약화시키는 데 역할을 했을 것이다.[140]

메소아메리카 연구자들이 흔히 강조하듯이 고밀도 정착지들 사이 연결의 긴밀함은 시기마다 달랐다. 예를 들어 와하카에서는 역내 생활의 여러 측면이 수백 년 동안 방해받지 않고 지속돼 에스파냐의 정복 때까지 이어졌다.[141] 마야 지역에서는 서로 다른 중심 도시들이 서로 다른 문제들에 봉착하여 서로 다른 경험을 했다. 단기적으로도 장기적으로도 말이다. 어떤 곳에서는 극심한 인구 감소와 관료 조직 붕괴를 경험했지만 다른 곳에서는 그렇지 않았다.[142]

붕괴한 것은 전체로서의 마야 세계가 아니라 그것을 지탱하던 뼈대였다. 지역을 한데 연결하고 상품과 사상의 교류를 촉진하며 동맹, 적대자, 경쟁하는 군주들에게 화폭을 제공한 그물망이었다. 가뭄, 식량 부족, 통제 기제 상실에 직면한 지배자들은 기대에 부응하고 권위를 유지하기가 불가능함을 깨달았다.[143] 이것이 거대한 기념물과 궁궐 건축이 중단되고, 지배자나 관리들이 아니라 불법 거주자처럼 보이는 사람들의 차지가 된 이유였다. 이 임시 집단들은 건물들을 비바람을 피하고 음식을 조리하고 먹고 자는 일을 위해 사용했다.[144]

기후 변화는 분명하고 버거운 것일지라도 메소아메리카에서(또는 세계의 다른 지역에서도) 이례적인 것은 아니었다. 특히 수십 년, 수백 년, 또는 그 이상 유지되며 번영을 누렸던 문화들에서는 그랬다. 따라서 중요한 것은 한편으로 환경 압박과 다른 한편으로 사회적·경제적 취약성 사이의 균형이었다. 오늘날 생각해볼 가치가 있는 문제다.

세계화 같은 초超연결은 모든 종류의 교환이라는 측면에서 분명히 이득을 제공한다. 그러나 그것은 사슬의 하나 또는 그 이상의 연결이 풀리게 되었을 때(의도적이든 그렇지 않든) 가속화될 수 있는 취약성과 충격을 가릴 수 있다. 공장 폐쇄, 항구의 혼잡, 또는 천연자원의 공급 단절은 물가 상승을 초래할 뿐만 아니라 최악의 경우 사회경제적 압박, 혁명, 국가 붕괴로 이어질 수 있다.

인구 감소, 도시의 폐기 및 쇠락, 여행·소통·교환의 감소가 거대 건축물을 연구하고 권력 구조와 친족 유형을 평가하는 데 골몰 중인 고고학자나 역사가들을 실망시킬지도 모른다는 점 또한 기억할 필요가 있다. 대다수의 사람들에게 지리적·사회정치적·생태적 변경의 퇴각이 반드시 대재앙이나 심지어 쇠락(흔히 '황금기'라는 것의 종말과 연결됐던)과도 동일시되지 않았다. 마찬가지로 인간 사회의 변화는 분명히 수요에 대한 반응으로 땅의 이용이 변하면서 동식물에 영향을 미쳤다. 도시 탈출과 도시 붕괴는 국지 생태계가 더 이상 같은 방식이나 같은 규모로 이용되지 않는다는 얘기다. 이는 동물과 식물 모두에 다른 승자와 패자의 조합이 만들어졌다는 얘기다.

기후의 시계추는 어느 쪽으로도 움직일 수 있다는 점도 기억해야 한다. 강우 분포와 건조화, 또는 기온의 장기적 변화가 언제나 연결을 푸는 결과를 낳는 것은 아니다. 때로 그런 변화는 새로운 기회를 격동시키고 새로운 세계 창조를 자극할 수 있다.

# 12장　중세 온난기

### 900년 무렵부터 1250년 무렵까지

그들은 심판의 날이 왔다고 생각했다.
— 이븐 알아시르, 모술 사람들에 대하여(13세기)

1965년, 역사가 휴버트 램Hubert Lamb은 "여러 연구 분야에서 축적된" 증거가 "서기 1000~1200년 무렵에 세계의 많은 지역에서 기후가 눈에 띄게 따뜻했으며 그것은 수백 년 동안 지속됐음을 보여준다"라고 지적했다. 그는 이 시기를 '중세 온난 시대Medieval Warm Epoch'라고 불렀는데, 그 이후 수정을 거쳐 지금은 학자들이 보통 '중세 기후 이변Medieval Climate Anomaly' 또는 '중세 온난기Medieval Warm Period'로 부르고 있다.[1] 일부에서는 시간적 경계 문제도 논구해, 장기간 대체로 따뜻했던 기후 조건이 실제로 800년 무렵부터 1200년(또는 1250년) 무렵까지 지속됐다고 주장한다.[2]

　유럽 쪽에서 보자면 이것은 우호적인 기상 패턴의 시기였다. 북대서양의 대기 순환을 통해 따뜻하고 건조한 공기가 안정적으로 유입되었고, 그 덕분에 습하고 추운 여름과 혹독하게 추운 겨울이 덜 찾아왔다. 이는 농사에 이상적인 조건을 만들어 풍년을 이끌어내고 충격을 별로 끼치지 않으며 필시 무엇보다도 좋은 것으로서 의지할 수 있고 안정적인 기후 상황을 제공했다.[3] 물론 기온과 강우 수준이 일정하거나 줄곧 온화하지는 않았다. 그것이 유럽 전체를 통해 통일적이거나 지속적이었다는 얘기도 아니다. 어떻든 대륙의 북쪽과 서쪽에 비해 남쪽과 동쪽에 관심이 훨씬 덜 기울여졌음을 감안하면 판단하기 어려운 문제에 속한다.[4]

유럽에 우호적인 기후 조건은 세계의 다른 지역들에는 서로 다른 영향을 미쳤다. 중요한 지역적 차이가 있음에 주목할 필요가 있지만 말이다. 예를 들어 이란, 아르메니아, 팔레스타인의 강우는 이 기간의 상당 부분동안 평균에 훨씬 못 미쳤는데, 시리아 북부나 아나톨리아 중·서부도 같은 상황이었는지에 대해서는 증거가 별로 없다.[5] 기후의 영향은 지역마다 달랐다. 심지어 비교적 제한된 지역 안에서도 그랬다. 지금의 불가리아, 그리스 중부, 소아시아 서부가 그런 경우인데, 이들 지역은 중세 초에 동일한 강우 패턴을 보이지 않았다.[6]

중앙아시아의 나이테 자료와 아랄해 염도 재구를 함께 놓고 보면 기후가 춥고 건조했으며 특히 900년 무렵 이후 그랬음을 알 수 있다.[7] 이는 중국 북부에서 나온 증거들과도 일치한다. 허난성에서는 감귤나무와 아열대 초목 재배가 늘어 상황이 서로 달랐을 뿐만 아니라 뚜렷한 대조를 보일 수 있음을 일깨워주기는 했지만 말이다.[8] 토탄의 섬유소, 석순, 얼음 시료, 나이테에 근거한 더 상세한 최근의 연구는 중국의 여러 지역이 이긴 기간에 대체로 평균보다 더 따뜻하고 더 습했음을 보여준다.[9] 그러나 전체적으로 보아 지난 천년기에 세계적으로 가장 따뜻했던 10년 단위의 시기 열 가운데 여섯이 950년에서 1250년 사이에 몰려 있었다.[10]

일부 학자들은 이런 변화들을 엘니뇨-남방진동(ENSO), 대서양수십년진동(AMO), 북대서양진동(NAO)의 대규모 변화와 연결시킨다.[11] 그러나 또 어떤 사람들은 이것이 일사량 증가와 열대 화산 활동 감소로 인해 추동됐다고 주장한다.[12] 후자의 감소가 더 중요해 보인다. 방사성 베릴륨($^{10}$Be)과 탄소($^{14}$C) 동위원소의 재구는 중세 기상 이변의 주요 국면이 태양 자기활동 수준이 비교적 높았던 시기와 일치하지만 다른 시기와 비교할 때 이례적인 것이 아니기 때문이다. 따라서 화산 활동 감소와 해양대기계의 변동성이 이 방대한 세계 기후 재편의 주요 동력이었던 것으로 보인다.[13]

열대 인도양 및 서태평양의 기온 상승이 북대서양 기압의 광범위한 변화와 아프리카 및 남아시아에서 계절풍 강우 패턴의 변화를 일으키고 유라시아 아열대 지방에서 건조화 수준에 영향을 미쳤다.[14] 샌프란시스코만이나 페루 해안 같은 환태평양 지역의 상당 부분은 정상보다 더 건조한 조건의 영향을 받았다. 물론 800년에서 1250년 사이의 서로 다른 단계에서이기는 하지만 말이다.[15] 캘리포니아와 파타고니아에서는 길고도 이례적으로 잦은 물 부족의 시기가 있었고, 콜로라도강 상류 유역에서도 마찬가지였다. 미국 동북부의 이탄지泥炭地는 영향을 받지 않은 듯하지만 말이다.[16]

기온 상승은 아프리카에도 변화를 가져왔지만 정확한 영향을 파악하기는 어렵다. 자료 수집과 기후 재구에 관한 연구가 너무 부족하기 때문인데, 여기에는 이 대륙의 역사가 보다 일반적으로 주변화됐다는 사실이 반영되어 있다.[17] 그럼에도 불구하고 40여 개소에서 수집된 정보는 고르지 않고 매우 다양한 패턴을 보여준다. 대륙 서남 해안을 지배하고 있는 벵겔라해류용승계Benguela海流湧昇系의 뚜렷한 온도 하락은 모리타니 남부, 기니만, 콩고강 유역의 온도 상승을 반영하고 있다.[18]

이런 장기 기상 패턴의 변화가 서로 다른 지역에 어떤 영향을 미쳤는지는 단정하기가 쉽지 않다. 중세 초에 시작된 사회경제적 변화가 균일하거나 지속적이거나 즉각적이지 않은 기후 상황과 상관관계가 있을 수 있지만, 그렇다고 해서 기후가 사회 변화를 일으켰다고 주장할 수 있는 것은 아니다. 심지어 그 관계가 그럴듯하고 강력해 보이는 곳에서도 환경 변화와 사회 변화 사이의 관계를 규명하는 것은 주의가 필요한 일이다.

예를 들어 남부 지중해에서는 변화가 적었다. 아라비아의 공격에서 살아남은 로마 제국의 동쪽 지역은 재편됐다. 콘스탄티노폴리스와 하나의 관료·군사·종교 기구(그것이 통합과 공통의 로마 정체성을 유지하게 했다)에 의한 중앙집권적 통제가 특징이었으나 이제 위축의 시기로 진입해 도시가 더 작아지고 연결망의 활기가 줄었다. 서아시아, 북아프리카, 이베리아 사이의 교환은 재산권 보호, 법의 집행, 세금 징수를 제공하는 비슷한 모형의 정치 구조를 바탕으로 했다. 차이는 규모였다. 다마스쿠스, 코르도바, 푸스타트와 기타 여러 도시들은 에게해, 발칸반도, 그리스를 중심으로 한 동로마 세계의 도시들에 비해 더 크고 더 많았다.[19]

양쪽 모두 서유럽 및 북유럽과는 뚜렷한 대조를 보였다. 그곳에서 로마의 쇠락과 멸망은 분열과 세분화를 초래했다. 짧은 통합의 기간이 있었다. 가장 대표적인 것이 위대한 지배자 카롤루스(샤를마뉴) 대제 치세기다. 그는 지금의 프랑스, 베네룩스, 독일, 북부 이탈리아의 상당 지역을 하나의 왕국으로 통합하는 데 성공했다. 그 정점은 서기 800년 예수 탄생 기념일에 교황 레오 3세가 집전한 카롤루스의 로마 황제 대관식이었다. 이것은 짧은 예외적 순간이었고, 그 외 수백 년에 걸친 대부분의 시기는 장거리 교역이 거의 없고 시야가 좁아진 시기였다.

유럽 통합의 관념에 대한 기준을 제공하고자 애쓰는 사람들에게 신앙적 상징이 된 낭만적 인물 카롤루스보다는 이탈리아의 코마키오와 토르

첼로, 프랑스의 베르됭, 스칸디나비아의 비르카 같은 지역 상업 중심지들이 더 나은 현실 속의 사례들이다. 흥미롭게도 이곳들은 모두 생태적으로 변경이자 지리적 주변부에 세워졌다. 더욱 중요한 점은 그 각각이 역내 시장인 교역 지대였다는 것이다. 이곳에서 거래는 지역 생산자와 지역 소비자 사이에서 일어났다. 다른 지역 사람들은 개재되지 않았다.[20]

이것은 다시 매우 다른 형태의 사회적·경제적 발전을 위한 무대를 제공했다. 정교한 관료제가 없는 상태에서 서유럽에 새로운 귀족 계급이 출현해 노동력과 비옥한 땅 모두를 지배할 수 있었다. 물론 이 부호들은 상호도전에 직면했고, 다른 경쟁자들로부터도 도전을 받았다. 바로 교회였다.

교회는 방대한 토지를 소유하고 자기네의 사회경제적·정치적 지위를 보호하고 극대화하고자 했다. 그들이 합쳐 지배적인 개인, 가문, 지주의 상층계급을 이루었다. 그들은 자기네 수중에 권력을 집중시키고 이를 혼맥이나 기관 소유권(왕이 손대지 못하는 자산을 가지고 있었다)에 의해 밀접하게 연결된 친인척 집단 안에서 유지하고자 했다.[21]

수십 년 전에 흔했던 '봉건 혁명feudal revolution'에 대한 관념은 보다 정교한 해석들로 대체됐다. 그 상당수는 서유럽 중세 초 사회의 다른 참여자들의 다양성과 중요성을 강조한다. 길드(동업자조합), 도시 집단, 교구, 지역 모임, 대학 같은 것들이다.[22] 일부 논자는 또한 초기에 재산권이 약했지만 시간이 지나면서 귀족들이 자산과 지위(그것이 결국 변화에 기여한 것으로 드러났다)를 축적해 권력을 공식화하고 굳히는 과정에서 혁신을 자극했다고 주장했다.[23] 기부금을 받고 구호품, 후원, 영향력을 나누는 교회의 역할이 발전한 것은 또한 사회와 기관, 그리고 생태계 변화의 중요한 요인이었다.[24]

그 결과로 일어난 중세 초 인간 사회와 자연환경 양쪽의 변화는 매우 심대해서 일부 학자들은 이 시기를 "신석기시대 이래 가장 중요한 농업 확대"의 시기로 불렀다.[25] 오랫동안 중세사 학자들은 수확량과 생산량을 추동하는 데서 새로운 기술이 맡은 역할을 강조해왔다.

특별한 관심이 말의 어깨띠의 중요성과 중리重犁(북유럽의 무거운 점질 토양을 가는 데 훨씬 효과적인 쟁기다) 개발에 기울여졌다. 이것들이 잡초 제어를 개선하고 배수를 향상시켰으며, 수확량을 늘리고 농민의 작업량을 줄이는(그렇게 절약한 시간과 자원을 다른 활동에 쓸 수 있게 되었다) 일거양득을 이루었다.[26] 큰 토지를 작은 단위로 쪼갬으로써 중요한 사회적 변화를 초래했으며, 농민은 물론이고 떠오르는 귀족 계급에게도 땅과 지형에 대한 인식을 바꾸게 했다.[27]

농업 생산성 향상에서 가장 중요했던 것은 도시화와의 관계였다. 서유럽 및 북유럽에서 일어난 농업경제의 변화들은 1인당 소득을 늘리고 수송망과 상업망 발달을 자극함으로써 도시의 규모와 수를 늘리는 연쇄반응을 촉발했다. 이는 다시 전문화와 문화적 실험을 자극하고 시골에서 도시 정착지로의 추가적인 이주를 촉발했다. 그리고 역동적인 성장의 주기들을 추동했다.[28]

크고 작은 도시들의 등장은(그리고 신참자와 이방인의 잦은 도래는) 도시 문화와 시골에 사는 사람들에게 중대한 영향을 미쳤다. 새로운 관습, 관념, 유행, 취향이 유럽의 폭발적인 변화를 만들어냈다.[29] 장거리 교역망이 발달하면서 지적·문화적·지리적 지평 역시 확대됐다. 전형적인 것이 예루살렘 순례 같은 관념이었다. 이는 길고 돈이 많이 들며 흔히 위험한 여행이었지만, 예수 그리스도가 살고 죽고 부활한 곳을 방문하는 사람들에게는 상당한 영예를 제공했다.

자연에 대한 관념 역시 진화했다. 지역마다 차이가 있는 자원을 놓고 벌이는 경쟁에 대한 우려도 마찬가지였다. 이런 관념들은 분명히 변화하는 생활방식과 함께 동식물과의 관계 설정의 영향을 받았다.[30] 자연계의 개념은 모호할 수 있었다. 한 중진 역사가가 지적했듯이, 중세 초 이탈리아에서 자신이 먹을 것을 재배하는 것은 "필요와 사치의 양 측면"을 모두 지닌 것이었다.[31]

그러나 일부 학자들에게 기후 변화는 중세 초를 이해하는 데 도움이 되는 귀중한 열쇠를 제공한다. 예를 들어 기온 상승은 불가르인들이 800년 무렵 이후 볼가강 중류 유역으로 이동하는 데 기여한 한 요인으로 주장돼왔다. 그들은 대략 이 시기에 볼가불가리아Volga Bulgaria 국가를 건설했다. 그 국가가 스칸디나비아, 동로마, 서아시아, 중앙아시아로 뻗어나가는 교역로를 열었다.[32]

이 연결망은 상품과 함께 사상과 종교도 확산시켰다. 100년 남짓 뒤에 볼가불가리아를 방문한 아라비아 사절 이븐 파들란은 그 지배자가 정교한 의례를 완비한 궁정을 주재하고 있다고 썼다. 그들은 콘스탄티노폴리스와 바그다드에서 수입한 값비싼 물건들을 뽐내기도 했다. 다만 그들이 이슬람교의 가르침을 제대로 이해하지 못하는 것이 실망스러울 뿐이었다.[33]

남방 및 서방으로 가는 여행은 동방으로 가는 여행의 반복이었다. 포유동물의 배설물, 꽃가루 표본, 숯의 분석을 바탕으로 한 새 증거는 스칸디나비아인들이 아조레스제도에 정착했음을 시사한다. 이는 북반구의 이상 풍향 및 기온 상승과 연결돼왔다.[34] 9세기에 스칸디나비아인들이 북대서양을 건너 페로제도, 아이슬란드, 그린란드로 진출한 것은 또한 극지

빙모의 퇴각(이제 얼음의 방해를 받지 않고 항해할 수 있게 되었다), 어종의 북방 이동, 육상에서의 초목 재배에 적합한 조건의 출현과 밀접하게 연관돼 있었다.[35]

그런 이주는 쉽지 않았다. 미지의 세계로 뛰어드는 것일 뿐만 아니라 가족과 친구들을 남기고 떠나는 것이기도 했기 때문이다. 900년 무렵의 아이슬란드 할문다르흐라운Hallmundarhraun 화산의 대규모 분출은 적어도 일부 정착자들을 불안하게 하고 자극을 주어 내륙의 1600미터 길이의 용암 동굴에 거대한 배 모양의 건조물을 만들게 했을 것이다. 또한 토착 신들을 달래기 위해 양, 소, 말, 돼지 같은 동물을 분명히 번제燔祭 제물로 바쳤다.[36] 이것은 850년 무렵에서 1250년 무렵 사이에 일어난 수십 차례의 분출 가운데 하나일 뿐이었다. 934년의 엘드갸우Eldgjá 화산 분출은 동식물 모두에 특히 큰 손상을 가한 것으로 드러났다.[37]

아마도 놀랍지는 않겠지만 이주의 첫 물결을 타고 나간 것은 주로 남자였다. Y염색체와 미토콘드리아 DNA 증거는 노르드인 여성이 셰틀랜드제도와 오크니제도, 그리고 스코틀랜드 북부로 진출하는 데 참여했음을 시사하지만, 유전체 자료는 아이슬란드에서 대다수의 정착자는 독신 남성이었고 그들은 브리튼제도에서 노예 여성들을 데려와 강간과 협박을 통해 성적 욕구를 해소했음을 보여준다.[38]

어떤 사람들은 멀리 북아메리카에도 갔다. 그들은 뉴펀들랜드의 랑스오메도 유적지에 흔적을 남겼는데, 그 정착이 결국 성공하지는 못했다.[39] 연대 측정 기법의 발달로 스칸디나비아인 공동체가 1021년쯤에는 만들어졌음을 알 수 있는데, 이때 노르드인들은 벌목을 할 때 금속 도끼를 사용했지만, 토착민들은 금속 도끼를 사용하지 못했다.[40]

북대서양의 새 식민지들과 스칸디나비아 사이의 교역은 주로 부피가 작고 값이 비싼 위신재 중심이었다. 그것들을 본국에서 많은 이문을 남기고 팔았는데, 가장 대표적인 것이 바다코끼리 가죽과 상아였다.[41] 아이슬란드는 처음 도착해 가장 양호한 땅을 가장 많이 가진 사람들이 지배하는 사회로 진화했다. 10세기 중반에 그곳은 '군장 과다' 사회였다. 그것이 국회인 알싱기Alþingi가 설립된 이유 가운데 하나였다. 초기 법들은 새로 오는 사람들로부터 토지 소유권을 보호하고 지주를 다른 지주로부터 보호하는 것과 관련된 것들이었다.

인력 부족을 해소하기 위한 창조적 노력도 있었다. 〈아이슬란드인의 책Íslendingabók〉 같은 문헌들에는 '붉은 수염' 에이리크가 어떻게 다른 사람들을 유혹해 그린란드로 갔는지가 나와 있다. 그는 기민한 판단으로 이 상서로운 이름이 붙은 섬의 푸르고 풍요로운 땅과 무한한 기회를 이야기하며 설득전을 펼쳤다.[42]

스칸디나비아에서 북대서양으로 진출한 것은 지역 교역망 및 지식 연결망뿐만 아니라 장거리 교역 역시 강화하는 더 넓은 활동의 일부였다. 동쪽과 남쪽에서 가장 두드러졌고, 그 결과 막대한 양의 은화가 우선은 노르드인의 땅과 발트해 지역에서, 이어 다른 곳들에서 유통되었다.[43] 이런 활동들은 자연에 대한 인간의 개입(새 정착지 건설, 농경, 가축 사육 등)과 어우러져 생태계를 변화시켰다. 식용 동물 사냥과 교역도 마찬가지였다.[44]

한 가지 결과는 풍요의 세계였다. 그리고 평등의 세계였다. 로마의 유적지들에서 나온 증거는 남자가 여자에 비해 단백질을 50퍼센트 더 섭취했음을 시사한다. 이 시기 스칸디나비아 사회에서는 여자와 남자(각기 소녀와 소년 포함)는 똑같은 음식을 먹었고, 그 결과로 매우 건강했다. 일부 학자들은 더 나아가 이것이 현대 스칸디나비아에서 여성의 자율성과 성

평등 수준이 그렇게 높은 이유를 설명하는 데 도움이 된다고 주장했다.[45]

자원이 한정되어 있고 지리적으로 제한된 곳에서 인간 활동의 영향은 심대할 수 있다. 첫 정착자들이 아이슬란드에 도착한 지 수십 년 안에 토양 침식과 삼림 파괴가 일어났다. 그것은 장기 보전 조치가 취해지기 전까지 수백 년 동안 이어졌다.[46] 유전체 분석을 방사성탄소 연대측정 및 문헌 자료와 결합해보니 이 지역의 바다코끼리 개체가 노르드인의 아이슬란드 정착 직후 모두 사라졌다. 멸종의 가장 명확한 원인은 남획이었다. 물론 기온 상승과 화산 활동이 추가적인 압박 요인이 되었을 수는 있지만 말이다.[47]

자원 관리에 대한 압박은 소비 행태의 변화로 이어졌다. 그 한 예가 아이슬란드에서 돼지와 소에서 양으로 옮겨간 것이다. 의도적인 것이었다. 양의 수가 늘어난 것은 내수용 및 수출용으로 양모를 생산하려는 시도로도 설명될 수 있다.[48] 동위원소 자료는 그린란드에 적응하려는 노력의 결과로 육상동물 고기 중심의 식단이 점차 시간이 지나면서 해양 단백질원에 대한 의존으로 대체됐음을 보여준다.[49]

다시 말해서 대처 전략은 기후 변화의 시기에뿐만 아니라 결과 관리를 위해서도 필요했다는 것이다. 스칸디나비아와 북대서양 사이의 길을 열어준 우호적인 기후 조건과 물리적 유인誘因은 서로 다른 몇 가지 질문으로 이어진다. 인간의 작용과 자연환경 사이의 끊임없는 줄다리기의 일부가 되고 있는 것들이다.

어떤 식물이나 동물 종이 새로 들어오면 중대한 생태적 결과를 초래할 수 있다. 어쩌다 보니 인간은 그 후 자연에 대한 개입의 결과로서 많은 변화를 불러일으켰다. 정착지, 음식, 물, 기타 자원이 필요하기 때문에 인간이 생태계에 미치는 영향은 심각했다. 인간이 들여온(의도적이든 그렇지 않든)

동식물은 인위적 원인이 있는 여러 가지 '자연스러운' 변화의 일부였다. 잡초, 씨앗, 돼지의 배 속에 들어가 함께 온 기생충 같은 것들이다. 또는 식용을 위해, 심기 위해서나 또는 그저 단열이나 포장을 위해 가져온 초목들이 그 후 새로운 생태 환경에 뿌리를 내렸다.[50] 이런 결과는 때로 인간생태역학human ecodynamics이라고 불리기도 하는데, 이전에 살지 않던 곳을 점유하는 일에서 특히 분명하다. 그곳은 이제 점유되고 인간 정착지들에 의해 변모되는 것이다.[51]

이런 의미에서 섬은 자연이, 동식물이 어떻게(그리고 얼마나 빨리) 영향을 받았는지를 이해하는 독특하고 중요한 통찰을 제공한다. 따라서 놀랍게도 아이슬란드, 그린란드, 페로제도의 사례는 거의 같은 시기에 일어났으며 마찬가지로 세계 기후 패턴의 변화와 밀접하게 연관된 남태평양 섬들에 대한 비슷한 식민화 경험과 명확한 유사성을 지니고 있다.

서기 800년 무렵부터 서태평양 난수역暖水域의 해수면 온도가 갑작스럽게 낮아지고 강우대降雨帶가 북쪽으로 밀쳐졌다. 바누아투, 사모아, 통가, 피지가 있는 다도해의 습도가 떨어지기 시작해 과거 2천 년 중 가장 건조한 시기가 되었다.

그보다 거의 1500년 전에 그곳에 정착한 이들 섬의 주민들은 그 이전에는 더 북쪽의 섬들을 탐험하려 하지 않았다. 설령 탐험했더라도 영구적으로 살려는 의도는 아니었을 것이다. 정착의 흔적이 거의(또는 전혀) 남아 있지 않은 것이다. 그런데 이제 기상 패턴의 근본적인 변화를 거치면서 상황이 바뀌었다. 바람은 폴리네시아 변경으로 가서 탐험하는 일을 쉽게 만들었다.[52] 섬들을 오가는 장거리 여행은 대부분 쌍동선雙胴船을 타는 것이었고, 컴퓨터 모형화가 보여주듯이 새로운 장소를 발견하고 정착

하는 것은 계획적이고 조직적인 일이었지 우연한 일이 아니었다.[53]

방사성탄소 분석은 이주의 물결이 먼저 쿡제도로, 그 후에 동폴리네시아로 넘어갔음을 보여준다. 하와이, 라파누이, 뉴질랜드 사이의 넓은 구역이다. 여러 섬들이 잇달아 인간만이 아니라 다른 동물들에 의해서도 식민화됐다. 인간이 의도적으로 데려간 돼지 등의 가축이나, 아마도 의도적이지는 않았을 쥐 등의 동물이다.[54]

북대서양에서와 마찬가지로 정착은 식생을 변화시켰다. 작물 재배나 땔감을 얻으려고(또는 둘 다를 위해) 벌채를 했기 때문이다. 그 결과로 상당한 정도의 토양 침식이 일어났다. 엽랍葉蠟 생물지표의 수소 동위원소는 이 섬들에서 오랜 기간에 걸쳐 강우량이 많아졌음을 확인해준다. 이 섬들이 살기가 더 어려워진 섬들의 대안으로 떠올랐던 이유를 설명해준다.[55]

그것은 이 시기 동안 태평양의 다른 섬들에서 일어난 사회적 변화 또한 설명해줄 것이다. 건조화가 심해지면 비가 내리는 족족 집수하는 것이 중요하다. 따라서 수로, 송수관, 계단식 논을 만드는 데 투자하는 것은 자연스러운 반응일 뿐 아니라 긴요한 일이었다.[56] 이런 사업에는 높은 수준의 협력이 필요했다. 그런 구조물을 건설하고 유지하는 데 필요한 에너지의 측면에서, 그리고 그 혜택과 이득을 공평하게 나누기 위해서도 그렇다. 이는 작고 분산된 공동체에서 큰 집단으로 이행하기 위한 맥락을 제공했다. 큰 집단은 시간이 지나면서 계층화되고 서열화된다.[57]

생활방식의 변화는 이 중세 온난기 동안 남반구의 다른 지역에서도 뚜렷했다. 온난화는 북쪽보다 늦게 시작됐지만 말이다.[58] 고대 온도의 재구와 더불어 고고학적 증거는 오스트레일리아 대륙부의 인구가 1000년 무렵에 급격하게 증가했음을 시사한다. 인구 증가의 패턴은 이주 패턴을 반영하겠지만, 다른 시기에 대한 연구는 오스트레일리아 수렵채집민의 인구 규모의 큰 변화가 진폭이 큰 환경 변화에 의해 촉발됐음을 시사한다.[59]

오스트레일리아 원주 수렵채집인들은 자원 부족의 위험을 관리하기 위해 이동과 기술을 사용했다.[60] 그러나 이 경우에 물과 식량을 얻을 가능성이 높은 것이 정주 생활방식으로의 전환을 부추겼던 듯하다.[61] 적합한 기후 조건 덕분에 흩어져 자원을 찾기보다는 더 많은 사람들이 함께 모여 안전하게 살 수 있게 되었다. 이는 이 시기 저위도 지역에서 고고학적 흔적이 놀랄 만큼 줄어든 이유 가운데 하나였다.[62]

변화의 규모에 관한 사례 하나를 들자면 오스트레일리아 중남부에서 대략 1050년에서 1100년 사이에 많은 비가 내려 칼라보나Callabonna 호수에 역사적으로 알려진 가장 많은 양의 약 10~12배에 이르는 물이 찼다. 다시 말해서 현지 주민들에게는 어떻게 살고 협력하고 번영을 누릴지에 대한 새로운 선택지가 제시된 것이다.[63]

사회 및 환경의 변화는 900년 무렵 이후 카리브해 지역에서도 분명했다. 이곳에서는 오랫동안 건조한 상태가 지속되다가 상당히 습한 날씨로 바뀌었다. 이 시기에는 또한 해수면이 상승해서 섬 주민들이 내륙으로 이동해야 했다. 터크스케이커스제도 그랜드터크섬의 코럴리Coralie 같은 곳이다.[64]

비가 많이 내리면 농작물 잉여에 도움이 되었다. 그러나 다른 결과물도 있었다. 특히 군도들 사이, 그리고 섬들과 남아메리카 대륙 사이의 교류가 증가한 것이다. 이는 앤틸리스제도에서와 같은 도기 양식의 큰 변화로 입증될 수 있다. 그것은 흔히 섬들 사이의 교류가 급격하게 증가한 징표로 해석됐으며, 또한 전통적인 신들(그들이 이전에 건조한 상태를 유지해

준 것이 이제는 좋지 않거나 심지어 잔인한 것으로 여겨졌다)에 대한 신뢰 상실에 따른 반응으로도 해석됐다.[65]

그 맨 꼭대기에 있는 것이 다양한 동식물 종을 카리브해 여러 지역에 들여온 것이다. 그것이 변화의 촉매 역할을 했다. 이제 현지 주민들은 물고기, 게, 조류에 덜 의존하게 되었고, 그 결과로 이들의 개체수가 회복되기 시작했다. 또 하나, 섬의 삼림이 벌채됐다. 섬에 처음 들어온 동식물에 자리를 내주어야 했기 때문이다.[66] 다시 말해서 기후 변화가 교류와 신앙 체계와 심지어 식습관의 변화까지 초래한 것이다.

대략 이 시기 다른 곳에서도 비슷한 일이 일어났다. 그런 사례 가운데 하나가 '미국의 바닥American Bottom'이다. 이 지역은 미시시피강·미주리강이 캐스캐스키아강과 합류하는 곳이다. 이 지역에는 분산되고 고립된 단독주택 농장과 작은 정착지들이 있었다. 가장 유명한 곳 가운데 하나가 커호키아Cahokia다.

900년 무렵 이후 커호키아의 규모와 중요성은 폭발적으로 커졌다. 바깥의 넓은 지역으로부터 이주민을 끌어들였다. 이른바 '대폭발Big Bang'의 순간이다. 그들은 도기와 기타 예술에서 문화적 개화開花를 촉발했다.[67] 커호키아의 중앙에는 높이 6.5미터의 거대한 단일 기단이 있었으며, 농작물을 재배하기에 이상적인 조건을 제공하는 드넓은 범람원에 위치해 혜택을 누리고 있었다. 또한 마르지 않는 호수와 늪에는 많은 어종이 있어 커호키아인 식단의 중심을 이루었고, 이용 가능한 강들은 물을 제공하고 교역 및 수송의 동맥 노릇을 했다.[68] 다시 말해서 인구 증가 시기에 기하급수적으로 확장할 수 있어 지리적으로 제한된 곳들이 누릴 수 없는 가능성을 제공했다.

중세 온난기는 일률적인 것이 아니었고, 지역과 시기에 따라 들쭉날쭉

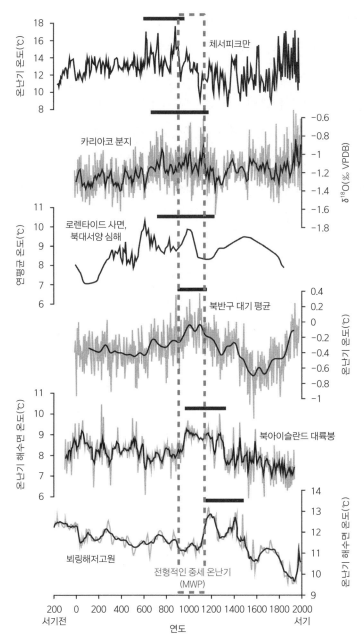

북대서양 6개 지점의 서기전 200년~서기 2000년 온도 개요

전형적인 중세 온난기
(MWP)

자료: Cronin et al, 2010

했다. 일시적 중단도 있었고, 혼란을 초래한 일회성 사태도 있었다. 가장 분명한 것이 중대한 화산 분출 사태다. 백두산의 '천년 분화' 같은 것이다. 지금 북한과 중국의 경계에 있는 이 화산은 940~950년 무렵에 폭발했다. 또 하나는 최근에야 밝혀진 열대 지방의 화산 분출이다. 그것은 12세기 초에 일어나 유럽 일대의 흉작 및 기상 악화로 이어졌던 "잊힌 여러" 폭발 가운데 하나였을 것이다. 그 폭발로 인해 달은 흐릿했고, 그 빛은 너무도 약했다. 한 역사 기록자는 이렇게 썼다. 밤중에 "달은 더욱 완전히 어두워져 빛도 윤곽도 다른 어떤 것도 전혀 보이지 않았다." 분출 물질에 의해 만들어진 먼지막 때문이었다.[69]

그리고 규모와 결과 면에서 중대한 자연재해가 있었다. 1048년 7월 19일, 황허강의 북쪽 제방이 무너져 파멸적인 홍수가 일어났고, 700킬로미터에 이르는 새로운 물길이 뚫려 보하이만으로 들어갔다. 수많은 사람들이 익사해 "물고기와 거북의 밥이 되었다"라고 한 당대인은 말했다. 이어진 기근은 너무도 혹심해서 "아버지와 아들이 서로를 먹었다." 적어도 100만 명이 고향을 떠나 떠돌고, 사회적·경제적·정치적·환경적·인간적 충격을 초래해 일부 학자들의 주장에 따르면 그 여파가 80년 동안이나 이어졌다.[70]

1048년의 대참사는 새로운 농업 기술이 자리 잡고 그에 따른 인구 증가 및 사회 변화의 과정에서 안정성이 얼마나 중요한지를 보여준다. 예를 들어 과거보다 상당히 많았던 강우량 수준은 미국 서남부 포코너스 지역의 고푸에블로 문화의 변화를 설명하는 데 도움이 된다. 그곳 사람들은 오늘날 유타·콜로라도·애리조나·뉴멕시코주가 만나는 지역 일대에 흩어져 대략 1천 년 전 무렵 비에 의존하는 농사(그것이 옥수수 경작을 가능케 했다)를 시작했다. 이것은 특히 중요했다. 옥수수는 푸에블로 식단

의 60퍼센트(더 될지도 모른다)를 차지하는 식량원이었기 때문이다.[71]

물론 식량 증산은 그 자체로 덤이었다. 그러나 이 못지않게 중요한 사실은 더 많은 생산의 가능성이 지배층의 자원 및 의례 장악, 지역 교역망의 창설과 확장, 정치·사회·경제의 중앙집권화라는 익숙한 과정과 연결돼 있다는 것이었다.[72] 그 전형이 뉴멕시코 서북부 산후안 분지 차코캐니언의 '대옥大屋' 체제의 등장이다. 이 건물들은 권력자의 주거나 행정 중심지나 의례 목적의 장소 구실을 했다. 어쩌면 셋 모두를 겸했을 수 있다.[73]

이들 공동체의 복잡성 증가는 900년 무렵 이후 차코캐니언으로부터의 조달망 확대를 자극하는 데 이바지했다. 시야가 넓어지고 지배층의 소비 수요가 늘면서 칼리포르니아만에서 온 조가비, 멕시코 서부에서 온 구리, 메소아메리카에서 온 카카오가 더 많이 발견됐다.[74] 길고 화려한 깃털이 위신, 부, 종교적 지위의 상징으로 인식돼 특히 소중하게 여겨진 진홍색과 녹색의 금강앵무 또한 중앙아메리카에서 대량으로 수입되기 시작했다. 고푸에블로 공동체들에서도 그것은 집단의 단합과 연대를 도모하는 반복적인 의례에서 핵심적인 역할을 했으며, 가장 높은 사회 집단에 있는 사람들의 권력과 지위를 공고히 하고 증대시키는 위계를 뒷받침했다.[75]

중앙집권화와 팽창의 과정은 자원에 압박을 가했다. 국지적으로도 그렇고 그 범위를 벗어나서도 마찬가지였다. 다만 생태계 간섭을 통해 이를 경감할 수 있는 방법이 있었다. 예를 들어 쿠스코 부근 같은 안데스 지역에서는 빨리 자라는 안데스오리나무(학명 *Alnus acuminata*)를 널리 심었다. 이 나무는 척박하고 지력이 떨어진 땅에서도 잘 자라며, 침식을 줄이거나 아마도 빨리 자라는 목재 공급을 확보하기 위해 설계된 정교한 대규모 농림업을 증언하고 있다. 이는 페루 앙카시 고지에도 적용될 수 있을 것이다. 이곳에서는 당시에 일련의 복잡한 수리 시설망이 만들어졌다. 분명히 농촌 공동체들 사이의 협력의 결과였다.[76] 그 목표는 위험을 완화하기 위해 환경을 정비하고 천연자원의 장기적인 지속 가능성을 확보하기 위한 것이었다.

따라서 핵심은 생태학적 자각이었다. 그러나 새로운 기술의 개발과 개선 역시 마찬가지였다. 이는 때로 새로운 식민 세력이 도착함으로써 자극을 받았다. 예를 들어 안데스 사회들에서는 와리 문화가 600년 무렵부터 자기네의 통제 아래 영토와 사람을 확산시키면서 갖가지 새로운 생각들을 끄집어냈다. 그중 가장 중요한 것은 높은 산악 지대에서의 계단식 농업 도입이었다. 이는 초당 400리터의 물을 방류할 수 있는 발달한 수로망의 건설로 보완됐다. 상당한 물 공급이 필요한 곳에서 수로망은 중요한 역할을 했다.

규모를 실감해보자. 와리의 동맹 상대인 티와나쿠의 경제 중심지는 첸첸Chen Chen에 있었다. 이 대도시권 안팎에 살고 있던 사람들에게는 1년에 2억 5천만 리터의 물이 필요했던 것으로 추산된다. 그 주민들이 쓰고 농업 생산에 필요한 것이었다. 이는 더 상류에 있는 땅의 필요뿐만 아니라 투밀라카Tumilaca 같은 여타 집단들과의 사이에서도 미묘한 균형이 필요한 문제였다.[77]

따라서 그런 미묘한 상황 속에서 인구 팽창, 물 확보 경쟁, 과잉 개발, 그리고 물론 기후 패턴의 미묘한 변화는 문제를 일으켜 존재에 대한 위협으로 발전할 수 있었다. 그것이 얼마나 심각할 수 있는지는 10세기의 첸첸 약탈과 티와나쿠 붕괴를 통해 알아볼 수 있다.[78] 일부 학자들은 첸첸의 몰락과 위축을 가뭄 상황으로의 복귀와 연결시키지만, 사람들이 갑작스럽고 극적으로 문화 중심지에서 흩어져버린 것은 자기네의 분수

와 능력을 넘어서 살던 주민들이 변화하는 환경에 적응하지 못했음을 잘 보여준다.[79]

따라서 치무Chimú(사실상 와리의 후신이다)가 대형 기반시설 공사에 시간과 정력을 쏟았던 것은 우연이 아니다. 그중에는 매우 건조한 페루 해안을 따라 치카마강 유역과 모체강 유역을 연결하는 서반구 최대의 수로망 건설도 있었다. 그 목표는 첸첸과 주변 지역에 차질없이 물을 공급하는 것이었다. 양쪽은 다시 한번 번영을 누리기 시작했다. 이번에는 도시의 인구나 필요가 커지면서 수로가 더욱 확대됐다. 과거로부터 교훈을 얻었다는 명확한 표시였다.[80] 이런 조치는 어느 시기에나 중요한 일이지만 엘니뇨와 관련된 오랜 가뭄 기간에는 특히 필수였다.[81]

남아메리카의 여타 지역들은 800년 무렵부터 다른 기후 변화를 경험했다. 페루 북부 안데스 산지의 가파르고 숲으로 뒤덮인 중간 고도의 사면들에는 이례적으로 많은 비가 내렸다. 이 지역은 기후가 너무 습해 옥수수를 재배하지 않고 감자, 호박, 콩 같은 작물로 옮겨간 듯하다.[82] 차차포야Chachapoya 문화는 대략 이 시기에 나타났다. 이때는 또한 이 지역에서 와리의 영향력이 확대되던 순간이었다. 와리의 성공 열쇠는 환각물질이 첨가된 맥주의 광범위한 소비를 이끌어낸 것이었다. 그것이 희열과 고양된 의식에 참여하는 사람의 수를 늘렸다.[83]

비슷한 패턴은 아마존 동부에서도 볼 수 있었다. 남아메리카 계절풍계의 변화로 습한 기후에서 건조한 기후로 상당히 이동했다. 여기서도 식단과 생활방식에서 전면적인 변화가 일어났는데, 과리타Guarita 시기로 알려진 때의 분산된 정착지의 등장이 특징적이었다.[84] 브라질 남부 고원지대에서는 해안 공동체들이 교역망과 도기 유통을 확대했을 뿐만 아니라 800년 무렵에서 1100년 무렵 사이에 인구가 급증했다.[85]

그들의 팽창은 고고학자들과 역사가들을 흥분시켰다. 그들이, 관련된 모두가 부러워할 만한 결과를 낳았는지는 그리 분명하지 않다. 예를 들어 일본에서는 12세기 말 이후의 뚜렷한 온난기에 인구가 증가하고 인구밀도도 높아졌다. 그러나 대가를 치러야 했다. 기대수명이 급격히 떨어진 것이다. 자원을 둘러싼 잦은 갈등과 전쟁이 그 이유 중 하나였다. 이것은 일본에서 전사 계급이 등장한 것과도 밀접하게 연관돼 있었다.[86]

그러나 더 중요한 설명이 있었다. 서로 붙어사는 사람들은 전염병을 옮긴다. 흔히 가축, 설치류, 기생충에 의해 더욱 악화된다. 배수가 잘되지 않고 비위생적인 환경은 질병을 유발하는데, 때로는 위험하고 심지어 치명적일 수 있다. 유골에 대한 새로운 연구는 크고 작은 도시들의 수와 규모가 늘어나면 기대수명이 떨어진다는 것을 보여준다.[87]

신기하게도 유행병의 장기적 수혜자도 있었다. 천연두는 교역 증가와 함께 숙주가 더 밀집하고 그 수가 늘어 확산이 가속화됐는데, 일부 학자들은 그 잦은 발생이 "아이들의 고질적인 고통"이 되고 이에 따라 시간이 지나면서 면역력이 축적됐다고 주장한다.[88] 다시 말해서 살아남은 사람들은 저항력을 키웠고, 그것이 이후의 삶에서 도움이 되었다.

따라서 천연두를 둘러싼 계통발생학 분석, aDNA(고대DNA) 및 고古병리학 연구가 아직 특히 천연두를 규명할 수는 없다는 것이 흥미롭기는 하지만, 이 질병이 중세 초에 인도양 일대 곳곳에 널리 퍼졌다는 단서들이 있다. 11세기의 유명한 박식가 알비루니al-Bīrūnī는 천연두가 스리랑카에서 바람에 실려 온다고 썼다. 대략 이 시기에 벵골에서 이 질병과 특별히 연관이 지어진 힌두교 여신 시탈라Śitalā 숭배가 일어난 것은 감염병의 전염에 대한 인식과 우려가 증가하고 있었음을 시사한다.[89]

7세기부터 11세기 사이(상업적·정치적·문화적 접촉이 증가한 시기다) 실크로드 일대의 천연두에 관한 "저작 더미"는 빈번해진 접촉이 어떻게 질병을 확산시켰는지를 보여주는 또 다른 사례다. 거기에 감염자 수나 사망률은 나오지 않지만 말이다.[90] 치료법에 관한 생각, 치료 기술, 의학 지식의 전파는 아시아의 육로와 해로로 연결된 지역들의 중요한 특징이었다.[91] 과거에(현재도 마찬가지지만) 서로 연결된 교역망은 상품, 사람, 관념만 이동시킨 것이 아니었다. 이 연결망은 질병과 죽음 또한 확산시켰다.

공교롭게도 인도아대륙, 동남아시아, 중국과 그 너머 사이에는 오랫동안 광범위한 접촉이 있었다. 인도 굽타 왕조 때의 증거들은 5~6세기에 국지·광역·장거리의 접촉(외교적·상업적, 기타)이 있었음을 입증한다.[92] 해상 연결의 단서도 있다. 예를 들어 인도 남부 출신 공동체들이 6세기에 중국 항구들에 형성되어 있었음이 기록돼 있다. 지금의 태국 따까우빠Takaupa의 한 상인조합에 관한 타밀어 비문은 9세기 벵골만 양안의 교역 관계를 말해 준다. 한편 고古말라얄람어와 아라비아어, 중고中古페르시아어, 유대계 페르시아어가 새겨진 9세기 중반의 동판 모음은 이 시기 인도양의 세계화 수준을 보여준다. 그럼에도 불구하고 그 연결의 규모는 비교적 작았다.[93]

그러다가 900년 무렵부터 연결·유대·교환이 빠르게 증가하면서 극적으로 변했다. 기후 변화는 필시 이들의 유대를 이뤄내는 데 핵심적인 역할을 한 듯하다. 동굴 퇴적물과 기타 지표들은 300년에 걸치는 기간에 규칙적인 계절풍과 지속적인 강우가 있었음을 보여준다. 1030~1070년 무렵의 짧은 막간이 있었는데, 이는 보통 오르트Oort 태양극소기 탓으로 보고 있다. 태양 활동이 상당히 감소한 시기다.[94]

다른 지역에서도 그랬지만 온도와 강우량의 변화만큼이나 중요한 것은 기후 패턴의 안정성이었다. 아시아의 많은 지역에서 비가 충분히 내리면 특히 쌀 생산량이 크게 증가하는 것은 분명한 사실이다. 그것은 열량 섭취를 늘리는 데 도움이 되고 노동의 부담을 줄이며 인구 증가에 공헌했다.[95] 그러나 갑작스럽거나 장기적인 충격의 발생 빈도가 낮은 것은 아시아 역사에서 새로운 시대의 '도움 시동'이라고 묘사되는 깃의 기빈을 제공하는 데 마찬가지로 중요했다. 다시 말해서 크고 중앙집권화된 국가들이 동시에 생겨났다.[96]

중세 초에 한 무리의 제국들이 남아시아, 동남아시아, 동아시아에 생겨났다. 그 적절한 사례 가운데 하나가 중국의 송宋 왕조다. 그들은 10세기 중반부터, 10세기 초 당의 멸망 이후 분열됐던 땅의 상당 부분을 통합했고, 그 과정에서 중국 서남부 윈난성에 있던 대리大理 왕국 같은 이웃 나라들과 관계를 수립했다.[97]

송나라의 성공은 얼마간 현실적인 관료제 개혁 덕분이었다. 예를 들어 경제 호황은 상인들의 정치적 의사 결정 참여 확대의 덕을 크게 입었다. 마찬가지로 학식과 교육에 대한 투자와 개선이 좋은 결과를 가져왔고, 서적 출판 증가로 인한 지식 공유 확대도 마찬가지였다. 이들 모두는 변화의 시기에 대외 교역에 관한 제국의 정책에 영향을 미쳤다.[98] 온화하고 안정적인 기후 조건은 중요했다. 그러나 통화 정책, 도시화, 활기찬 교역 도시의 등장, 이들을 묶어주는 연결망(국내적·국제적으로)은 송나라를 제국 권력으로 변모시키는 데 이바지했다.[99]

다른 곳에서도 여러 왕조가 등장해 성공을 반복했고, 그들은 서로 모방하고 영향을 미치고 경쟁했다. 놀랍게도 그들은 무리를 지어 등장해 직간접적으로 서로를 자극했다. 인도 촐라 왕조, 지금의 미얀마의 파간, 캄보디아의 앙코르, 인도네시아 열도의 스리위자야, 지금의 베트남의 다이비엣이 거둔 성공은 거의 동시에 일어났다. 인도양과 아시아 상당 지역 일대에서 지리적·상업적·문화적 지평이 급속하게 넓어진 것의 일면이었다.

10세기 무렵의 이런 관계는 그만큼 밀접했기 때문에 장거리 교역의 단편적인 증거를 보여주는 것으로 그치지 않는다. 중국의 카이펑開封에서는 아라비아의 나라들, 인도의 촐라, 수마트라의 스리위자야, 중남 베트남의 참파에서 온 사절들을 맞았음이 발견된다.[100] 서아시아의 식탁은 고급스러운 중국 도자기로 장식됐고, "도자기임에도 불구하고 물의 반짝임을 볼 수 있다"라고 한 당대인은 썼다.[101]

이 접촉의 상당 부분은 교역에 의해 추진됐다. 호기심과 정보 수집을 위한 것도 있었다. 어떤 경우에는 수천 킬로미터 떨어진 곳과도 접촉했다. 아라비아 지리학자 알마수디는 스리위자야의 마하라자Mahārāja(대왕)에 대해 이렇게 썼다. 그는 "제한 없이 제국을 지휘한다. (…) 가장 빠른 수레를 타더라도 그가 지배하는 섬들을 돌려면 2년으로도 부족하다. 이 왕의 나라에서는 모든 종류의 향신료와 향료가 나며, 세상의 다른 어떤 군주도 그의 나라에서 뽑아내는 것만큼의 부를 뽑아내지 못한다."[102]

아시아, 북아프리카, 유럽의 상당 지역을 연결하는 세계적 교역망으로 진전되는 데 핵심적 역할을 한 것은 인도 남부의 촐라 왕조였다. 촐라의 기원은 분명하지 않다. 9세기 이전에 이 지역 상당 부분을 지배했던 팔라바Pallava를 대체했거나, 강우 패턴이 개선되면서 안정적인 농업경제를 이룩한 좋은 시기의 수혜자였을 것이다.[103] 촐라 왕가는 무시무시한 지배자들이었으나 행운아들이기도 했다.[104]

촐라 지배하의 영토는 10세기 말부터 여러 가지 물리적 변화를 겪었다. 그중 가장 눈에 띄는 변화는 작은 사당과 숭배 장소에서 거창한 종교 시설로 전환한 것이었다. 지금의 타밀나두주 강가이콘다촐라푸람Gaṅ gaikoṇḍa Chōḷapuram에 있는 것 같은 거대한 신전을 짓는 데 들어간 자원에 더해 수많은 음악가, 무용수, 배우, 금 세공사, 독경사讀經師 등이 고용돼 지배자의 권력, 부, 영광과 그들이 누리는 신의 가호를 강조했다.[105]

촐라의 지배자들은 해상무역에서 이득을 얻는 데 관심을 쏟았다. 한 지배자는 상인들에게 외국에서 온 손님들을 후하게 대하라고 촉구했다. 그들을 확실히 후대하기 위한 방법으로 접대를 하고 선물을 주게 했다.[106] 1010~1020년대에 쓰인 비문들은 촐라 지배자들이 동남아시아에 더 큰 관심을 기울였음을 시사한다. 아마도 지역 및 장거리 교역의 통제권을 얻으려 했을 것이다. 확장하지 않으면 망하는 상황에서 그렇게 하지 않으면 스리위자야에 의해 믈라카해협 통과가 막혀 더 비싼 값을 치러야 할(또는 그 결과로 공급이 막힐) 수 있었다.[107]

촐라 왕국은 세계의 다른 지역과 나라들에 개방된 데 대해 반응하면서 빠르게 진화했다. 화폐 주조는 취해진 여러 조치들 가운데 핵심 요소의 하나였고, 그것이 농업경제에 대한 관료의 통제를 강화했다. 이것은 촐라 영토 안에서 시바 신 숭배 확산이라는 형태로 문화적 규범을 확장하는 일과 병행됐다. 공통의 정체성 촉진을 위한 수단이었던 것이다.[108]

촐라의 지배자들은 파라마라Paramāra, 찰루키아Chalukya, 라슈트라쿠타Rāṣṭrakūṭa 같은 남아시아의 다른 굽타 이후 왕조들과 마찬가지로 역시 자기네의 가계를 먼 과거와 연결시키고자 했다. 자기네의 권위를 높이기 위한 한 방편으로 성스러운 문헌 푸라나purāṇa들과 연결시켰다. 가장 유명한 것이 1905년 지금의 타밀나두 북부 바타라녜슈바라Vāṭaraṇyeśvara 신전의 사당에서 발견된 여러 개의 유명한 동판들이다.[109]

예기치 못한 상황에 대비하기 위해 역대 지배자와 관리들이 취한 조치들 역시 중요했다. 계절성 강우에 대한 의존도가 높았기 때문에 물을 저장하기 위한 수조를 만드는 데 많은 투자가 이루어졌다.[110] 적응과 혁신 또한 중요했다. 수도를 처음에 우라이유르Uraiyur에서 탄자부르로, 그리고 다시 강가이콘다촐라푸람으로 이전한 것이 그 한 사례다. 농작물에 물을 대는 방식들을 구분(아마도 왕에게 이익이 되는 중앙의 수입을 극대화하기 위한 것이었을 듯하다)하기 위한 토지세의 근본적 개혁 실행은 또 다른 사례를 제공한다.[111]

앙코르에서도 사정은 비슷했다. 이곳에서는 엄청나게 밀려든 인구(일부에서는 전성기에 75만 명이나 되었다고 추산한다)를 부양하는 데 도움을 주기 위해 거대한 저장 시설들이 건설됐다. 그 결과로 이곳은 "공업화 이전 세계의 최대 저밀도 도시 복합체"가 되었다.[112] 중심부와 주변부를 합쳐 1천 제곱킬로미터 이상을 차지했던 이 도시에는 곳곳에 거대한 신전, 의례儀禮 무도장, 궁궐 단지들이 있었다. 그것들은 인도 남부로부터 큰 영향을 받았다. 힌두교와 불교의 영향이 두루 컸고, 그 둘이 뒤섞이기도 했다.[113]

앙코르는 대규모 수리 시설이 특징이었다. 그것이 주민들에게 물을 공급하고, 갑작스럽게 강우량이 감소할 경우의 충격을 완화시켰다.[114] 이는 사회적·정치적 안정을 위해서뿐만 아니라 주민들의 식량 공급을 확보하기 위해서도 중요했다. 주민의 규모만으로도 가뭄이나 홍수 같은 약간의 기후 충격이 있을 경우 분명한 위험이 닥칠 수 있었다.[115]

파간과 다이비엣 등에서는 물 공급이 그다지 큰 문제가 아니었다. 강이 많았기 때문이다. 그럼에도 불구하고 수백 년에 걸쳐 평상시보다 비가 많이 내리면 고지에서 가뭄으로 인한 사망률을 낮추는 데 도움이 되었다는 주장이 나왔다. 이것이 이주를 부추겼고, 이에 따라 도시와 지역

에서 인력과 수용력이 증가해 해당 지역과 멀리 떨어진 지역 모두에서 생산성을 더욱 자극했다.[116]

이들 국가는 모두 뚜렷한 경쟁 없이(또는 쉽게 경쟁자를 흡수하며) 확장을 이루는 행운을 누렸다. 그러나 시간이 지나면서 그들은 서로 접촉하게 되었고, 결국 자원과 지위를 놓고 경쟁했다. 시장의 압력은 가격을 끌어내릴 수 있었으며, 물자와 생산물의 통제를 둘러싼, 그리고 운송의 길목을 둘러싼 경쟁은 적대감과 어떤 경우에는 군사적 대결로 번질 수 있었다. 인도양과 중국 사이의 통과 지점이 되는 항구들에 대한 미얀마 왕정의 관심은 11세기에 지역 안에서 적대감을 키웠고, 항구들을 통제하기 위한 다툼은 그로부터 얼마 지나지 않아 앙코르와 참파 사이의 여러 차례 분쟁으로 이어졌다.[117]

서로 뒤얽힌 인도양 세계는 새로운 현상이 아니었다. 고대에도 아시아 여러 지역의 해안과 내륙을 아프리카, 지중해 연안, 유럽과 연결하는 긴밀한 관계가 있었기 때문이다. 차이가 있다면 활동의 규모였다. 시야와 야망이 거창한 국가와 왕국의 등장은 규모와 물량 모두에서 눈에 띄는 상업적·문화적 교환의 속도를 과시했다. 이것은 9~10세기에도 이미 분명했다. 수만 점의 중국산 도자기, 인도산 청동 제품, 자바산 광택 거울, 이집트산 유리 제품을 실은 배들이 이리저리 돌아다녔다. 그러다 가끔 해저에 가라앉았다.[118]

이것이 세계의 여타 지역에서도 흥미를 자극했다. 중국의 한 황제는 코끼리와 코뿔소를 어떻게 잡는지 알고 싶어 했다. 한 사절은 이렇게 대답했다. "코끼리를 잡으려면 유인용 코끼리를 써야 합니다. 그것이 코끼리들이 있는 곳으로 바짝 다가가면 커다란 올가미 줄로 잡습니다. 코뿔소를 잡으려면 한 사람이 활과 화살을 들고 큰 나무 위로 기어 올라가 망을 보다가 코뿔소가 나타나면 활을 쏘아 죽입니다. 새끼 코뿔소는 활을 쏘지 않고 잡을 수 있습니다."[119]

코뿔소 뿔, 상아, 등나무 깔개와 함께 비단, 피륙, 우산 등이 참파 같은 가까운 곳의 상인들을 통해 중국 송나라에 들어온 것으로 알려져 있다. 참파는 더 먼 곳에서 오는 상품들(자바의 피륙, 서아시아의 향료 등)을 취급하는 중간상인들의 기지 노릇도 했다.

이국적인 것과 온갖 종류의 물건들이 거래됐다는 사실도 흥미롭지만, 접촉이 긴밀해지면서 표준화의 추세가 가속화됐다는 점을 지적해둘 필요가 있다. 그 적절한 사례는 다이비엣, 앙코르, 자바의 요업으로, 이 업계는 시간이 지나면서 중국 도자기의 디자인을 본떠 변모하게 되었다.[120]

그리고 지금의 보츠와나 림포포강과 샤시강 유역에는 투츠웨모갈라Toutswemogala 왕국 및 마풍구브웨 왕국의 문화들이 있었다. 이 왕국들은 8세기부터 12세기까지 성장하고 번영을 누렸다.[121] 둘 모두 대大짐바브웨 남쪽에 있었는데, 대짐바브웨 역시 11세기부터 남아프리카에서 번영을 누렸다. 그 중심지는 거의 100만 개의 돌로 쌓은 일련의 거대한 성들로 둘러싸인 정착지였다. 그곳에서는 측주側柱 위에 올려진 새와 사람 입술 모양의 동석凍石 조각상이 발견됐다.[122]

이 성벽들은 방어용 구조물이라기보다는 권위를 천명한 것이었다. 수천 명에 이르는, 공동체 내의 가장 강력한 성원들이 들어가 사는 울타리로 건설되었다. 가장 오래된 곳인 '언덕 단지'는 영적 중심지이자 왕의 의례 장소였다. 온화한 날씨를 위해 조상을 달래고 신들에게 희생을 바치는 의식들이었다. 페르시아, 시리아, 중국에서 온 상품과 사치품들이 발견돼 남아프리카 역시 이 시기 동안 장거리 교역망의 형성에 개입됐음을 보여준다.[123]

아프리카의 다른 사회, 문화, 민족, 지역들도 마찬가지였다. 킬와Kilwa 섬은 인도양 연결망에서 핵심적인 역할을 했다. 특히 스와힐리 해안(스와힐리인들이 사는 아프리카 동해안의 중부 지역)과 동아프리카를 해상로뿐만 아니라 남아프리카와 연결했다. 킬와가 유명해진 이유 중 하나는 계절풍을 타고 북쪽에서 내려오는 배들이 항해할 수 있는 남쪽 끝에 자리 잡은 덕분이었다. 이로 인해 그곳은 상아와 목재, 그리고 무엇보다도 지금의 모잠비크 광산에서 나오는 금의 수출 중심지가 되었다. 이곳에서는 멀리 중국에서 오는 수입품들도 거래되었다. 11세기 이후의 것으로 드러난 도자기 자료가 이를 입증해준다.[124]

킬와는 "세계에서 가장 아름다운 도시 중 하나"라고 이븐바투타는 말했다. 그럼에도 불구하고 그 이슬람교도 술탄과 주민들은 본토에 사는 사람들과 상시적인 갈등 상태에 있다고 그는 지적했다.[125]

킬와는 소말리아에서 모잠비크와 마다가스카르 북부까지 뻗어 있는 동아프리카 해안 곳곳의 여러 도시 중 하나일 뿐이었다. 이들 도시에는 흔히 이슬람 사원과 산호로 쓴 무덤, 배후지와 인도양 사이의 교역에 긴밀하게 개입돼 있는 지배층의 가옥이 있었다.[126] 유리구슬 작품들은 페르시아만 및 남아시아와의 연결에 대한 중요한 통찰을 제공한다. 동아프리카와 마다가스카르에서 발견된 많은 수의 10~11세기 파티마 왕조 이집트의 주화도 마찬가지다. 그것은 교역의 남북 축에 대한 증거를 제공할 뿐만 아니라 마다가스카르와 코모로제도가 이 시기 북아프리카에서 생산된 멋진 물항아리에 사용된 이례적으로 순수한 수정의 산지일 가능성도 시사한다.[127]

개개의 도시는 크기와 사회 구조에서 상당히 달랐지만, 역내 교역이 이루어지는 더 넓은 상호의존적 그물망의 일원이었다. 그 망은 언어의 유사성에 의해, 사실상 12세기부터 확산되기 시작한 이슬람교에 의해, 서로 다른 지배자와 민족들 사이의 관계를 구축하고 강화하는 데 도움이 되는 의례(그중 하나가 연회였다)에 의해 함께 묶여 있었다.[128]

이 장거리 연결망의 지속적인 발달은 기회와 함께 문제를 가져왔다. 잔지바르섬의 웅구자우쿠Unguja Ukuu 같은 곳은 스스로의 성공의 희생양이 되었다. 늘어나는 인구를 부양하기 위한 농업 활동에서 나오는 퇴적물과 음식 잔여물 및 일반 쓰레기가 쌓이면서 퇴적층이 두꺼워졌고, 결국 동아프리카의 주요 교역 중심지 가운데 하나가 쇠락하고 마침내 버려졌다.[129]

다른 곳에서는 연결이 확대되자 국가가 교역을 독점하고자 하는 일로 이어졌다. 기존의 이익을 보호하고 정치적 중심의 권위를 주장하기 위해서였다. 중국 송 왕조 당국이 자주 대외무역에 간섭하고 금령을 발포하며 개혁을 발표하고 상품과 상인의 동향을 꼼꼼하게 추적한 이유 가운데 하나였다. 이는 사람들이 더 부유해지고 어떤 경우에는 더욱 모험적이 되면서 다른 분야로 파급됐다. 지식인 계급(그들은 궁정 및 관료 생활을 평가하고, 현재를 비추는 거울로 역사를 바라봤으며, 자기네 나름의 지식인 연결망을 구축했다)의 등장은 큰 발전이었고, 부분적으로 국제적 접촉 증가의 결과인 넓어져가는 사회의 한 부산물이었다.[130]

전 세계적으로 800년 무렵부터 1200년 무렵까지는 중대한 변화의 시기 가운데 하나였다. 대규모 화산 활동이 없어 기후 재편의 영향이 호전된 시기였다. 새로운 지역으로의 이주, 물을 다루는 새로운 기술 개발, 농업 생산의 확대는 지역마다 서로 달랐던 새로운 문제 더미에 대처하기 위해 채택하고 조정한 전략들 가운데 일부일 뿐이었다.

몇몇 경우에 생태의 변화는 중대한 결과를 가져왔다. 예를 들어 중국 농민들이 11세기 초 창장과 화이허강 유역의 가뭄 이후, 가뭄에 강하고 일찍 여무는 참파 벼 품종을 채택한 것은 미래의 기후 충격에 대비한 보장의 수준을 높이는 데 중요한 일로 생각됐다. 새 품종은 열량 섭취를 보장하는 데 도움이 되고 더 많은 인구를 부양할 수 있을 뿐만 아니라 그렇게 함으로써 정치적 안정을 위한 조건도 만들어냈다.[131] 따라서 당연한 얘기겠지만 이 시기는 또한 동아시아에서 자연환경에 대한 여러 가지 개입이 이루어진 시기이기도 했다. 대규모 관개시설을 건설하고, 제방을 축조했으며, 농경지로 쓸 새로운 공간을 조성하고자 개간을 했다.[132]

경제의 확대, 농업 생산, 인구 증가는 아시아, 아프리카, 남·북아메리카 여러 지역의 화두였을 뿐만 아니라 유럽에서도 마찬가지였다. 이곳에서도 인구 수준이 치솟았다. 800년 무렵부터 1200년 사이에 세 배로 늘었다느니 네 배로 늘었다느니 하는 평가들은 좀 과하게 잡은 듯하지만 말이다.[133] 일부 역사가들은 이것이 인간과 그들이 사는 생태 및 환경 무대 사이에 경주가 시작된 배경이었다고 지적했다. 인간은 늘어만 가는 인구를 부양하기 위해 허우적거려야 했고, 인구 증가는 거의 불가피하게 위기로 이어졌다.[134]

그러나 무엇보다 중요한 것은 전체 인구수가 아니라 인구의 분포와 밀도였다. 항저우나 카이펑 같은 도시들은 흔히 100만 명의 주민이 살았다고 여겨지는데, 그런 평가는 적당히 개략적이고 분명히 과장된 것이지만 이들 도시에 상당히 많은 사람이 살았다는 것은 틀림없는 사실이다.[135] 또 다른 지역과 역사의 다른 시기의 다른 도시들도 마찬가지지만 도시들의 실제적인 필요(사치품은 차치하더라도 음식, 물, 연료 같은 것들)는 상당했고, 생태 자원에 부담을 줄 뿐만 아니라 효율적이고 강력한 공급망을 필요로 했다. 이것이 파간(나중에 '적을 짓밟는 도시'라는 뜻의 아리마다나푸라Arimaddana-pura로 알려지게 된다) 같은 도시들의 문제였다. 이곳은 바닷물 유입 및 강의 잦은 퇴적과도 싸워야 했다.[136]

거대한 앙코르와트 단지를 비롯해 3천 개의 사원이 있던 도시 앙코르에서는 신선한 물을 집수해 흘려보내는 정교한 저수 및 수로 시설이 주민들에게 물을 공급하고 지역의 들판에 물을 대는 데 도움을 주었다. 이런 시설들을 건설하는 데는 많은 인력이 필요했을 뿐만 아니라 모래와 쓰레기로 수로가 막히는 일을 막기 위해 상시적으로 관리해야 했다.[137] 이는 인건비가 많이 들고 감독과 협력, 그리고 기술적 능력이 필요했다는 얘기다. 수리 시설은 한 가지 위험을 줄이기 위해 설계된 것이지만, 그렇게 함으로써 또 다른 위험을 끌어들였다. 집권화한 권력의 어떤 잘못이나 그에 대한 어떤 도전도 금세 확대돼 문제를 일으키고, 주민의 생계와 도시의 생존 능력을 위협할 수 있었다.

기후 조건의 비교적 사소한 출렁임에도 도시 정착지가 쉽게 위협받을 수 있음은 12세기 중반 레반트에서 분명히 드러났다. 이곳에서는 비가 조금만 늦게 와도 우려와 고통을 불러일으켰고, 비가 내리면 기쁨에 넘쳐 환호했다. 이 시기의 유명하고 중요한 지도자였던 누룻딘Nūr al-Dīn Maḥmūd이 바알벡에 갔을 때의 이야기다. "정해진 섭리와 천상의 자비로 하늘이 비와 이슬과 쏟아낼 물을 머금은 그 샘을 열어 세찬 소나기가 화요일부터 다음 화요일까지 쏟아졌다. 강이 흘러넘치고 호란ḥawrān의 못들이 가득 찼으며, 물레방아가 돌고 시들었던 농작물과 초목이 파릇한 새싹을 다시 틔웠다." 이런 시기적 우연은 누룻딘에게 정치적 자산을 만들어주었다. 사람들은 비가 "그의 성스러운 영향력, 그의 공정성, 그의 올곧은 행실"의 결과라고 단정했다.[138]

모술 사람들은 1170년대 말에 운이 좋지 않았다. 가뭄과 기근이 매우 심해 시민들은 포도주 판매 금지를 요구했다. 비가 오지 않는 것은 술을 마시려는 사람들의 불경에 대한 신의 징벌이라고 판단한 것이다. 설상가상으로 강한 모래폭풍이 하늘을 "너무 어둡게 만들어 자기 옆에 있는 사람도 볼 수 없었다." 그래서 사람들은 하루 종일 기도하며 신에게 용서를 빌었다. "그들은 심판의 날이 왔다고 생각했다."[139]

운명의 변화는 압둘라티프 알바그다디'Abd al-Laṭīf al-Baghdādi라는 의사가 쓴 글에 포착됐다. 이 글은 13세기 초 이집트에서의 삶의 한 단면을 드러낸다. 글은 풍요에 대한 기록으로 시작한다. 세 마리의 구운 새끼 양과 아흔 마리쯤의 닭, 그리고 다른 새들로 만든 인상적인 거대 파이 조리법이 나온다. 많은 가족과 친구들이 소풍 갈 때 싸 가기에 안성맞춤일 듯하다. 글은 이어 갑작스러운 식량 부족과 질병 확산의 참상을 세세히 묘사한다. 너무 많은 사람이 죽었다고 그는 썼다. 머리가 "다른 사람의 머리 위에 켜켜이 쌓여 있었다. (…) 구경꾼에게 그것은 수확을 하면서 새로 따서 쌓아놓은 수박 통들처럼 보였다." 압둘라티프는 며칠 뒤 다시 모습을 보았다. "태양이 내리쬐어 살이 떨어져나가고 그것이 허옇게 변했다." 그것은 이제 "타조 알이 쌓여 있는 것처럼" 보였다.[140] 사람이 밀집해 살고 갑작스러운 식량 부족에 서둘러 대처할 수 없었던 곳에서는 이렇게 풍요가 공포로 바뀌는 데 그리 많은 시간이 걸리지 않았다.

건조한 기후 조건은 일부 논자들에게 곤혹스러움의 근원이었다. 특히 이 지역의 과거 역사에 대해 읽은 사람들에게 그랬다. 십자군 시대의 유명한 대주교이자 역사 기록자인 티레의 기욤Guillaume de Tyr은 수백 년 전 가이우스 솔리누스Gaius Solinus가 로마 세계의 여러 곳에 대해 쓴 기록을 읽고 어리둥절해졌다. "나는 유대가 물로 유명하다는 솔리누스의 이야기에 깜짝 놀랐다." 기욤은 12세기 중반에 이렇게 썼는데, 글을 쓸 당시에는 기후가 건조해서 각 가정이 살아남으려면 비와 생존을 위한 그들의 지혜에 의존해야 했기 때문이다. 그는 이렇게 덧붙였다. "나는 이를 설명할 수 없다. 그가 진실을 말하지 않았거나 이 세상의 모습이 그 이후 바뀌었다고 결론지을 수밖에 없다."[141]

공교롭게도 호수 침전물, 동굴 퇴적물, 꽃가루 자료, 나이테 표본에서 나온 증거는 12세기 후반 아나톨리아, 시리아, 발칸반도에서 기후가 더 건조하고 더 추워졌음을 보여준다.[142] 건조화는 또한 이 시기 중앙아시아 여러 지역의 특징이었던 듯하다. 세기 후반에는 정착지들이 점차 축소됐다는 증거가 있다. 이 시기에는 몽골 평원에서도 큰 피해를 입힌 긴 가뭄이 들었다.[143] 아마도 놀라운 일은 아니겠지만 당시는 유목민 집단들에게 상당한 격동과 불안정의 시기였다. 줄어드는 자원을 둘러싸고 그들이 극심한 경쟁을 벌였다는 것은 갈수록 상황이 엄중해졌음을 알려준다.[144]

1200년 무렵 나이저강과 바니강의 범람원에 있던 도시 젠네젠노Djenné-Djenno 안팎의 극적이고도 외견상 갑작스러운 인구 감소 또한 기후 요인이 작용했음을 암시한다. 이 도시의 미술과 건축은 그 이전 수십 년 동안 대단하게 꽃을 피웠으나, 이 시기에 갑작스럽게 종말을 고했다. 지금의 말리에 있던 디아Dia와 아쿰부Akumbu 공동체 같은 나이저강 범람원의 다른 대규모 도시 정착지들 역시 크게 축소됐다.[145] 환경 자료가 없어 기후 요인에 대한 가설은 어디까지나 추측에 의존하고 있다. 아마도 불확실하기까지 할 것이다. 불과 몇 킬로미터 떨어진 곳의 유명한 이슬람 대사원이 있던 자매 도시 젠네는 그 시기나 이후에 같은 불운을 겪지 않은 듯하기 때문이다.[146]

사실 인구 붕괴는 질병 발생이나 정치적 내분 및 불안정으로 인해 발생했을 수도 있다. 예를 들어 일부 학자들은 북아메리카 커호키아의 쇠락이 천연자원(특히 목재)의 고갈로 인한 생태계 파괴 때문이라고 주장했지만, 다른 학자들은 배설물 표본에 나타난 인구 감소의 증거가 1200년 무렵의 여름 강수량 변화(그것이 옥수수 수확량에 영향을 미치고 삶을 더 어렵게 만들었다)와 상관관계가 있다고 주장했다. 또 다른 사람들은 좀 더 일상적인 설명이 가장 그럴듯할 것이라고 지적했다. 즉 커호키아 사회 내부의 지도자들이 너무 많은 권력을 가지려고 해서 현지의 반란을 촉발하고 정착지들 사이에 내분이 일어나 격렬한 싸움으로 번졌다는 것이다. 이전에 협력했던 집단들이 상대로부터 스스로를 보호할 필요성은 도시가 방어용 성벽, 목책, 해자로 요새화된 이유를 설명해준다. 강수량의 변화 때문이 아닌 것이다.[147] 당연히 계절 강수량 변화로 인한 자원 부족이 상황을 악화시키기는 했을 것이다. 그러나 기후 변화는 보조적인 요인이었지 쇠락의 직접적인 원인은 아니었던 듯하다.

그런 구별은 중요하다. 특히 당대에 생태적·환경적으로 명백히 지속 불가능하고 스스로 몰락의 씨를 뿌린 사회들로부터 교훈을 얻는 데 초점을 맞추었기 때문이다. 예를 들어 앙코르의 경우 극복하기 어려웠던 것으로 입증된 것은 수십 년 지속된 가뭄과 세찬 계절풍(고고학적 증거와 나이테 및 기타 증거가 이를 시사한다)이라기보다는 그 둘 사이를 오락가락했던 점이라고 설득력 있게 주장돼왔다. 여러 해 동안 건조한 날이 이어지다가 매우 많은 비가 내리는 기간이 길게 이어지는 바람에 계획을 세우기가 어려웠고, 도시와 주민들의 필요를 관리하는 데 요구되는 복잡한 사회경제 체제가 손상됐다.[148]

역사가들 역시 지적했듯이 해상 연결이 강화되는 새로운 국면(특히 메콩강 삼각주에서)은 지배층에게 무역의 이득과 보상 쪽으로 좀 더 다가서게 했을 것이다. 이로 인해 앙코르를 아시아 최대급의 도시로 만들었던 수리시설들은 황폐화되었다. 전문 지식, 가용 노동력, 투자, 지도력, 감독의 부재가 겹친 결과였다. 신전의 건립과 유지, 공공 서비스에 막대한 투자를 한 것도 부담이 되었다.

크메르 지배자들은 '건설 잔치'를 벌였다. 자야바르만 7세(재위 1181~1218)는 "다른 어느 나라의 다른 어느 군주도 따라올 수 없는" 건설 공사를 지휘했다. 100개가 넘는 병원 연결망(각각에는 담을 두른 구내, 돌로 가선을 두른 못, '도서관' 건물이 있었다)과 성소聖所, 의례용 제단, 초목·향신료·귀중품(왕의 창고에서 1년에 세 번씩 내왔다) 저장고 등이 지어졌다. 이 모든 것은 그가 즉위하고 4년 이내에 마무리됐으며, 막대한 재정을 쏟아부었을 것이다.[149]

그렇게 무분별하게 흥청거렸으니 좋은 시절이 고꾸라지는 것은 금세였다. 그러나 14세기 초에 임계점이 왔다. 이때가 크메르의 역사에서 힘겨운 시기였다. 자야바르만의 신전은 여기저기서 훼손됐고, 인공물들도 파괴됐다. 의례로서의 불상佛像 매장이 그것을 보호하기 위해 모래 침상에 조심스럽게 안치한 채 이루어졌다.[150] 생활비가 빠르게 올랐고, 그러면서 과거의 일 처리 방식에 대한 믿음도 사라져갔다. 체면치레를 해야 하는 구체적인 현실이 쇠락을 불러왔다. 기후 변화가 초래한 파멸적 붕괴가 아니었다.[151]

마찬가지로 동남아시아 파간 왕국의 몰락에 대해서는 여러 가지 뒤얽힌 설명이 있지만, 앙코르의 몰락과도 일치하는 그 궤적에 가장 부합하는 설명은 그들 역시 스스로의 성공의 희생물이었다는 것이다. 11~12세기의 역대 지배자들은 다양한 민족과 문화를 묶어주는 관념들을 융합할 수 있었다. 그리고 이를 거대한 기념비적 건축물로, 그리고 미술·문학·언어를 통해, 중량 표준화와 화폐경제의 도입 같은 좀 더 현실적인 조치들을

통해 표현할 방법을 찾을 수 있었다.[152]

파간의 지배자들은 상당한 자원을 불교 사원과 기관을 위한 종교적 후원에 투자했다. 자기네 권력을 지원하고 확인해준 대가였다. 아난다Ananda, 쉐산도Shwesandaw, 탓빈뉴Thatbyinnyu 같은 사원(10∼13세기에 건립된 2천 개 사원 중 대표적인 것들이다) 건립은 그저 불교의 윤회와만 관련된 것이 아니고 권력의 선포에 이바지하게 하려는 것이었다. 왕의 기부는 지배층의 후원으로 보충됐는데, 그들은 이를 통해 지위를 얻고 한편으로 더 나은 다음 생을 보장해줄 공덕을 쌓고자 했다.[153]

불가피하게 시간이 지나면서 힘의 균형은 세속권력 쪽에서 이동해 사원 기득권층 쪽으로 기울었다. 더 많은 땅과 그 산물과 조세 수입이 열성 종교인의 수중으로 넘어가면서 왕은 명목상으로 통치하고 있는 영토에서의 권위가 줄어들었다. 당연히 미래를 위한 투자(상업이든 군사적 능력이든 그저 유력자들의 충성을 유지하기 위한 것이든) 여력도 줄었다.[154]

파간은 적합한 기후 조건이 제공한 도약대의 수혜자였다. 농사가 잘되어서 충분하고 안정적인 식량 공급이 가능해지자 도시화 과정이 자극되었다. 이에 따라 전문화와 찬란한 문화적 개화, 활발한 지역·광역, 심지어 대륙 간 교역망의 건설로 이어졌다. 시간이 지나자 그것은 타격을 입었고, 거기서 회복하기는 불가능한 것으로 드러났다.

파간과 앙코르가 과도함 때문에 몰락했다는 주장은 지나친 단순화이자 과장일 것이다. 그럼에도 불구하고 재정 자원 감소의 영향과 왕실 재산이 사실상 종교 재단으로 이전돼버린 것의 영향을 부인하기는 어려울 것이다. 그러나 뭉뚱그려 보면 남아시아와 동남아시아 대도시들의 몰락을 이해하는 가장 중요한 방법은 스스로의 성공의 희생자로 보는 것일 듯하다.[155]

소비 패턴의 변화와 적응 불능(또는 거부)의 결합은 또한 그린란드의 노르드인 공동체의 실패를 설명해준다. 14세기 초 이래의 냉각 과정에서 북극 유빙괴流氷塊가 확장하고 강우량이 크게 줄었으며 농작물이 생장할 수 있는 기간이 짧아지고 가축에게도 보다 엄혹한 조건이 되었다. 모든 것이 어려웠다.

그러나 더 분명하게 드러난 것은 그린란드의 노르드인들이 포경작살과 카약 같은 이누이트의 북극 적응 기술을 채택하지 않았다는 점이다. 아마도 자존심의 발로이거나, 이누이트인을 깔보고 그들과 거리를 두려는 "극심한 문화 보수주의" 때문이었을 것이다. 골격학과 DNA 증거는 정착자들과 이누이트의 혼혈이 아예 없었음을 시사한다.[156]

사실 가치가 입증된 도구의 채택을 거부하는 것조차도, 기후나 적응과 관련이 없고 시장 세력과 많은 관련이 있는 다른 곳의 발전보다 덜 중요했을 것이다. 그린란드의 가장 중요한 가치는 모피와 바다코끼리 가죽 및 이빨 수출품의 산지라는 것이었다. 그러나 14세기 초부터 벨리키노브고로드와 러시아 도시들을 백해와 연결하는 새로운 교역망이 새로운 동물 가죽과 모피의 산지로 가는 길을 열어 북극 지방에서 오는 공급품에 경쟁이 붙었다. 한편 삼줄은 두껍고 질긴 바다코끼리 가죽으로 만든 것에 비해 값싸고 더 풍부한 대안을 제공했다. 또 바다코끼리 이빨 시장은 한편으로 아프리카에서 상아 공급이 늘고 다른 한편으로 기호와 문화가 변화(종교적 미술품 생산에서 상아를 외면하게 된 것 따위)함에 따라 위축됐다.[157]

그 모든 것 외에도 기후 조건이 더 열악해지고 경제적 현실이 더 어려워지면서 노르드인 공동체의 경우 삶은 더욱 위태로워졌다. 이누이트(정착자들은 그들을 스크랠링기skrælingi라 불렀다)의 공격도 거세졌다. 기회주의의 발로이기도 했고, 자원과 장소를 둘러싼 경쟁 때문이기도 했다. 이런 습격들은 파괴적이고 기를 꺾는 것이었다.[158]

그럼에도 불구하고 800년 무렵 이후 세계 기후가 재편됐던 것과 마찬가지로 약 400년 후에 패턴이 변하기 시작했다. 갑작스러운 것도 아니고 꾸준한 것도 아니었지만 말이다. 충격은 12세기 말에 이미 지중해 동부와 중앙아시아에서 느껴지기 시작했고, 대략 비슷한 시기에 환태평양 지역에서 나타난 변화와 맞아떨어지는 듯하다.

습한 기후 조건은 폴리네시아에서 하와이, 아오테아로아(뉴질랜드), 라파누이(이스터섬)로의 새로운 이주 및 정착 물결과 시기적으로 겹쳤다.[159] 이때는 또한 폴리네시아인과 남아메리카 주민 집단 사이의 일회성 접촉이 이루어지던 시기였다. 폴리네시아의 한(또는 몇) 집단이 태평양을 완전히 가로질러 갔다가 성공적으로 돌아온 결과였거나, 남아메리카의 집단들이 1200년 무렵 길을 떠나 폴리네시아 섬들에 도착한 결과였을 것이다.[160]

태평양을 건넌 인구 분산의 원인은 복합적이었다. 기후 변화가 중요한 요인이었던 듯하지만, 장자 상속 관습(그것이 한 가족 성원에게 권력을 집중시켰다)이 새로운 기회 탐색을 부추겼을 것이다.[161] 사실이야 어떻든 새로운 정착은 이전에 사람이 살지 않던 섬들에 생태적 변화를 초래했다. 인간의 개입(사냥 또는 개간 등)에 의한 삼림 파괴와 조류 및 포유동물 종의 급감 같은 것들이다. 그 맨 꼭대기에 있는 것이 새 정착자들이 의도적으로 데려온 가축화된 동물, 그리고 인간과 함께 배에 실려 온(아마도 우연한 일이었을 수도 있고 그렇지 않을 수도 있었다) 폴리네시아쥐 같은 설치류가 끼친 해악이었다.[162]

13세기 말에 많은 태평양 섬들에서의 삶이 위태로워졌다. 폭풍우가 잦고 강해지며, 해수면이 내려가고, 해안 지역에서 식량 자원이 급격하게 줄어 많은 섬 공동체들을 변모시켰다. 쿡섬 주민들이 남태평양 일대에서 진주조개를 채취해 팔던 것이 중단됐고, 라파누이섬의 고기잡이도 급격하게 감소했던 듯하다. 안락한 주거 지역이었던 해안의 후미는 예를 들어 솔로몬제도의 경우 짠물 호수나 습지로 변했다. 뉴질랜드에서는 기온이 떨어져 더 이상 고구마(1250년 무렵에 도착한 첫 인간 정착자들이 가져온 것이다)를 재배할 수 없었기 때문에 그 대신 고사리 뿌리에 의존해야 했다.[163]

우리는 중세를 생각할 때 서유럽에만 초점을 맞추고 왕·귀족·농민·사제의 시대라는 측면에서, 교회나 길드 같은 기관이 등장한 시대라는 측면에서 생각하곤 한다. 이 시기를 좀 더 세계적인 관점에서 보면 천연자원의 이용에 관한, 농작물 수확량을 늘리는 데서 기술적 변화가 한 역할에 관한, 새로운 작물이나 참파 벼 같은 새로운 품종의 선택에 관한 중요한 문제들이 제기된다. 그것은 또한 기후 변화가 한 역할에 관한, 기후 조건의 변화와 그 변화가 야기한 문제들 사이의 구분에 관한 문제들을 제기한다.

그러나 전체적으로 보아 800년 무렵부터 1250년 무렵까지의 시기는 연결이 엄청나게 강화된 시기 가운데 하나였다. 아시아, 아프리카, 유럽의 서로 뒤얽히고 상호의존적인 세계 안에서, 또는 핵심(또는 상호작용이 거의 또는 전혀 없는 독립적인 중심지들)이 된 남·북아메리카의 공동체들 안에서다. 이 긴 기간이 끊임없는 경제 성장과 인구 증가를 가능하게 한 평화와 조화의 조건을 제공했다고 볼 수는 없다. 사실 그 반대라고 주장할 수 있다. 제국과 왕조가 등장했다가 사라지고, 국가들이 싸우고 서로에게 병합되거나 정복되고 또는 수명을 다해 사라지면서, 물건을 더 빠르고 더 값싸게 공급할 수 있는 새로운 경쟁자가 나타났다.

그럼에도 불구하고 다른 시대와 마찬가지로 생태계 평형과 환경의 지속 가능성이 개별 왕국·국가·지역의 문화·정치·사회경제·외교·군사사를 뒷받침했다는 사실은 부정하기 어렵다. 안정적인 식량과 물의 공급은 어느 시대에나 핵심적이었지만, 특히 인구 팽창의 시기에는 더욱 그러했다. 사회들은 한정된 천연자원과 씨름해야 했다. 과다 이용이나 강우 패턴의 변화, 또는 갈등과 질병과 기반시설(강의 방어 시설 같은)의 고장 때문에 자원이 고갈되거나 압박을 받으면 재난이 곧 뒤따랐다. 이 사실은 현재와 미래에 관해 약간의 생각할 거리를 제공한다. 그리고 과거에 대해서도.

# 13장 　 질병과 신세계의 형성

### 1250년 무렵부터 1450년 무렵까지

시간 자체가 우리의 기회를 앗아갔다.
— 페트라르카, 〈익숙한 것들에 관하여〉(1348)

12세기에는 중국 세계 안팎에서 여러 차례의 파탄이 노정됐다. 200년 전 당 멸망 이후의 개화로 송 왕조와 여러 다른 국가들이 나타났다. 동아시아, 남아시아, 동남아시아 일대의 다양한 규모와 능력을 가진 국가들이었다. 지금의 북부 베트남의 다이비엣, 현대 윈난성의 대리, 한반도의 고려 같은 왕국들은 한꺼번에 일어나 교역 규모 확대와 문화적·정치적 경쟁과 때로는 군사적 경쟁의 혜택을 입은 일군의 나라들 가운데 일부였다.[1]

관계의 그물망은 흔히 불균등하고 복잡하고 불안정했다. 1127년, 카이펑이 여진족 유목민들에게 약탈당했다. 역사상 가장 극적인 순간 중 하나였다. 당시 카이펑은 세계 최대급의 도시였고(아마도 인구 규모로는 세계 최대였을 것이다), 가장 화려한 곳 가운데 하나였다. 이는 〈동경몽화록東京夢華錄〉이라는 맹원로孟元老의 글에 호의적으로 그려졌는데, 이 책은 도시가 함락되기 전 주민들의 친절함과 도시 생활의 풍성함을 기록했다. 맹원로는 이렇게 썼다. "매일 평화로운 나날들이 펼쳐졌다. 사람은 많았고, 모든 것은 풍성했다. 머리칼을 길게 늘어뜨린 젊은이들은 공부도 하지 않고 북 치고 춤을 추었으며, 머리칼이 희끗희끗한 나이 든 사람들은 방패도 창도 알지 못했다. 계절이 계속 바뀌고 축제가 이어졌으며, 매번 특별히 보고 즐길 만한 것이 있었다."[2]

이제 대파괴가 이어졌다. 휘종徽宗 황제와 그 가족들은 체포돼 여진족의 본향인 만주로 끌려갔다. 추운 북쪽으로 끌려가면서 여진족에게 강간당한 한 후궁은 이렇게 썼다. "나는 한때 천상에 살았다. 진주로 장식한 궁전, 옥으로 꾸민 탑이었다. 이제 나는 풀과 가시덤불 속에서 산다. 나의 푸른 옷은 눈물에 흠뻑 젖었다. 나는 눈발 날리는 것이 싫다."[3]

그것은 재앙이었다고 시인 이청조李清照는 탄식했다.

좀 더 조심했어야 하는데
과거로부터 더 배웠어야 하는데
죽간에 쓴 옛 역사책
그것이 있어 공부할 수 있었는데
하지 않았으니…[4]

혼란은 스텝으로 번져갔다. 나이만, 케레이트, 콩기라드 같은 부족들은 여진 지배자들에게 복속돼 물자를 바쳐야 했다. 몽골인들은 심한 박해를 받아, 한 중진 역사가의 말에 따르면 "거의 멸족 상태"에 이르렀다.[5]

12세기 말에 상황이 바뀌었다. 매우 탄력 있고 성공적인 것으로 입증된 또 다른 몽골 지도자 덕분이었다. 테무친鐵木眞이 떠오른 이유는 여러 가지였다. 그의 카리스마, 결단력, 지휘 능력은 결정적이었고, 그의 전략적 의사 결정 역시 마찬가지였다.

그러나 그가 떠오른 데는 콩기라드 족장의 딸 보르테孛兒帖와의 결혼도 한몫했다. 그것이 몽골 부족과 개인적으로 테무친에게 지위를 주었다. 테무친에 대한 견제로 인해 보르테는 힘센 메르키트Merkit 부족에게 납치됐는데, 이 과정에서 보르테가 강간을 당한 듯하고 곧이어 맏아들 주치朮赤를 낳았다. 테무친은 이에 대해 영악하게 대응했던 듯하다. 그는 주치를 자신의 아들로 키웠고, 나중에 모든 메르키트 영토와 그 너머에 대한 책임을 맡겼다.[6]

테무친은 1180∼1190년대에 꾸준히 자신의 권력을 다졌다. 아마도 이 시기가 매우 건조한 기후 조건이었던 데서 도움을 받았던 듯하다. 그것이 스텝에서의 삶을 어렵게 만들었고, 더 강력한 집단의 권위와 자원이 모두 쇠락하는 상황에서 이득을 보고자 하는 사람들에게 기회를 제공했다.[7]

1203년이 되자 그는 오르콘강 유역의 주인이 되었다. 그곳에는 수백 개의 발발balbal 석상石像이 있었고, 유명한 한 무리의 비문에는 이 지역을 지배하는 자가 모든 스텝 유목 부족의 주인이 될 것이라고 쓰여 있었다. 유목 민족들에게 이곳은 세계의 중심이었다. 그곳을 장악함으로써 테무친은 위신뿐만 아니라 술드sülde(국가의 상징)도 얻어 이득이 되었다. 술드는 긍정적인 통합과 권력의 근원으로, 그것이 추가적인 팽창의 권한을 제공했다.[8]

이것은 중요했다. 스텝 제국들은 살아남으려면 팽창이 필요했기 때문이다. 성장은 사회적·정치적 구조를 유지하기 위한 보상을 제공하는 데 유용할 뿐만 아니라 필수적이었다. 부족 집단들과 부족 연합은 유동적이어서 지도자들은 이익집단, 지지자, 경쟁자, 잠재적 경쟁자들을 계속 만족시키기 위해 끊임없이 물질적 보상물을 마련하는 일에 나서야 했다.

공물을 받거나 정복 과정에서 전리품을 얻는 형태였다.[9]

1206년에 테무친은 스텝의 주인이 되었다. 군사력, 가문의 연줄, 경쟁자 제거를 통한 끊임없는 팽창으로 권위를 확대했다. 그해 그는 몽골 지배층과 그들에게 패했거나 복속된 다른 모든 집단의 대표자들을 모아 집회를 열었다. 여기서 이 최고 지도자는 칭기즈칸('온 세계의 지배자')이라는 칭호를 부여받았다.[10] 그의 지배를 인정하지 않는 자들이 맞을 운명이 여기서 분명해졌다. 그에게 저항하는 자들은 하나하나 추적해 처형했다. 살해되지 않은 사람들은 체포돼 노예가 되고 몽골의 지지자들에게 상으로 분배됐다.[11]

스텝에서 지배적 위치를 차지한 것은 그렇다 치더라도, 그 기반 위에서 인류 역사상 최대의 육상 제국을 건설하는 것은 전혀 규모가 다른 성취였다. 그 후 수십 년 사이에 중국의 국가와 왕조들이 하나씩 하나씩 제거됐다. 서하, 금, 대리, 송이 차례로 무너지고 결국 1258년에는 한반도의 최씨 정권이 무너졌다. 이로써 동아시아에서는 일본이 마지막 목표물로 남았다. 서쪽에서도 몽골은 들불처럼 퍼져 나가면서 1227년 칭기즈칸의 사망 전에 중앙아시아를 복속시켰으며, 그 후 불과 10년 만에 중부 유럽에 도달했다.

이 성공은 여러 가지로 설명된다. 통제와 협박을 위한 도구로서의 극단적인 폭력의 선택적 사용, 새로운 목표물을 찾아내는 기동력 있는 정찰대의 조직력, 정보 수집에서의 뛰어난 집행력, 새로운 기술과 전술 채택(예를 들어 대포의 사용), 전쟁터에서의 최대한의 혁신 같은 것들이다.[12]

그러나 성공의 연료는 1211년에서 1225년 사이의 이례적으로 많은 비가 내린 시기가 제공했던 듯하다. 몽골에서 이 시기는 무려 1110년 이상 만에 가장 비가 많이 내린 시기였다. 이런 기후 조건은 환경의 수용력을 크게 증가시켜 풀이 더 많이 자라게 하고 가용 초지를 극적으로 확장했다. 이것이 가축 떼의 규모를 크게 늘리는 기반을 제공했다. 특히 중요한 것이 말이었다. 칭기즈칸과 그 추종자 및 계승자들은 전술적으로 뛰어났겠지만, 몽골은 행운을 만난 덕분에 방대한 자원을 이용해 적들을 물리치고 제국을 확장했을 뿐만 아니라 그것을 아주 제때에 할 수 있었다.[13]

이 시기적 우연의 중요성은 이후 1220년대에 악화된 기후 조건을 보면 잘 알 수 있다. 여러 건의 화산 분출이라는 또 다른 '기관총 효과'로 인한 것이다. 이때 분출한 화산은 아이슬란드의 레이캬네스산과 레이캬네스리구르Reykjaneshryggur산, 일본열도 혼슈 및 규슈의 자오연봉藏王連峰과 아소산으로, 1226년에서 1231년 사이에 분출해 북반구 얼음 시료에 산성도 급증의 흔적을 남겼다. 이는 스칸디나비아와 칭하이-티베트고원의 나이테로 입증된 온도 하락에 영향을 준 듯하며, 아마도 태평양의 엘니뇨 패턴 변화로 인해 악화됐던 듯하다.[14]

이 시기는 한반도에서 식량 부족이 극심하고 일본에서 참혹한 고통을 겪은 시기 가운데 하나였다. 일본은 1230년대 초에 최악의 기근을 겪었다. 그 후 '이뵤'(이방인 병)라는 유행병이 돌고 홍수가 발생해 시체가 교토의 강둑에 널려 있었다. 상황은 일본 전역에서 비슷했다고 귀족 가게유코지 쓰네미쓰勘解由小路經光는 자신의 일기에 썼다. 간단히 말해서 '비탄'의 시대였다. 일본열도 내 사망률이 모든 곳에서 똑같지는 않았겠지만 인구 조사와 과세 자료, 토지 기록을 보면 비통의 4년 사이에 인구가 약 20퍼센트 줄었음을 시사한다.[15]

이 무렵에 지금의 러시아 노브고로드에서는 한 역사 기록자가 서리로 인해 농작물이 해를 입었음을 기록했다. 너무도 많은 사람이 굶어 죽어 시신을 묻을 수 없다고 했다. "신의 분노가 너무도 커서 사람들은 죽은 자를 먹었을 뿐만 아니라 산 자도 서로 죽여 먹었다. 그들은 말, 개, 고양이, 기타 동물들을 먹었다. 눈에 띄는 것은 무엇이든 먹었다. 이끼, 소나무, 느릅나무, 피나무 껍질과 잎도 먹었다." 몽골에 대한 영향은 분명하지 않지만, 이 시기에 그들은 자기네 영토를 넘어 확장하며 서하西夏를 압도하고 금金나라의 잔여 세력을 격파했다는 사실은 이런 전개가 이미 약해져 나락에서 비틀거리고 있던 나라들에 최후의 일격을 가한 것으로 이해하는 것이 가장 합당할 것이다. 몽골이 취한 전리품은 많은 경우 눈부시고 대단한 영광이라기보다는 손쉽게 딸 수 있는 시들어가는 열매였다.[16]

그럼에도 불구하고 몽골이 더 많은 영토, 민족, 도시를 자기네 지배하에 두면서 채택한 행정 및 관료 구조는 그 규모와 효율성 면에서 인상적이었다. 많은 경우 그것은 몽골인들이 마주치고 이어 제국 전역에 도입한 제도의 확장 또는 변용이었다. 예컨대 우편물과 정보를 안정적이면서도 빠르게 중앙으로 가져오는 서비스 같은 것이다. 보통 잠치jamči; 站赤라 불린 이 제도는 중국의 역驛이라는 통신 제도에 해당하는 것이었다. 위구르와 거란인 고문들에 의해 도입되어 몽골 궁정에서 두드러진 역할을 했다.[17]

몽골 성공의 또 다른 비결은 현지 지배층 포용이었다. 오늘날 정복자들에 대해 공통적으로 가지고 있는 잔혹하고 살벌하고 대단히 폭력적이라는 통념과 반대되는 이야기다.[18] 사실 그렇게 알려져 있다 보니 일부 과학자들은 몽골인들이 사람을 너무 많이 죽여 그것이 세계의 탄소순환에 영향을 미치고 대기의 이산화탄소 농도를 떨어뜨렸다고 주장했다. 세계 여러 나라의 언론도 이 주장에 주목해 '칭기즈칸은 왜 지구에 유익했는가?'라는 식의 제목을 뽑기도 했다.[19]

사실 늘어가는 증거들은 몽골인들이 자기네의 필요에 맞는 이상적인 여러 기후 조건의 수혜자였지만 그들이 발을 들인 세계(적어도 중앙아시아)는 도시가 줄고 인구가 감소한 곳이었음을 보여준다. 적어도 부분적으로는 생태와 수자원의 압박으로 인한 것이었는데, 오랜 건조기로 인해 생활방식을 바꾸고 어떤 경우에는 정착지를 버릴 수밖에 없었던 것이다.[20]

몽골인들이 극단적인 폭력을 사용했다는 점에는 의문의 여지가 없지만, 더 중요한 것은 '팍스 몽골리카Pax Mongolica'(몽골의 평화)를 구현했다는 점이다. 이것은 폭발적인 확장의 시기 이후의 몽골 지배의 기본적인 안정성을 설명하려는 의도가 담긴 용어다. 몽골인들은 세계를 쓸어버리고 파괴하는 대신에 유라시아 대륙을 가로지르는 교역 강화를 이끌었다. 오늘날에조차 칭기즈칸과 그 계승자들을 일반적으로 피에 굶주리고 야만적인 모습으로 묘사하는 것과 상반되는 이야기다.[21]

어느 몽골 칸은 몽골 땅에 "정의의 다리"를 놓아야 한다는 말을 들었다. "정의가 있으면 세상은 번영하기 때문"이었다.[22] 몽골의 정복에 의해 만들어진 서로 연결된 세계는 상거래를 촉진했다. 지도부가 그것을 적극적으로 장려하고자 애썼다.[23] 몽골인들은 도시를 많이 건설했다. 가장 유명한 곳이 카라코룸이었다. 이 도시는 1220년에 건설됐고, 그 이후 수십 년 동안 많은 투자가 이루어졌다. 호화롭고 장관인 궁궐 등을 짓기 위해서였다.[24] 여러 새 도시들이 중앙아시아의 큰 강들 기슭이나 흑해와 아조프해 연안에 세워졌다.[25]

최근의 대유행병 경험이 일깨워주듯이 교역 규모가 증가하고 여행이 잦아지며 서로 다른 지역에 사는 사람들 사이의 연결이 더욱 긴밀해지면 질병 전파가 가속화된다. 예를 들어 중국 송 왕조의 인구 규모가 증가하고 중앙집권화된 통제 아래 영토가 확장되면서 유행병 발생의 빈도와 강도가 증가한 것은 우연이 아니었다.[26] 나병은 유럽에서 분명하게 확인되는데, 11세기에 등장하기 시작한 나환자 병원은 바로 이 시기 대륙을 가로지르는 사회경제적 상호작용의 증가와 가장 자연스럽게 연결되는 듯하다.[27]

몽골 제국의 등장 역시 병원균 및 질병의 확산과 밀접하게 연결돼 있었던 듯하다. 여러 기록들은 몽골군이 13세기에 벌인 포위전에서 많은 사람이 죽었음을 이야기한다. 1232년 카이펑 공격과 1258년 바그다드 공격 같은 것들이다. 그것은 각기 동아시아와 서아시아의 통제권 확립에서 중요한 순간이었다. 바그다드의 경우 너무도 많은 사람들이 '역병'으로 죽는 바람에 시신을 묻어줄 사람이 부족해 시신을 그냥 티그리스강에 던져버릴 수밖에 없었다. 몽골 지배자 훌라구旭烈兀가 1257년에 이 도시 공격을 준비하면서 숙영지를 적어도 다섯 번 옮겼다는 사실은 질병 발생을 억제하거나 그에 앞서가기 위해 장소를 옮기려는 노력을 반영했을 것이다.[28] 문헌 자료와 13세기 다마스쿠스에서 공부한 저자들의 연결망 분석은 전염병이 이 시대 서아시아의 다른 지역에 어떻게 영향을 미쳤는지를 보여준다.[29]

이 증거의 중요성은 오랫동안 간과돼왔다. 동아프리카와 특히 에티오피아에서의 인구 감소 및 정치 불안과 관련된 자료 역시 마찬가지다.[30] 최근 들어 소수의 선구적인 학자들이 이런 사태 전개의 일부 또는 전부가 전염병 때문이 아닐까 하는 의문을 제기했다. 예를 들어 가나의 아크로크로와Akrokrowa 유적지는 14세기 중반 무렵에 버려졌다. 다른 여러 관련 유적지들도 마찬가지였다. 새로운 정착 패턴이 도입되면서 버려진 것이었는데, 이는 사람들의 생활방식을 바꿀 정도로 충격적인 일(또는 일들)이 갑자기 벌어졌음을 시사한다. 이 시기는 흑사병이 아프리카의 다른 지역과 서아시아 및 유럽을 유린하던 바로 그 시기였다.[31]

중앙아시아 톈산산맥 지역 등에 존재하던 풍토병이 어떻게 몽골인들의 교역로 및 여행로를 따라 확산될 수 있었는지에 관해 새로운 길을 연 획기적인 연구가 있었다. 그 연구에 따르면 그런 전파의 원인 중 하나는 몽골의 음식 기호 확산과 그들의 모피 및 가죽 수요였다.

모니카 그린Monica Green이 주장했듯이 마멋은 질병 전염 매개자로서 일차 용의자였다. 중견 식이요법 의사들이 쓴 교과서들은 단백질 공급원으로서의 마멋 고기의 유용성을 극찬했다. 또한 마멋 가죽의 따뜻함과 비나 물에 잘 젖지 않는다는 점에도 긍정적으로 주목했다. 몽골인과 그들의 식습관 및 패션 취향이 병원균을 그들의 자연적 서식지에서 확산시키도록 돕는 데 역할을 했던 듯하다. 병원균은 고기 섭취 또는 그저 호흡을 통해 인체 내로 들어갔을 수 있다.[32] 전염병이 더 많이 퍼진 것은 마멋의 서식지에서 그것들을 더 많이 이용한 것과 관련됐을 것이다. 또는 환경 조건의 변화가 마멋과 다른 숙주들의 이동을 위한 동력을 제공했을 가능성 역시 있다. 인간 집단과 더 가까이 접촉하게 되는 곳으로의 이동이었다.[33]

이례적인 여러 약진은 또한 페스트균 고대DNA의 유전체서열의 완전한 파악과 페스트균 계통수 작성을 이끌어냈다.[34] 이는 페스트균이 흑사병 직전에 갑자기 네 계통으로 분기했음을 보여준다. 유전학자들이 '대폭발'로 부른 시기다. 이 분기의 원인, 맥락, 시기는 분명하지 않지만, 일부에서는 인간이 숙주가 된 사건이 1200년에서 1220년 사이에 몽골인들이 투루판 위구르 또는 서요西遼(카라키타이)와 접촉하는 상황에서 일어났을 것이라고 주장했다.[35]

또 다른 갈래의 조사는 1257년 늦봄이나 초여름에 일어난 인도네시아 롬복섬의 사말라스 화산의 거대한 분출에 초점을 맞추었다.[36] 이 분출은 제2천년기 최대급의(또는 최대의) 분출이었다.[37] 이 격렬한 분출로 롬복섬은 화산쇄설물火山碎屑物로 두껍게 덮였고, 최고 50미터 두께의 화산쇄설류火山碎屑流가 섬의 절반가량을 뒤덮었다.[38] 이 분출은 기후에 큰 영향을 미쳤던 듯하다. 10년 이상 성층권의 베릴륨($^{10}$Be)을 소진시켰고, 그 직후 엘니뇨 비슷한 현상을 초래했다. 또는 기존의 기상 패턴을 강화했다.[39]

그중 가장 중요한 것은 1240년대 말에 절정을 이룬, 일사량이 많았던 예외적인 기간이었다. 거의 800년 동안 거기에 필적할 시기가 없을 정도였다. 사말라스산 분출은 전 세계에 영향을 미쳤다. 아시아에서는 계절풍이 거셌고, 남·북아메리카의 서쪽 측면에서는 심한 가뭄이 들었다. 잉글랜드에서는 이례적이고 예측할 수 없는 기후 조건이 형성됐다. 어떤 시기에는 매우 강한 폭풍우가 몰아쳤고 또 어떤 시기에는 "참기 힘든 열기"가 덮쳐 농작물 수확과 밀 가격에 영향을 미쳤다.

이런 불확실성이 잉글랜드 왕에 대한 귀족들의 반감을 부채질했다. 국왕 헨리 3세는 1258년 상당한 정치적 압박에 직면했다. 부분적으로 궂은 날씨로 인한 것이지만 물가 상승에 대한 겁에 질린 대응 탓이기도 한 극심한 식량 위기의 결과였다. 사람들은 먹을 것을 찾아 시골에서 크고 작은 도시로 몰려들었다. 런던에 난민들이 넘쳐나면서 오래지 않아 "사방에서 돼지우리와 퇴비장과 진창길에 시체가 대여섯 구씩 굶주림으로 부풀고 시퍼레진, 비참하고도 치명적으로 초췌해진" 상태로 발견됐다. 흉작으로 인해 식량이 부족해졌지만, 부실한 대응이 나쁜 상황을 더욱 악화시켰다.[40]

13세기 중반은 화산 활동이 극심한 시기였다. 공교롭게도 1227년 일본 자오연봉 분출과 같은 해 및 1231년의 두 차례 아이슬란드 레이캬네스산 분출은 사말라스산 분출보다 더 심대한 흔적을 나이테연대학 증거에 남겼다. 아마도 사말라스 분출의 시기 때문일 것이다.[41] 근래에 밝혀진 (위치는 여전히 알 수 없다) 두 차례의 추가적인 분출은 1241년과 1269년으로 추정된다. 두 차례 모두 대기로 연무질을 대량 방출했다.[42] 1258년과 1259년은 북반구에서 제2천년기 동안 여름 기온이 가장 낮은 해였던 것으로 드러났다. 서유럽, 시베리아, 일본의 기후 조건은 특히 엄혹했다.[43]

화산 분출은 사태의 일부일 뿐이었다. 또 하나는 태양의 활동이었다. 일사량이 많았던 시기가 지나고 태양 대극소기가 왔다. 태양의 자기활동이 크게 줄어든 시기인데, 처음 명명된 것은 1980년 울프 극소기Wolf Minimum다.[44] 여러 연구들은 1260년 무렵 이후 대기 방사성탄소가 크게 변하고 지구의 기온이 떨어졌으며, 그것이 80년 동안 지속돼 14세기 중반까지 이어졌음을 보여주었다.[45]

천문학자들이 지적하고 있듯이 태양 극소기는 기온에 그저 제한된 영향만 미쳤다. 차이는 통상 섭씨 0.3도 정도에 불과했다.[46] 따라서 중요한 것은 이 태양 활동 감소가 또 다른 연속적인 대규모 화산 분출(1269, 1276, 1286년)과 시기적으로 겹쳤을 뿐만 아니라 엘니뇨-남방진동, 아시아 계절풍, 북대서양진동의 약화와도 겹쳤다는 점이다. 그 결과는 놀라웠다. 남아메리카의 태평양 연안과 북아메리카의 습도가 높아지면서 두 지역의 오랜 가뭄 기간이 끝났다. 또한 남아시아와 동남아시아에서 1280년대 이후 계절풍 강우가 갑자기 줄어드는 결과도 가져왔는데, 그것이 흉작과 기근을 일으키는 데 한몫했다.[47]

서북 유럽에서 날씨는 더욱 불안정해져 식량 압박의 위험이 높아지고 질병 확산 가능성(인간과 가축 모두)도 증가했다. 이 압박은 중세 초의 특징이었던 인구의 급격한 증가와 그로 인한 취약한 생태계 개발 및 이용으로 인해 더욱 악화됐다. 그 적절한 사례는 영국 브레클랜드Breckland에서 대륙 유럽을 가로지르고 북해 해안 지역을 통해 멀리 러시아까지 뻗어 있는 띠 모양의 모래 지형이다.[48] 푸석한 모래땅의 맨 위 층을 잘못 관리하거나 과다 사용하면 홍수와 걷잡을 수 없는 유사流砂에 취약할 수 있고, 이에 따라 집중적으로 경작되던 경지가 금세 파괴될 수 있다.[49] 한 일급학자가 지적했듯이 공급 측면의 식량 부족 전망은 사회가 거기에 대처하기 어렵다는 사실을 깨닫는 바로 그 순간에 나타났다.[50]

스코틀랜드, 잉글랜드, 아일랜드의 기록들은 어렵고 예측할 수 없는 기후 조건의 모습을 그려낸다. 13세기 후반에는 흉작과 기근 발생을 시사하는 기록이 반복적으로 나타난다. "땅의 생산성이 크게 떨어지고 바다에서도 소득이 없으며 난기류가 일어나 많은 사람이 병에 걸리고 많은 동물들이 죽었다"는 기록은 이례적인 폭풍우 패턴, 곤충의 만연, 과도한 강우, 이례적인 추위와 씨름하기 위해 애쓰는 난처한 상황을 보여주는 많은 기록들 가운데 전형적인 것이다.[51]

세인트자일스 윈체스터와 세인트아이브스 같은 곳에서 열렸던 국제특설시장의 수익 감소(1285년에서 1340년대 사이에 적어도 75퍼센트나 떨어졌다)는 이 시기가 붕괴와 위축의 시기였음을 보여준다. 외국인들이 취급하는 잉글랜드 해외 무역액이 급격하게 줄어들고 14세기 첫 30년 동안에 런던 칩사이드Cheapside 부동산의 임대가 절반으로 떨어진 것은 이 시기 경제에 미친 영향이 얼마나 컸는지를 보여준다.[52]

1279년 면양 옴 확산의 경우도 마찬가지다. 이로 인해 전국의 양모 생산이 절반으로 줄어, 자체 생산을 위해 고급 원료에 의존했던 지역들에서 공급 부족 현상이 일어났다. 플랑드르가 그런 곳들 중 하나였는데, 이곳에서는 결국 폭동이 일어났다.[53]

1290년대에 스코틀랜드에서 면양 옴(면양 옴 진드기에 대한 격렬한 반응이다) 발생이 늘고 여기에 혹독한 겨울, 비가 적은 여름, 흉작이 겹친 것이 잉글랜드 에드워드 1세에 대한 반감이 커지는 데 한몫했다. 특히 그의 재무관인 휴 드크레싱엄Hugh de Cressingham이 1296～1297년 세금을 올리려 한 이후에 그랬다. 이것이 반잉글랜드 정서를 결집하는 계기를 제공해 스코틀랜드에서 윌리엄 월리스William Wallace가 이끈 반란을 자극했고, 그 반란은 여러 해 동안 이어졌다.[54]

동아시아에서 1260년대 이후의 100년 동안에는 평균 기온이 자주 떨어졌다. 1270년대, 1310년대, 1350년대는 엄혹한 기후 조건이었음이 한국, 일본, 중국의 여러 문헌 및 기후 자료들로 입증됐다.[55] 특히 중국의 여러 지역에서 1300～1360년의 기간에는 거의 상시적으로 자연재해가 일어났다. 해안 지역을 초토화한 초강력 태풍의 빈발, 창장과 황허강 삼각주의 잦은 홍수, 수만 명의 목숨을 앗아간 14세기 중반의 연속적인 전염병 같은 것들이다.

원나라 연대기에 따르면 1308년에는 몽골 스텝에 강력한 눈보라가 쳐서 많은 수의 가축이 죽고 100만 명 가까운 사람들이 남쪽으로 이주해야 했다. 거기서 그들은 정부의 지원금에 의존해 연명했다. 그해에 기근과 질병으로 창장 삼각주의 위에저우越州 주민의 거의 절반이 죽었다. 저장성에서도 너무나 많은 사람들이 죽었다. "시신들이 서로 포개져 있었다. 아버지는 아들을 팔았고, 남편은 아내를 팔았다. 그들이 울부짖는 소리가 너무 커서 땅이 흔들렸다."[56]

이는 제국 궁정과 특히 황제에게 과제를 안겼다. 황제의 권위(천명天命을 받는 것과 연결돼 있었다)는 그렇게 자주 일어나는 극심한 재난으로 손상됐다. 실제로 원 황제는 1297년에 연호를 '대덕大德'으로 바꾸었다. 불운을 끝내기 위한 시도였다.[57] 제국의 권력은 추상적인 말에서만 영향을 받는 것이 아니었다. 흉년이 들면 수입이 줄고, 그것은 식량 배급과 재난 구제로 인해 더욱 힘겨워졌다. 이는 결국 황제가 귀족들을 지배할 수 있는 힘을 떨어뜨렸다. 그들은 중앙에서 꼬박꼬박 지출하는 돈에 의존하고 있었다. 1307년, 무종武宗 황제는 약속한 것의 겨우 절반을 지불할 수 있었다. "국고가 (…) 비었기" 때문이다. 4년 후에는 지불한 것이 정해진 액수의 3분의 1에 불과했다. 1317년에는 그 절반으로 줄었다.[58] 다시 말해서 그 수혜자들은 10년 전에 받았던 것의 10분의 1도 받지 못했다는 얘기다.

따라서 궁핍, 고통, 공포가 사회적·정치적 혼란을 불러온다는 것은 아마도 당연한 일일 것이다. 서아시아의 많은 지역에서는 1260년 이후 수십 년 동안 유별난 기상 이변이 매우 자주 나타났다. 큰 피해를 입힌 폭풍우 같은 것으로, 1319~1320년에 몰아친 폭풍우는 다마스쿠스의 많은 가옥을 파괴하고 나무가 쓰러져 사람들이 집에 갇히기도 했다. 그 폭풍우는 알레포도 덮쳤는데, 먼지, 우박, 천둥, 번개를 동반해 참나무와 올리브나무, 포도나무까지 뿌리째 뽑아버렸다.

늘 그렇듯이 가난한 사람들이 가장 큰 타격을 입었다. 먼저 집과 생계를 잃고, 처음부터 다시 시작할 자원이 제한적이거나 아예 없기 때문이다. 당연한 얘기지만 또 하나의 결과는 물가 상승에 대한 압박이었다. 원자재, 가공품, 식품의 가격을 끌어올려 더욱 손에서 멀어지게 했다.[59]

이런 점에서, 사회 불안이 이 시기의 일상적인 특징이었다는 것은 놀라운 일이 아니다. 그 영향은 14세기 초에 특히 분명하게 나타났다. 이 시대의 시인이자 작가이자 철학자였던 단테 알리기에리의 이름을 따서 '단테 이상 기후'로 알려지게 된 급속한 기후 변화 국면이다. 1302~1307년 기후 조건 재구는 몇 년 동안 건조한 여름이 이어졌음을 보여준다. 여기에 유럽 일대에서 대규모 도시 화재들이 발생해 미래의 위험을 완화하기 위한 조치들이 취해졌다. 예컨대 이탈리아의 도시 시에나에서는 식량 확보를 보장하기 위해 탈라모네 항구를 매입했다. 몇몇 도시에서는 회복에 더 도움이 되는 기반시설에 투자했다. 과거에 팠던 것보다 더 깊은 새 우물 같은 것들이다.[60]

그럼에도 불구하고 이후 수십 년 동안에 "북유럽과 중부 유럽에서는 아마도 과거 2천 년 사이에 가장 심각했던 것으로 보이는 농업 및 식량 위기"가 발생한 것으로 묘사될 만큼 문제가 생겼다. 늘 그렇듯이 문제는 흉작이 한 해에만 그치지 않고 해마다 이어졌다는 것이다. 1315, 1316, 1317년에 폭우가 쏟아지는 바람에 곡물 수확량이 각기 평년 수준의 약 40, 60, 10퍼센트에 그쳤다.[61] 온도 또한 눈에 띄게 떨어져 이탈리아 북부의 역사 기록자들은 통에 들어 있는 포도주가 꽁꽁 얼었다고 썼다. 우물과 샘 역시 마찬가지였고, 나무가 대거 얼어 죽었다. 여기에다 필시 소비량이 많아지면서 목재 가격이 급등했다.[62] 학자들은 이 시기에 10~15퍼센트의 유럽 주민이 굶주림 또는 그것과 관련된 질병으로 죽었다고 보고 있다. 아마도 "상대적 사망률 측면에서 유럽 역사에 기록된 최대의 생존 위기"였을 것이다.[63]

이 충격은 북유럽 일대 여러 지역에서 사회 불안을 초래했다. 남자, 여자, 아이들이 군중을 이루어 프랑스 곳곳에서 광란을 벌였다. 그들은 성채, 왕국 관리, 사제, 나환자를 공격하고 1320년 랑그도크 일대에서 특히 유대인을 공격 목표로 삼았다.

유대인 박해는 유럽에서 오랜 역사를 가지고 있었다. 가장 악명 높았던 것이 제1차 십자군 부대가 통과하는 도중에 일어났다. 그들은 1090년대 중반에 콘스탄티노폴리스와 예루살렘을 향해 동쪽으로 진군하면서 쾰른, 뉘른베르크, 기타 지역에서 잔학행위를 저질렀다.[64] 이 경우에도 역시 유대인들은 다른 사람들의 불행에 책임이 있는 것으로 여겨졌기 때문에, 또는 부유한 부류로 지목되기 십상인 취약한 목표물이기 때문에 공격을 받았던 듯하다. 서론에서 이야기했듯이 1320년대 초의 대학살은 5년 동안 농사철 기온이 하락하면 박해 가능성이 1~1.5퍼센트 상승하는 패턴의 일부였다. 다시 말해서 기상 조건이 나빠지면 소수자들이 공격받을 가능성이 더 커진다는 것이다.[65]

이는 다른 곳에서도 마찬가지였다. 예를 들어 이집트에서는 1321년에 교회와 수도원들이 공격당하고 약탈당했다. 기독교도들은 이슬람 사원에 불을 지르려 한다는 비난을 받았고, 일부는 체포돼 그들이 저지른 명백한 범죄를 '자백'하도록 고문을 당했다.[66] 원 왕조 중국에서처럼 기후 충격은 정치적 문제를 초래했다.

이슬람교도 이집트에서는 나일강이 범람하지 않을 경우 소수자(기독교도 포함)에 대한 강력한 탄압과 함께 성매매, 맥주 음용, 야하거나 지나치게 사치스러운 의복 착용에 대한 금지령으로 이어지기 십상이었다.[67] 그런 경우에는 통상적으로 술탄에 의한 새로운 이슬람 사원 건설, 기존 건조물 수리, 도시 주민들에 대한 현금 살포, 종교 지도자들의 권한 확대(그들의 묵인을 얻기 위해서다) 등의 조치가 뒤따랐다.[68]

어떤 사람들은 이런 상황을 필시 의도적으로 좀 더 모호한 방식으로 다루었다. 교황 요안네스 22세가 1320년에 발포한 칙령은 "하느님의 양 떼를 감염시키는 마법사들이 하느님의 집에서 달아났다"라고 주장했다. "악마에게 희생을 바치거나 그들을 숭배"하는 사람 또는 "그들과 굳은 약속"을 한 자는 찾아내서 그에 합당한 벌을 내려야 했다. 물론 그런 선언은 교회 상층부가 통제권을 행사하고 이단 또는 '악행'의 딱지를 붙여 권력을 강화하고 집중화한다는 더 넓은 맥락에서 적합한 것이었다. 그럼에도 불구하고 다른 결핍의 시기, 식량 공급에 대한 압박의 시기, 엄혹한 기상 조건의 시기와의 유사성에 이끌리지 않기란 쉽지 않다. 가장 유명한 것이 앞으로 보게 될 17세기 말에 여성에게 집중되었던 조직적인 박해다.[69]

그러나 1310~1330년의 시기가 충격적이기는 했지만, 가장 놀라운 특징 가운데 하나는 도시 주민들이 대처하고 생존하는 데서 보인 탄력이었다. 피렌체, 피사, 루카 같은 도시들은 반복적으로 식량 부족에, 시골로부터의 인구 유입에, 밀 가격 급등에 시달렸다. 1314년에서 1322년 사이, 그리고 1340년대 이전에 여러 번 그랬다.[70]

한편 카이로 주민들은 서아프리카 말리 제국의 지배자, 즉 만사Mansā(황제)인 무사Mūsā의 방문을 반겼다. 이해할 수 있는 일이었다. 그는 1324년 메카로 가는 길에 흥청망청 금을 썼기 때문에 그 가치가 떨어졌다고 한 당대인은 전했다.[71] 그의 말이 사실인지 아니면 충격 이후 경제가 회복된 덕분에 물가 인하 압력이 생겼는지는 분명하지 않다. 그러나 삶이 정상으로 돌아왔다는 사실은 가장 힘든 상황으로부터도 빠져나올 수 있었음을 보여주는 증좌다.[72]

그런데 역설적으로 14세기 초에 환경, 생태, 유행병 측면에서 가장 중요한 전개(적어도 유럽에서)는 흉작의 충격이 아니라 대륙 전역을 휩쓴 역병의 확산이었다. 이는 아마도 동아시아에서 왔던 듯하고, 역시 유라시아 대륙 상당 지역을 가로질러 몽골 제국이 등장함으로써 생겨난 연결성 증대와 관련된 듯하다. 1315년이 되자 이 질병은 중부 유럽을 유린했다. 이후 5년 동안 지금의 독일, 프랑스, 베네룩스, 덴마크의 상당 부분을 휩쓸며 소 떼를 초토화시켰고, 1319년에는 브리튼제도에 도달했다.

잉글랜드와 웨일스에서 이 질병은 소 개체수의 3분의 2 가까이를 죽였다. 어떤 지역에서는 전멸하기도 했지만 약간 또는 전혀 죽지 않은 지역이 있어 평균치가 그 정도로 나왔다. 그럼에도 불구하고 소를 가진 사람들의 상당수가 공포에 질려 질병이 자기네 소 떼를 덮치기 전에 조금이라도 건지고자 발버둥쳤다. 소의 가격이나 전체 농촌경제에 미칠 영향은 뻔했다.[73]

확실히 가축 손실은 이미 전해의 수확 부진으로 고통받고 있던 농촌 사회에 큰 타격을 주었다. 장기적으로 나타난 결과 또한 마찬가지였다. 그중 하나는 황소 같은 동물이 농업 생산(가장 대표적으로 쟁기질)에서 중요한 역할을 맡고 있다는 사실이었다. 그 수가 줄었으니 장래의 농작물 수확량이 줄거나 아니면 같은 수확량을 생산하기 위해서는 더 많은 인간의 노력(그리고 따라서 더 많은 열량)을 쏟아부어야 한다는 얘기였다.

이 역병이 탄저병이었든 구제역이었든 우역牛疫이었든, 1310년대의 추운 날씨가 병원균에 대한 저항력을 떨어뜨리는 데 한몫했을 것이다. 날씨가 추운 데다 사료도 부족하면 동물들은 체온을 유지하기 위해 더 많은 에너지를 소모한다. 그 때문에 더욱 병에 취약해진다. 특히 암소의 경우는 새끼를 배고 젖을 분비하는 1년 중 9개월 동안에는 면역 체계가 약해져 더욱 그렇다.[74]

이 설상가상의 결과는 극적이었다. 많은 역사가들은 드레스덴, 함부르크, 그리고 잉글랜드의 여러 지역에서 강력한 회복의 증거가 있고 1320년대 중·후반에는 정상으로 돌아왔다고 지적했지만, 또 어떤 사람들은 10년 이상 식단에서 단백질 공급원이 감소했거나 사라졌던 사실이 청소년기의 영양실조로 인해 면역 체계를 약화시킨 것은 아닌지 의문을 표했다. 이후의 삶에서 질병에 대한 민감성과 취약성을 악화시켰다는 것이다.

이 기발한 주장에 따르면 1340년대 흑사병에 많은 사람이 재난을 당한 원인 가운데 하나는 30년 전의 기상 조건과 질병 환경에 있다는 것이다.[75] 이를 분명하게 보여주기는 쉽지 않으며, 사망률 분석을 경험적으로 검증할 수 있는 상세한 자료 뭉치와 영양실조에 관한 생각을 뒷받침해주는 골격상의 증거가 필요하다. 분명한 점은 1340년대에 궂은 날씨, 흉작, 질병이 닥쳤을 때 그 강도는 엄청났다는 것이다.

몽골이 유라시아 대륙을 가로질러 팽창하면서 스텝은 물론이고 그 너머의 생태계도 크게 재편됐다. 이는 무엇보다도 가축을 위한 목초지 수요가 증가한 데 따른 것이었다. 목초지에 대한 권리를 강제할 수 있는 정부 통제에 의한 증가였다. 일부 기록에서 행정 관료들이 새로 정복한 땅들을 초지로 전환하지 말라고 몽골 지도자들을 설득했음을 칭찬하고 있는 점은 흥미롭다.

또 다른 기록들은 한때 도시가 번성하고 뽕나무가 자라며 포도나무가 열매를 맺고 들판이 풍성한 수확을 내던 곳들이 이제 초지가 많은 풍광으로 변했다고 적었다. 소와 말들이 차지하고 건초가 수북하며 곡물은 아주 조금밖에 없는 곳이다. 눅눅하고 온화한 최상의 기후 조건이 풀의 성장을 촉진했다. 그러나 그것은 또한 마멋, 땅다람쥐, 사막쥐 등 초원에서 번성하는 설치류의 개체수도 증가시켰다.[76]

1336년에서 1339년 사이의 극심한 가뭄 현상은 일련의 연쇄 반응을 일으켰고, 그 결과는 참혹했다. 나이테연대학 기록으로 입증된 강우 부족 현상은 초목 면적의 급격한 감소로 이어졌을 것이고, 이는 설치류 개체수에 대한 압박(먹을 것과 물 공급 부족으로 사망률이 증가했다)으로 작용했을 뿐만 아니라 병원균을 옮기는 벼룩에 대한 민감성을 높였다.

키르기스스탄 이식쿨주 추이Chüy강 유역에 있는 네스토리우스파 기독교도 묘지 두 군데의 묘(1338~1339년에 "역병으로 죽었다"라는 비문이 새겨진 것이 많다)가 급증한 것은 인간이 설치류로부터 전염됐다는 설득력 있는 증거를 제공한다. 이 세균을 확산시킬 새로운 숙주를 찾는 벼룩의 매개를 통해서였을 것이다.[77]

한 중진 학자가 지적했듯이 전염병이 확산되기는 쉽지 않았다. 전염병의 진원지가 인구 밀도가 높은 지역들과 지리적·물리적·지질학적으로 멀리 떨어져 있었을 뿐만 아니라 이 질병이 효과적으로 확산되려면 여러 동물 종을 거치고 먼 거리(다양한 기후 지대를 건너는 것을 포함해서)를 이동해야 했기 때문이다.

그렇기 때문에 학자들의 관심은 대개 쥐의 역할에 집중되고 있지만 1330년대 말 이후 다양한 매개체가 결합해 전염병 확산을 부추겼을 가능성에 주목할 필요가 있다. 그중에는 공서동물共棲動物("우리 식탁을 함께 쓰고" 인간 정착지 안, 주변, 근처에 살며 음식 부스러기를 먹는 동물들)과 더 광범위한 생물계 또는 생물 집단이 있다. 쥐·산토끼·토끼 같은 야생 설치류, 소·낙타·염소·양 같은 반추동물 등이다.[78]

다른 전염병 전파자로 설치류를 먹는 포식자 조류도 있다. 맹금류와 철새 같은 것들이다. 늑대, 여우, 자칼, 하이에나 같은 육식동물과 청소동물도 있다. 이 동물들은 유라시아 대륙 일대에 흔하며, 감염된 동물을 먹고 전염병을 확산시켰다. 페스트균이 땅속과 초목 모두의 벼룩 배설물 속에서 살아남은 것이 발견됐다는 사실도 전염병의 전파에 여러 경로가 있음을 보여준다. 또한 이 질병이 쥐 서식지에서 새로운 감염원이 들어오지 않아도 100년 동안 지속될 수 있다는 사실은 이 질병이 일단 발생하면 얼마나 오래갈 수 있는지를 잘 보여준다. 콘스탄티노폴리스 등 혹사병에 시달린 일부 도시들은 1340년대 이후 500년 동안 230차례 이상 이 병이 재발했다. 약 2년에 한 번꼴이었다.[79]

그러나 가장 강력한 전염병 전파자는 인간이었다. 몽골의 팽창에 의해 매우 긴밀하게 연결된 세계가 만들어짐에 따라 경제적·문화적 교류가 촉진되고 교역로를 따라 빠른 정보 교환이 이루어졌다. 이 연결은 융단이나 옷 같은 물건을 실어 나르는 데 적합했고, 그것은 벼룩, 진드기, 이가 확산되기에 딱 알맞은 상황이었다. 그것이 감염을 촉진했다. 벼룩 등이 달라붙어 있는 사람과 동물 역시 마찬가지였다. 일반적으로 식량, 구체적으로는 잡곡의 장거리 이동은 마찬가지로 '꼽사리' 설치류, 그들과 동반하는 기생충, 그리고 세균 자체를 위한 완벽한 조건을 제공했다.[80]

상품, 관념, 정보의 교환을 편리하게 하고 동시에 유라시아 대륙 상당 지역에 걸친 몽골의 권력 기반을 제공한 이 연결이 바로 질병과 죽음을 확산시켰다는 사실은 놀라운 일이 아니다. 더 최근의 시기에도 우리는 세계화의 힘을 순전히 사회경제적·지리적 관점에서만 보다 보면 공중, 바다, 철도, 도로의 연결이 대유행병이 확산되는(그것도 매우 빨리) 길이라는 사실을 너무도 쉽게 잊는다는 점을 알게 되었다.

1340년대에 유럽, 북아프리카, 서아시아를 휩쓴 흑사병의 경우, 곡물의 해상 수송이 이후의 대재난에 핵심적인 역할을 했던 듯하다. 특히 중요했던 것이 13세기 말 이후 이탈리아에서 생육 환경이 악화된 일이었는데, 그것이 몽골 치하 킵차크칸국의 수출 수요를 증가시켰다. 킵차크칸국은 흑해의 항구들을 통해 선적하기에 이상적인 위치인 최고의 땅을 차지하고 있었다. 이것이 몽골인들에게 경제 호황을 안겨주었고, 동시에 남유럽 주민들에게는 열량 공급원을 얻기 위해 먼 곳으로부터 정기적으로 들어오는 배에 의존하게 만들었다.

유럽으로 들어오는 곡물이 매우 중요했기 때문에 해로와 그곳을 통해 움직이는 상품들을 통제하는 일은 이탈리아 해양 공화국들 사이의 경쟁과 대결의 근원이 되었다. 베네치아와 제노바 사이의 경쟁은 매우 치열해서 1290년대 대부분의 기간에 걸쳐 전쟁이 벌어졌고, 결국 제노바가 승리했다.[81]

13세기 말과 14세기 초 유럽의 인구 증가는 또 다른 문제를 제기했다. 도시 주민들은 갑작스럽고 심각한 위기에 타격을 입을 수 있었다. 1329~1330년 이탈리아가 그런 경우로, 여기서는 수확 부진과 물가 급등 이후 큰 폭동이 일어났다. 피렌체에서는 완전한 무정부 상태에 빠질 뻔했으나 당국이 곡물을 수입해 시민들에게 싼 가격으로 빵을 판매하는 빠른 조치를 취해 위기를 가까스로 면했다.

시골에 사는 사람들의 사정이 더 나은 것도 아니었다. 실제로는 정반대였다. 경작지가 계속 쪼개지고 재임대되어 경작지 규모가 작아지니 규모의 경제를 발휘할 여지가 없고 혁신으로 얻을 이득도 제한적이었다. 따라서 식량 부족 시기에는 안전망이 별로 없었다. 사람들은 굶주림과 고통에 대한 구제를 바라며 도시로 몰려들었다. 이는 한 지역에 먹여야 할 입이 더욱 늘어난다는 얘기고, 그것은 대개 물가를 더 끌어올려 나쁜 상황을 더 악화시켰다.[82]

1330년대 이후 불확실한 상황은 일상이 되었다. 그리고 우려의 근원이 되었다. 예를 들어 한 역사 기록자에 따르면 1338년에 메뚜기들이 눈보라처럼 중부 유럽을 습격했다. 너무 새카맣게 몰려와서 햇빛을 가릴 정도였고, 너무 시끄러워서 옆 사람이 말하는 것도 들을 수 없을 정도였다. 메뚜기는 모든 것을 파괴했다. "그들이 내려앉는 곳이 어디든 곡물도, 과일도, 건초도, 아니면 지상의 다른 어떤 형태의 농작물도 남아나지 않았다. 모든 것이 그들의 배에서 소화됐다." 그리고 많은 "돼지, 개, 기타 동물들"이 메뚜기가 체내에 잔뜩 들어오는 바람에 죽었다. "그러자 교회의 모든 사람들과 프라하 시민들이 성스러운 유물과 깃발을 들고 행진하며 신의 자비를 빌었다. 이 말도 안 되는 것을 없애달라고."[83] 이듬해 알이 "벽돌 조각만큼 큰" 메뚜기들이 이탈리아 여러 지역을 습격해 들판을 유린하면서 만성적인 식량 부족과 질병을 일으켰다.[84]

이런 상황에서 1340년대 초 몽골과 이탈리아 해양 공화국들 사이의 관계 파탄은 특히 시기적으로 좋지 않았다. "유라시아 대륙 전역이 이례적인 수준의 환경 압박을 받고 있는" 바로 그 순간이었기 때문이다.[85] 이 어려움은 시기에 따라, 그리고 지역에 따라 차이가 났다. 북부 스칸디나비아와 스웨덴 중부의 나이테 재구는 대략 같은 시기 노브고로드 및 핀란드 남부에 비해 더 엄혹한 조건이었음을 시사한다.[86]

얼추 비슷한 시기에 자니벡Jänibek 칸이 1342년 이래 흑해 통행을 지배하고 있던 킵차크칸국의 새 지배자로 즉위했다. 이는 제노바와 베네치아 사이의 새로운 경쟁을 촉발했다. 그들은 모두 이전에 받았던 무역상의 특권을 새 지배자로부터 확인받고자 애를 썼다. 두 도시국가 사이의 적대감은 매우 커서 양쪽은 모두 자기네의 이권을 유지하려 애쓰는 한편으로 상대방의 상업적 특권을 철회해야 한다고 주장함으로써 그들을 약화시키고자 했다.

그러나 결과적으로 양쪽 다 실패했다. 자니벡의 고위급 신하 한 명이 서방 상인에게 피살되자 이 킵차크 지배자는 양쪽 모두를 배척하기로 결정했다. 그는 자기 영토에 살고 있는 '가톨릭교도들'을 구금하라고 명령했을 뿐만 아니라 무역 또한 전면 금지했다. 곡물 선적도 여기에 포함됐다.[87]

그 영향은 두 가지였다. 첫째로, 선적 봉쇄는 1340년대 중반 식량 공급에 더 큰 압박을 가했다. 유럽과 특히 이탈리아에서 식량 부족이 심각해지던 시기였다. 평소보다 많이 내린 비와 역시 정상보다 기온이 낮은 기간이 수확에 부정적인 영향을 미쳤다.[88] 둘째로, 곡물 수출 금지는 의도하지 않았지만 대유행 전염병의 전파를 막았다. 배의 화물과 아마도 항해하는 선원들의 몸에 잠복해 의식하지 못하는 사이에 옮겨질 수 있었다. 따라서 킵차크칸국이 1347년 베네치아 및 제노바와 평화 협정에 합의한 것은 무역을 자유롭게 했을 뿐만 아니라 죽음의 문도 열어놓는 것이었다.[89]

오랫동안 중국에는 이 전염병이 영향을 별로 미치지 않았거나 전혀 미치지 않았다고 여겨져왔다. 그러나 이제 복잡한 자료들이 꼼꼼하게 분석되면서 도전을 받고 있다. 학자들이 오랫동안 그 중요성을 간과해온 자료들이다.[90] 유럽, 서아시아, 북아프리카, 그리고 사하라 이남 아프리카의 일부 지역들에서는 대규모 재난을 겪었다는 증거가 있다. 이 질병으로 주민의 40~60퍼센트가 죽은 것으로 추산됐다. 지금까지 "인간이 알고 있는 어떤 대규모 재난의 경우보다 높은" 사망률이다. 다만 "근세 초 유럽인과의 첫 접촉 때 아메리카 토착민들에게 미친 천연두와 홍역의 영향은 제외하고"다.[91] 인구와 경제 붕괴가 너무 커서 금속 생산이 줄고 대기의 납 함량이 얼음 시료 분석에서 검출하기 어려울 정도로 떨어졌다. 적어도 지난 2천 년 동안에 그런 일은 처음이었다.[92]

피렌체의 시인 페트라르카는 몇 년 후 이 질병 때문에 아들을 잃었다. 그는 이렇게 썼다. "1348년은 우리를 고독하고 무력하게 만들었다. 우리의 소중한 친구들은 지금 어디에 있는가? 사랑스러운 얼굴들은 어디에 있는가? 다정한 말들은 어디에 있고, 편안하고 즐거운 대화는 어디에 있는가?" 이 대유행병은 "수백 년 동안 유례가 없는" 것이었다. 너무 파괴적이어서 "온 세계를 짓밟고 파괴했다." 최근에 대유행병을 겪은 사람들은 페트라르카의 아쉬움이 듬뿍 담긴 관찰을 인정할 것이다. "시간 자체가 우리의 기회를 앗아갔다."[93]

흑사병은 유럽의 여러 지역과 나라에 고르게 퍼지지 않았다. 공간-시간 지도를 작성해보면 프랑스에서 가장 맹위를 떨친 곳은 따뜻하고 건조한 남부였다. 마르세유 항구에서 퍼져 나간 듯하다. 반면에 지금의 벨기에와 네덜란드는 전염병의 큰 참화를 면했다. 적어도 그 첫 물결에서는 말이다.[94] 폴란드 연대기에는 전염병 이야기가 많지 않다. 이와 함께 1340년대와 1350년대에 교황에게 꾸준히 십일조를 납부했다는 사실을 근거로 일부에서는 폴란드의 사망률이 낮거나 심지어 무시해도 될 정도였다고 주장했다. 그리고 다른 지역에 영향을 미쳤다는 데 대해서도 의문을 제기했다.[95]

어떤 곳에서는 당국이 도시 주민들에게 자가격리를 강제하는 조치를 취해 영향에서 벗어났다. 예를 들어 밀라노에서는 즉각적으로 행동에 나서 예방 조치를 취함으로써 단 세 가구만 감염되는 데 그쳤다. 나머지 주민들은 안전했다.[96] 문화, 생태, 경제, 기후 요인들은 왜 흑사병이 유럽의 많은 지역을 초토화했음에도 어떤 지역은 해를 입히지 못했는지를 설명해준다.[97]

이 전염병이 북아프리카에 도착한 데 대한 첫 기록은 이것을 "이슬람 세계에서 이전에 겪었던 어떤 것보다 더 고약한" 것이라고 했다. 1347년 시신을 가득 실은 배 한 척이 항구로 떠밀려오면서 알렉산드리아에 전염병이 들어왔다. 그 배에는 생존 선원이 몇 명 있었는데 그들 역시 얼마 안

가서 모두 죽었다. 대유행병은 들불처럼 도시 전역으로 확산돼 매일 수백 명씩 죽었고, 이어 이집트의 다른 크고 작은 도시들로 번졌다. 카이로에도 퍼졌는데, 그곳에서는 한창때에 매일 7천 명이 죽었다.[98]

문제 중 하나는 도시가 질병 확산을 위한 이상적인 도가니라는 점이었다. 사람들이 서로 가까이 붙어 살고, 공중위생 기준이 불충분하며, 전염병 균 확산을 돕는 설치류 서식 밀도가 높았기 때문이다. 예를 들어 20세기 미국에서 기본적으로 도로를 확장하고 건물을 수리하고 목조 주택에서 탈피한 것이 쥐 서식지의 규모에 직접적인 영향을 미쳐, 불과 2년 사이에 거의 80퍼센트가 줄었다는 사실은 시사적이다. 다시 말해서 도시 구조가 질병 환경과 직접적인 관련이 있고, 따라서 대유행병의 결과에도 중요한 통찰을 제공한다는 것이다.

불결한 집과 열악한 위생 기준이라는 생각이 대중의 상상을 지배하고 있지만(그리고 흔히 중세사가들조차도 이를 당연시하고 있지만), 많은 도시들은 인구 증가와 기반시설 수요에 의해 제기되는 문제들을 심각하게 받아들여 예방적 건강 프로그램을 마련하고 가정의 폐기물 처리, 매장, 인공 오염을 처리하는 방식을 고안하는 데 많은 투자를 했다. 시민에게 개별적으로, 그리고 집단적으로 도움을 주는 우물, 수로, 다리, 도로를 유지하는 것은 말할 것도 없었다.[99]

흑사병이 이런 여러 가지 수단들(그중에는 감염병의 확산을 억제하거나 막기 위한 조치들도 있었다)을 극복했다는 것은 병원균의 강력함과 새로운 숙주를 찾는 능력에 대해 많은 것을 말해준다. 1340년대와 그 이후 수십 년 사이에 알렉산드리아에서 공예품 공방과 직물 제조업자 수가 줄었다는 것은 질병이 이 도시를 휩쓸고 지나가면서 주민의 절반 정도가 죽었음을 시사한다.[100] 한편 카이로의 경우 도시에 일어난 변화가 매우 커서, 인구

재앙이 건축 환경과 건물이 사용되고 유지되고 건설되는 방식에 영향을 미쳤음을 일깨워주고 있다.[101]

사회경제적 배경은 대유행병 기간 카이로 주민의 사망률에 영향을 미친 한 요인이었다. 가난한 집 사람들은, 치료를 받을 수 있고 영양 상태가 좋으며 집이 넓고 위생 상태가 좋은 사람들보다 죽을 확률이 높았다. 따라서 흑사병으로 인해 가장 고통을 받은 부류는 가난한 사람들이었다. 충격으로 인해 도망치거나 단순히 곡물 가격이 치솟아 식량을 얻기 위해 도시로 피난한 사람들이 특히 많이 죽었다. 시골에서 카이로로 몰려든 사람들이 많이 죽었지만, 프랑스 디종에 새로 들어온 사람들도 마찬가지였다. 그들은 이미 도시에 살고 있거나 질병 발생 전에 도시로 옮겨온 사람들에 비해 죽을 확률이 더 높았다.[102]

재난 상황에서 사람들의 이동은 전염병 확산을 가속화하는 데 한몫했음에 틀림없다. 이후 시기에 성지를 오가는 순례자들이 질병 확산에 중요한 역할을 했듯이 말이다.[103] 토지 이용의 변화 역시 유럽의 여러 지역에서 전염병이 확산된 중요한 이유 가운데 하나였던 듯하다. 이전 시기의 급속한 도시화와 인구 증가는 농업 자원의 이용 측면에서뿐만 아니라 토지 이용 관행과 특히 개방경지제open-field system 채택이라는 측면에서 생태계 압박을 초래했다.

사소한 변화조차도 중대한 결과로 이어질 수 있었다. 예를 들어 현대의 토지 관리 관행에서 작물 경작을 효율적으로 하기 위해 울타리를 제거한다. 그러면 온갖 새들이 잔뜩 몰려드는 것을 감수해야 한다. 또한 해충의 수도 늘어난다. 14세기에 울타리가 (만약 있었다면) 어떻게 유지됐는지는 잘 알 수 없지만, 그런 문제는 흑사병이 계속해서 더 많은 동물과 인간을 찾아내 감염시키고 죽이는 과정에서 그것이 치명적인 속도를 유지

하도록 돕는 역할을 했을 것이다.[104]

게다가 복합된 재난은 1340년대가 세계 군사사에서 가장 소란스러운 시기 가운데 하나였다는 사실에 의해 증폭됐다. 유럽뿐만 아니라 서아시아와 북아프리카에서도 그랬다.

이 시기에는 잉글랜드와 프랑스 사이에, 그리고 스코틀랜드와 잉글랜드 사이에 격렬한 전쟁이 벌어졌다. 피렌체와 피사 사이, 제노바와 베네치아 사이는 불뚝거리는 정도가 아니라 폭력적이었고, 지속적인 군사적 대결로 점철됐다. 동로마 제국은 잔혹하고 지속적인 내전으로 분열됐다. 점증하는 오스만의 위협은 말할 것도 없었다. 그들의 습격과 공격은 이 시기의 한결같은 모습이었다. 동쪽에서는 흑해와 카스피해 북안의 킵차크칸국이 같은 칭기즈칸의 후예이자 경쟁자인 페르시아-레반트의 일칸국 지배자와 대결하고 있었고, 일칸국은 맘루크 이집트와 지속적으로 대립하고 있었다.

보통의 상황에서는 이 각각의 경우에 군사력을 위한 인력·자원·식량 소비에 대한 요구가 긴장을 야기했을 것이다. 여러 대리지표가 더 불안정하고 더 다양하고 더 예측하기 어려운 기상 조건을 암시하고, 작황이 불확실한 시기에 이것들이 어우러져 치명적인 병원균이 상업 붕괴, 경제 위축, 정치적 혼란을 퍼뜨리도록 하는 파멸적인 상황을 만들어냈다. 그 각각은 다른 것들이 유발한 문제를 증폭시키는 역할을 해서 악순환을 일으켰다. 거기서 떼죽음은 그저 한 특징일 뿐이었다.[105]

다른 특징들로는 건강과 기대수명에 대한 우려, 사랑하는 사람의 상실, 돈을 모으기보다는 써버리는 태도로 인한 중대한 문화적 변화가 있었다. 이는 반복적으로 밀려오는 전염병의 파도에 의해 악화됐고, 이 파도들은 모든 종류의 회복을 막는 제동 장치이자 이전에 죽음과 고통을 피한 사람들에게 거의 상시적인 불안의 근원 노릇을 했다.[106] 공포의 파도가 1350년대 말 독일 일대에 퍼진 전염병의 파도에 동반됐다. 삶이 정상으로 돌아가는 듯했던 바로 그때였다.[107]

스코틀랜드 사람들은 "잉글랜드의 역겨운 죽음" 소식을 들었고, "그것이 신의 복수의 손을 통해 그들에게 떨어졌다고 선언"했다. 이 질병은 1349년에 스코틀랜드를 엄습했다. 그들이 "잉글랜드 왕국 전체를 침공하려는 생각으로" 결집하던 바로 그 순간이었다.[108] 그것은 수많은 사람들을 쓸어간 네 차례의 파멸적인 파도 가운데 첫 번째 파도였다. 이때 살아남은 사람의 3분의 1이 1362~1363년에 죽었고, 남은 사람의 3분의 1이 1380년에 죽었고, 1401년에 또 많은 사람이 죽었다. 그리고 당연히 가장 많은 관심을 끌었지만 이 전염병은 많은 질병 가운데 하나일 뿐이었다. 예를 들어 1402년에 이질이 스코틀랜드 동부에 퍼져서 많은 사람이 "장腸 누수로 인해" 죽었다.[109]

반복적인 전염병 발생은 이집트에 거듭 상처를 남겼다. 1403, 1407, 1412, 1430, 1460년의 사망자 수는 각기 수천 명에 달했다. 때로는 수만 명에 이르기도 했다. 1412년에 알마크리지al-Maqrīzi는 이렇게 썼다. "상이집트의 대부분의 도시는 사라졌다. 카이로와 그 근교는 부의 절반을 잃었다. 그리고 이집트 주민의 3분의 2가 기근과 전염병으로 쓸려 나갔다."[110] 전염병은 테살로니케, 알레포, 다마스쿠스, 트라브존 같은 오스만 제국의 도시들에서 500년 가까운 기간에 반복적으로 재발했다. 그것이 오스만 세계에 대해 "병든 나라와 국민" 또는 "유럽의 병자"라는 관념을 만드는 데 일조했다.[111]

일반적으로 중세사 및 흑사병에 대한 기록이 유럽중심적으로 편향되어 있어 이 전염병이 유럽 도시와 사회들 바깥에 미친 영향에 대해서는 너무도 쉽게 간과된다. 한 중진 역사학자가 강조했듯이 동아시아, 남아시아, 중앙아시아, 서아시아, 북아프리카의 이 전염병에 관한 현재의 지식은 "기껏해야 단편적이고 분산적"이다.[112]

이것은 문제가 있다. 특히 유전자 증거가 오늘날 사하라 이남 아프리카에서 발견되는 전염병이 흑사병을 일으킨 변종에서 나왔음을 보여주고 있고, 이 질병이 서아프리카에서 창궐해 정착지 폐기와 50퍼센트나 되는 많은 인구의 사망을 초래했음을 시사하고 있기 때문이다. 이는 또한 에티오피아에서 세바스티아누스 성인 및 로크 성인이 갑작스럽게 중요한 위치로 올라선 것 같은 문화적 변화 또한 설명해줄 것이다. 두 성인은 유럽에서 전염병과 밀접하게 연결된 인물들이었다.[113]

유럽 이외의 지역에서 나타난 결과에 대한 연구가 미진하기 때문에 연구가 제대로 이루어지지 않은 곳에 미친 영향을 평가하기는 쉽지 않다. 특히 이 시기에 관해서는 말이다. 기록과 고고학 및 2차 자료가 훨씬 더 많은 지역에서조차 몽골 정복 이후 형성된 연결망이 붕괴하는 데 대유행병이 얼마나 큰 타격을 가했는가에 대해서는 간과하려는 유혹을 느낄 수 있다. 예를 들어 킵차크칸국이 지배한 영토의 도시들은 전염병으로 큰 타격을 받았다. 1340년대의 카파(이 질병이 유럽으로 전파된 관문으로 보이는 곳 가운데 하나다), 1364년의 사라이 같은 곳이다.[114]

이 질병으로 노동 인력이 떼죽음을 당한 것은 스텝 일대의 농업 생산에 영향을 미쳤을 것이다. 수확과 가축 사육에도 영향을 미쳤을 것이다. 이 압박은 분명히 교역뿐만 아니라 도시에 대한 공급에도 영향을 미쳤다. 도시민들은 농작물, 고기, 유제품과 함께 유목민들에게서 구해야 하는 직물과 피륙을 필요로 하고 있었다. 새로운 주조소와 새 주전 양식, 그리고 이후의 가벼운 새 은화 도입은 유라시아 스텝의 대유행병 확산으로 생겨난 심각한 경제적 압박에 대한 반응이었다는 주장이 설득력 있게 제시된 바 있다.[115]

또 다른 압박의 지표는 몽골인들이 노예로 잡아 이탈리아의 구매자들에게 파는 사람들의 가격이 치솟았다는 것이다. 이탈리아인들은 1350년대에 인구 급감에 직면해 노동력을 구하는 데 필사적이었다. 노예들의 상당수가 자기 가족에 의해 팔렸다는 사실은 이 시기 흑해 일대의 상황이 얼마나 절망적이었는지를 보여준다.[116]

어느 학자가 말했듯이 킵차크칸국은 1359년까지는 "질서 있고 안정적이고 잘 돌아가는 정치 조직"인 듯했다. 그러나 이때에 이르러 "그것을 묘사하는 데 사용할 수 있는 유일한 단어는 '무정부'"였다.[117] 권력과 통제권을 잡기 위한 경쟁이 치열해졌다. 이전에 비해 누릴 수 있는 보상과 이득이 줄었고 자원이 빠른 속도로 감소하고 있다는 사실을 반영한 것이었다. 증오에 찬 내분이 커지고 있는 위기의 한 지표를 제공한다면, 몽골 영토로 다른 세력들이 급속하게 팽창하는 것은 또 다른 지표였다. 14세기 후반에 리투아니아 군대는 극적으로 남쪽으로 밀고 내려와 넓은 땅과 여러 도시를 점령했으며, 1400년에는 바로 흑해 북안까지 지배권을 확장했다.[118]

이것은 기회를 잡은 드문 사례였다. 보다 일반적인 특징은 장거리 여행 및 교역이 붕괴하고 여러 사회가 안으로 향하게 되면서 시야가 좁아진 것이었다. 대유행병 이전에도 중앙아시아 일부 지역에서는 변화의 조짐이 나타나고 있었다. 1330년대에 이슬람교로의 개종 물결은 포용을 내세우는 세계주의와 자유방임주의에서 멀어지고 있음을 나타낸다. 포용은 몽골 사회의 특징이랄 수는 없지만 분명히 그 중요한 일부분이었다.[119]

이것이 이제 흑사병 발생 이후의 시대에 스텝 세계가 사회경제적 위축의 시기로 접어들면서 가속화됐다. 14세기 후반에 시리아어, 볼가불가르어(현대의 추바시어와 관련이 있다), 표준튀르크어(현대의 카잔튀르크어와 연결된다) 같은 언어들이 사라진 것은 압박과 강요의 시대에 하나의 공통 정체성으로 퇴각하는 신호라고 설명하는 것이 가장 논리적일 것이다.[120]

이집트에서는 흑사병이 노동력에 파멸적인 영향을 미쳤다. 문제는 관개에 집중됐다. 수로망을 유지하려면 많은 수의 인력이 필요했다. 중세 말의 몇몇 기록은 상·하이집트에서 지역 및 대규모 관개시설을 운용하는 데 필요한 사람의 수를 10만 명 이상으로 잡았다. 국지적인 공동체 수준에서 필요한 많은 인력은 별개였다. 아마도 15~50세 남성 인력의 절반 정도가 계절적으로 수로의 토사를 퍼내고 막힌 곳을 뚫고 제방을 보강하는 일에 동원됐을 것이다. 질병으로 인한 인구 급감은 촌락들에 분명한 영향을 미쳤다. 좀 더 번듯한 수자원 분배망은 말할 것도 없었다. 어떤 경우 관개수로는 부실해졌을 뿐만 아니라 쓸 수 없는 상태가 되었다.[121]

당연하게도 전염병에 통타당한 모든 지역과 분야에서 지주와 이전에 풍부한 잉여를 즐겼던 사람들은 자기네 지위를 유지하고 농업 생산의 보상을 뽑아내고자 애썼다. 잉글랜드에서는 시골의 새로 떠오르는 소수 엘리트들이 더 큰 집을 짓기 시작했다. 도로에서 멀리 떨어져 마을 생활의 계층화 증대와 연결된 신분 상승을 과시했다. 그 계층화는 더 부유한 사람들이 기회를 틈타 개방지와 개방경지에 울타리를 치고 그 소유권을 차지함으로써 더욱 눈에 띄었다.[122]

유럽에서는 흑사병 이후 농민과 노동자들이 협상을 통해 거래에서 더 나은 위치를 차지하는 데 성공해 그것을 더 나은 생활 조건으로 이어지게 함으로써 사회혁명이 시작됐지만, 이집트에서는 지배층이 상당한 정도로 자기네의 이익을 보호하는 데 성공했다. 이것은 장기적으로 경제를 뒷걸음치게 하는 결과를 낳아, 신분 이동의 기회를 차단하고 혁신을 억제하며 장기적인 경기 침체를 가져왔다. 역설적으로 이런 차이가 생긴 주요 원인은 북아프리카의 맘루크 국가가 유럽 대부분 지역의 쪼개진 사회들에 비해 더 중앙집권화되고 더 잘 관리됐다는 사실에 있었다. 어떤 맥락에서 이는 이점이었으나 여기서는 개혁을 막고 진보를 저지한 약점이었음이 드러난다.[123]

전염병의 경험은 일련의 중요한 변화를 초래했다. 생물학적인 것을 포함해서다. 우연하게도 전염병에서 살아남은 사람들 다수는 그들이 면역계에 보호의 층을 제공하는 데 도움이 되는 유전적 돌연변이를 가지고 있어서 그렇게 되었을 것이다. 역설적으로 ERAP2로 알려진 이 돌연변이는 지금의 몇몇 자가면역질환과 연결돼 있다. 크론병, 낭창狼瘡, 류머티즘 관절염 등이다. 다시 말해서 흑사병으로부터 보호했던 대립유전자가 오늘날 살아 있는 사람들이 질병에 걸릴 위험을 높인다는 것이다.[124] 런던의 묘지에서 나온 증거는 젊은 여성의 초경(첫 월경 주기)이 더 빨라졌음을 시사한다. 이는 대유행병 이후 생활 조건이 더 나아졌다는 징표로 보는 것이 가장 합리적이다.[125]

문화적 변동도 있었다. 예를 들어 전염병에서 살아남은 사람들이 너도나도 결혼을 하면서 일부 학자들이 '혼인 열기'라고 말한 현상이 나타났다. 그 결과로 이 시기에 출산이 크게 늘었다.[126] 전염병의 경험을 정리하기 위해 많은 노력이 기울여졌다. 이 질병의 증상과 영향을 설명하는 의학 논문 같은 것들이다. 흑사병에 수반된 고통(그리고 폭력)을 기록한 이베리아계 세파르디 유대인의 전례시典禮詩들도 있었다.[127] 시간이 지나면서 유대인들이 쓰고 유대인들을 위해 쓴 글들은 유대인이 전염병에 맞서

견뎌냈음을 이야기하게 되었다. 통상적으로 위생적인 태도와 세심함의 수준이 높았던 덕분이다.[128]

전염병의 여파로 새로운 유행, 새로운 식습관, 사치품에 대한 새로운 태도도 나타났다. 경쟁적 소비가 나타난 결과이기도 했고, 인구가 줄어 상품 가격이 떨어졌기 때문이기도 했고, '죽음의 부름'을 피한 기쁨 때문이기도 했다.[129] 유럽에서는 단백질을 얻기가 더 쉬워졌는데, 이는 먹을 사람이 줄었기 때문이기도 하지만 농민과 목축업자들이 자기네 가축을 팔 새로운 시장을 찾아 나서지 않을 수 없는 상황 때문이기도 했다. 한 역사가가 국제 고기 거래라 부른 것의 시작이었다.[130] 또한 대유행병으로 인해 필사공이 너무 많이 죽어 종이 값이 떨어졌다는 주장도 나왔다. 이 것이 문자 해득률을 높이는 자극제가 되었고, 아마도 요하네스 구텐베르 크 등의 인쇄혁명을 촉진하는 데 도움이 되었을 것이다.[131]

전염병을 발견하는 체계 또한 고안되고 발전했다. 그것은 다양한 수준의 성공을 거두었다. 오스만 제국은 잦은 발생을 처리하기 위해 발버둥을 쳤지만, 밀라노의 공중보건 당국은 1360년대 이탈리아 북부의 파멸적인 유행(이때 사랑하는 아들 조반니를 잃은 페트라르카는 그것이 1340년대의 것과 맞먹을 뿐만 아니라 그보다 더 심했다고 묘사했다) 이후 매우 세심하게 전염병을 감시했다. 조기경보 거점망이 만들어져 새로운 발병을 보고했다. 주요 여행로, 산의 고개, 롬바르디아의 주변부 등에 특히 관심을 기울였다.

16세기 전반에 감시 체계가 흐트러졌다. 대체로 도시 내부의 오랜 전쟁과 혼란(그것이 지출에 압박을 가하고 관심을 다른 곳으로 돌렸다)의 결과였다. 그 결과는 극적이었다. 전염병에 대한 불안은 잘못된 것이 아니었다. 1524년 밀라노 주민 절반이 죽으면서 불안은 분명한 현실이 되었다. 이 도시가 회복되는 데는 여러 해가 걸렸다. 전염병에 대한 공포는 의심을 낳았다. 어떤 사람들은 새로운 발병 소식을 믿지 않으려 했고, 반면에 "높은 위험수당 격의 수고비"를 계속 받고 자기네의 배를 불리기 위해 상황을 과장하는 간호사, 무덤 인부, 기타 사람들의 속임수가 아닌지 미심쩍어했다.[132]

14세기 중반의 인구 격감에서 회복하는 데는 오랜 시간이 걸렸다. 1550년 무렵 북부 이탈리아의 인구는 550만 명 정도에 이르렀다. 100년 전에 비해 40퍼센트 이상 증가한 것이다. 그럼에도 불구하고 흑사병 직전의 수준에 비하면 한참 못 미쳤다.[133] 이 퇴보가 200년 뒤에도 뒤집히지 않았다는 사실은 중세 한가운데를 덮친 겹치기 재앙이 일으킨 퇴행의 규모에 대해 많은 것을 말해준다.

살아남은 사람들에게는 이득이 있었다. 얼핏 이해가 되지 않는 것이었다. 많은 사람이 죽었다는 것은 한 사람이 차지할 수 있는 "카드, 수레, 말, 황소, 노새, 배, 헛간, 곡물 창고"가 더 많다는 얘기였다. 말하자면 '전염병덤'이었다.[134] 역설적으로 기후의 출렁임, 흉작, 장거리 교역에 대한 의존, 격렬한 전쟁, 질병 환경의 변화가 세 대륙에 걸쳐 공동체들을 초토화시킨 조건들을 낳았지만, 종종 장기적인 성장의 촉매제 역할도 했다. 특히 유럽에서 그랬고, 그중에서도 대륙의 북부에서 그랬다. 전염병은 세계를 변화시켰지만 어떤 사람들에게는 그것이 한 줄기 희망이 되지 못했다.[135]

흑사병을 유발한 이례적인 여러 요인들은 비슷해 보이는 기간들이 비슷한 결과를 만들어내지 않은 이유를 설명하는 데 도움이 된다. 예를 들어 15세기 중반에는 슈푀러 극소기Spörer Minimum라는 또 하나의 태양 활동 위축기가 서·북유럽과 중부 유럽에서 이례적으로 추운 시기를 초래했다. 1430년대의 기후 조건은 특히 엄혹했다.[136]

포도주 통이 꽁꽁 언 데다 1432, 1433, 1434, 1436, 1437, 1438년에 잉

글랜드, 독일, 프랑스, 베네룩스 등에 흉년이 들었다. 그 결과로 파리, 쾰른, 아우크스부르크에서 곡물 값은 물론이고 장작 값까지 올랐다. 잉글랜드 남부 영지의 기록을 보면 암양의 출산율이 급감했음을 시사한다. 그리고 1438년 양의 폐사율은 평년에 비해 여러 배 높았다.[137]

1450년대의 아직 밝혀지지 않은 화산과 남태평양 수중의 쿠와에Kuwae 칼데라의 대규모 분출(쿠와에 분출은 1815년의 거대한 탐보라산 분출보다 더 폭발력이 컸다)은 알프스의 호수들을 꽁꽁 얼게 만들었다. 말을 타고 건널 수 있을 정도였다. 알려진 바에 따르면 아일랜드에서는 5월까지 나무에 잎이 나지 않았고, 유럽 각지의 역사 기록자들이 천체 현상에 대해서도 많은 글을 남겼다. 그들은 햇빛이 힘을 잃어 푸른색으로 약하게 비쳤으며, 안개와 연무가 공중에 떠 있었다고 적었다. 6세기의 먼지막 같은 것이었다.[138]

화산 활동은 오세아니아 구전 전승에 잊을 수 없는 인상을 남겼다. 그 곳에서는 수백 년 후까지 쿠와에 분출이 누군가에게 속임을 당해 어머니와 근친상간을 하게 된 강력한 마법사의 소행이며 그가 복수를 위해 대재앙을 내린 것이었다고 설명하는 이야기가 전해졌다.[139]

다른 곳에서도 극단적인 기상 사태는 심각한 문제를 일으킬 수 있었고 실제로 일으켰다. 예를 들어 1362년 1월 서·북유럽에서는 거센 폭풍우가 불어서 한 수행자가 창문 밖으로 휩쓸려 나갔으며, 교회에서 기둥이 쓰러져 그곳으로 피난했던 사람들이 죽고 여러 이름난 건물들이 무너졌다. 한 학자가 상기시켜주듯이 근대 이전 시기의 대형 폭풍우의 영향에 대해서는 별로 관심이 기울여지지 않았지만, 1987년 10월의 이례적으로 거센 폭풍우가 영국에서 1500만 그루로 추정되는 나무를 쓰러뜨렸음은 지적해둘 만하다.[140] 1999년 12월 중부 유럽의 폭풍우는 40만 개소

의 전화 및 전기선을 끊었으며, 1억 3800만 세제곱미터의 나무를 쓰러뜨렸다.[141]

많은 것이 나무의 유형, 풍향과 풍속, 나무의 착근(근계根系, 토양, 배수 등), 나무의 밀도와 키, 그리고 삼림 관리 기술에 달려 있기는 하지만, 그런 기상 사태에서 발생할 수 있는 피해 규모는 막대하고 자연환경의 모든 측면에 영향을 미칠 수 있다. 동식물 서식지에서부터 지형 변개에 이르기까지, 그리고 대규모 격변에 대한 적응에서 비롯되는 사회경제적 변화에 이르기까지 말이다.[142]

그런데 흥미롭게도 몽골 제국의 건설, 아시아·유럽·아프리카를 가로지르는 상업적·문화적 연결의 강화, 매우 파괴적인 것으로 드러난 광범위한 대유행병 이후의 시기는 길고도 완만한 통합의 시기의 서막이었다. 이 시기에 오랫동안 확립된 정치적 중심지와 그곳들을 한데 묶은 연결망의 지리적 주변부에 있던 국가와 민족들이 팽창하고 새로운 세계를 탐험할 수 있는 새로운 기회가 열렸음을 알게 되었다. 그 결과는 우리가 살고 있는 세계의 성격을 변화시키는 것이었다. 거의 글자 그대로 말이다.

# 14장

# 생태 지평의 확대

## 1400년 무렵부터 1500년 무렵까지

기근이 너무 심해 멕시카 노인들이 스스로를 팔았다.
— 치말파인 연대기(17세기 초)

흑사병 이후에 여러 새로운 국가, 새로운 세계, 새로운 관계가 생겨났다. 유럽에서 다음 세기에는 국가들이 거의 끊임없이 전쟁을 벌이면서 군사적 혁신과 관료제 혁신의 두 가지 추세가 나타났다. 대유행병 직전에 시작된 잉글랜드 왕과 프랑스 왕 사이의 백년전쟁 동안 새로운 기술과 전술이 등장했으며, 세금과 군대를 늘릴 필요성은 권력 집중과 함께 왕국 운영, 예산 통제, 지출 운용을 담당한 사람들의 전문화를 추동했다.[1]

이 시기는 새로운 기회를 잡을 수 있었던 사람들에게도 변화의 시기였다. 예를 들어 부르고뉴 공작들은 14세기 말부터 급속한 정치적·영토적 팽창을 이끌어 잉글랜드 왕들과 약삭빠르게 동맹을 맺고 베네룩스 일대의 실력자 및 도시들(브뤼허와 헨트 같은)과 타협을 했다. 이로써 부르고뉴 공국은 유럽 서반부의 상업적·문화적 유력 집단이 되었다.[2] 동방에서 그에 필적할 수 있는 것이 리투아니아 대공이었다. 대유행병 이전에도 군사적 성공을 거둔 바 있는 그는 이어 1380년 쿨리코보 승전 등 큰 승리를

거두었고, 남쪽으로 멀리 흑해까지 영토를 정복했으며, 1398년 크림반도를 침공했다.[3]

동남쪽에서도 사태는 급변하고 있었다. 1340년대에 세르비아의 제국이 스테판 두샨Stefan Dušan의 지휘하에 모습을 드러냈다. 그는 먼저 매부인 강자 믈라덴 슈비치Mladen Šubić가 전염병으로 죽은 데 도움을 받았다. 그것이 보스니아와 달마티아 정복의 길을 열었다. 이어 20년에 걸친 동로마 제국 내전에서도 도움을 받았다. 이 내전으로 동로마는 북부의 영토와 도시에 대한 방어력이 약해졌다.

새로운 기회는 오스만인들에게도 찾아왔다. 이들은 1350년대 초 유럽 본토에 발판을 마련했고, 그것이 미래에 발칸반도 일대를 장악하는 도약대가 되었다. 이 반도는 1371년 마리차 전투와 1389년 코소보 전투 이후 열렸다. 특히 코소보 전투는 이후의 세르비아 역사 서술에서 상징적 지위를 차지했다.[4]

이런 성공은 1453년 콘스탄티노폴리스 공격의 길을 열었고, 그것이 성공해 마침내 술탄의 군대를 유럽의 심장부 깊숙이 들여놓았다. 오스만은 동부 및 중부 유럽으로 깊숙이 진군하면서 연전연승을 거두었다. 1529년에 부대는 빈을 공격할 태세를 갖추었다. 이 도시는 비 덕분에 살아남았다. 비가 억수같이 퍼붓는 바람에 오스만의 육중한 대포들이 진흙 속에 처박혔다. 술탄의 군대가 두 달 일찍 움직였다면(또는 날씨가 계속 좋았다면) 빈은 함락됐을 것이고 유럽의 역사는 엄청나게 달라졌을 것이다.[5]

사실 오스만이 유럽으로 팽창한 것은 다른 종류의 보상을 제공했다. 대륙 일대에서 기독교 국가들의 존립이 위태로워지자 단합이 이루어졌다. 오스만의 군사 원정 결과로 유럽 왕국들 사이의 치열한 교전이 줄었을 뿐만 아니라 16세기 초부터 최소한 1600년까지는 갈등이 50퍼센트 이상 줄었다.

이는 오스만이 유럽으로 밀고 들어간 것이 종교개혁 및 개신교-가톨릭 공동체의 분열과 시기가 겹쳤다는 점을 생각하면 놀라운 일이었다. 오스만의 군사적 능력과 이슬람교 및 튀르크인의 팽창을 뒷받침한 동력은 교회의 역할과 지도자들의 도덕성에 관한 생각에 의문을 제기했고, 추가적인 정복 위협은 가장 큰 위험에 처한 사람들이 서로 협력할 수 있는 바탕을 제공했다. 따라서 오스만은 역설적으로, 개신교가 이전의 개혁 운동이 실패했던 방식으로 성공을 거둘 수 있도록 한 단결을 추동하는 역할을 했다. 이 과정은 유럽의 종교, 정치, 경제에 심대한 영향을 미쳤다.[6]

오스만은 다른 곳으로도 뻗어나갔다. 그들은 페르시아의 사파비 왕조와 대결했다. 그 지배자 이스마일 1세는 특유의 콧수염으로 유명했고, "싸움닭처럼 용감"한 것으로 유명했고, 명궁으로 유명했다. 그는 자신의 시간 대부분을 "홍안의 소년들을 찾거나 그들과 어울리고, 적포도주를 엄청나게 들이켜고, 악기 연주와 노래를 들으며" 보내곤 했다.[7] 사파비를 상대로 한 1514년의 전격적인 원정은 그들을 궤멸시키고 타브리즈를 함락시키는 결과를 가져왔다. 이 도시는 거대한 도서관, 세밀화 화가들, 능숙한 융단 제조자들로 유명한 곳이었다.

이로써 오스만은 동부 변경의 위협을 제거했을 뿐만 아니라 자원을 자유롭게 이용해 이집트를 공격할 수 있게 되었다. 이집트는 당연하게도 1517년에 손쉽게 함락됐다. 이제 오스만은 유럽, 아프리카, 아시아의 세 대륙에 걸친 세계 제국을 지배하게 되었다.[8]

오스만이 유럽과 만난 것은 '발견의 시대'(역사가들이 통상 15세기 말과 16세기 초 유럽인들이 대서양을 횡단하고 아시아로 향한 항해들과 연결시키는)의 일부였다. 이것은 과거에 대한 연구가 더 넓고 더 균형 잡히고 더 의미 있는 맥락을 제공하기보다는 얼마나 유럽의 경험을 우선시하고 있는지에 관해 많은 것을 말해준다.

사실 오스만의 시계視界는 이 시기에 유럽뿐만 아니라 동방으로도 급속하게 확대됐다. 북아프리카 정복은 홍해뿐만 아니라 인도양으로도 뻗어 있는 해상로를 열어놓았다. 이는 수백 년 동안 동남아시아와 남아시아, 페르시아만과 동아프리카를 연결하고 그 너머의 중국, 일본, 오세아니아에 이르던 활발한 연결망이었다.[9]

이 연계와 함께 인도양의 서북 해안을 따라 급속하고 거의 연속적인 팽창이 이루어졌다. 아덴, 모카, 바스라를 점령하고(그것이 동방으로 가는 새로운 문을 열었다), 수단과 에리트레아 해안을 정복했다.[10] 이들 새로운 지역 상당수는 대개 통제하기가 위태로웠고 현지 지배자들과의 협력에 의존했지만, 이런 진전은 멀리 인도 남부, 스리랑카, 믈라카까지 이르는 지역과 민족에 대한 급격한 관심 증대나 정보 축적과 병행됐다.[11]

시야는 다른 데서도 넓어졌다. 기독교도 에티오피아의 솔로몬 왕조 같은 경우다. 그들이 지역에서 권위와 권력을 확장하고 통합하는 일은 빠르게 이어졌다. 15세기 초에 그 너거스트nägäst(왕)는 이 시기 아프리카 동부에서 가장 큰 정치체를 지배하고 있었으며, 베네치아, 로마, 발렌시아, 리스본 등의 여러 도시에 외교 사절을 파견하기 시작했다. 이것은 서방 학자들이 오랫동안 생각해왔던 것처럼 유럽의 기술을 도입하거나 군사 원조를 요청하거나 복속을 표시하려는 의도가 아니었고, 야심차고 성공적인 권력의 자신감 있는 과시였다. 그들은 자기네를 동시대의 다른 곳에 존재하던 사회들과 적어도 동격으로 생각했다.[12]

이는 1440년대에 교황 에우게니우스 4세가 "걸출한 에티오피아 황제인 사제 요한"을 피렌체 공의회에 참석하도록 초청한 데서 가장 분명하게 나타났다. 이 회의는 기독교 교회를 갈라놓고 논자에 따라서는 수백 년이 아니라 꼭 1천 년을 거슬러 올라간다고 하는 분열을 해결하려는 목적의 역사적인 행사였다. 독립과 자율을 강조하기 위해 에티오피아 교회의 고대 언어인 그으즈Gəʿəz어로 작성된 첫 반응은 무시당했다고 할 수 있을 정도로 퉁명스러운 것이었다.

페트로스Petros라는 사람이 이끈 대표단은 1441년 회의에서 당연히 교황을 만났지만, 그가 전한 말(아마도 암하라어로 말한 것을 아라비아어로 통역하고 이를 다시 라틴어로 통역했을 것이다)은 너무도 분명했다. 에티오피아 교회는 위협, 이단, 지도력 부재에 직면한 다른 곳의 교회들처럼 "허물어지지" 않았다는 것이었다. 그는 이어 그것이 교황 덕분은 아니라고 말했다. 오히려 "전임 로마 교황들의 태만"을 지적했다. 그들은 지난 800년 동안 "그리스도의 양"에게 관심을 보이지 않았다. 그리스도의 첫 추종자들처럼 찾아와주는 것은 고사하고 말이다. 이것은 먼 과거의 일을 끌어다가 자기네 권력의 표현을 구성할 수 있는 나라의 자신감을 드러낸 단호한 언설이었다.[13]

이 시기는 다른 사람들에게도 '발견의 시대'였다. 유럽인들이 대서양을 건너 항해하기 오래 전에 오세아니아의 선원들은 돛을 단 쌍동선을 타고 때로 수천 킬로미터에 이르는 왕복 여행을 했다. 그들은 민족, 생태, 자원의 태피스트리를 연결하는 '섬들의 바다sea of islands'(한 중견 학자의 표현이다)를 폴짝폴짝 뛰어넘듯 돌아다녔다. 동아프리카 해안을 포함하는 인도양 세계의 교류 증대 역시 대략 14세기 중반 이후의 접촉 증가 시기를 특징지었다.[14]

동아시아에서는 1320년대 이래의 상시적인 환경 압박으로 극심한 기근, 유행병, 가뭄이 기승을 부려 중국 안휘성의 땅이 "거북 등처럼 쩍쩍" 갈라졌다.[15] 원 왕조를 상대로 한 봉기가 갈수록 증가했다. 주원장朱元璋이라는 한 가난한 농부가 불평했듯이 그 황제들은 "약하고 자기네가 할 일을 하지 못했다."

주원장은 1350년대에 "식량이 부족하고 풀과 나무껍질로 연명해야" 하는 사람들을 끌어 모아 반란을 일으켰고, 그 반란은 가속도가 붙고 있었다. 1368년, 그는 원나라를 몰아내고 스스로 제국의 주인이 되었다. 그리고 자신이 '명明'이라 명명한 새 왕조의 창건자가 되었다. 연호는 자신이 전쟁에 뛰어났음을 나타내는 '홍무洪武'였다.[16] 이것은 환경 변화를 중국 왕조의 멸망과 연결시키고자 하는 역사가들의 눈길을 끄는 또 하나의 사례를 제공한다.[17]

그 이전의 원과 송 왕조는 장거리 해상무역을 장려하고 우선시하려 한데 반해, 새 나라 명의 지배자들은 전혀 다른 접근법을 택했다. 홍무제가 권력을 잡고 불과 3년 후인 1371년, 해상무역에 대한 금지령이 내려졌다. 해안 지역에 사는 사람들은 누구를 막론하고 바다로 나가는 것이 금지됐다. 대외무역과 중국 바깥의 사람들과 접촉하는 것은 제국 궁정과 관리들만 할 수 있게 되었다.[18]

그렇다고 명 왕조 중국이 바깥 세계와의 접촉을 단절한다는 얘기는 아니었다. 사실 15세기 전반에는 상당한 정력과 비용이 정화鄭和가 지휘하는 함대를 꾸리는 데 들어갔다. 명나라의 힘을 천명하기 위해 기획된 원정이었다.

이 원정에 몇 차례 동행한 마환馬歡이 쓴 보고서 〈영애승람瀛涯勝覽〉은 인도 말라바르 해안 및 코로만델 해안에 있는 서로 연관된 정치 및 상업 중심지들의 의례, 부, 상호작용에 관해, 그리고 오늘날 스리랑카로 불리는 곳에 관한 온갖 세부 정보를 제공한다. 스리랑카에서는 비가 내리면 사람들이 해안에 몰려가 모래를 샅샅이 뒤지며 보석을 찾는다고 그는 썼다. 그들은 그것이 "붓다의 눈물이 굳은 것"이라고 생각했다.[19]

정화를 비롯한 이 원정의 고위 지휘관들은 이슬람교도였다. 이슬람화의 파도가 휩쓴 지역들로 가는 항해라는 점을 고려한 인선이었던 듯하다. 14세기에는 동남아시아 일대에서 이슬람교도들의 비석이 점점 더 흔해지는데, 아마도 참파에서 동란이 발생했을 때 자바섬의 수라바야, 그레시크, 치르본 같은 곳으로 온 난민들에 의해 확산됐을 것이다. 이들 지역은 한 학자의 표현대로 "이슬람교 선전의 초기 중심지들"이 되었다.[20]

정화를 파견한 영락제永樂帝는 1407년 명 왕조 중국 안에서 이슬람교도의 안전을 보장하라는 명령을 내렸다. 그는 이렇게 선언했다. "어떤 관리, 군인, 민간인도 (이슬람교도를) 멸시하고 모욕하고 괴롭혀서는 안 된다. 그런 짓을 해서 이 명령을 따르지 않는 자는 합당한 벌을 받을 것이다." 이는 14세기와 15세기 초 이슬람교의 확산 정도와 그 속도를 보여주고 있지만, 이는 또한 새로 들어온 사람들이나 새로 들어온 관념들이(또는 그 둘 모두가) 제기하는 문제 또한 보여주고 있다고 이해할 수 있을 것이다.[21]

함대는 동아프리카에까지 갔지만, 원정대의 관심은 동남아시아에 특히 초점이 맞추어져 있었다. 마환 역시 마자파힛 왕국에 대해 자세히 썼다. 이 나라는 자바섬을 중심으로 해서 동남아시아의 상당 지역을 함께 묶고 있었다. 이 나라는 14세기 힌두교도 왕 하얌 우룩Hayam Wuruk의 치세에 찬란한 문화의 황금기를 경험했다. 이는 〈나가라크르타가마Nagarakṛtāgama〉로 알려진 문헌이 거듭거듭 일깨워주고 있다. 이 문헌은 신전 및 궁궐의 건립과 조상을 공경하고 달의 상相을 표시하기 위해 치러진 의식에 대해 기록하고, 예술·공예나 고객들을 위해 물건을 만든 노련한 장인들이 행한 작업에 대해서도 생생하게 묘사하고 있다.

마자파힛 왕국은 명나라와의 외교적 교류 외에 태국 남부에서 말레이반도, 수마트라섬, 술루제도를 거쳐 태평양까지 뻗어 있는 수십 개의 도시 및 국가들과 접촉을 늘려갔다. 이들 왕은 〈나가라크르타가마〉의 저자가 얼핏 주장하는 것처럼 보이듯이 꼭 속국 군주는 아니었을 것이고, 바쳤다는 공물도 반드시 믿을 만한 복속의 증거는 아니었다. 그러나 확실한 것은 이 시기가 시야와 시각이 확대되는 때였다는 점이다.[22]

수십 년 후 남아시아에서도 사정은 비슷했다. 이곳에서는 무굴 왕조의 창시자 바부르가 1505년에 남쪽으로 내려와 인도에 처음 발을 디딘 뒤 자신의 권위를 확장해 새로운 부를 얻고 새로운 경험을 하고자 했다. 그는 이렇게 썼다. "나는 이전에 더운 기후나 힌두스탄에 대해 어떤 것도 본 적이 없다. 새로운 세계가 눈에 들어왔다. 다른 초목, 다른 나무, 다른 동물과 새, 다른 부족과 민족, 다른 태도와 관습이 보였다. 그것은 놀라웠다. 정말로 놀라웠다."[23]

이는 그가 자신이 본 것에 매료됐다는 말은 아니었다. 인도는 "매력이 별로 없는 곳이다. 그 사람들은 아름답지 않고, 우아한 사교도 없고, 시적 재능이나 시에 대한 이해도 없고, 예의와 고결함과 남자다움도 없다. 예술과 공예는 조화미와 균형미가 없다. 좋은 말, 고기, 포도, 멜론, 기타 과일도 없다. 시장에는 얼음, 찬물, 좋은 음식이나 빵도 없다. 목욕탕도 없고 마드라사(학교)도 없다. 양초, 횃불, 촛대도 없다."[24] 이 시기의 다른 사람들도 발견했듯이 새로운 세계와의 만남은 대개 불편했으며, 불운하게도 떠나온 익숙한 곳과 대비되는 일들이 속출했다.

따라서 14세기 후반과 15세기 초의 세계 기후 기록이 눈에 띄게 조용한 것은 아마도 놀라운 일이 아닐 것이다. 이 시기는 격변 사태와 큰 충격이 별로 없는 긴 안정기였던 듯하다. 흑사병으로 인한 인구 감소 및 토지이용 감소는 이 시기가 왜 아시아, 유럽, 아프리카에서 연속성의 시대였는지를 설명해주겠지만, 비슷한 패턴이 파멸적인 대유행 전염병을 피한 곳에서도 확인된다는 사실은 수십 년 동안 지속된 안정적인 조건의 중요성에 관한 통찰을 제공한다.[25]

예를 들어 폴리네시아에서는 놀랍게도 통가의 통가타푸섬 군장들이 15세기 초부터 권력을 집중화하기 시작해 사회 변화를 촉발했다. 그 결과로 평민들이 예속된 농노로 전락하고 지배층 수뇌부의 소집단이 최고 지배자 투이통가Tuʻi Tonga를 필두로 부상했다. 이 지역 일대의 다른 섬들에서는 새로운 형태의 거대한 건축물들(둔덕, 제단, 거대한 돌무덤 단지 같은)이 건설되면서 그들의 물질문화가 변화하고 수입輸入이 늘어났다. 가장 눈에 띄는 것이 돌의 수입이었다. 구비전승 역시 이 무렵에 새로운 군장 가문이 등장하고 새로운 의식이 도입됐음을 찬양했다.[26] 이런 전개를 어떻게 이해해야 할지는 논쟁의 대상이지만, 통가 문화의 확장(직접적인 정치적 지배일 수도 있지만)으로 설명하는 것이 가장 논리적이다.[27]

이런 변화가 하와이(이곳에는 서기 1200년 무렵에 처음 정착했다)에서의 사태 전개와 어떻게 연관되는지는 분명하지 않다. 그러나 이 섬들과 중부 폴리네시아 사이의 항해가 비교적 흔했지만 그것은 통가의 팽창과 거의 비슷한 시기에 멈췄던 듯하다. 이는 전적으로 우연의 일치였을 것이다. 어느 쪽이 옳든 하와이제도는 세계의 다른 지역으로부터 고립돼 18세기 말까지 그 상태를 유지했다. 이때 제임스 쿡이 이끈 원정대가 이 섬들을 세계 교류망에 다시 편입시켰다.[28]

하와이의 경우는 이례적이었다. 다른 곳의 패턴은 통합하고 강화하는 것이었기 때문이다. 예를 들어 15세기 초에 멕시카(종종 아스테카로도 불린다)인들에 의해 새로운 제국이 탄생했다. 그들은 군사적 성공과 노련한 정치 교섭을 병행해 중부 멕시코의 지배 세력으로 떠올랐다.[29]

아스테카 세계는 수자원 통제에 크게 의존하고 있었다. 중심 도시 테노치티틀란(드넓은 테스코코Texcoco호 안의 섬에 위치했다)뿐만 아니라 중부 멕시코 곳곳의 수많은 수로망에 의해 확인된 사실이다. 이 수로들은 상품과 사람이 긴 거리를 이동하는 데 매우 편리했다.[30] 물은 이 떠오르는 제국 사람들의 정체성을 이루는 핵심 부분이었다. 그것은 그림문자 기록에, 노래에, 신앙 체계에 기록됐다.[31]

수자원 관리는 또한 아스테카 세계 전체의, 그리고 테노치티틀란 자체의 장기적인 생존 가능성에 결정적인 중요성을 지녔다. 테노치티틀란의 인구는 전성기에 아마도 20만 명에 이르렀을 것이다. 계단식 경작지 조성과 관개에 많은 투자를 하는 것은 그렇게 밀집한 대규모 인구를 유지하는 데 필수적이었다.[32] 이것은 또한 멕시코 분지(아나왁Anahuac)의 생태적 상황에 의해 제기된 위협에 대한 대응이기도 했다. 이 지역은 서리가 일찍 내리고 비가 늦게 내리는 이중의 위험에 노출돼 있었다.[33]

아스테카 지배자들은 기상 이변과 식량 부족에 대처하기 위해 왕국 곡물 창고의 비축을 유지하려 애썼지만, 이마저도 소용이 없는 것으로 드러나는 경우들이 있었다. 15세기 중반 모테쿠소마Motēcuzōma 1세(재위 1440?~1469?)의 치세인 이른바 '세토치틀리Cē tōchtli 기근'('cē tōchtli'는 '한 토끼'의 뜻으로 아스테카 책력에서 1454년에 해당한다)은 10년 가까운 기후 교란의 결과였다. 서리 피해, 가뭄, 메뚜기 습격, 흉작 등이 식량 비축을 무색하게 했다. 이로 인해 굶주림, 질병, 그리고 테노치티틀란, 테스코코,

찰코, 소치밀코 같은 도시들을 떠나는 대규모 이주가 일어났다.[34]

〈치말파인Chimalpahin 연대기〉에 따르면 1454년에 이런 일이 일어났다.

사람들이 물이 없어 죽었다. 찰코에서 여우, 맹수, 도마뱀 같은 것들이 왔고, 그것들이 사람들을 잡아먹었다. 기근이 너무도 심해 멕시카 노인들이 스스로를 팔았다. 그들은 숲으로 피난해 그곳에서 비참하게 연명했다. 4년 동안 나라 안에는 먹을 것이 전혀 없어 멕시카 노인들이 스스로를 팔았고 많은 사람들이 자청해서 노예가 되었다고 한다. (…) 그들은 아무 데서나 구덩이가 보이면 뛰어들어 죽었고, 도마뱀이 그들을 먹었다. 그들을 묻어줄 사람이 아무도 없었기 때문이다.[35]

일부 학자들은 이 기근이 아스테카의 추가적인 팽창의 파도를 촉진하는 데 중요했다고 주장했다. 이는 토토나카판Totonacapan(1450년대의 재난에 그리 큰 영향을 받지 않은 곳이었다) 병합을 우선순위로 삼은 이유를 설명해줄 것이다.[36] 아스테카의 정복을 아이들까지 노예로 팔았던 충격적인 경험과 연결시키는 것이 타당한지 여부와는 별개로, 재난 이후 제방, 수로, 송수관이 대폭 개선됐다는 점은 분명히 놀라운 일이다. 당연한 일이지만 경작할 수 있는 땅의 면적을 늘리는 데도 상당한 노력이 기울여졌다. 미래를 위한 완충 장치를 더 많이 확보하려는 것이었다. 농업 생산을 늘리는 것은 파멸적인 사태의 연속에 대비하는 분명하고도 논리적인 대응책이었다.[37]

이 어려운 상황이 중앙아메리카의 다른 지역에서는 어떻게 전개됐는지를 판단하기란 쉽지 않다. 유카탄의 가뭄은 1441년 무렵부터 1461년 사이에 마야판(400년 전 치첸잇사Chichén Itzá의 멸망 이후 반도에서 가장 크고 가장 중요한 도시였다)에서 내전과 정치적 붕괴를 촉진하는 데 한몫한 듯하다. 비가 오지 않는 것은 그 자체로서 문제를 일으켰지만, 교역상의 연결 위축, 이동 감소, 폭력 수준 증대는 변화를 추동하는 요소였다. 그러나 그 경우에도 작은 국가들의 활발한 연결망은 어떤 곳의 실패가 다른 곳에는 기회를 제공했음을 보여준다.[38]

남아메리카에서는 발견의 시대에 치무가 13세기 초부터 더 많은 영토와 인구를 자신의 통제하에 편입시켰다. 치무 왕국의 중심은 모체강 유역의 도시 첸첸이었다. 3만에서 4만 명에 이르는 그곳 주민들은 주변 지역과 그 너머에서 농산물을 끌어들였다. 첸첸에는 궁궐, 아우디엔시아audiencia라 불리는 3면 건축물(치무 귀족과 그 가족들에게 생활 및 업무 공간을 제공했다), 광장, 신전이 있었다. 이 도시는 태평양에 가까이 위치해 있었고, 습지, 경작지, 사막, 산악과도 가까웠다.[39]

1310년 무렵, 치무는 북쪽의 헤케테페케Jequetepeque강 유역으로 옮겨가 전략적 요충지인 파르판Farfán을 무력으로 점령했다. 그런 뒤에 남쪽의 카스마Casma강 유역에 대한 통제권을 확립했다. 이 지역에서는 만찬Manchan에 새로운 지역 중심지가 건설됐다. 남북으로 이어지는 주요 교통로와 동쪽으로 이어지는 길의 접점이었다.[40]

과거의 많은 사회들과 마찬가지로 치무 세계에서도 인간과 동물을 희생으로 바치는 것은 흔한 모습이었다. 여러 가지 상황에서 신들에게 제물로 바쳤다. 1450년 무렵, 완차키토-라스야마스Huanchaquito-Las Llamas(페루 서해안의 첸첸 바로 북쪽에 있었다)에서 140여 명의 아이와 200여 마리의 낙타과 동물(라마와 알파카)을 바치는 대규모 희생제가 치러졌다.

이 유적지의 층서학적 증거는 희생제가 폭우 또는 해일 사태 이후 치러졌음을 시사한다. 이 사태에 대해서는 근래에 기상 이변과 연관된 것으로 보기도 하는데, 북부 및 중부 페루에서 해양 먹이사슬을 교란시키고 해일을 일으킨 엘니뇨-남방진동과 관련된 듯하다. 남녀 아이들을 제물로 바친 것은 험악한 기상을 진정시켜 보다 온화하고 적합한 기후 조건으로 되돌리기 위한 시도였을 공산이 크다.[41]

기후 재난과 자연재해에 대응하기 위한 목적의 희생제는 그 무렵 이후 남아메리카의 다른 곳들에서도 발견할 수 있었다. 한 고고학 원정대는 미스티 화산 정상에서 놀랍고도 엄청난 발견을 했다. 의례로서 살해된 아이들의 시신이 묻혀 있었다. 금, 구리, 은, 국화조개 껍데기로 만든 수십 점의 소조각상과 함께였다. 도기와 목기도 있었다.

유럽 세력이 들어오기 전 안데스 사람들은 환경에 관한 관념과 조상과 종족 정체성에 대한 관념을 분명하게 밝히는 신앙 체계를 갖고 있었다. 거기에는 카팍후차qhapaq hucha 의식으로 알려진 희생 의례도 있었다. 귀한 물품과 인간 희생이 신들에게 봉헌물로 바쳐졌다. 큰 재난(농작물에 영향을 미치는 궂은 날씨 같은 것들이다) 등은 신들이 화가 났다는 표시로 받아들여졌으며, 제물을 많이 바쳐야만 신들을 진정시킬 수 있었다. 이 특별한 희생 제의의 맥락과 시기는 분명하지 않지만, 일부에서는 이를 미스티 화산의 대규모 분출 및 그 이후 이어진 듯한 기후 혼란과 연결시키고 있다.[42]

잉카 역시 1400년 무렵 이후 매우 성공적인 제국 건설자임을 입증했다. 유럽의 식민지가 되기 전의 남아메리카 역사상 가장 큰 제국을 건설하는 데 성공했다. 동맹 체결(이때 옥수수로 만든 알코올 음료인 치차chicha를 잔뜩 마셨다), 협박, 선택적 폭력 사용의 결합이 성공의 비결이었다. 마침내 1470년 무렵 바로 치무를 꺾으면서였다.[43]

잉카의 등장은 상당 부분 따뜻한 기상 조건 덕분이었다. 그것이 고지대, 특히 그들의 중심 도시 쿠스코 부근에서도 농사를 지을 수 있는 가능성을 열었다. 이와 함께 기후 패턴이 오랜 기간 한결같았던 점도 한몫했다. 산악 사회들에 매우 중요했던 계단식 경지 조성에 대한 투자는 잉카의 성공을 보장했을 뿐만 아니라 그 탄력을 뒷받침했다. 복합농림업agroforestry 기술 개발과 예외적으로 높은 종자단백질 및 유분 함량을 지닌 다양한 작물 재배도 마찬가지였다.[44]

잉카는 또한 지역 교류망도 건설했다. 이는 장거리 교역품, 금속, 도기, 사치품의 구득과 재분배의 독점을 통한 이념적·문화적·경제적·정치적 통제에 핵심적인 중요성을 지니고 있었다. 이를 위해 때로 새로이 편입시킨 지역의 상류층(그들은 잉카의 지배권을 통해 이득을 얻을 수 있었다)을 끌어들이기도 했다. 때로는 가볍게 다루어 성스러운 장소(팔미토팜바Palmitopamba의 윰보Yumbo 유적지 같은 곳이다)를 건드리지 않았지만, 때로는 직접적인 통제를 통하기도 했다.[45]

잉카 지배와 잉카 제국의 아마도 가장 중요한(그리고 가장 지속적인) 특징은 의무 노역을 동원해 건설한 방대한 도로 체제인 카팍냔qhapaq ñan('왕도王道')이었다. 이는 3만 킬로미터에 이른 것으로 추정되는 서로 연결된 해안도로와 공로였는데, 중간 중간에 '탐푸쿠나tampukuna'라는 중간 기착지와 '와시wasi'라는 이어달리기 전령 초소가 있었다.[46] 그 목표는 상인과 관리, 그리고 정보가 지방과 수도 사이를 오가는 데 걸리는 시간 및 비용을 줄여 통제력을 높이고 교역을 자극하려는 것이었다.[47]

교류망의 활기와 일반적인 활동 증가는 15세기 중반 이후 진드기 유행에서 확인할 수 있다. 이는 파타칸차Patacancha 계곡과 그 너머에서 상인 행렬이 끌고 다니는 대형 초식동물(무엇보다 라마)의 밀도가 높아졌음을 시사한다.[48]

이 도로망의 중요성은 잉카 제국 시기로만 한정된 것이 아니었다. 에스파냐인들이 남아메리카의 대부분을 정복한 뒤와 더 후대에 그것이 경제 발전을 규정하는 데서 한 역할은 시간당 평균 임금, 영양, 교육적 성취 같은 생활수준을 높였다고 할 정도다. 특히 여성들에게 미친 영향이 뚜렷했다.

길에 가까운 땅은 가치가 상승했다. 접근하기 쉽고 여행과 교역에 드는 비용이 줄어든 결과다. 이는 잉카 세계와 식민 지배의 시기에 장기적인 영향을 미쳤다. 그 이후의 시기에 대해서도 마찬가지였다. 잉카의 '왕도'에 가까운 지역들은 오늘날 재산권의 가치가 높고 더 잘 보호되고 있다. 학교도 많고 학력 수준도 높고 아이들의 영양 상태도 좋다. 길에서 멀리 떨어진 지역에 비해서 말이다.[49]

이는 아시아의 등뼈를 누비는 육상 실크로드의 연결망에서도 마찬가지였다. 마찬가지로 주요 통로에 가까운 곳은 멀리 떨어진 곳에 비해 상당히 높은 수준의 경제 활동을 이어갔다. 집단 간 결혼의 비율도 높았다. 이는 수백 년의 기간에 걸쳐 확인할 수 있으며, 바로 오늘날에도 마찬가지다.[50] 그런 장기적 영향의 확인은 시사적이고 유익하며, 앞으로 보겠지만 심지어 더 광범위한 불평등의 패턴을 이해하는 데 중요하다. 그 불평등은 본질상 세계적이며, 과거의 세계가 얼마나 폭넓게 오늘날의 세계를 규정했는지를 볼 수 있게 해준다.

전체적으로 보아 14세기와 15세기는 이행의 시기였다. 팽창과 발견의 새로운 시대들이 이어졌다. 적어도 자기네 생각을 남들에게 강요할 수 있는 사람들에게는 말이다. 물론 자기네의 관습과 생활방식을 버려야 했던(정복에 의해서든 합의에 의해서든) 문화권과 사회들에는 사태가 다르게 보였다.

커호키아는 번영하는 문화가 자리 잡은 곳이었다. '미국의 바닥' 지역의 풍부하고 비옥한 땅을 농업적으로 이용하는 데 바탕을 두고 있었다. 그러나 1400년 무렵, 이곳은 쇠퇴의 길로 접어들었다. 주민들이 떠나가고 지금의 세인트루이스시(100여 기의 봉분이 있던 자리에 건설됐다) 부근에 위치했던 그 중심지가 버려진 데 대해서는 여러 가지 설명이 나왔다. 가설들 중에는 강우 수준과 홍수의 빈도에 영향을 미친 기후 변화, 과잉 개발에 따른 토양 침식과 삼림 파괴, 불철저한 오물 처리로 인한 지속 불가능한 수준의 오염 등이 있다.[51] 이들 각각은 모두 생태계 파괴의 모습, 즉 붕괴가 불가피할 정도로 자원이 고갈된 모습을 재현하기 위해 고고학 및 환경 자료(배설물, 꽃가루 기록, 나이테 증거 같은)를 이용한다.

커호키아의 경우, 아마도 가장 중요한 것은 정치 중심지의 사용이 수십 년, 심지어 수백 년에 걸쳐 감소해, 돌이킬 수 없게 된 갑작스러운 시점이나 극적인 변화를 일으킨 요인들의 복합은 없었음을 시사한다.[52] 오히려 1400년 무렵의 돌이킬 수 없게 된 결정적 순간처럼 보이는 것이 모두 실제로는 길고도 오래 끈 사회경제적·문화적 변화의 결과였다.

그중 가장 중요한 것은 권력의 지역 분산, 커호키아 안에서 명확한 주거 지역과 각자의 둔덕 광장을 지닌 국지적 지배자의 등장, 그리고 그 결과로서 집단 간 정체성·경쟁심·적대감의 등장이었다. 생태계 고갈과 기후 변화가 원인이었을 것 같지는 않고, 장기간에 걸쳐 이루어진 폐기에서 중요했던 것은 서로 다른 집단들 사이의 긴장과 갈등이었고 그것이 다른 곳에서 새로운 기회를 찾고자 하는 동기를 제공했을 것이다.[53]

이는 브라질 남부의 경우도 마찬가지였던 듯하다. 이곳에서는 활발하던 교역망이 약화되고 침체에 빠졌다. 남아프리카에서도 마찬가지였다. 13세기 말부터 거듭된 가뭄은 히마Hima족과 투추Tutsu족이 빅토리아호

쪽으로, 루오Luo족이 나일강 쪽으로 이주해간 이유 가운데 적어도 하나였을 것이다. 100년 후에는 대규모의 민족 이동이 있었다. 이때는 카이로의 나일강 수심이 매우 얕아 걸어서 건널 수 있을 정도였다.[54]

다른 경우에 변화는 새로운 지배자의 등장으로 이루어졌다. 가장 분명한 사례가 티무르다. 그는 튀르크-몽골계 후예 가운데 가장 유명하며, 아시아 상당 부분의 주인이었다. 그는 14세기 말과 15세기 초에 상당한 영토, 도시, 민족을 자신의 지배하에 복속시켰다.

모든 제국이 그렇듯이 티무르의 중앙집권화된 자원은 온 나라의 노동력, 자금, 전문지식을 끌어모아 정치 중심지를 지원하고 장식하게 했다. 이 경우에는 거대한 비비하눔 이슬람 사원, 울루그벡 마드라사, 티무르 자신의 영묘(모두 지금의 우즈베키스탄 사마르칸트에 있었다) 등 보석 같은 건축물들을 지을 수 있게 했다. 황제의 후원과 밀접한 연관이 있는 미술, 문학, 과학 연구도 물론이었다.[55]

정복, 팽창, 왕조 교체가 언제나 구심력을 만들어내지는 않았다. 그들은 충격파를 던져 분열을 야기할 수도 있었기 때문이다. 1398년 티무르의 잔혹한 델리 약탈이 그랬다. 그것은 인도아대륙 상당 지역에 대한 통제권을 확립했던 술탄국 분열의 촉매제 노릇을 했다. 그 붕괴는 도시국가들의 개화를 촉발했고, 이전에 북쪽의 수도로 흘러가던 조세 수입이 이제 지역에서 재분배되면서 지역 간 상호작용의 범위도 확대됐다. 델리의 손실은 구자라트와 오리사의 소득이었다. 말라바르 해안과 코로만델 해안은 같은 방식으로 이득을 얻었다.[56]

마찬가지로 중국에서 원 왕조가 멸망한 뒤 몽골인들이 움츠러들면서 다른 이들에게 기회가 열렸다. 1390년대 한반도에서는 이성계 장군이 권력을 잡은 뒤 대규모 토지개혁을 시행했다. 땅을 보다 평등하게 분배하려는 시도가 중심이었다. 파간의 경우에도 그랬지만 문제는 토지 소유권이 부유한 가문들에 집중돼 있다는 것이었다. 불교 사원과 소수자에 의한 대규모 기부 창출도 마찬가지였다. 새 지배자의 한 고위 자문관은 이렇게 말했다. "고대에는 모든 땅이 국가 소유였다. 그 뒤 국가가 개인에게 땅을 주었다. (…) 땅을 받지 않은 사람은 아무도 없었고, 땅을 경작하지 않는 사람도 아무도 없었다." 권력을 장악해 조선의 태조가 된 이성계는 극적으로 기존 토지대장을 소각하고 땅과 특혜를 전면적으로 재분배하기 시작했다.[57]

동기 가운데 일부는 당연히 경쟁자와 잠재적 경쟁자를 약화시키려는 것이었지만, 또 하나의 목표는 식량 생산을 늘리고 토지를 더 집중적으로 이용하려는 것이었다. 태조의 손자 가운데 한 명인 세종대왕은 이 문제에 상당한 개인적 관심을 갖고 있었다. 그는 〈농사직설農事直說〉이라는 농업 편람을 만들도록 지시했는데, 이 책은 적기 파종의 중요성, 효과적인 비료의 올바른 사용, 정기적인 잡초 제거의 필요성을 강조했다. 가을철에 어떻게 쟁기질을 해두어야 하는지도 설명했다. 이 책 서문은 이렇게 말한다. "농민은 세상 모든 나라의 근본이다. (…) 모든 음식과 의복을 농민이 만들기 때문이다. 우리 정부는 그들을 최우선시해야 한다."[58]

다이비엣의 레 왕조는 1428년 권력을 잡은 뒤 비슷한 견해를 채택했다. 그들은 〈평오대고平吳大誥〉를 발표해 명나라에 대한 승리를 축하했고〔명의 건국자인 주원장이 처음에 오왕吳王을 칭했기 때문에 명나라를 오나라로 부른 것이다〕, 여기서 "이제 우리 다이비엣이 진정으로 문명화된 국가"이며 독자적인 풍습과 풍광과 민족의 나라라고 선언했다.[59]

조선에서와 마찬가지로 새로운 법을 만들어 농민의 토지 소유와 공전公田을 보호하는 조치를 제시했다. 위반자는 "중곤重棍 80대"의 처벌을 내렸다. 이런 조치들은 그저 인자한 지배자의 행위만이 아니었다. 사실 그것은 모든 세금이 곧바로 왕에게로 들어오는 것을 보장하게 하려는 것이었다고 주장할 수도 있었다. 자기네 자산을 숨기거나 국가의 요구에 저항할 수 있는 사람에게 넘어가지 않도록 말이다. 따라서 중곤 80대가 "공전에서 벼를 재배하면서도 기한 안에 곡물을 바치지 않는" 자 누구에게나 시행될 수 있었다는 사실은 주목할 만하다.[60]

유럽 르네상스를 연구하는 한 중진 학자가 밝혔듯이 15세기 말에는 시각이 극적으로 확대됐다. 브뤼허에서 그려진 그림들은 오스만 제국에서 온 깔개, 이슬람 치하 이베리아에서 온 금속 제품, 중국에서 온 자기와 비단을 보여준다.

얀 반에이크가 그린 〈아르놀피니 부부의 초상화〉 같은 그림들은 여러 대륙을 한데 연결한 교역망의 규모뿐만 아니라 경쟁적인 구매 충동 역시 보여준다. 그 충동 자체가 성장과 지위 과시를 위한 전제조건이었다. 이 유명한 그림은 한 개인 부부에 대한 기록으로도 볼 수 있겠지만, 또한 "소유에 대한 기념"을 의미하기도 했다. 그림 자체의 소유뿐만 아니라 거기에 그려진 여러 가지 호화롭고 값비싼 물건의 소유까지도 말이다.[61]

이것은 생태 및 환경의 관점에서 중요한 것임이 입증됐다. 아시아, 아프리카, 유럽을 한데 묶은 연결은 왕의 정책이나 명령에 의해 이루어진 것이 아니었다. 물론 정복과 팽창 국면은 예외이지만 말이다. 그런 시기가 지역 내 및 지역 간 교역의 증가로 이어질 수 있음도 사실이지만, 중요한 변화는 보다 일반적으로 정치적 중심에서 자원을 자기네 쪽으로 끌어들이기 위해(수출을 촉진하기 위해서가 아니라) 그물을 던진 결과로 일어난다.

예외는 있었다. 중국의 송 왕조와 심지어 몽골 제국 초기 수십 년 같은 경우다. 그러나 대체로 교역 수준 증가의 배후에 있는 추동력은 상인들에게서, 중간상들에게서, 선주들에게서, 오아시스 정착지와 도시에 사는 사람들(그들은 배후지로부터 탄탄한 지원을 받고 있고 귀하고 비싸며 갖고 싶은 산물과 가공품의 판매 및 재판매에서 이득을 얻기에 적합한 장소에 있었다)에게서 나왔다.[62]

이것들이 일부 역사가가 자본주의 세계 경제(18세기와 그 이후에 힘을 얻게 된다)라고 부른 것의 씨앗이었다.[63] 1500년에서 1800년 사이에 세계 무역은 전례 없는 속도로 팽창했다. 매년 평균 1퍼센트씩 증가했다. 1800년이 되면 300년 전에 비해 23배나 되는 물건이 배에 실려 운송됐다. 물론 이는 교역 수준의 상승을 반영한 것이지만, 보다 적절하게는 구매하고 과시하고 지위를 강조하려는 충동의 증가와, 무엇보다도 이런 욕구에 대응하고 이를 충족시키기 위한 상업자본의 투입이 증가했기 때문이다.[64]

그런 요구가 생태계에 부담을 준다는 것은 고대에도 알고 있었다. 이 문제는 1500년까지는 매우 강력하고 빈번하게 상술됐다. 이미 오래전에 독일의 삼림 고갈이 매우 심각해, 보호가 원칙이고 삼림을 벌채하려면 특별 허가가 필요했다. 1230년대에 대주교인 잘츠부르크의 에버하르트Eberhard von Salzburg는 교회 소유의 삼림을 경작지로 바꾸는 것을 명확히 금지해 나무가 다시 자랄 수 있게 했다.[65] 수십 년 뒤 독일 왕 하인리히 7세는 자신의 왕국과 "자신에게 화가 닥쳤다"라고 선언했다. "왕국의 삼림이 파괴"되고 이것이 경작지로 재사용됐기 때문이다. 그는 그것을 재앙이라고 생각했다.[66]

15세기 초에 베네치아는 이탈리아 본토로부터의 목재 공급을 확실히 통제하기 위한 조치를 취했다. 각국이 지속 가능한 자원을 과다 소비할 때 일어날 수 있는 취약성을 인식했기 때문이다. 자체 삼림이 없는 이 해양 도시국가는 목재 부족(그리고 가격 상승)에 취약했다. 가격은 비쌌고, 부족한 상황을 극복하기 어려웠다. 예를 들어 1530년대의 이례적으로 추웠던 한 시기에 당국은 정부 기구와 산업이 모두 마비됐다고 불평했다. "우리 주조소가 돌아가지 않고 있다. 유리 제조업자, 염색업자, 금속 가공업자 같은 기술공들도 마찬가지다." 이것은 심각한 상황이었고, 위태로운 상황이기도 했다.

잉글랜드의 헨리 8세는 바로 그런 문제에 관해 불평했다. 재위 중반에 "목재와 삼림의 상당한 고갈"의 결과로 "크고도 분명한 결핍 가능성"이 있음을 인정하는 법을 제정할 때였다. 100년 후 한 논자가 말했듯이 많은 사람들이 나무를 베었지만 "나무를 심거나 보존하는 사람은 적거나 아예 없었다." 그가 글을 쓰고 있는 시점에 잉글랜드에는 과거에 비해 10분의 1 정도의 삼림만이 남아 있다고 그는 말했다. 이것은 위험한 일이라고 그는 직설적으로 말했다. "따라서 이렇게 생각해야 한다. 숲이 없으면 왕국도 없다고."[67]

세계의 여러 지역에서 그런 우려를 하고 있었던 것은 당연한 일이었다. 부와 권력은 농업 생산과 긴밀하게 연결돼 있었다. 그것은 지배자들이 개간을 해서 삼림을 경작지로 바꾸는 일을 지원하도록 강한 동기 유발을 했다. 경작지는 정착지를 뒷받침하고 경작을 확대하며 환금작물(거기에 수확하는 대로 세금을 매긴다)을 생산할 수 있었다.[68]

예외는 있었다. 남인도 툴루바Tuluva 왕조의 크리슈나 데바라야Krishna Deva Raya(재위 1509~1529) 왕 같은 경우다. 국정 운영에 관한 그의 시 〈아묵타말랴다Āmuktamālyada〉는 왕들에게 삼림을 보존하고 보호하라고 조언했다. 개간을 통해 농경지를 늘릴 수 있게 하는 삼림 파괴는 억제돼야 했다. 특히 그것이 "숲과 산악 지역에서 떠돌아다니는 부족민들"을 침해하기 때문이다.[69] 그런 토착민들의 권리에 대한 관심은 매우 이례적인 것이었는데, 같은 시기 세계의 다른 지역에서 전개되고 있던 사태에 견주어 보면 그렇다.

포르투갈인들은 그런 15세기의 지리적·문화적 지평 확대 속에 있었다. 대중적인 역사서에서 아프리카 서해안을 따라 내려가고 대서양의 여러 섬과 군도群島(마데이라, 카나리아, 아조레스 같은)로 항해한 것은 상당 부분 엔히크 왕자의 공로로 치부되고 있다. '항해자'라는 별명은 포르투갈이 급속하게 새로운 세계와의 접촉에 나서고 있던 시기에 그가 했던 핵심적인 역할에 대한 단서를 제공한다.

엔히크는 마데이라 사탕수수 농장 개발 배후의 추동 세력이었던 금융업자, 상인, 항해자, 지도 제작자의 이해관계 조정자로서, 그리고 처음에는 이슬람교도, 이어 아프리카인 강제노동을 도입한 사람으로 묘사하는 것이 나을 듯하다. 1444년에 란사로트 파사냐Lançarote Passanha는 같은 인간을 노예로 삼는 일을 공식화한다는 의도하에 라고스Lagos 상사를 설립했다. 곧 배들이 남쪽으로 항해했다. 마찬가지로 '천국의 열매'로 알려진 말라게타malagueta 고추를 수입해 이득을 얻을 심산이었다. 지금의 가나 엘미나에서 금을 파는 곳을 찾으려는 생각도 했다.[70]

이들 항해는(그리고 아마도 가장 중요하게는 이를 통해 얻은 이득은) 더 먼 곳으로 가는 또 다른 여행을 자극했다. 1475년에 포르투갈의 배들은 적도를 넘어 남쪽으로 갔고, 20년 후 아프리카의 남쪽 끝에 도달했다. 왕은 수익성 있는 화물(인간, 식품, 금 따위)을 싣고 돌아오는 원정대들 덕분에 이득을 얻었다. 상품 가치의 5분의 1을 세금으로 거뒀다.

페르낭 로페스 드카스타네다Fernão Lopes de Castanheda(수십 년 뒤의 사람이다)

같은 일부 역사 기록자들에 따르면, 1480~1490년대의 포르투갈 지배자들 역시 해상 여행의 열렬한 옹호자였다. 홍해를 거쳐 이집트와 베네치아에서 들어오는 향신료, 약품, 보석 무역을 가로채고 싶은 욕망 때문이었다.[71]

이런 모험에 가담한 사람 가운데 한 명이 크리스토퍼 콜럼버스였다. 그는 강한 종교적 확신이 있었고 아시아와의 교역 수익금을 이슬람교도로부터 '성지'를 탈환하는 데 쓰고자 하는 욕망에서 남쪽이 아니라 서쪽으로 대서양을 건너 항해한다는 야심찬 계획을 세웠다. 그렇게 하면 중국, 일본, 인도, 동남아시아의 풍성한 시장에 도달할 수 있으리라는 희망을 품었다.

그는 포르투갈에서 자신의 계획에 대한 후원을 얻는 데 실패하자 카스티야와 아라곤 통합 왕국의 이사벨과 페르난도에게 갔다. 그리고 마침내 1492년 8월, 지금의 에스파냐 남부의 팔로스 데라프론테라 항구에서 항해를 떠났다.[72]

콜럼버스는 카리브해의 섬들에 성공적으로 도착한 뒤 그가 발견한 장소와 사람들에 대한 흥분에 찬 기록을 남겼다. 자신이 발견했다고 주장한 "금과 여러 가지 금속" 외에 그는 스스로 개발하기에 이상적인 자연환경과 마주쳤다고 강조했다. 그가 에스파뇰라Española로 명명한 섬에는 "경작지와 목초지로 모두 쓸 수 있는 가장 비옥한 큰 농장과 숲과 들판"이 많았다. 그가 후아나Juana(현재의 쿠바섬)라고 명명한 또 다른 섬 역시 "대단히 비옥"하며 안전한 항구가 많았다.[73] 현지인들이 재배하는 작물의 종류에 특히 관심이 쏠렸다. 면화와 함께 강낭콩·옥수수 등 식품류가 있었다. 옥수수는 "굽거나 갈아서 죽을 쑤는 등 요리를 하면 매우 맛이 좋왔다."[74] 그는 이렇게 썼다. "두 분 전하께서는 저를 믿으셔야 합니다. 이 섬들은 가장 비옥하고 온화하고 평탄하며, 온 세상에서 가장 좋은 곳입니다."[75]

그가 발견한 이 풍요로운 생태계에 대한 보고는 콜럼버스에 이어 대서양을 건넌 사람들의 일행이 남긴 기록과도 일치한다. 조반니 카보토 Giovanni Caboto(잉글랜드에서 활동해 존 캐벗John Cabot이라는 영어 이름으로 알려졌다)는 콜럼버스의 첫 항해로부터 5년 후 브리스틀을 출발했다. 동남아시아의 '향신료제도'가 목적지였는데, 그 대신에 지금의 캐나다 동북쪽 해안에 상륙했다.

북대서양의 풍성한 어장에 대해서는 수백 년 전부터 잘 알려져 있었지만, 물고기가 많아 거의 까무러칠 지경이었다. 바다는 "물고기 천지"였다고 밀라노 공작의 런던 파견원은 공작에게 썼다. 대구가 매우 많고 잡기 쉬워, 그물을 사용하는 대신에 돌을 매단 바구니를 어선 옆으로 내려뜨렸다가 배로 끌어올리기만 하면 되었다. 휴 엘리엇Hugh Elyot이 1502년 유럽으로 싣고 돌아온 첫 대구 화물의 가치가 좋은 농장의 1년 수입과 맞먹었다는 기록은 유럽인들이 이제 쉽고도 자주 갈 수 있음을 알게 된 세계 특정 지역의 천연자원으로부터 부를 일굴 수 있음을 보여주었다.[76]

흥분과 함께 실망과 당혹스러움도 있었다. 위대한 철학자와 시인들의 저작을 두루 읽은 16세기 말의 예수회 사제이자 생물학자였던 호세 데 아코스타José de Acosta는 이렇게 썼다. "나는 내가 적도에 가면 그 무시무시한 열기를 견딜 수 없을 것이라고 확신했다. (그러나) 나는 너무 춥게 느껴져서 때때로 햇볕이 있는 곳으로 나가 따뜻함을 유지했다." 이 모든 것이 그로 하여금 자신이 받은 교육을 의심하게 만들었다. "나는 아리스토텔레스의 기상학 이론과 그의 철학을 비웃고 조롱했다." 이 그리스 학자는 아무 생각 없이 떠들어댄 것이 틀림없었다.[77] 이것은 다른 사람들에게도 골칫거리였다. "추론에 이끌린 고대인들"은 상황을 아주 잘못 파악했음이 분명하다고 베르나베 코보Bernabé Cobo는 지적했다. 오늘날 남·북아메리카에 살고 있는 사람들은 세계, 그 기온과 기후에 대한 가설에 관해서라면 고대의 위대한 학자들이 생각했던 것과는 "정반대"임을 경험으로 알고 있다.[78]

남·북아메리카의 엄혹한 기후 조건은 많은 추측을 불러일으켰다. 어떤 사람들은 남아메리카에 물이 있는 구멍과 동굴이 많고, 태양의 힘이 수증기를 날아가게 해서 시원하게 만든다고 주장했다. 또 어떤 사람들은 비가 많이 내리기 때문에 그것이 열기를 없애 서늘한 날씨를 만들어준다고 주장했다. 또 다른 사람들은 두 손을 번쩍 들었다. 아메리카의 열대 지방은 아프리카의 열대와 같은 위도상에 있지만, 더 서늘했다. 한 논자는 이렇게 썼다. "이런 차이가 생긴 원인이 무엇인지 나는 모르겠다."[79]

현실은 예상과는 전혀 달랐다. 새로 온 사람들이 낯선 기후 때문에 해를 입거나 죽게 될 것이라는 예상 말이다. '신세계'에 관한 초기 기록들은 생태계가 아주 다르다는 점을 강조했다. 잉글랜드의 자연철학자 리처드 이든Richard Eden의 표현을 빌리면 "유해한 공기와 극심한 열기" 같은 것이다. 자연환경이 너무도 이상해서 밀이나 소 등 유럽의 "것들의 형태와 자질을 변형"시켰다고 그는 덧붙였다.[80] 어떤 사람들은 아메리카로 가는 사람들이 다른 "공기, 음식, 식수" 때문에 공황 상태에 빠지고 결국 "괴로운 병과 심한 질환"을 앓게 되지 않을까 걱정했다.[81]

이는 다시 생태계를 서열화(그것은 인종에 관해 개발된 관념에서도 반복된다)하는 씨앗을 뿌리는 데 일조했다. 잉글랜드에서 재배한 담배는 아메리카 땅에서 자란 것에 비해 "우리 신체의 체질에 더 적합"하다고 〈초목: 식물일반론The Herball, or Generall Historie of Plantes〉의 저자인 식물학자 존 제라드John Gerard는 말했다.[82] 적어도 일부 유럽인이 생각하기에 아메리카에서 자란 것들은 유럽에서 자란 것에 비해 더 작고 더 위험하고 더 좋지 않았다. 아메리카에서는 동물의 생활이 "덜 활동적이고 덜 다양하며 심지어 덜 활기차다"라고 18세기의 조르주루이 르클레르 드 뷔퐁은 썼다. 동물들이 종수가 적을 뿐만 아니라 일반적으로 "구대륙의 것에 비해 체구도 작다."[83]

이런 생각이 자리를 잡으면서 굳어지고 수백 년 동안 사고에 영향을 미쳤다. 뷔퐁과 비슷한 시기의 네덜란드 철학자 코르넬리스 데파우Cornelis de Pauw는 이렇게 주장했다. "유럽인들이 아메리카로 가면 퇴화한다. 동물들이 그러하듯이 말이다. 기후가 인간에게나 동물에게나 호전되는 데 도움이 되지 않는다는 증거다." 북아메리카의 기후와 자연환경은 이성을 마비시킬 정도였다. 파우와 동시대인이었던 기욤 레이날Guillaume Raynal은 이렇게 썼다. "아메리카는 아직 좋은 시 한 편, 재능 있는 수학자 한 사람, 하나의 기술이나 하나의 과학에서 천재적인 사람 한 명을 낳지 못했다."[84] 뷔퐁 역시 북아메리카에 살고 있던 사람들에 대해 가차없었다. 토착민과 그곳에 정착한 이주민의 물결이 분명히 "새 국민"을 형성했지만, 그것은 인상적인 것이 아니라고 그는 썼다. "그들의 무지에, 그리고 그중 가장 개화한 사람들이 예술에서 이룬 하찮은 진보에" 갇혀 있다는 것이다.[85]

그러나 모두가 그렇게 생각한 것은 아니었다. 알렉산더 해밀턴은 "심오한 철학자로 존경받는 사람들"을 경멸했다. 그들은 "모든 동물, 그리고 인간도 아메리카에서는 퇴화하며 심지어 개들조차도 잠깐 여기서 숨쉬고 살다 보면 짖는 법을 잊어버린다고 진지하게 주장"할 만큼 어리석을 수 있었다. 그런 평가는 그 필자들과 유럽인 일반의 "오만한 허세"를 꼬집는 것이었다. 더구나 그들의 말은 과학적 자료를 연구해보면 쉽게 논파될 수 있었다. 그들은 그런 자료를 수집하려고 애쓰거나 심지어 그럴 생각조차 거의 하지 않았다.[86]

아주 옳은 말이라고 토머스 제퍼슨은 동의했다. 그리스인들이 "호메로스를, 로마인들이 베르길리우스를, 프랑스인들이 라신과 볼테르를, 잉글랜드인들이 셰익스피어와 밀턴을" 낳은 데는 오랜 시간이 걸렸다. 미국은 신생 국가이고 비슷한 천재성을 지닌 시인이 나오려면 좀 더 시간이 필요했다.[87]

물론 유럽인들은 마음속으로 아메리카를 '신세계'로 그리면서 그들이 대서양을 건너기 전 수만 년 동안 이 대륙에 정착해 살았던 토착민들은 전혀 염두에 두지 않았다. 초기 유럽 여행자들과 그들의 뒤를 이어 물결을 이룬 정착자들의 관념 속에 아메리카는 미개척지였고 개발할 때가 된 곳이었다. 사실상 현지 주민들이 토지를 이용하는 방식은 적절하지 않은 것이었고, 현지 주민 자체도 마찬가지였다.

유럽에서 배를 타고 대서양을 건너간 사람들의 첫 번째 물결(그들은 콩키스타도르conquistador, 즉 '정복자'로 알려지게 된다)이 동산 재물의 빠른 보상에 이끌렸던 것은 분명한 사실이다. 특히 중앙아메리카의 멕시카(또는 아스테카)와 남아메리카의 잉카로부터 약탈한 금, 은, 보석이 그 대상이었고, 그것은 추수 들판에서 가져온 밀이라도 되는 듯이 엄청난 양으로 세비야 부둣가에 쌓여 있었다. 그러나 약탈과 노획의 첫 번째 물결이 지난 뒤에 아메리카는 그 생태계가 변형되고 개발될 수 있는 환경이라는 점에서 일차적 중요성을 갖게 되었다.

이 과정을 이끌어간 정력(그리고 잔인성)은 앞으로 보게 되듯이 그 자체로 중요한 이야기다. 인간의 예속을, 노예제를, 그리고 인종에 대한 기괴한 관념을 중심으로 한 이야기다. 아메리카의 토착민들에 대한 끔찍한 학대가 이 악폐에서 핵심적인 역할을 했지만, 아프리카에서 온 사람들에 대한 학대 역시 마찬가지였다. 그들은 가족의 품에서 강제로 떼여 자신들의 의사에 반해 끔찍한 조건 속에서 배에 실려 대서양을 건넌 뒤, 그들의 '소유자'와 '주인'을 위해 강제노동을 하며 주인들이 큰돈을 버는 데 일조해야 했다.

따라서 어떤 면에서 아메리카를 찾거나 그곳에 정착한 많은 사람들이 새로 발견한 환경 조건에 실망했다는 것은 너무도 쉽게 간과될 수 있는 한 가지 의문을 불러일으킨다. 유럽인들은 왜 애초에 본향 근처에 머무는 대신 대서양 건너로 확장하고자 했을까? 결국 포르투갈과 에스파냐의 개척자들은 15세기 후반과 16세기 초에 마데이라, 아조레스, 상투메 같은 곳에 농장을 마련하는 데 성공했다. 그렇다면 그들은 왜 바로 서아프리카에서 같은 일을 하는 데 관심을 기울이지 않았을까?

그곳은 결국 대서양 건너편과 비슷하거나 기후 조건이 더 나은 지역이었다. 지역과 토양은 카리브해와 남·북아메리카에서 매우 수익성이 있는 것으로 입증된 사탕수수, 벼, 면화 같은 작물을 재배하는 데 매우 적합했다. 서아프리카에는 또한 노동력이 풍부했다. 그 규모는 다름 아닌 노예무역 자체로 보아 자명하다. 게다가 서아프리카는 유럽 시장에 더 가까웠다. 따라서 운송 과정이 대서양을 건너는 것에 비해 더 빠르고 덜 위험했기 때문에 운송비가 줄어 상품 가격을 낮출 수 있었다.

나중의 한 잉글랜드 관리가 말했듯이 "서인도제도에서 잘된 모든 것"이 서아프리카에서도 잘될 수 있었다. 다른 사람들도 대서양을 건너는 "항해와 비교할 때 잉글랜드와 아프리카 해안 사이는 거리가 가깝고 항해도 안전해" 서아프리카에 농장을 마련한다는 생각은 장거리 연결에 비해 훨씬 바람직한 것이라고 지적했다. 설탕 생산을 세 배로 끌어올릴 수 있었다.[88]

일부에서는 토양의 비옥도와 산성도, 강우 분포 패턴이 환금작물 재배에 완전히 적합한지에 대해 의문을 표했지만, 그런 작물들이 19세기 중반 이후 성공적으로 재배됐다는 사실은 그것들이 유럽의 해상 팽창 시기에 재배되지 않은 다른 이유가 있었음을 시사한다. 상투메 같은 곳들은 아프리카 해안을 따라 다른 곳에서 비슷한 개발을 하기 위한 '디딤돌'이 될 수 있었다. 그 대신에 아프리카는 집중적인 농업 투자를 위한 장소가 아니라 노동력의 공급지가 되었다.[89]

열대 아프리카의 질병 환경에 초점을 맞춰온 역사가들은 유럽인들이 역학적으로 중대한 약점이 있었음을 지적했다. 현지 주민들이 수천 년에 걸쳐 축적해온 말라리아와 황열병에 대한 면역력이 없기 때문이다. 시작부터 서아프리카의 유럽인들은 "치명적인 열병이라는 불의 검을 지닌 공격의 천사"를 만났고, 그 결과로 방문자와 정착자들이 "대개 열이 올라 죽었다."[90] 반면에 '신세계'에서는 생물학적 승산이 그들에게 크게 유리한 쪽으로 기울었다. 그곳에서는 역으로 토착민들이 새로 온 사람들과 그들이 데려온 동물에 의해 들어온 전염병으로 고난을 당했다.[91]

이는 모두 분명한 사실이었다. 그러나 더 중요한 것은 서아프리카 국가들의 정치 조직이 매우 발달해 식민화를 고려하기가 거의 불가능할 정도였다는 사실이다. 적어도 수백 년 동안은 말이다. 사실 19세기까지 유럽인들은 "해안에서 쏘는 대포 너머로" 뚫고 들어가기가 거의 불가능했다. 콩고, 베닌, 오요와 기타 왕국들은 습격을 완벽하게 물리칠 수 있었고, 고국으로부터 아주 멀리까지 나온 소수의 사람들이 가하는 군사적 압박에 그다지 위협받지 않았다. 그들의 정착지는 해안의 몇몇 요새에 불과했고, 그들의 상업 활동은 강압에 의존할 수 없고 협상에 의존했다.[92]

한 학자가 지적했듯이 유럽인들은 아프리카의 잠재력을 확신했다. 문제는 그들이 금광을 장악하는 것은 고사하고 접근하는 데도 "완전히 실패"했다는 것이다. 그들이 원했던 농장 개발도 할 수 없었다. "아프리카인들이 저항한 결과로 유럽인들은 차선책을 택할 수밖에 없었다. 아프리카의 농장과 광산에서 노예로 일을 시키는 대신에 노예를 배에 싣고 다른 곳으로 가는 것이었다." 사태는 이후의 시기에 극적으로 변하게 되지만, 유럽이 아메리카와 접촉하던 시기의 현실은 분명하고도 뚜렷했다. "노예무역은 아프리카의 약함이 드러난 것이 아니라 강함이 드러난 것이었다."[93]

아메리카가 식민지가 된 데는 여러 가지 이유가 있었다. 잘못된 정보, 정보 부족과 기대치 상승, 정착자들 사이의 경쟁, 추가적인 발견을 향한 독려 같은 것들이었다. 그곳은 적어도 유럽인들에게는 흥분과 기회를 제공하는 '신세계'였다. 때로는 실망을 주기도 했지만 말이다.

그러나 가장 큰 이유는 현실적이고 간과되기 쉬운 것이었다. 15세기와 그 이후에 세계 모든 지역의 특징이었던 서로 다른 발견의 시대에는 여러 가지 복잡한 동기가 있었지만, 가장 설득력 없는 것은 학습과 지식을 위해 세계의 새로운 민족과 새로운 지역에 관한 정보를 수집한다는 이상주의적 관념이었다. 세계 역사에서 다음 주기를 추동한 것은 이익 추구였다. 그것이 정치권력을 재편하고, 생태계를 변화시키며, 궁극적으로 기후 자체를 변화시켰다.